KB196633

에듀윌과 함께 시작하면,
당신도 합격할 수 있습니다!

취업 성공을 위해
한경TESAT S급을 취득하여 자신감을 얻은 취업 준비생

바쁜 일상 속에서도
새로운 도전으로 1급 합격을 이룬 직장인

비전공자여서 망설였지만
두 달 만에 2급에 합격하여 학점을 취득한 편입 준비생

누구나 합격할 수 있습니다.
해내겠다는 '다짐' 하나면 충분합니다.

마지막 페이지를 덮으면,

**에듀윌과 함께
한경TESAT 합격이 시작됩니다.**

eduwill

에듀윌 한경TESAT 합격 스토리

황○욱 합격생

에듀윌 합격 커리큘럼으로 S급 달성했어요!

에듀윌 인강으로 TESAT 공부를 시작했습니다. 전공이 상경계열이라 쉽게 이해되는 부분도 있었지만, 배운 지 오래된 내용들은 잘 기억이 나지 않았기에 에듀윌 인강이 많은 도움이 되었습니다. 특히 이론에 실제 기사 내용을 접목시켜서 설명해 주신 것이 이해하는 데 큰 도움이 되었습니다. 교재는 한권끝장을 1회독 후 600제 문제집으로 부족한 부분의 문제를 풀었습니다. 맞힌 문제와 틀린 문제 모두 오답 정리를 꼼꼼히 한 덕분에 최고 등급의 성적을 받을 수 있었던 것 같습니다. 다른 수험생 분들도 에듀윌 인강으로 개념을 익힌 후 충분히 복습하신다면 좋은 성적을 받으실 것 같습니다.

정○진 합격생

기출문제가 있어 합격이 쉬웠어요!

단기간에 TESAT을 준비해야 했던 저는 에듀윌 한권끝장 교재를 중심으로 인강을 수강했습니다. 경제이론은 책과 강의 내용을 충분히 이해하는 것이 중요합니다. TESAT은 기출문제가 굉장히 중요한데, 에듀윌 교재에는 실제 기출문제가 함께 수록되어 있었습니다. 거의 동일한 문제가 출제되는 등 실제 시험에 적중률이 높아 이를 풀어보고 시험에 응시한 점이 '1급'을 획득할 수 있었던 포인트였던 것 같습니다. 이론 뒤에 수록된 기출동형 연습문제도 실제 시험과 매우 유사하기 때문에 시간이 된다면 문제를 모두 풀어보는 것을 추천합니다.

이○진 합격생

비전공자도 고등급 취득 가능해요!

저는 편입을 준비하고 있어 학점을 취득하기 위해 TESAT을 공부했어야 했습니다. 하지만 저는 경제 관련 전공자가 아니고, 다른 일과 병행했기에 시간이 많이 없었습니다. 그래서 독학보다는 인강을 듣는 게 더 효율적이라고 보았습니다. 저는 에듀윌 이종학 교수님의 강의를 수강했는데요. 비전공자임에도 불구하고 교수님의 알기 쉬운 설명과 재치 있는 입담으로 지루하지 않게 들을 수 있었습니다. 에듀윌에서 만든 TESAT 한권끝장 교재도 이름이 왜 한권끝장인지 알 수 있는 알찬 구성이었습니다. 강의와 교재로 공부한 결과, 3급이 목표였는데 결과는 '2급'으로 기분 좋게 초과 달성했습니다!

다음 합격의 주인공은 당신입니다!

더 많은
합격 스토리

회원 가입하고
100% 무료 혜택 제공

무료 혜택 1

초보 수험 가이드

학습플랜/샘플문제
&고득점 전략 TIP 제공

*PDF로 제공

무료 혜택 2

입문특강

경제기초/경영기초/
학습비법 정리

*무료 신청 1회, 수강일로부터 3일

무료 혜택 3

시사상식 특강

주요 시사상식 특강
&시사 자료집 제공

*자료집 PDF로 제공

무료 혜택 4

고득점 특강

단 10강 만으로
확실한 고득점 마무리

*무료 신청 1회, 수강일로부터 3일

무료 혜택
바로 가기

eduwill

1초 합격예측
모바일 성적분석표

클릭 한 번으로 1초 안에 성적을 확인할 수 있습니다!

활용 GUIDE

실시간 성적분석 방법!

STEP 1
QR 코드 스캔

▶

STEP 2
모바일 OMR 입력

▶

STEP 3
자동채점 &
성적분석표 확인

STEP 1

QR 코드 스캔

- QR 코드를 모바일로 스캔 후 에듀윌 회원 로그인

STEP 2

모바일 OMR 입력

- 회차 확인 후 '응시하기' 클릭
- 모바일 OMR에 답안 입력
- 문제풀이 시간까지 측정 가능

STEP 3

자동채점 & 성적분석표 확인

- 제출 시 자동으로 채점 완료
- 합격 여부 확인 및 영역별 정답률을 통해 취약점 파악

처음에는 당신이 원하는 곳으로
갈 수는 없겠지만,
당신이 지금 있는 곳에서
출발할 수는 있을 것이다.

– 작자 미상

2024
에듀윌 TESAT

8회분 기출문제집

+해설특강

TESAT 자가 진단표

점수 확인하기

자동채점 서비스를 이용하여 편하게 채점하고, 점수의 변화를 기록하시기 바랍니다.

과목	79회 기출	78회 기출	77회 특별 기출	74회 특별 기출	74회 기출	68회 기출	62회 기출	61회 기출
경제이론	/100점	/100점	/100점	/100점	/100점	/100점	/100점	/100점
시사경제 · 경영	/100점	/100점	/100점	/100점	/100점	/100점	/100점	/100점
상황추론 · 판단	/100점	/100점	/100점	/100점	/100점	/100점	/100점	/100점
합계	/300점	/300점	/300점	/300점	/300점	/300점	/300점	/300점

최신 4회분(79회~74회 특별) 문항별 키워드

☑ 반복적으로 틀리는 키워드를 파악하여 자신의 약점을 보완할 수 있습니다.

79회 기출 키워드

1	기회비용	21	경제활동 참가율	41	아르헨티나	61	물가 안정
2	통화정책	22	시장 균형	42	카니발리제이션	62	기업가 정신
3	조세의 효과	23	솔로우 성장모형	43	미국 3대 지수	63	외환시장
4	경제성장 정책	24	자중손실, 사중손실	44	균형 재정	64	좀비기업
5	가격차별	25	환율 상승 요인	45	금융 상품	65	수요 공급의 변화
6	GDP	26	자원의 희소성	46	R의 공포, 리세션	66	이윤극대화
7	미시경제학	27	총수요 총공급	47	그린메일	67	치킨게임
8	저축의 역설	28	비교우위	48	최저임금	68	재정 건전성
9	재화의 종류	29	총수요	49	갈라파고스	69	소득 분배
10	화폐 중립성	30	기펜재	50	투자세액 공제	70	글로벌 최저한세
11	공유지의 비극	31	페트로	51	무역 장벽	71	GDP
12	독점적 경쟁 시장	32	주식시장	52	ISA	72	독과점
13	물가 안정 목표제	33	화폐유통속도	53	금융허브	73	수요 공급의 변화
14	실업의 종류	34	황금주	54	리디노미네이션	74	국부론
15	소비자 잉여	35	CES	55	공매도	75	경제 체제
16	실질이자율	36	님비	56	불황형 흑자	76	인구 통계
17	소비자 효용	37	서학개미	57	프로크루스테스의 침대	77	기대수익과 위험
18	도덕적 해이	38	파킨슨 법칙	58	포퓰리즘	78	통화정책
19	기업의 특징	39	시뇨리지	59	중진국 함정	79	경기종합지수
20	필립스 곡선	40	동맹	60	테슬라	80	수출주도 성장

78회 기출 키워드

1	기회비용	21	규모에 대한 수익 체증	41	국민부담률	61	수요·공급의 변화
2	GDP(국내총생산)	22	필립스 곡선	42	동전주	62	인플레이션
3	정부실패	23	가격차별	43	원유시장	63	국제 유가
4	인플레이션	24	무역	44	월드컵 개최국	64	국민 총소득
5	도덕적 해이	25	경합성 배제성	45	그림자 금융	65	독점적 경쟁시장
6	부채	26	루카스 비판, 합리적 기대	46	기준금리 인상	66	망 중립성
7	보조금	27	시장의 형태	47	GDP	67	가격차별
8	수요의 탄력성	28	대체재 보완재	48	M&A	68	실질 국민 총소득
9	케인스	29	외환보유액	49	IMF, SDR	69	통화정책
10	금융 상품	30	임금경직성	50	데드 캣 바운스	70	기준 금리 인상
11	수요와 공급	31	핌피(PIMFY)	51	LCC	71	기대 효용
12	실업	32	포워드 가이던스	52	온디맨드	72	신용등급
13	지니계수	33	회색 코뿔소(grey rhino)	53	법정 최고금리	73	환율
14	통화정책, 재정정책	34	가격제한폭	54	영국의 경제위기	74	경기 순환
15	국제무역	35	자본잠식	55	트리핀 딜레마	75	규제
16	부가세	36	Fed 의장	56	분산투자	76	이윤극대화
17	외부불경제	37	액면분할	57	유니콘	77	수요·공급
18	시장	38	화이트존	58	조각투자	78	세계국제지수
19	기준금리	39	민스키 모멘트	59	파킨슨 법칙	79	가격
20	현재가치	40	감사의견	60	마스티지	80	신용화폐제도

점수로 나의 등급 파악하기

점수		79회 기출	78회 기출	77회 특별 기출	74회 특별 기출	74회 기출	68회 기출	62회 기출	61회 기출
270	S급 ZONE								
240	1급 ZONE								
210	2급 ZONE								
180	3급 ZONE								
150	4급 ZONE								
120	5급 ZONE								
0	입문 ZONE								

77회 특별 기출 키워드

1	경제의 기초	21	국제수지	41	공매도	61	공급감소
2	GDP	22	시장의 종류	42	디폴트 옵션	62	강달러
3	수요곡선	23	재정정책	43	조회공시	63	사회복지
4	인플레이션	24	환율	44	통화스와프	64	독점의 장점
5	소비자잉여, 생산자잉여	25	경제체제	45	알프레드 마샬, 밀턴 프리드먼	65	경제활동참가율, 실업률, 고용률
6	통화정책의 경로	26	통화정책	46	톱니효과	66	신용 점수
7	세금	27	정상재와 열등재	47	치킨 게임	67	독과점
8	이자율	28	외환보유액	48	로보어드바이저	68	총수요의 증가
9	경기순환	29	가격차별	49	독과점	69	지대추구
10	정보의 비대칭	30	최고가격과 조세	50	패리티	70	테이퍼링
11	GDP	31	풍선효과	51	아람코	71	시장
12	무차별 곡선	32	리스크 축소	52	발생주의 회계	72	시장 실패, 정부 실패
13	재정정책(케인즈)	33	인플레이션 감축법	53	수직계열화	73	수입 관세
14	조세 귀착	34	경기 선행지표	54	안전자산	74	생애주기가설
15	교역의 이익	35	코픽스(COFIX)	55	오버슈팅	75	통화정책
16	밴드웨건 효과	36	국민연금	56	RBC(Risk-Based Capital)	76	고통지수
17	필립스 곡선	37	전환사채	57	리쇼어링	77	정보 비대칭
18	외부성	38	국부펀드	58	잭슨홀 미팅	78	로렌츠 곡선
19	경제 주체	39	기간산업	59	신용평가사	79	전세자금대출
20	실업	40	그레이 스완, 그레이 라이노	60	님비	80	근본자원

74회 특별 기출 키워드

1	경제의 기초	21	재정정책의 효과	41	금리인상	61	시장경제
2	공유지의 비극	22	통화량	42	취업유발계수	62	수요, 공급
3	확장적 통화정책	23	통화	43	대만	63	금리역전
4	미시경제학, 거시경제학	24	가격통제	44	그린북	64	과유불급
5	지대추구행위	25	환율	45	크립토 윈터	65	보완재, 보조금
6	비교우위	26	외부성	46	매파	66	실질이자율
7	인플레이션	27	파레토 효율	47	골디락스	67	소득분배
8	경제체제	28	자연실업률	48	빅테크	68	경제활동참가율, 실업률
9	필립스 곡선	29	가격차별	49	니어쇼어링	69	국부론
10	GDP	30	채권	50	발생주의	70	기준 금리 인하
11	조세	31	스테이블 코인	51	액면분할	71	조세
12	소비자 잉여	32	엔데믹	52	펭귄효과	72	조세
13	기준금리 인상	33	D의 공포	53	황제주, 동전주	73	OPEC
14	공공재	34	MVNO	54	조각투자	74	부채 탕감 정책
15	조세귀착	35	모빌리티	55	감사의견	75	총수요 증가
16	공급 충격	36	건전성 지표	56	주식회사	76	국민연금
17	완전경쟁시장	37	예대마진	57	쌍둥이 적자	77	역선택
18	무역의 이익	38	양적긴축	58	경제지표	78	지니계수
19	시장 균형	39	특별인출권	59	공정거래위원회	79	테일러준칙
20	항상소득가설	40	IPEF	60	탄소거래	80	하이퍼인플레이션

구성

최다 기출문제 8회분

기출문제 풀이

모바일로 QR 코드를 스캔하여 OMR에 정답을
체크하면 자동으로 채점됩니다.

등급예측 + 성적분석

실제 시험이었을 경우, 예상 등급과 약점이 무
엇인지 파악할 수 있습니다.

기출해설 무료특강

차례 페이지에 있는 QR 코드만 스캔하면, 전체 기출해설 특강(총24강)을 모두 무료로 시청하실 수 있습니다.
저자의 해설강의를 들으며 부족한 부분을 보완하시기 바랍니다.

기출해설 무료특강 경로

에듀윌 도서몰 book.eduwill.net > 동영상강의실

차례

최다 기출문제 8회분

기출해설 무료특강

QR 코드는 무엇으로 스캔할까?

❶ [네이버앱] → 그린닷 → 렌즈

❷ [카카오톡] → 더보기 → 코드 스캔

❸ 스마트폰 내장 카메라

❹ Google Play 또는 App Store에서 QR 코드 스캔 앱 설치

TESAT의 모든 것

TESAT이란?

TESAT이란 'Test of Economic Sense And Thinking'의 약어로 시장경제에 대한 지식과 이해도를 측정하는 경제 지력 · 사고력 테스트이다. 단편적인 경제 지식을 묻는 퀴즈식 시험이 아니라 복잡한 경제현상을 얼마나 잘 이해하고 있는가를 객관적으로 평가하는 종합경제 시험이다. 한국경제신문이 주최하며 2010년 11월 정부로부터 '국가공인' 자격시험으로 인정받았다.

출제기준 및 배점

☑ **출제기준**

▶ **경제이론**

경제 정보를 이해하는 데 필요한 주요 경제 이론 지식을 테스트한다. 경제기초, 미시, 거시, 금융, 국제 등 경제학 전 분야에서 골고루 출제된다.

▶ **시사경제(경영)**

경제 · 경영과 관련된 뉴스를 이해하는 데 필요한 배경지식을 테스트한다. 새로운 경제정책과 산업, 기업 관련 뉴스 이해에 필요한 경제 · 경영 상식을 검증한다.

▶ **응용복합(상황판단)**

경제, 경영, 시사 상식을 결합한 심화 영역으로 경제상황을 분석 · 추론 · 판단할 수 있는 종합 사고력을 테스트한다. 자료(통계)해석형, 이슈분석형, 의사결정형의 문항으로 출제한다. 여러 변수를 고려해야 하는 경제이해력의 특성을 감안해 마련한 영역이다.

☑ 배점

영역	출제 범위	지식이해 (3점)	적용 (4점)	분석추론 (5점)	합계
경제이론	기초일반, 미시, 거시, 금융, 국제	20문항 60점	10문항 40점	–	30문항 100점
시사경제 (경영)	정책(통계), 상식(용어), 경영(회사법, 회계, 재무)	20문항 60점	10문항 40점	–	30문항 100점
응용복합 (상황판단)	자료해석, 이슈분석 의사결정(비용편익분석)	–	–	20문항	20문항 100점

2024 시험일정 및 시간

☑ 2024 시험일정

회차	시험일자	접수기간	성적발표일
85회	2024.02.03.(토)	2024.01.02. ~ 2024.01.22.	2024.02.08.
86회	2024.03.16.(토)	2024.02.06. ~ 2024.03.04.	2024.03.22.
87회	2024.04.20.(토)	2024.03.19. ~ 2024.04.08.	2024.04.26.
88회	2024.05.18.(토)	2024.04.23. ~ 2024.05.06.	2024.05.24.
89회	2024.06.29.(토)	2024.05.21. ~ 2024.06.17.	2024.07.05.
90회	2024.08.24.(토)	2024.07.08. ~ 2024.08.12.	2024.08.30.
91회	2024.09.28.(토)	2024.08.27. ~ 2024.09.16.	2024.10.04.
92회	2024.10.26.(토)	2024.10.01. ~ 2024.10.14.	2024.11.01.
93회	2024.11.23.(토)	2024.10.29. ~ 2024.11.11.	2024.11.29.
94회	2024.12.28.(토)	2024.11.26. ~ 2024.12.16.	2025.01.03.

☑ 시험시간

입실	오전 9시 30분까지	고사장	서울, 인천, 수원, 부산, 대구, 대전, 광주, 전주, 창원, 제주, 강원
시험시간	100분 (오전 10시 ~ 11시 40분)		

※ 상황에 따라 고사장이 변경될 수 있으므로 정확한 내용은 TESAT 홈페이지를 참고하시기 바랍니다.

등급 및 유효기간

☑ 점수에 따른 등급

총점을 기준으로 경제이해력 정도를 나타내는 S(최고 등급), 1~5의 등급을 부여하며, 백분율 석차도 함께 표시하고 있다.

* **TESAT이 검증하는 경제이해력** : 국내외에서 발생하는 각종 경제 정보를 제대로 이해하고 이를 바탕으로 주어진 경제 상황에서 합리적인 판단을 내리거나 주요 경제 이슈에 대해 독자적으로 의견을 제시할 수 있는 능력이다.

S급
(300~270점)
경제이해력 최고수준
경제현상 독자적 분석가능
현장에서 어떤 업무에도 투입 가능한 정도의 수준

1급
(240~269점)
경제이해력 매우 뛰어남
경제학과, 경영학과 졸업생 수준

2급
(210~239점)
경제이해력 우수
대학졸업생 중상위권 수준

3급
(180~209점)
경제이해력 보통
대학졸업생 중위권 수준

4급
(150~179점)
경제이해력 부족
고교졸업생 수준, 노력이 필요함

5급
(120~149점)
경제이해력 매우 부족
많은 노력이 필요함

* 120점 미만은 등급 외

☑ 성적 유효기간

성적 유효기간은 응시일로부터 2년이다. 2년 후에는 성적표의 재발급이나 성적 확인이 불가능하다.

TESAT의 활용 현황

☑ 활용 기업 · 단체

대졸 신입사원 채용 시 활용하는 기업 · 단체	• 삼성그룹 • SK • 코오롱 • 아모레퍼시픽 • 오뚜기 • 신영증권 • 한화그룹	• 현대차 • GS리테일 • BGF리테일 • 대우건설 • KT&G • IBK기업은행 • SPC그룹	• 현대제철 • 대림 • CJ • 넥센타이어 • 한국거래소 • 미래에셋증권 • 애경산업	• 현대카드 • S-oil • 모두투어 • 신세계 • KB국민카드 • 한국관광공사
임직원 승진 인사에 활용하는 기업 · 단체	• 퍼시스 • SK네트웍스	• 한국투자증권 • DB그룹	• 한국경제인연합회	

☑ 대입(학생부종합전형 기재) 시 사용

소관 부처	자격종목	등급	자격관리자
기획재정부	국제금융역	–	(사)한국금융연수원
	외환전문역	Ⅰ · Ⅱ종	
	경제이해력검증시험(TESAT)	S급, 1 · 2 · 3급	한국경제신문사
	경제경영이해력인증시험 매경TEST	최우수, 우수	매일경제신문사
	원가분석사	–	(사)한국원가관리협회

☑ 학점은행제 인정 학점으로 사용

분류	자격명	인정학점		표준교육과정 해당 전공	
		기존	변경 (18.04.01)	전문학사	학사
경영/경제	경제이해력검증시험(TESAT) S급	20	20	경영	경영학, 경제학
	경제이해력검증시험(TESAT) 1급	18	19		
	경제이해력검증시험(TESAT) 2급	16	18		
	경제이해력검증시험(TESAT) 3급	14	17		

- 문제지 표지에 성명과 수험번호를 적었는지 확인하십시오.
- 경제이론과 시사경제 · 경영은 문항당 3점, 4점이고 상황추론 · 판단은 문항당 5점입니다.
- 시험시간은 100분입니다.

〈 경 제 이 론 〉

1. 기회비용을 가장 잘 설명한 것은?

① 구매하고 남은 돈의 총액
② 구매할 때 쓰는 돈의 총액
③ 구매를 결정할 때 쓰는 시간
④ 무엇인가를 얻기 위해 포기한 편익
⑤ 기회를 잡기 위해 들인 돈의 총액

2. 중앙은행이 법정지급준비율을 올렸다고 하자. 이때 나타나는 현상으로 볼 수 없는 것은?

① 본원통화가 늘어난다.
② 콜금리가 상승 압력을 받는다.
③ 은행들의 신용창출 여력이 줄어든다.
④ 지급준비금이 부족한 은행은 중앙은행으로부터 차입을 늘린다.
⑤ 은행들은 지급준비금을 확보하기 위해 콜거래 시장에서 자금을 차입한다.

3. 기업이 생산한 상품에 정부가 조세(물품세)를 부과할 때, 이와 관련한 설명 중 옳지 않은 것은?

① 판매가격이 높아지고 거래량은 줄어든다.
② 공급곡선이 세금 부과만큼 위쪽으로 이동한다.
③ 공급의 가격탄력성이 클수록 공급자의 세금 부담이 적다.
④ 수요의 가격탄력성이 클수록 공급자가 세금을 적게 부담한다.
⑤ 생산자와 소비자 간 세금 부담의 크기는 탄력성에 따라 달라진다.

4. 경제성장을 위한 정책과 가장 거리가 먼 것은?

① 기술진보를 위하여 기업의 연구개발 활동을 장려하는 정책을 시행한다.
② 안정적인 경제활동을 위해 재산권에 대한 위협요소를 낮추는 정책을 실시한다.
③ 교육은 인적자본에 대한 투자이므로 수요자가 요구하는 교육제도와 체계를 만든다.
④ 외국인 투자자본의 투자 이익은 국외로 유출되므로 해외자본의 유입을 제한하는 정책을 시행한다.
⑤ 다른 조건이 같다면, 건강한 근로자들이 상대적으로 생산성이 높으므로 국민건강증진을 위한 정책을 시행한다.

5. 아래 내용을 가장 잘 설명할 수 있는 경제개념은 무엇인가?

> 세계적인 자동차 제조사들은 이윤 극대화를 위해 같은 자동차에 대해 자국과 외국에서의 가격을 다르게 책정할 수 있다. 자동차의 수요에 대한 탄력성이 다르기 때문이다.

① 록인효과
② 네트워크효과
③ 범위의 경제
④ 파레토 효율
⑤ 가격차별

6. 한국의 국내총생산(GDP)이 증가하는 경우를 〈보기〉에서 고르면?

> ─〈보기〉─
> ㄱ. 미국 기업이 한국에 공장을 지어 자동차를 생산한다.
> ㄴ. 미국인이 한국에 체류하면서 한국계 기업에서 근무한다.
> ㄷ. 한국 기업이 미국에 공장을 지어 반도체를 생산한다.
> ㄹ. 한국인이 미국에 체류하면서 한국계 기업의 지점에서 근무한다.

① ㄱ, ㄴ
② ㄱ, ㄷ
③ ㄴ, ㄷ
④ ㄴ, ㄹ
⑤ ㄷ, ㄹ

7. 미시경제학(Microeconomics)은 개별 경제주체들의 행동을 분석하는 데 초점을 맞추고 있다. 이때 미시경제학의 분석 분야에 해당하지 <u>않는</u> 것은?

① 산업 구조
② 경기 변동
③ 기업 행동
④ 소비자 행동
⑤ 시장의 효율성

8. 영국의 경제학자 케인스가 말하는 저축의 역설과 관련한 설명 중 옳지 <u>않은</u> 것은?

① 구성의 오류를 나타내는 사례이다.
② 박제가의 우물론과 같이 소비의 중요성을 설명한다.
③ 저축의 증가는 기업 투자를 늘려 총수요곡선을 좌측으로 이동시킨다.
④ 저축의 증가는 소비지출의 감소를 의미하고 이는 총수요 의 감소로 이어져 국민소득이 감소한다.
⑤ 각 개인이 저축을 늘리려고 시도하면 결과적으로는 사회 전체적으로 저축이 오히려 줄어들 수 있다.

9. 〈표〉는 경합성과 배제성을 기준으로 재화를 A~D로 분류한 것이다. 이와 관련한 설명 중 옳지 <u>않은</u> 것은?

구분		경합성	
		있음	없음
배제성	있음	A	B
	없음	C	D

① A는 C와 달리 가격을 지불해야 소비할 수 있다.
② B의 사례로 막히지 않는 유료도로가 있다.
③ 공공 목초지는 C에 해당한다.
④ A와 달리 D는 시장에서 과다공급되는 문제가 발생한다.
⑤ D는 무임승차 문제가 발생할 수 있다.

10. 고전학파가 주장하는 화폐중립성이 성립한다고 할 때, 일어 날 수 있는 현상으로 가장 적절한 것은?

① 가계 부문의 저축률이 급격히 증가한다.
② 가계 부문의 신용카드 사용액이 증가한다.
③ 총소비의 비중 중 내구재의 소비가 늘어난다.
④ 기업이 금융자산에 비해 설비투자의 비중을 늘린다.
⑤ 명목변수만의 변화가 소비자들의 구매 결정에 큰 영향을 미치지 않는다.

11. 시장경제 측면에서 공유지의 비극을 해소하기 위한 방안으로 가장 적절한 것은?

① 횡재세 부과
② 재산권 부여
③ 자원 균등 분배
④ 리니언시 시행
⑤ 정부 행정력 동원

12. 주유소, 이발소, 미용실, 커피 전문점과 같은 시장 형태와 관련한 설명 중 옳지 <u>않은</u> 것은?

① 기업이 어느 정도의 시장 지배력을 가진다.
② 광고나 판매조건 등 비가격경쟁이 치열하다.
③ 각 기업은 가격 수용자(price taker)가 된다.
④ 상표나 품질, 디자인 등에서 차별화된 상품을 생산한다.
⑤ 진입과 퇴출이 자유로워 초과이윤이 발생하면 새로운 기업이 진입한다.

13. 우리나라의 물가안정목표제와 관련한 설명 중 옳은 것은?

① 물가안정목표는 인플레이션 변동성을 낮추는 것이 목적이다.
② 우리나라 물가안정목표제의 대상 지표는 근원인플레이션율이다.
③ 한국은행은 물가안정목표제의 운용목표변수로 통화량을 사용한다.
④ 물가안정목표는 정부가 단기에서 달성하고자 하는 물가상승률 목표를 말한다.
⑤ 물가안정목표는 목표를 달성할 때까지 변경하지 못하도록 법으로 명시되어 있다.

14. A, B에서 설명한 실업의 종류를 알맞게 짝지으면?

> - A 실업: 난방 수요를 석탄 연료에서 가스 연료로 바꾸는 사람이 많아지면서 탄광에서 일하던 가영이는 일자리를 잃었다.
> - B 실업: IT기업에서 일하던 나영이는 사직서를 제출하고 조건이 더 좋은 다른 IT기업으로 이직하기 위해 구직 활동 중이다.

	A	B
①	구조적	마찰적
②	구조적	계절적
③	자발적	경기적
④	자발적	계절적
⑤	마찰적	구조적

15. 어떤 이가 피자를 소비하려 한다. 이 사람의 첫 번째 판에 대한 지불용의는 1만 원, 두 번째 판에 대한 지불용의는 7,000원, 세 번째 판에 대한 지불용의는 4,000원, 네 번째 판에 대한 지불용의는 2,000원이다. 피자 한 판의 가격이 5,000원이라고 할 때, 이 사람의 총 소비자잉여는 얼마인가?

① 3,000원
② 5,000원
③ 7,000원
④ 9,000원
⑤ 11,000원

16. 실물 투자에 가장 좋지 않은 명목이자율과 인플레이션율의 조합을 고르면?

	명목이자율	인플레이션율
①	3%	4%
②	1%	0%
③	2%	5%
④	1%	3%
⑤	0%	2%

17. 아래 지문과 표와 관련한 〈보기〉의 설명 중 옳은 것을 고르면?

> 아래 표는 갑의 X재와 Y재에 있어 재화 1개를 추가로 소비함에 따른 만족감의 증가분을 나타낸다. 갑의 용돈은 9달러이고, X재와 Y재 가격은 모두 개당 3달러이다. (단, 갑은 용돈을 모두 사용하여 X재와 Y재를 소비한다.)

소비량	1개째	2개째	3개째
X재 1개 추가 소비에 따른 만족감의 증가분	200	150	100
Y재 1개 추가 소비에 따른 만족감의 증가분	180	160	140

> 〈보기〉
> ㄱ. X재만 구입할 때의 총만족감은 Y재만 구입할 때보다 크다.
> ㄴ. X재 1개를 추가 소비함에 따라 얻는 만족감의 증가분은 일정하다.
> ㄷ. X재 1개와 Y재 2개를 구입하는 것이 합리적이다.
> ㄹ. 갑의 용돈이 6달러로 감소한다면, X재 1개, Y재 1개를 구입하는 것이 합리적이다.

① ㄱ, ㄴ
② ㄱ, ㄷ
③ ㄴ, ㄷ
④ ㄴ, ㄹ
⑤ ㄷ, ㄹ

18. A씨는 자동차 사고에 대비해서 1억 원의 자동차 보험에 가입했다. 이후 A씨는 자동차 운전 시 이전보다 주의를 기울이지 않게 되었다. 이것을 설명할 수 있는 개념은?

① 도덕적 해이
② 플라시보효과
③ 분수효과
④ 테일러 준칙
⑤ 피터팬 증후군

19. 경제주체 중 하나인 기업과 관련한 설명 중 옳지 않은 것은?

① 기업이 지속가능하기 위한 궁극적인 목표는 이윤극대화이다.
② 기업의 손실은 소비자의 요구를 충족시키지 못한 결과로도 볼 수 있다.
③ 기업은 소비자를 만족시키는 양질의 재화를 공급해야 이윤을 얻을 수 있다.
④ 기업의 규모는 시장거래의 한계비용과 내부거래의 한계비용이 같아질 때까지 커질 수 있다.
⑤ 기업은 재화 생산에 필요한 모든 시장거래를 기업 내에 내부화하는 것이 가장 효율적이다.

20. 아래 필립스곡선과 관련한 설명 중 옳지 않은 것은?

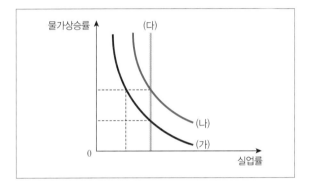

① (가)와 (나)는 단기 필립스곡선이다.
② (가)와 (나)는 인플레이션과 실업률 간의 상충관계를 보여준다.
③ (다)는 장기 필립스곡선이며, 자연실업률 수준에서 수직이다.
④ (다)를 통해 통화량 증가는 장기적으로 물가상승만을 초래한다는 점을 알 수 있다.
⑤ 필립스곡선이 (가)일 때 중앙은행이 통화량을 늘리면, 단기적으로 (나)로 바로 이동한다.

21. A국의 총인구가 5,000만 명, 비경제활동인구가 1,000만 명, 취업자 2,400만 명, 실업자 600만 명이라고 하자. 이때 경제활동참가율을 구하면?

① 60%
② 65%
③ 70%
④ 75%
⑤ 80%

22. 시장에서 가격과 거래량이 결정되는 과정과 관련한 설명 중 옳지 않은 것은?

① 수요가 증가하면, 시장가격은 상승한다.
② 초과공급이 존재하면, 시장가격은 상승한다.
③ 공급이 감소하면, 거래량이 줄어들고 가격은 상승한다.
④ 일반적으로 소득이 증가하면, 정상재의 가격은 상승한다.
⑤ 상품의 수출이 증가하면, 수출 상품의 국내 시장가격은 상승한다.

23. 기술진보가 있는 솔로우(Solow) 경제성장이론과 관련한 설명 중 옳지 않은 것은?

① 성장에 대한 자본 축적의 기여도는 점점 낮아진다.
② 경제성장 과정에서 GDP와 자본의 성장률은 동일하다.
③ 성장률의 점진적인 하락은 한계생산성의 체감 때문이다.
④ 1인당 GDP의 성장률은 시간이 지남에 따라 점점 낮아진다.
⑤ 지속 가능한 성장을 위해서는 결국 기술진보가 지속적으로 이루어져야 한다.

24. 아래 그림과 같이 가격상한이 P_0로 설정되면 시장에서 초과수요($Q_D - Q_S$)가 발생한다. 가격상한에 의해 발생하는 자중손실의 크기는 무엇인가?

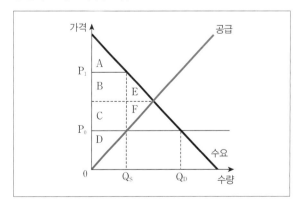

① A+D
② C+F
③ E+F
④ A+B+E
⑤ C+E+F

25. 달러화 대비 원화 환율이 상승하는 요인을 고르면? (단, 다른 조건은 일정하다고 가정한다.)

① 한국은행의 기준금리 인상
② 국내 기업의 설비투자 축소
③ 내국인의 해외여행 수요 증가
④ 정부의 외환시장 개입으로 달러 매도
⑤ 외국인 주식투자 자금의 국내 유입 증가

26. 경제문제가 발생하는 가장 근본적인 이유는?

① 임금이 급격하게 증가하기 때문이다.
② 인간의 행동은 이타적이기 때문이다.
③ 인간의 소비패턴이 일정하기 때문이다.
④ 인간의 욕구에 비해 자원이 희소하기 때문이다.
⑤ 식량의 증가 속도가 기술발전으로 매우 빠르기 때문이다.

27. 아래 그림은 총수요와 총공급이 일치하지 않을 때 나타나는 경제현상과 이에 대한 경제 정책을 나타낸 것이다. (가)~(라)에 들어갈 내용으로 옳지 <u>않은</u> 것은?

① (가): 재고 감소
② (가): 물가 상승
③ (나): 기준금리 인상
④ (다): 실업률 상승
⑤ (라): 정부 재정 흑자규모 확대

28. 아래 지문이 설명하는 경제 개념은?

> 교환이 상대방과 함께하는 것처럼, 무역도 상대방과 함께하는 상호작용이다. 개인이 서로 간 거래를 통해 이익을 얻는 것처럼, 두 나라가 무역을 통해 이익을 얻을 수 있다. 이것이 자유무역을 하는 이유이다.

① 비교우위
② 매몰비용
③ 2080법칙
④ 피셔효과
⑤ 코즈의 정리

29. 한 나라의 총수요를 증가시키는 요인이 <u>아닌</u> 것은?

① 기업의 투자 증가
② 해외 직구 수입 증가
③ 정부의 재정지출 증가
④ 가계의 소비지출 증가
⑤ 중앙은행의 기준금리 인하

30. 그림은 어떤 재화의 수요곡선을 나타낸다. 이와 관련한 설명 중 옳은 것은?

① (가) 구간에서도 수요의 법칙이 성립한다.
② (가) 구간에서 가격이 상승할 때 대체효과에 따른 수요량의 변화는 양수(+)이다.
③ (가) 구간에서 가격이 상승할 때 절대값을 기준으로 소득효과가 대체효과보다 크다.
④ (나) 구간에서 가격이 상승할 때 대체효과에 따른 수요량의 변화는 양수(+)이다.
⑤ (나) 구간에서 가격이 상승힐 때 질대값을 기준으로 소득효과가 대체효과보다 크다.

TESAT

〈 시사경제 · 경영 〉

31. 1974년 석유 파동이 터지자 사우디아라비아와 미국 사이에 '이것' 달러 시스템을 맺었다. 원유에 대한 결제는 달러화로만 한다는 이 약속으로 미국 달러화의 기축 통화 지위가 공고해졌다. '오일달러', '오일머니'라고도 불리는 '이것' 달러를 무엇이라고 하는가?

① 페트로
② 플라자
③ 브레튼
④ 킹스턴
⑤ 루브르

32. 주식시장에서 산타랠리, 어닝서프라이즈 이후 나타날 가장 관련이 깊은 현상은 무엇인가?

① 환율 상승
② 금리 하락
③ 파산 증가
④ 주가 상승
⑤ 예금 상승

33. 시중 유동성이 얼마나 잘 돌고 있는지를 볼 수 있는 지표로 가장 적합한 것은?

① 엥겔계수
② CDS프리미엄
③ 국민부담률
④ 화폐유통속도
⑤ 재할인율

34. '이것'은 한 주의 주식만 가지고 있어도 주주총회에서 거부권을 행사할 수 있다. 경영권 방어 수단의 일종인 '이것'은?

① 황금주
② 자사주
③ 가치주
④ 테마주
⑤ 우선주

35. 이 전시회는 매년 미국 라스베이거스에서 열리는 세계 최대 IT · 가전 전시회이다. 이때 글로벌 기업의 최신 기술이 공개되는데, 이 전시회의 영어 약자는?

① IFA
② CES
③ GMO
④ FTA
⑤ MWC

36. 자기 지역에 이익이 되지 않는 일을 강력히 반대하고 지역이기주의를 추구한다는 의미를 가진 용어를 고르면?

① 팡(FAANG)
② 님비(NIMBY)
③ 딩크(DINK)
④ 빅(BBIG)
⑤ 욜로(YOLO)

37. 미국, 유럽 등의 해외 주식에 직접 투자하는 국내 개인 투자자들을 가리키는 용어는?

① 핫머니
② 서학개미
③ MSCI
④ 테마섹
⑤ 대주거래

38. 기업들이 실제로 사업 인허가나 규제 완화를 요구하면 공무원의 관료주의 벽이 더 강해지는 사례가 많다. 이때 규제 완화를 명목으로 규제 업무를 담당하는 공무원을 오히려 늘리려는 '이것'이 재연되는 움직임도 감지된다. 이런 사례를 설명할 수 있는 '이것'은 무엇인가?

① 파킨슨 법칙
② 플래시백
③ 피터의 원리
④ 필리버스터
⑤ 파랑새 증후군

39. 화폐의 액면가에서 제작비용을 뺀 것으로, 국가가 화폐 발행으로 얻게 되는 이득을 나타내는 용어는?

① 듀레이션
② 캐시카우
③ 스프레드
④ 마일리지
⑤ 시뇨리지

40. 아래 나열한 협의체 및 동맹이 나오게 된 공통적인 목적으로 알맞은 것은?

- 오커스
- 쿼드
- 칩4

① 자원 개발
② 리쇼어링
③ 중국 견제
④ 파운드리 강화
⑤ 개발도상국 지원

41. 아래 나열한 내용이 지칭하는 나라의 이름은 무엇인가?

- 카타르 월드컵 우승국
- 수도 부에노스아이레스
- 페론주의 발상지

① 멕시코
② 콜롬비아
③ 우루과이
④ 크로아티아
⑤ 아르헨티나

42. 한 기업의 신제품이 기존의 자사 주력 제품이 가졌던 시장 점유율이나 수익성, 판매량 등을 하락시키는 현상을 뜻하는 용어는 무엇인가?

① 레드오션
② 서비스사이언스
③ 리스트럭처링
④ 닛지미게팅
⑤ 카니발리제이션

43. 미국 3대 주가지수를 〈보기〉에서 모두 고르면?

〈보기〉
ㄱ. S&P500 지수
ㄴ. 항셍 지수
ㄷ. 다우존스 지수
ㄹ. 나스닥 지수
ㅁ. 닛케이225 지수
ㅂ. FTSE100

① ㄱ, ㄴ, ㄷ
② ㄱ, ㄷ, ㄹ
③ ㄴ, ㄷ, ㅁ
④ ㄴ, ㅁ, ㅂ
⑤ ㄷ, ㄹ, ㅂ

44. 아래 나열한 제도들의 목적은 무엇인가?

• 예비타당성 조사
• 비용·편익 분석

① 국가균형발전
② 투자촉진
③ 고용창출
④ 예산낭비 방지
⑤ 물가상승 억제

45. 아래 그림은 금융상품 A, B의 일반적인 특징을 비교한 것이다. 이와 관련한 설명 중 옳지 <u>않은</u> 것은? (단, A, B는 각각 주식과 요구불예금 중의 하나이다.)

① (가)에는 수익성과 유동성 중 수익성이 들어간다.
② A는 예금자 보호를 받을 수 없다.
③ A와 달리 B는 배당금을 기대할 수 없다.
④ 위험을 선호하는 투자자는 B보다 A를 선호한다.
⑤ 일반적으로 B는 A보다 높은 수익률을 기대할 수 있다.

46. 경제신문에서 종종 볼 수 있는 'R의 공포'에서 R이란 어떤 영어단어의 첫 글자인가?

① recover
② retirement
③ repeat
④ revenue
⑤ recession

47. 투기 자본이 경영권이 취약한 기업의 지분을 매집한 다음 대주주에게 자기 지분을 높은 가격에 되사줄 것을 요구하는 행위는?

① 그린워싱
② 그린메일
③ 그린백
④ 그린북
⑤ 그린택소노미

48. 최저임금은 각종 임금의 기준이 된다. 2023년 시간당 최저임금은 얼마인가?

① 8,590원
② 8,720원
③ 9,160원
④ 9,350원
⑤ 9,620원

49. 아래 나열한 내용을 설명할 수 있는 단어는?

• 나쓰노 다케시 게이오대 교수가 이 현상에 대해 설명
• 국제 표준과 세계시장의 흐름과 동떨어지는 현상

① 베르뜨랑
② 스톡홀름
③ 갈라파고스
④ 스탕달
⑤ 아이젠멩거

50. 아래는 기획재정부가 계획 중인 투자세액 공제율 개편안이다. 이를 통해 추구하고자 하는 가장 근본적인 정책 목표로 알맞은 것은?

정부의 투자세액 공제율 개편안 (단위: %)

	일반	신성장·원천기술	국가전략기술
대기업	1 ⟹ 3	3 ⟹ 6	8 ⟹ 15
중견기업	5 ⟹ 7	6 ⟹ 10	8 ⟹ 15
중소기업	10 ⟹ 12	12 ⟹ 18	16 ⟹ 25

① 기업 투자 촉진
② 세금 수입 확대
③ 공공 부문 축소
④ 소득 분배 개선
⑤ 정부 부채 축소

51. 탄소국경조정제도, 인플레이션 감축법은 국가 간 거래에서 무엇으로 작용하는가?
① 배당 촉진
② 무역 장벽
③ 카르텔 유지
④ 거래비용 감소
⑤ 노동이동 촉진

52. 정식 명칭은 '개인종합자산관리계좌'로 예금, 적금, 펀드 등을 하나로 모아서 관리할 수 있는 금융상품의 영어 약자는?
① DLS
② ETF
③ ISA
④ IRP
⑤ MMF

53. 세계 유수의 금융회사와 다국적 기업이 밀집해 있어서 시너지 효과를 낼 수 있는 금융 산업이 발달한 지역을 뜻하는 용어는?
① 레몬마켓
② 역외시장
③ 금융허브
④ 라이베리아
⑤ 월스트리트

54. 기존에 통용되고 있는 화폐의 액면을 동일한 비율의 낮은 숫자로 변경하는 조치를 무엇이라고 하는가?
① 디커플링
② 뱅크런
③ 리디노미네이션
④ 판옵티콘
⑤ 오퍼레이션 트위스트

55. 아래 지문에서 (A)에 들어갈 가장 적합한 용어는 무엇인가?

1608년 네덜란드 상인 아이작 르 마이어는 동인도 회사에서 쫓겨난 것에 앙심을 품고 주가를 떨어트릴 계획을 세웠다. 그는 다른 주주들과 동인도회사 주식을 빌려서 판 뒤 나중에 사서 갚아 주기로 계약을 맺었다. 주식을 대거 내다 팔면서 영국 함대의 공격 소식 등 유언비어도 함께 유포했다. 주가가 급락하자 네덜란드 당국은 서둘러 (A) 규제에 나섰다. … (중략) … 한국에서는 1969년 2월 신용대주 제도가 도입되면서 (A)가 가능해졌다. 국내에서 (A)가 본격적으로 활성화된 것은 1996년 9월 코스피200 선물옵션시장 개설과 함께 기관투자가 간 주식 대차거래가 허용되면서부터이다.

○○경제신문, 2021. 1. 25.

① 추격매수
② 공매수
③ 공매도
④ 손절매도
⑤ 선매수

56. 아래 신문기사를 읽고, (A)와 관련한 설명 중 옳지 않은 것은?

> 지난해 연간 경상수지는 상반기 실적 덕에 흑자가 예상되지만 흑자폭은 전년 대비 대폭 감소할 전망이다. 올해 흑자 기조가 이어지더라도 글로벌 경기 둔화에 따른 수입 감소에 기대는 (A)가 될 것이라는 게 전문가들의 관측이다.
> ○○경제신문. 2023. 1. 11.

① 불황형 흑자라고 한다.
② 주로 불경기에 나타나는 현상이다.
③ 수출보다 수입이 더 감소할 때 발생한다.
④ 경제주체들의 소득이 증가하면, (A)가 더 심화되는 요인이다.
⑤ (A)는 수입도 감소하지만, 수출 감소도 동반하기 때문에 국내 수출기업의 경영실적에도 부정적이다.

57. 지나가는 사람을 붙잡아 침대에 눕혀서 침대보다 키가 크면 남는 부분을 자르고, 침대보다 키가 작으면 키를 늘려 죽였다는 이야기를 보통 '이것'으로 부르는데 획일적인 기준을 남에게 강요하는 상황을 뜻하기도 한다. 그리스 신화에 나오는 악당인 인물의 이름을 붙여 만든 '이것'은 무엇인가?

① 다이달로스의 날개
② 트로이의 목마
③ 디오니소스 증후군
④ 프로크루스테스의 침대
⑤ 제논의 역설

58. 아래 영문은 아르헨티나 대통령이 칠레 대통령에게 보낸 편지 내용 중 일부이다. 이 글의 핵심을 가장 잘 표현한 용어는 무엇인가?

> Give to the people, especially the workers, all that is possible. When it seems to you that already you are giving them too much, give them more. You will see the results. Everyone will try to scare you with the specter of an economic collapse. But all of this is a lie.

① populism
② Tobin's q
③ pay-go principle
④ Tax haven
⑤ No pain, no gain

59. 아래는 중국 경제와 관련한 인터뷰 일부이다. 이를 바탕으로 가장 알맞은 신문기사 제목을 고르면?

> • 중국 부상이 정점에 달했다는 분석이 나옵니다. 가장 큰 문제는 무엇인가요?
> 중국의 노동인구 교육이 문제입니다. 사람들은 이런 문제를 잘 알지 못하고, 그 중요성도 간과하고 있습니다. 역사적으로 노동인구의 교육 수준이 낮은 국가가 선진국으로 발돋움한 적이 없습니다.
> • 중국 노동인구의 교육 수준은 어느 정도인가요?
> 중국에선 15~64세에 해당하는 노동인구의 70%가 고등학교 문턱도 밟아보지 못했습니다. 읽기 능력이 떨어지는 데다 수학, 과학을 잘 알지 못합니다. 이런 인구가 중국에 5억 명이나 됩니다.
> • 그동안은 큰 문제가 되지 않았나요?
> 지금까지는 노동인구의 낮은 교육 수준이 문제가 되지 않았습니다. 가난한 국가에서 중간 소득 국가로 발전하는 과정에선 단순히 읽고 쓸 줄 알고, 규율을 지킬 수 있는 좋은 근로자만 있으면 됐기 때문입니다. 중국은 그동안 초등교육만으로 좋은 생산직 근로자를 많이 양성할 수 있었습니다. 하지만 고등교육을 받지 못한 사람들이 화이트칼라나 전문직이 될 수는 없습니다.
> ○○경제신문. 2023. 1. 5.

① 중국, 노동의 한계생산성 점차 증가할 것으로 예상
② 생산가능인구과 잠재성장률 하락으로 위기에 빠진 중국
③ 중국, 화이트칼라와 블루칼라 직종 간 갈등 심해져
④ 노동인구의 교육 수준 낮은 중국, 중진국 함정에 빠질 수도
⑤ 투키디데스 함정의 중국, 노동 인구 문맹률을 높여야

60. 아래 (A)는 지난해 (B)를 인수하였다. 하지만 (B)에 대한 경영 방침 논란과 자신이 경영하는 전기자동차 기업인 (C)의 실적 부진과 맞물려 (C)의 주가가 폭락하는 등 현재 투자자들의 외면을 받고 있다. (A)~(C)에 들어갈 내용을 알맞게 짝지으면?

(A)   (B)

	(A)	(B)	(C)
①	일론 머스크	트위터	테슬라
②	일론 머스크	테슬라	트위터
③	일론 머스크	트위터	메타
④	마크 저커버그	메타	트위터
⑤	마크 저커버그	트위터	테슬라

〈 상황추론 · 판단 〉

61. 아래는 한국은행의 통화정책과 관련한 설명이다. A~C에 들어갈 내용을 알맞게 짝지으면?

> 한국은행의 통화정책이 지향하는 궁극적 목표는 (A)이다. 한국은행이 통화정책을 펼치는 방법 중에는 공개시장에서 (B)을(를) 사고파는 공개시장 조작이 있다. 한국은행은 시중의 이자율을 관찰하고 있다가 이자율이 적정 수준을 벗어나면 공개시장 조작을 실시한다. 예를 들어 이자율이 지나치게 높아서 소비 수요나 투자 수요가 위축되면 (B)을(를) (C)해서 이자율을 낮추는 정책을 펼친다.

	A	B	C
①	물가안정	채권	매도
②	경제성장	채권	매도
③	물가안정	채권	매입
④	경제성장	주식	매입
⑤	물가안정	주식	매도

62. 아래는 전국경제인연합회에서 발표한 경제협력개발기구(OECD) 가입 37개국 기업가 정신 지수 순위이다. 한국이 이 지수의 순위를 올리기 위한 적절한 정책을 〈보기〉에서 고르면?

OECD 회원국 기업가 정신 지수 순위

1	스위스	10	독일
2	뉴질랜드		
3	룩셈부르크	23	리투아니아
4	미국	24	프랑스
5	노르웨이	25	벨기에
6	네덜란드	26	일본
7	아이슬란드	27	한국
8	오스트리아		
9	핀란드	37	멕시코

※ 2019년 기준 기업 활력 · 제도 환경 · 기업 인식을 종합해 산출   자료: 전국경제인연합회

〈보기〉
ㄱ. 스타트업 지원 강화
ㄴ. 규모별 기업규제 완화
ㄷ. 규제 일몰 연장
ㄹ. 수입품 보복관세 부과

① ㄱ, ㄴ
② ㄱ, ㄷ
③ ㄴ, ㄷ
④ ㄴ, ㄹ
⑤ ㄷ, ㄹ

63. 5명의 학생이 외환시장에 대한 중앙은행의 개입과 관련한 대화를 하고 있다. 이와 관련하여 옳은 내용을 말한 학생을 모두 고르면? (단, 환율은 달러화 대비 원화 환율이다.)

- 가영: 외국인의 국내 주식시장에 대한 투자가 늘어나면서 외환 공급이 늘어났어.
- 나영: 그래서 환율이 하락 압력을 받고 있지.
- 다영: 환율이 하락하면, 수입이 줄어들어 무역수지가 흑자를 기록할 거야.
- 라영: 그래서 중앙은행이 외환시장에서 달러를 매입하고 있는 거야.
- 마영: 그렇다면 국내 통화량이 줄어들 텐데.

① 가영, 나영, 다영
② 가영, 나영, 라영
③ 나영, 다영, 라영
④ 나영, 다영, 마영
⑤ 다영, 라영, 마영

64. 아래 지문을 읽고, (A), (B)와 관련한 설명 중 옳지 <u>않은</u> 것은?

A국의 주요 시중 은행의 총대출 대비 중소기업 대출 비중이 40%를 넘어섰다. 중소기업·자영업자들이 팬데믹의 충격을 받은 탓이다. 이자 비용도 벌지 못하는 (A) 좀비기업이 늘고 있는 가운데 앞으로 한계에 달한 중소기업들이 한꺼번에 부실화할 수 있다는 우려도 커지고 있다. … (중략) … 전문가들은 "무작정 유동성만 공급하면 경제주체들의 (B) 도덕적 해이를 유발할 수밖에 없다."고 했다. 또한, "세계적으로도 부실기업 대출이 대폭 늘었는데 지원 대상 범위를 좁혀 독자적으로 생존 가능한 기업에 지원을 집중할 필요가 있다."고 지적했다.

① 이자보상배율이 1 미만을 지속하면, 잠재적으로 (A)가 될 가능성이 높아진다.
② (A)에 대한 지원이 늘어나면, 정작 유동성 지원이 필요한 기업이 흑자 도산하는 경우가 나타난다.
③ (A)의 파산이 늘어나면, Y=C+I+G+(X−M)에서 I에 부정적인 영향을 준다.
④ (A)의 (B)가 발생하면, (A)는 빚을 갚지 않고 위험한 투자를 하는 등 방만한 경영을 하게 된다.
⑤ (B)를 해결하기 위해서는 신호발송(Signaling)과 선별(Screening)이 필요하다.

65. 아래 지문을 통해 A국의 감자 시장의 가격과 거래량의 변화를 유추하면? (단, A국은 아래 지문 이외의 경제상황에는 전혀 변화가 없다.)

A국의 감자 재배면적은 전년보다 9.4% 줄었다. 단위면적당 생산량 역시 전년보다 10.5% 줄어든 것으로 분석됐다. 자연히 생산도 줄어들었다.

	가격	거래량
①	상승	감소
②	상승	증가
③	하락	감소
④	하락	증가
⑤	알 수 없음	감소

66. 수지는 머그잔을 만들어 시장에 팔고 있다. 머그잔 시장은 완전경쟁시장이고, 머그잔 한 개의 가격은 18,000원이다. 수지가 머그잔을 만드는 데 드는 총생산비용은 아래 표와 같다. 이와 관련한 설명 중 옳은 것은?

머그잔 생산량(개)	총생산비용(천 원)
0	120
1	131
2	143
3	157
4	174
5	195

① 수지가 머그잔을 5개 생산할 경우 머그잔 생산에 대한 수지의 평균가변비용은 39,000원이다.
② 수지는 단기에 머그잔 생산을 중단할 것이다.
③ 수지의 이윤을 극대화하는 생산량에서 수지는 음(−)의 이윤을 얻는다.
④ 수지가 머그잔을 1개 생산할 경우, 머그잔 생산에 대한 수지의 총가변비용은 한계비용보다 크다.
⑤ 머그잔 생산량이 늘어날수록 평균가변비용은 감소한다.

67. 아래 신문기사를 읽고, 제목을 붙인다고 하자. 이때 가장 적절한 제목을 고르면?

> 세계 최대 전기차 기업 ○○은 A국에서 신차 가격을 최대 20% 인하하면서 글로벌 자동차 시장이 혼돈으로 빠져들고 있다. ○○은 기존 소비자의 불만에도 '고가 전략'을 수정하면서 시장 지배력을 더 공고히 할 것이란 관측이 나온다. 반면, 낮은 수익률로 가격 인하 여력이 크지 않은 글로벌 완성차 기업엔 비상이 걸렸다. 완성차 기업들이 울며 겨자 먹기로 가격 인하 경쟁에 뛰어들 것이라는 전망이 나온다.

① ○○ 기업, 전기차 치킨게임 불붙였다.
② 담합으로 시장 지배력 강화하는 ○○ 기업
③ ○○ 기업의 가격차별 시험대에 올라
④ 베블런효과 노리는 ○○ 기업의 가격정책
⑤ 가격 노마드족 된 전기차 소비자들

68. 아래는 국제통화기금(IMF)에서 발표한 주요 선진국의 채무비율 증감 전망이다. 이에 따른 추론 및 설명 중 옳지 <u>않은</u> 것은?

주요 선진국의 채무비율 증감 전망 (단위: %포인트)

	2020년	2021년	2022년	2023년
한국	6.5(29)	3.8(4)	3.6(3)	3.5(1)
미국	22.5	2.5	0.9	0.7
일본	28.2	−2.2	−0.9	−0.3
영국	22.7	3.5	1.9	1.8

※ 괄호는 35개 선진국 중 한국의 증감폭 순위   자료:IMF

① 2020년의 한국은 다른 선진국에 비해 채무비율증가율이 상대적으로 낮다.
② 2020년은 코로나19 유행으로 각국 정부가 빚을 내 재정을 투입했기 때문에 채무비율이 증가한 것으로 추론된다.
③ 2021년부터는 한국의 채무비율 증감폭 순위가 상위권에 위치한다.
④ 채무비율 증감폭을 낮추기 위해서는 정부의 재정준칙을 법적으로 강화해야 한다.
⑤ 2021년부터는 한국은 미국, 일본, 영국에 비해 상대적으로 국가 재정 건전성을 적극적으로 관리할 것으로 전망된다.

69. 〈표〉는 A국과 B국의 지니계수에 대한 연도별 자료이다. 이와 관련한 설명 중 옳지 <u>않은</u> 것은?

구분	2020년	2021년	2022년
A국	0.48	0.43	0.40
B국	0.40	0.45	0.39

① 2020년 A국은 B국보다 소득의 불평등 수준이 높다.
② 2021년 B국은 A국보다 로렌츠곡선이 대각선에 멀어진 상태이다.
③ 2022년 A국의 소득분배가 전년보다 개선됐다.
④ A국은 소득불평등을 완화하기 위한 복지정책을 펼쳤을 것으로 보인다.
⑤ B국은 소득불평등 수준이 계속 개선되었다.

70. 아래 신문기사를 읽고, ㉠~㉤과 관련한 설명 중 옳지 <u>않은</u> 것은?

> 대한상의는 ㉠ 글로벌 최저한세 시행으로 한국 기업이 피해를 볼 수 있는 부분을 조사하고 있다. 일부 기업이 "㉡ 한국 기업만 피해를 볼 수 있다."고 민원을 제기했기 때문이다. 한국만 글로벌 최저한세를 도입하면 한국 기업이 다른 나라에서 각종 세제 감면으로 10%의 법인세율을 적용받아도 한국에서 5%만큼의 세금을 더 내야 한다. … (중략) … 경제계에서는 미국, EU 등 글로벌 최저한세 논의를 주도하는 국가의 움직임을 지켜본 뒤 법안을 처리해야 했는데, 한국 정부와 국회가 너무 성급했다는 지적이 나온다. 자칫하면 ㉢ 헝가리(9%), ㉣ 아일랜드(12.5%) 등 법인세율이 낮은 국가에 투자한 한국 기업만 15% 세율을 적용받는 상황이 벌어질 수 있다는 것이다. 업계 관계자는 "전 세계가 기업 투자를 유치하려고 ㉤ 법인세 혜택을 주는데 글로벌 최저한세 때문에 한국 기업만 세(稅)족쇄에 갇힐 수 있다."고 지적했다.
>
> ○○경제신문, 2023. 1. 18.

① 전 세계적으로 ㉠이 시행되면 ㉢, ㉣과 같이 법인세 인하 경쟁을 하는 것이 무의미해진다.
② ㉡이 부담하는 현재 국내 법인세율은 ㉢보다 높다.
③ ㉢에 투자한 한국 기업은 ㉠이 시행되면, 한국에 차액인 2.5%만큼의 세금을 부담해야 한다.
④ ㉣에 ㉡이 투자하는 이유는 다양한 ㉤을 통해 경영비용을 감소하기 위해서이다.
⑤ ㉤을 시행하는 이유는 국내 투자를 늘려 일자리 창출과 지역경제 활성화 나아가 국가경제성장을 위함이다.

71. 자동차 회사 A는 2021년 100대의 소형차를 생산하여 한 대당 가격을 2,000만 원으로 책정하여 내놓았다. 그러나 2021년에 팔리지 않고 2022년 초에서야 모두 팔렸다. 이때 국내총생산(GDP)의 계산과 관련한 설명 중 옳은 것은?

① 2021년 GDP와 2022년 GDP가 각각 20억 원 증가한다.
② 2021년 GDP와 2022년 GDP가 각각 10억 원 증가한다.
③ 2021년 GDP는 20억 원 증가하고, 2022년 GDP는 20억 원 감소한다.
④ 2021년 GDP는 20억 원 증가하고, 2022년 GDP에는 아무런 영향이 없다.
⑤ 2021년 GDP에는 아무런 영향이 없고, 2022년 GDP는 20억 원 증가한다.

72. 아래 글의 내용과 관련한 〈보기〉의 설명 중 옳은 것을 고르면?

A국에서는 (A) 매년 한 번씩 각 지역의 특산물을 국가에 공물로 내도록 하는 제도가 있었다. 공물 부과는 각 지역의 산물을 부과하는 게 원칙이었는데 실제로는 그렇지 않은 경우가 많았다. 한 번 정해지면 바꾸기도 쉽지 않아 구하기 어려운 경우 공물로 내야 하는 생산물을 구입해서 납부하는 수밖에 없었다. 공물용 생산물을 전문적으로 판매하는 상인들이 나타났다. 시간이 흐르면서 국가의 관리들이 소수의 상인들에게 공물용 생산물 공급자라는 인증서를 발급했고, (B) 인증서를 발급받은 소수의 상인들로부터 구입한 생산물만 공물로 낼 수 있게 되었다. 그렇지 않으면 불량품이라고 공물로 받아주지 않았다. 이후 국가로부터 (C) 인증서를 받은 상인들은 생산물의 가격을 매우 높게 받아 폭리를 취하게 되었다.

〈보기〉
ㄱ. (A)에서 공물은 지금의 국세와 같다고 볼 수 있다.
ㄴ. (B)는 독과점의 사례로 볼 수 있다.
ㄷ. (B)가 사라지면, 공물로 바치는 생산물 거래가격이 높아질 것이다.
ㄹ. (C)는 완전경쟁시장 공급자들의 모습으로 볼 수 있다.

① ㄱ, ㄴ
② ㄱ, ㄷ
③ ㄴ, ㄷ
④ ㄴ, ㄹ
⑤ ㄷ, ㄹ

73. 경제 동향 보고서의 밑줄 친 내용에 해당하는 변화를 추론한 〈보기〉의 설명 중 옳은 것을 고르면?

〈경제 동향 보고서〉
국제 원자재 X재의 공급이 크게 줄었다. 이에 따라 X재를 핵심원료로 하는 Y재 시장에도 변화가 발생하여 관련 주가가 요동쳤다.

〈보기〉
ㄱ. 가격이 하락할 것이다.
ㄴ. 거래량이 증가할 것이다.
ㄷ. 소비자잉여가 감소할 것이다.
ㄹ. Y재 수요의 가격탄력성이 탄력적이라면, 소비자 총지출액이 감소할 것이다.

① ㄱ, ㄴ
② ㄱ, ㄷ
③ ㄴ, ㄷ
④ ㄴ, ㄹ
⑤ ㄷ, ㄹ

74. 아래 글은 애덤 스미스의 『국부론』에 나오는 한 대목이다. 글이 주장하는 내용을 잘못 이해한 사람은 누구인가?

한 나라의 연간 생산물의 가치를 증대시키려면 오로지 생산적 노동자의 수를 늘리거나 이미 고용되어 있는 노동자들이 생산력을 향상시키는 것 이외에는 다른 방법이 없다. 그러나 생산적 노동자를 부양할 재원이 증가하지 않는다면, 즉 자본이 증가하지 않는다면 고용을 많이 할 수 없다는 사실은 자명하다. 동일한 노동 인원으로 노동력을 향상시키려면 작업을 간소화하여 보다 쉽게 만들 도구나 기계를 개발하거나 또는 노동자의 역할을 세분화하고 그들을 알맞게 배치해야만 한다. 그 어느 경우에도 대체로 추가 자본이 필요하다. 추가 자본이 있어야만 고용주는 더 좋은 기계를 제공하거나 노동자들을 좀 더 알맞게 배치할 수 있다.

① 가영: 흥청망청 다 써버리면 자본이 증가하지 않는다는 메시지가 담겨 있어.
② 나영: 선진국과 후진국을 가르는 차이는 자본축적 여부에 달려 있다고 설명할 수 있지.
③ 다영: 좋은 기계가 없더라도 노동자들의 힘이 세면 얼마든지 연간 생산물을 늘릴 수 있지.
④ 라영: 전문화, 분업화가 생산물 가치를 높이는 데 유리하다는 점을 저자는 지적하고 있어.
⑤ 마영: 사람 100명이 10시간 동안 할 수 있는 일을 기계를 활용하여 2시간만에 하는 것이 낫지.

75. 경제체제와 관련한 아래의 지문과 관련한 설명 중 옳은 것은? (단, A와 B는 각각 시장경제체제와 계획경제체제 중 하나이다.)

> 경제체제는 자원의 배분 방식에 따라 A와 B로 구분할 수 있다. A는 B와 달리 정부의 명령과 통제에 따라 자원 배분이 이루어진다.

① A는 시장에 의한 자원 배분을 중시한다.
② A에서는 희소성에 의한 경제문제가 발생하지 않는다.
③ B는 원칙적으로 생산 수단의 사적 소유를 인정하지 않는다.
④ B는 A보다 시장에서의 경제적 유인을 강조한다.
⑤ B는 경제문제의 해결 기준으로 형평성을 중시한다.

76. 아래 신문기사와 그림과 관련한 설명 중 옳지 <u>않은</u> 것은?

> 행정안전부는 '2022년 12월 기준 주민등록 인구통계'를 발표했다. 우선 지난해 국내 주민등록 총인구는 5,143만 9,038명으로 전년(5,163만 8,809명)보다 19만 9,771명 줄었다. 2020년 이후 3년 연속 감소세이다. … (중략) … 인구 고령 추세는 더 뚜렷해지고 있다. 65세 이상 고령 인구 비중은 지속적으로 높아져 작년 말 전체 인구의 18%(926만 7,290명)에 달했다. 전년(17.1%)에 비해선 0.9%포인트 높아졌다.
>
> ○○경제신문, 2023. 1. 16.

1인 가구 비중
(단위: 만 명, %)

744 (35) / 2016년
808 (36.7) / 2018
906 (39.2) / 2020
972 (41) / 2022

※ 주민등록 인구 기준. ( )안은 비중 자료: 행정안전부

① 총인구의 감소는 인구 데드크로스가 발생했다는 의미이다.
② 2022년 말 한국은 통계상 초고령 사회에 진입했다.
③ 대형마트보다는 편의점, E-커머스 시장 점유율이 더 커질 것이다.
④ 원룸과 같은 오피스텔 시장의 수요곡선이 우측으로 이동할 것이다.
⑤ 1인 가구 비중의 증가는 일반적인 가족 구성인 3·4인 가구의 비중 축소를 의미한다.

77. 아래 그래프는 금융시장의 기대수익과 위험 간의 관계를 나타낸다. 이와 관련한 설명 중 옳지 <u>않은</u> 것은?

① 그래프는 금융상품의 안전성과 수익성의 상충관계를 나타낸다.
② 수익성이 같다면, 위험이 낮은 금융상품을 골라야 한다.
③ 고위험, 고수익이라는 투자 격언을 반영하고 있다.
④ ELS, ETN, 정크본드 등은 A에 속한다고 볼 수 있다.
⑤ A, B, C, D, E가 일직선 위에 있는 상품이라면 우월을 가릴 수 없다.

78. 아래 신문기사의 사설을 읽고, ㉠~㉣과 관련한 설명 중 옳지 <u>않은</u> 것은?

> 올해 ㉠ 스태그플레이션을 우려하던 미국 경제를 두고 연초부터 갑작스럽게 골디락스라는 용어가 나온 것은 매달 초 발표되는 고용지표 때문이다. 작년 12월 실업률은 ㉡ 완전고용 수준인 3.5%이다. … (중략) … 올해 증시에서 골디락스 장세가 나타날 것인가에 대한 판단은 최근과 비슷한 상황이 닥친 1980년대 초 미국 중앙은행(Fed)이 어떻게 대처했는지부터 이해해야 한다. 당시 Fed에서는 우선순위를 "㉢ 물가안정에 둘 것인가", 아니면 "㉣ 경기부양에 둘 것인가"를 놓고 난상토론이 벌어졌다. 후일 이 설전은 '볼커 모멘텀'과 '역볼커 모멘텀' 간 대혈투로 비유된다.
>
> ○○경제신문, 2023. 1. 16.

① 1980년대 초 미국 중앙은행(Fed) 의장이었던 폴볼커는 미국 경제가 ㉠에 빠지면서 ㉢을 최우선순위에 두었다.
② 실제 실업률이 ㉡보다 높으면, 경기가 과열되어 중앙은행은 기준금리를 인상한다.
③ ㉢ 입장인 통화정책위원들을 매파라고 한다.
④ 중앙은행이 ㉣ 입장이 강하면 기준금리 인하, 국공채 매입 등의 정책을 시행한다.
⑤ 단기에 ㉢과 ㉣의 상충관계를 설명한 것이 필립스곡선이다.

79. 아래 신문기사와 그림을 바탕으로 한 설명 중 옳지 않은 것은? (진한 선이 동행종합지수. 연한 선이 선행종합지수이다.)

> 한국은행이 이날 발표한 '11월 무역지수 및 교역조건'을 보면 지난달 수출금액지수는 전년 동월 대비 11.3% 떨어졌다. … (중략) … 한은 관계자는 "반도체 등이 포함된 컴퓨터·전자·광학기기 제품(−25.4%)과 화학제품(−17%)을 중심으로 수출액이 감소했다."며, "수출 가격 하락세와 전방산업 수요 부진 등의 영향"이라고 설명했다.
>
> ○○경제신문, 2022. 12. 30.

① 선행종합지수의 추이에 따르면, 앞으로 경기침체 국면으로 들어갈 가능성이 높다.
② 2020년 1월~11월 사이 동행종합지수의 하락은 코로나19의 유행이 큰 영향을 미쳤다.
③ 2020년 11월~2022년 11월 사이의 동행종합지수가 상승 추세인 것과 달리 선행종합지수는 이미 중간 지점에서 하락한 것은 선행종합지수가 미래의 경기침체를 경고한다는 의미이다.
④ 전방산업에 대한 수요가 부진한 영향으로 CSI와 BSI 지수는 하락하고, 총수요곡선은 우측으로 이동할 것이다.
⑤ 수출금액지수가 전년 동월 대비 악화했다는 것은 같은 수량을 팔아도 이전보다 판매수입이 감소했다는 의미이다.

80. 아래는 신문사설의 내용 중 일부이다. 필자가 주장하는 바와 가장 거리가 먼 것은?

> 유엔무역개발회의(UNCTAD)가 한국의 지위를 개발도상국에서 선진국 그룹으로 변경했다. 1964년 UNCTAD가 설립된 이래 개도국 그룹에서 선진국 그룹으로 이동한 사례는 한국이 처음이다. UNCTAD 무역개발이사회는 한국의 선진국 진입을 만장일치로 합의해 무역과 투자를 통한 성장의 모범 사례라는 점을 확인했다. 한국이 개도국을 졸업해 선진국에 진입한 최초의 국가라고 유엔이 공인한 것이다. … (중략) … 지금의 한국이 있기까지는 여러 요인이 작용했다. 해방 후 50년간 600억 달러에 달했던 국제원조는 한강의 기적을 일구는 마중물 역할을 했고 여기에 정치적 리더십과 기업의 피땀 어린 노력이 어우러져 선진국을 만들어냈다. 무엇보다 한정된 국내 시장보다 세계를 겨냥해 수출주도형 중화학공업 육성 정책을 편 정치적 결단이 주효했고 여기에 기업이 화답하며 삼성전자, 현대자동차와 같은 글로벌 기업이 탄생할 수 있었다.
>
> ○○경제신문, 2021. 7. 5.

① 한국은 해방 후 국제원조를 효율적으로 활용하여 경제성장의 바탕을 마련했다.
② 한국은 신토불이, 자급자족 등 내수를 중심으로 한 경제모델로 성장했다.
③ 한국은 원조를 받는 나라에서 원조를 주는 나라로 성장했음을 국제적인 인정을 받았다.
④ 한국은 시장경제와 개방정책을 묶은 수출주도형 경제로 한강의 기적을 이뤘다.
⑤ 2차 세계대전 직후 독립한 나라 중 한국만큼 경제적으로 부강해진 나라를 찾아보기 힘들다.

국가공인 1호 경제이해력 검증시험

제78회 TESAT 문제지

* 모바일로 정답입력 후
등급예측 및 성적분석

성 명		수험번호						

■ 문제지 표지에 성명과 수험번호를 적었는지 확인하십시오.
■ 경제이론과 시사경제 · 경영은 문항당 3점, 4점이고 상황추론 · 판단은 문항당 5점입니다.
■ 시험시간은 100분입니다.

〈 경 제 이 론 〉

1. 기회비용의 사례로 적절하지 <u>않은</u> 것은?
   ① 여행을 가는 바람에 집 청소를 하지 못했다.
   ② 입장료가 아까워서 재미없는 영화를 계속 보았다.
   ③ 올해는 배추를 심어서 당근을 심을 수 없게 되었다.
   ④ 오늘 축구경기를 시청해서 영어 공부를 하지 못했다.
   ⑤ 피자를 사 먹는 바람에 용돈이 부족해서 다이어리를 구매하지 못했다.

2. 국내총생산(GDP)과 관련한 설명 중 옳은 것은?
   ① 수출이 증가할수록 GDP는 증가한다.
   ② 전업주부의 가사노동은 GDP에 포함된다.
   ③ 기준연도에서 실질GDP와 명목GDP는 일치하지 않는다.
   ④ 해외에서 근무하는 내국인 근로자가 생산한 가치는 GDP에 포함된다.
   ⑤ A년도에 생산한 제품이 다음 연도인 B년도에 판매되면, B년도 GDP에 포함된다.

3. 정부 실패란 시장 실패에 대한 정부의 개입이 오히려 바람직하지 못한 결과를 초래하는 현상이다. 이 중 정부 실패의 원인으로 옳지 <u>않은</u> 것은?
   ① 정보의 부족
   ② 한계생산물체감의 법칙
   ③ 정부 정책 시차의 가변성
   ④ 관료들의 업무에 대한 보신주의
   ⑤ 정부 정책을 예견한 민간부문 반응의 변화

4. 인플레이션으로 발생하는 문제점과 관련한 설명 중 옳지 <u>않은</u> 것은?
   ① 기업은 메뉴비용이 발생한다.
   ② 실물자산보다는 현금을 보유하는 것이 유리하다.
   ③ 경제주체들이 미래소득 측정을 어렵게 하는 요인이다.
   ④ 재화와 서비스의 상대가격 변화로 자원의 효율적 배분을 저해한다.
   ⑤ 예상된 인플레이션은 채무자와 채권자 사이에 부의 재분배가 일어나지 않는다.

5. 도덕적 해이의 사례로 옳지 <u>않은</u> 것은?
   ① 실비보험에 가입한 이후, 가입자의 병원 방문이 늘어났다.
   ② 정해진 급여를 지급한 후, 일부 직원들의 근무 태도가 불성실하다.
   ③ 팀 발표 준비 과정에서 구성원 중 일부가 발표 준비를 소홀히 한다.
   ④ 화재보험에 가입한 보험 가입자는 가입 이전보다 화재방지 노력을 덜 한다.
   ⑤ 보험시장에서 평균 보험료를 제시하면, 사고를 낼 확률이 높은 사람이 가입한다.

6. 각 부문의 과다한 부채는 세계적 경제위기를 초래할 수 있는 중요한 문제라는 인식이 확산하고 있다. 이때 과다한 부채를 해소하기 위한 방법으로 가장 관련이 <u>적은</u> 것은?
   ① 테이퍼링
   ② 기준금리 인상
   ③ 흑자재정 달성
   ④ 공개시장 국공채 매입
   ⑤ 만기 도래 채권 상환

7. 정부가 사과 생산자에게 보조금을 지급하면 나타나는 현상과 가장 거리가 먼 것은?

① 소비자잉여가 증가한다.
② 생산자잉여가 증가한다.
③ 사과의 시장 거래량이 감소한다.
④ 공급곡선이 우측으로 이동한다.
⑤ 전체적인 사회 후생은 증가하지 않는다.

8. 음식점에서 가격을 인상하자 음식점의 수입도 함께 증가했다. 이 이유에 대한 설명 중 옳지 않은 것은?

① 예전보다 음식 맛이 매우 좋아졌다.
② 음식점을 이용하는 고객의 소득이 증가했다.
③ 음식점 이용자의 음식에 대한 수요의 가격탄력성이 매우 높다.
④ 음식점 주위에 신축 건물들이 증가해 유동 인구가 큰 폭으로 늘었다.
⑤ 이 음식점 주변에 있는 식당들의 음식 가격이 더 큰 폭으로 상승했다.

9. 〈보기〉에서 전통적인 케인스학파의 견해에 해당하는 것을 고르면?

┌─〈보기〉─────────────────────
│ ㄱ. 경기변동의 원인은 총수요의 변화 때문이다.
│ ㄴ. 재정정책보다 통화정책의 효과가 뛰어나다.
│ ㄷ. 시장에서 가격은 즉각적으로 조정되지 않아 단기에 불균형이 발생한다.
│ ㄹ. 정부의 개입은 경기변동의 진폭을 오히려 더 크게 한다.
└────────────────────────────

① ㄱ, ㄴ
② ㄱ, ㄷ
③ ㄴ, ㄷ
④ ㄴ, ㄹ
⑤ ㄷ, ㄹ

10. 아래 그래프는 금융상품 A, B의 일반적인 특징을 비교한 것이다. 이에 대한 설명 중 옳지 않은 것은? (A, B는 각각 주식과 요구불예금 중의 하나이다.)

① (가)에는 유동성보다는 수익성이 적절하다.
② A는 예금자 보호를 받지 못한다.
③ A는 배당금을 기대할 수 있다.
④ B는 예금자보호를 받을 수 있다.
⑤ 일반적으로 B는 A보다 높은 수익률을 기대할 수 있다.

11. 어떤 나라에서 철이 구리보다 훨씬 더 많이 매장되어 있음에도 철의 가격이 구리의 가격보다 더 비싸다고 한다. 이러한 상황에 대한 설명으로 옳은 것은?

① 구리보다는 철의 수요가 상대적으로 크다.
② 이 나라에서 구리는 철보다 더 희소한 자원이다.
③ 이 나라에서 철은 구리보다 더 희귀한 자원이다.
④ 철의 가격이 높은 이유는 철이 구리보다 인체에 덜 해로운 자원이기 때문이다.
⑤ 철의 가격이 비싼 이유는 이 나라 국민은 비합리적인 선택을 하고 있기 때문이다.

12. 근로자들이 이직하는 과정에서 발생하는 실업과 관련한 설명 중 옳지 않은 것은?

① 완전고용 상태에서도 이러한 실업은 존재한다.
② 이러한 실업은 경제의 윤활유 같은 역할을 한다.
③ 최저임금제, 노동조합으로 인해 이러한 실업이 발생한다.
④ 구직과 관련한 정보망 확충으로 이러한 실업을 줄일 수 있다.
⑤ 일반적으로 실업보험급여 지급 확대는 해당 유형의 실업을 늘리는 요인이다.

13. 어떤 국가의 올해 지니계수가 작년보다 낮아졌다고 한다. 이를 가장 잘 설명한 것은?

① 파레토 효율이 달성되었다.
② 로렌츠곡선이 45°선에 가까워졌다.
③ 올해 국민소득이 작년보다 훨씬 작아졌다.
④ 올해 노동소득분배율이 점점 불균등해졌다.
⑤ 생산가능곡선이 왼쪽으로(안쪽으로) 이동했다.

14. 자본이동이 자유로운 상태에서 소규모 경제가 통화정책과 재정정책을 수행하고 있다. 이와 관련한 설명 중 옳지 않은 것은?

① 통화정책과 재정정책의 효과는 환율제도에 따라 달라진다.
② 변동환율제에서 중앙은행은 독립적인 통화정책을 수행할 수 있다.
③ 변동환율제에서 정부가 재정지출을 늘리면, 원화의 가치가 상승한다.
④ 고정환율제에서 정부가 재정지출을 늘리면, 수출이 크게 늘어난다.
⑤ 고정환율제에서 정부가 재정지출을 늘리면, 통화량도 동시에 증가한다.

15. 국제무역을 증가시키는 요인이 아닌 것은?

① 유가의 하락 안정
② 국제가치사슬 강화
③ 핀테크 기술의 발달
④ 관세와 수입쿼터 철폐
⑤ 무역상대국 인플레이션의 높은 변동성

16. 아래 영수증에서 '㉠ 부가세'와 관련한 설명 중 옳지 않은 것은?

상품명	수량	금액
9007 6호 생크림 29,000	1개	29,000
	과세금액	26,363
	㉠ 부 가 세	2,637
총매출액		29,000
합계		29,000
받은돈		29,000
거스름돈		0
	현금 결제	29,000

① 한국의 세율은 10%이다.
② 국세에 속한다.
③ 누진세 구조이다.
④ 모든 재화나 용역의 소비 행위에 대하여 과세한다.
⑤ 세금 납부 의무자와 실제 부담자가 일치하지 않는다.

17. 아래 그림은 외부(불)경제를 나타낸다. 이와 관련한 설명 중 옳은 것은?

① 시장에서는 q1에서 균형거래량이 결정된다.
② a에 대한 해결방안은 정부의 가격규제가 유일하다.
③ a는 과소생산의 사회적 후생의 감소분을 나타낸다.
④ 피구세는 균형거래량을 q1으로 이동시킬 수도 있다.
⑤ 외부경제로 사회적 한계비용보다 사적 한계비용이 크다.

18. 시장과 관련한 설명 중 가장 옳지 <u>않은</u> 것은?

① 시장은 자본주의 이전부터 존재해왔다.
② 시장은 사회적 분업을 더욱 촉진시켰다.
③ 시장에서 완전하고 공평한 분배가 가능하다.
④ 기계의 등장으로 시장은 더욱 발전하였다.
⑤ 산업혁명 이후로 시장의 규모는 더욱 폭발적으로 증가하였다.

19. 미국 중앙은행(Fed)의 기준금리 인상이 미국 시장에 미칠 수 있는 영향이 <u>아닌</u> 것은?

① 달러화의 가치 하락
② 해외 자본의 유입 증가
③ 미국 상품의 수출 경쟁력 약화
④ 미국으로 수입되는 상품의 증가
⑤ 원자재 수입물가 하락으로 미국 내 물가 하락

20. 현재가치와 미래가치와 관련한 설명 중 옳지 <u>않은</u> 것은? (단, 이자율 r > 0)

① 미래에 받을 돈의 현재가치는 이자율이 상승할수록 낮아진다.
② 미래 금액의 현재가치 환산은 이자율과 기간에 따라 달라진다.
③ 현재와 미래 사이의 기간이 길수록 미래 금액의 현재가치는 작아진다.
④ 이자율이 10%일 때, 1년 후 1,000원을 얻으면 현재가치는 1,100원이다.
⑤ 현재가치란 미래 일정 시점의 금액을 현재 시점의 가치로 환산한 금액이다.

21. 기업의 생산기술이 규모에 대한 수익 체증이라고 하자. 이에 대한 설명 중 옳은 것은?

① 이 기업의 생산기술은 래퍼곡선으로 설명할 수 있다.
② 모든 생산요소의 투입을 두 배 늘려도 산출량은 변하지 않는다.
③ 모든 생산요소의 투입을 두 배 늘리면, 산출량이 두 배 이상 늘어난다.
④ 고정요소의 투입을 두 배 늘려도 산출량은 변하지 않는다.
⑤ 고정요소의 투입을 두 배 늘리면, 산출량이 두 배 미만으로 늘어난다.

22. 필립스곡선과 관련한 설명 중 옳지 <u>않은</u> 것은?

① 단기 필립스곡선이 장기 필립스곡선보다 완만하다.
② 자연실업률이 증가하면 필립스곡선은 오른쪽으로 이동한다.
③ 자연실업률 가설에 따르면 장기 필립스곡선은 수직선이 된다.
④ 단기 필립스곡선은 실업률과 물가상승률 간의 양(+)의 관계를 보여준다.
⑤ 1970년대 스태그플레이션으로 실업률과 물가상승률 간의 상충관계가 불분명해졌다.

23. 1급 가격차별이 시행되는 독점시장이 존재한다고 하자. 이와 관련한 설명 중 옳지 <u>않은</u> 것은?

① 소비자잉여는 양(+)의 값을 가진다.
② 한계수입곡선은 시장수요곡선과 동일하다.
③ 모든 소비자는 각각 다른 가격을 지불한다.
④ 완전경쟁시장과 동일한 수량이 시장에 공급된다.
⑤ 일반 독점시장과 비교해 사회적 후생이 더 크다.

24. 〈보기〉에서 보호무역주의 정책을 모두 고르면?

┌─ 〈보기〉 ─────────────┐
ㄱ. WTO
ㄴ. 범위의 경제
ㄷ. 관세
ㄹ. 수입할당제
ㅁ. 수출보조금
└────────────────────┘

① ㄱ, ㄴ, ㄷ
② ㄱ, ㄴ, ㄹ
③ ㄴ, ㄷ, ㄹ
④ ㄴ, ㄹ, ㅁ
⑤ ㄷ, ㄹ, ㅁ

25. 재화는 배제성과 경합성에 따라 4가지로 구분된다. 이와 관련한 설명 중 옳은 것은?

　① 막히지 않는 도로는 배제성을 가지고 있는 재화이다.

　② 경합성과 배제성을 모두 가지고 있는 재화를 사적재라고 한다.

　③ 비배제성은 여러 사람이 재화를 동시에 사용할 수 있는 성질이다.

　④ 무임승차는 재화가 배제성을 가지고 있기 때문에 나타나는 현상이다.

　⑤ 공유지의 비극이 나타나는 이유는 비경합성을 가지고 있는 재화가 배제성도 가지고 있기 때문이다.

26. 루카스 비판에 대한 설명 중 옳지 않은 것은?

　① 계량모형을 사용할 때 경제주체의 기대 형성에 대한 가설을 포함하는 구조모형을 사용해야 한다.

　② 정책 변화가 경제에 미치는 효과를 판단할 때는 새로운 정책에 따라 사람들의 기대가 어떻게 변화하는지를 고려해야 한다.

　③ 정책이 바뀌면 경제활동에 관한 규칙이 바뀌고 그에 따라 사람들의 기대도 바뀌기 때문에 기존에 성립된 경제 변수 간의 관계도 바뀐다.

　④ 경제주체들의 합리적 기대 형성을 포함하지 않는 계량경제모형을 이용해 거시경제정책의 효과를 평가하는 방식은 오류를 유발할 수 있다.

　⑤ 경제주체는 과거의 경험에 기초해 미래에 대한 기대를 형성하는 경향이 있으므로 과거 자료가 많을수록 미래에 대한 정확한 기대를 형성할 수 있으며 축적된 자료에 대한 면밀한 통계적 분석이 중요하다.

27. 그림은 시장의 유형을 분류한 것이다. (가)~(라)에 대한 〈보기〉의 설명 중 옳지 않은 것을 고르면?

　　　〈보기〉

　ㄱ. (가)에서는 자원 배분이 효율적으로 이뤄진다.

　ㄴ. (나) 시장의 기업들은 가격수용자이다.

　ㄷ. (다)에는 수도, 철도와 같이 초기 투입 비용이 매우 높은 산업이 포함된다.

　ㄹ. (라)는 기업 간 경쟁이 심해 상호 의존성이 낮다.

　① ㄱ, ㄴ

　② ㄱ, ㄷ

　③ ㄴ, ㄷ

　④ ㄴ, ㄹ

　⑤ ㄷ, ㄹ

28. X재와 Y재는 완전경쟁시장에서 거래되고 있다. X재의 핵심 부품 가격이 크게 감소할 때, Y재 시장에서 예상되는 영향을 〈보기〉에서 고르면?

　　　〈보기〉

　ㄱ. Y재가 X재의 대체재라면, 매출이 감소한다.

　ㄴ. Y재가 X재의 대체재라면, 총잉여가 감소한다.

　ㄷ. Y재가 X재의 보완재라면, 공급량이 감소한다.

　ㄹ. Y재가 X재의 보완재라면, 생산자잉여가 감소한다.

　① ㄱ, ㄴ

　② ㄱ, ㄷ

　③ ㄴ, ㄹ

　④ ㄴ, ㄹ

　⑤ ㄷ, ㄹ

29. 한국의 수출액은 3,000억 달러이고 수입액은 2,500억 달러라고 하자. 한국인은 해외 자산을 700억 달러 매입하였고, 외국인은 한국에서 거래되는 자산을 800억 달러 매입하였다. 이때 한국의 외환보유액은 어떻게 변하는가?

① 600억 달러 증가
② 600억 달러 감소
③ 400억 달러 증가
④ 400억 달러 감소
⑤ 변화 없음

30. 단기에는 경제 내에 임금경직성이 존재하므로 총공급곡선은 우상향할 수 있다. 임금경직성이 발생하는 이유를 〈보기〉에서 모두 고르면?

─〈보기〉─
ㄱ. 명시된 계약임금은 경제여건이 변하더라도 계약기간 동안에는 바뀌지 않는다.
ㄴ. 최저임금제가 시행되면, 고용자는 반드시 균형임금 수준보다 높은 최저임금을 지급해야 한다.
ㄷ. 기업이 이윤을 극대화하기 위해 자발적으로 시장보다 높은 실질임금을 지급하는 기업이 있다.

① ㄱ
② ㄴ
③ ㄱ, ㄷ
④ ㄴ, ㄷ
⑤ ㄱ, ㄴ, ㄷ

〈 시사경제·경영 〉

31. 공항, 철도 등의 사례에서 자주 나타나는 지역이기주의의 일종이다. 수익성 있는 사업을 무조건 자기 지방에 유치하려 하는 현상을 일컫는 용어는?

① 핌피현상
② 넛지효과
③ 베이크 아웃
④ 병목현상
⑤ 지렛대효과

32. '이것'은 중앙은행이 경제상황을 평가해 선제적인 방향을 제시할 때 사용하는 용어이다. 보통 정책금리 또는 기준금리의 향방에 대한 시그널을 전달하기 위한 커뮤니케이션 수단인 '이것'은 무엇인가?

① 린치핀
② 포워드 가이던스
③ 베이시스
④ 프레너미
⑤ 오퍼레이션 트위스트

33. 인터넷과 모바일 기술의 비약적 발전을 기반으로 탄생한 스타트업이나 벤처 가운데 기존 법·제도 체계로는 규정되지 않거나, 사각지대에서 사업이나 서비스를 영위하는 기업인 (A) 스타트업, 위험 가능성을 충분히 예상할 수 있었음에도 이를 간과하여 결국 큰 위험에 처하게 되는 상황을 가리켜 (A) 라이노라고 한다. (A)에 공통으로 들어갈 색깔을 영어로 표현하면?

① 레드
② 그레이
③ 브라운
④ 블루
⑤ 옐로우

34. 국내 증시에서 어제 종가 1만 원을 기록한 ○○ 기업의 주가가 오늘은 증시 마감 시간에 가격제한폭까지 떨어져서 마감했다. 증권시장이 마감되었을 때의 ○○ 기업의 주가는 얼마인가?

① 5,000원
② 6,000원
③ 7,000원
④ 8,000원
⑤ 9,000원

35. 회사의 적자가 쌓여 잉여금이 바닥나고, 납입자본금까지 까먹기 시작하면 '이것'에 이른다. 기업 부실화의 징후인 '이것'은?

① 기업공개
② 무상증자
③ 백지신탁
④ 출자전환
⑤ 자본잠식

36. 2022년 노벨경제학상 공동 수상자 3명 중 한 사람으로 2008년 세계 금융위기 당시 미국 중앙은행(Fed) 의장을 지낸 인물은?

① 벤 버냉키
② 재닛 옐런
③ 폴 볼커
④ 앨런 그린스펀
⑤ 매리너 에클스

37. ○○ 기업이 주당 액면가를 5,000원에서 100원으로 대폭 낮춰 1주를 50주로 주식분할을 했다. 주식분할에 따른 이론적인 효과로 알맞은 것은?

① 주식 수는 변하지 않는다.
② 기업가치가 $\frac{1}{50}$로 낮아진다.
③ 주식 거래량은 변하지 않는다.
④ 기업가치가 50배로 높아진다.
⑤ 주식 1주당 가치가 $\frac{1}{50}$로 낮아진다.

38. '이것'은 민간 자본을 통해 주거, 상업, 업무 등 다용도 융·복합 개발이 가능하도록 지정한 지역으로, 입지 규제 최소 구역이라고도 불린다. 대표적 사례로 싱가포르의 마리나베이샌즈와 일본의 롯폰기 힐스가 있다. '이것'은 무엇인가?

① 퍼플존
② 레드존
③ 블랙존
④ 화이트존
⑤ 브라운존

39. 자산시장에서 주가와 집값이 오르면 사람들은 돈을 빌려 투자에 나선다. 상승세가 길어질수록 대출 규모도 커진다. 그러나 자산 가격이 끝없이 오르지는 못한다. 가격이 꺾일 조짐을 보이면 투자자들은 대출을 갚기 위해 자산을 내다 판다. 이런 사이클에서 부채가 한계점에 도달해 투자자들이 자산을 팔기 시작하는 '이 시점'이 시작되면 자산시장의 불황과 위기가 찾아오는데 '이 시점'을 무엇이라고 하는가?

① 숏커버링
② 피터팬 증후군
③ 서킷브레이커
④ 민스키 모멘트
⑤ 번아웃 신드롬

40. 외부회계감사를 하는 공인회계사가 감사의견을 형성함에 있어서 필요한 합리적 감사증거를 얻지 못해 재무제표 전체에 대한 의견표명이 불가능한 것으로 판단할 경우 어떤 감사의견을 제시하는가?

① 적정의견
② 한정의견
③ 부적정의견
④ 부실의견
⑤ 의견거절

41. 올해 '이것'이 사상 처음으로 30%를 돌파한 것으로 나타났다. '이것'은 국민이 낸 세금과 국민연금, 산재보험, 건강보험 등 사회 보장성 기금을 합한 금액이 국내총생산(GDP)에서 차지하는 비율을 말한다. '이것'은 무엇인가?

① 조세부담률
② 재정부담률
③ 국민부담률
④ 사회보장부담률
⑤ 금융-비용부담률

42. 주당 가격이 1,000원이 안 되는 저렴한 주식에 붙는 별명으로 소형주가 많고 주가 변동성이 큰 경향을 보이는 '이것'은?

① 우선주
② 가치주
③ 동전주
④ 황제주
⑤ 자사주

43. 아래 지문을 읽고, ㉠에 속하는 것을 〈보기〉에서 모두 고르면?

> 국제 원유시장에서는 수백 종류의 원유가 거래되지만 관심을 가장 많이 받는 것은 늘 ㉠ 3대 원유이다. 거래시장이 잘 발달해 가격이 투명하게 정해진다는 공통점이 있다. 이들 세 유종은 세계 각 지역 원유 가격의 기준이 된다. 3대 원유 시세에 일정액을 더하거나 빼서 나머지 원유의 가격이 결정되는 구조이다.

〈보기〉

ㄱ. WTI
ㄴ. ISM
ㄷ. BDI
ㄹ. 브렌트유
ㅁ. 두바이유

① ㄱ, ㄴ, ㄷ
② ㄱ, ㄹ, ㅁ
③ ㄴ, ㄷ, ㄹ
④ ㄴ, ㄹ, ㅁ
⑤ ㄷ, ㄹ, ㅁ

44. 아래 나열한 내용이 지칭하는 나라는?

- 2022년 월드컵 개최국
- 수도 도하
- 천연가스 매장량 세계 3위

① 카타르
② 베트남
③ 싱가포르
④ 말레이시아
⑤ 아랍에미리트

45. '이것'은 은행과 비슷한 기능을 수행하지만, 은행과 달리 엄격한 규제를 받지 않는 금융권을 통칭한다. 중국이 '이것'의 규모가 커지며 금융 시스템의 안정성에 위협을 받을 수도 있다는 예측도 있었다. '이것'을 뜻하는 용어는?

① 브리지론
② 메자닌 금융
③ 마이크로 파이낸스
④ 리파이낸싱
⑤ 그림자 금융

46. 아래 나열한 중앙은행의 기준금리 인상 폭의 숫자를 더하면 얼마인가?

> - 빅스텝
> - 자이언트 스텝

① 1.25
② 1.5
③ 1.75
④ 2.0
⑤ 2.25

47. 미국 경제는 두 분기 연속 역성장했다. 올해 1분기 '이것' 증가율이 −1.6%로 후퇴한 데 이어 2분기엔 −0.6%를 기록했다. 이는 기술적 의미의 경기침체에 해당한다. 실질경제성장률을 계산할 때 많이 활용되는 경제지표인 '이것'의 영어 약자는?

① GDP
② GDI
③ PPP
④ PPI
⑤ GRI

48. 기업이 차등의결권, 포이즌 필, 황금낙하산 제도를 활용하는 가장 큰 목적은 무엇인가?

① 집중투자
② 경영권 방어
③ 노동생산성 향상
④ 물류망 확충
⑤ 인수·합병(M&A) 촉진

49. 미국 중앙은행(Fed)의 지속적인 금리 인상으로 경제 사정이 취약한 신흥국을 중심으로 A가 특별인출권인 B을(를) 지원하는 규모가 사상 최대라고 한다. A는 한국이 1997년 외환위기를 겪으면서 구제 금융을 받기도 한 '국제통화기금'이라는 국제기구이다. A, B에 들어갈 영어 약자를 알맞게 짝지으면?

	A	B
①	IMF	NFT
②	IMF	SDR
③	IMF	MMF
④	WB	SDR
⑤	WB	MMF

50. 주식시장에서 주가가 큰 폭으로 떨어지다가 일시적으로 반등하는 상황을 설명하는 용어는?

① 불마켓
② 캐시카우
③ 데드크로스
④ 더블딥
⑤ 데드 캣 바운스

51. 아래 나열한 기업을 영어 약자로 무엇이라고 하는가?

> 티웨이   진에어   에어부산   제주항공   에어서울

① LBO
② LTV
③ LCC
④ CDO
⑤ CMA

52. 에어비앤비가 임대인과 임차인을 실시간으로 연결해주는 서비스를 제공하는 것처럼 플랫폼과 기술력을 가진 회사가 수요자의 요구에 즉각적으로 대응해 서비스와 제품을 제공하는 전략을 무엇이라고 하는가?

① 온디맨드 경제
② 퍼스트 펭귄
③ 스필오버
④ 티핑 포인트
⑤ 팝콘 브레인

53. 현재 국내 법정 최고금리는 연 몇 %인가?

① 15
② 18
③ 20
④ 22
⑤ 24

54. 지난달 17일 '이 나라'의 재무장관이 내년 4월부터 시행 예정이던 소득세 기본세율 인하 방안을 보류하는 등 감세 조치를 추가 철회한다는 내용을 연설하였다. '이 나라'는 기축통화국 중 하나이며, 역사에서 해가 지지 않는 나라로 불렸다. 지난 9월 말에 발표한 감세안으로 '이 나라' 통화가치가 하락하는 등 혼란을 겪었던 '이 나라'는?

① 독일
② 프랑스
③ 헝가리
④ 영국
⑤ 러시아

55. 아래 나열한 내용을 설명할 수 있는 용어를 고르면?

- 기축통화국의 구조적 모순을 설명
- 기축통화가 국제경제에 원활히 쓰이기 위해서는 대외거래에서의 적자가 발생해야만 하고 반대로 기축통화 발행국이 흑자를 보면 돈이 덜 풀려 국제경제가 원활하지 못하는 역설적인 상황

① 사이드카
② 아비트리지
③ 스미스의 역설
④ 하이퍼 로컬
⑤ 트리핀 딜레마

56. 분산투자를 의미하는 금융투자의 격언으로 가장 알맞은 것은?

① 같은 값이면 다홍치마
② 계란을 한 바구니에 담지 말라.
③ 무릎에서 사서 어깨에서 팔아라.
④ 인플레이션은 언제 어디서나 화폐적 현상이다.
⑤ 사하라 사막의 관리를 정부에 맡기면, 5년 안에 모래가 떨어진다.

57. 아래 지문을 읽고, 제목을 붙인다고 가정하자. 이와 관련한 적절한 제목을 고르면?

A국 3대 클라우드 기업으로 꼽히는 ○○클라우드가 2,000억 원의 자금을 유치한다. ㈜○○으로부터 분사한 지 약 6개월만에 몸값 1조 원을 넘어설 것으로 전망된다. 투자은행(IB)업계에 따르면 A국 사모펀드 운용사 2곳이 ○○클라우드의 제3자 배정 유상증자에 총 2,000억 원을 투자해 지분 약 18%를 확보할 예정이다. 신주 발행이 완료되면 ○○클라우드의 기업 가치는 1조 1,000억 원 수준까지 높아진다.

① '데스밸리' 맞이한 ○○클라우드
② ○○클라우드 'ESG 경영' 선언
③ '마이데이터' 사업 진출 … ○○클라우드
④ ○○클라우드 '유니콘' 등극하나
⑤ '승자의 저주'에 빠진 ○○클라우드

58. 최근 2030세대 사이에서 저작권, 미술품, 상업용 빌딩 등 개인이 접근하기 어려웠던 자산에 여러 사람이 소액 투자하고 이익을 함께 나눠 갖는 '이것'이 주목받고 있다. '이것'은 무엇인가?

① 퀀트투자
② 재고투자
③ 선행투자
④ 조각투자
⑤ 소셜투자

59. 아래 A, B를 가장 잘 설명하는 알맞은 용어는?

> • A: A국 공무원 채용 인원은 2018년 1만 9,293명에서 올해 3만 3,000명으로 늘어났다. 내년 공무원 채용도 올해보다 증가할 전망이다. 한편에서는 국민의 세금 부담을 가중시키는 공무원보다 기업이 창출하는 일자리가 늘어나야 한다는 목소리가 크다.
> • B: 업무량 증가와 공무원 수의 증가는 서로 아무런 관련이 없으며, 공무원 수는 일의 분량과 관계없이 증가함을 통계학적으로 증명한 것이다. 이것은 관료화된 거대 조직의 비효율성을 비판한다. 즉, 일이 많아서 사람을 더 필요로 하는 것이 아니라 사람이 많아서 일자리가 더 필요해지는 상황이 된다.

① 로그롤링
② 오쿤의 법칙
③ 이카루스의 역설
④ 파킨슨 법칙
⑤ 게리맨더링

60. 최근 홈쇼핑 업계는 해외 명품으로 눈을 돌리고 있다. 홈쇼핑 업계는 최고급 명품보다는 상대적으로 가격이 저렴한 고가 상품인 '이것'을 판매하고 있다. 쇼호스트가 자기 이름을 걸고 제품을 파는 홈쇼핑의 특성을 최대한 활용한 '이것' 판매는 유통시장의 대세인 e커머스와 차별화된 홈쇼핑 업체의 경영 전략을 보여준다. '이것'은 무엇인가?

① 메세나
② 트윈슈머
③ 매스티지
④ 체리피커
⑤ 앰부시마케팅

〈 상황추론·판단 〉

61. 물을 많이 마시면 체내의 미세먼지를 배출하는 데 효과적이라는 연구결과가 발표되었다. 그리고 지하 암반층으로부터 물을 끌어올려 가공하는 새로운 기술이 개발되었다고 하자. 이에 따른 생수시장 균형의 변화를 가장 잘 설명한 것은?

	균형가격	균형거래량
①	알 수 없음	증가
②	상승	알 수 없음
③	상승	증가
④	상승	불변
⑤	불변	증가

62. 인플레이션 원인에 대한 해당 지문을 읽고, 이와 관련한 〈보기〉의 설명 중 옳은 것을 고르면?

> 인플레이션은 ⊙ 총수요가 증가하여 나타나는 인플레이션과 ⓒ 총공급이 감소하여 나타나는 인플레이션으로 구분할 수 있다. 두 현상의 특징과 대책에 대해 이야기해 보자.

〈보기〉
ㄱ. ⊙의 상황에서 긴축재정을 펼치면, 실업률이 높아질 수 있다.
ㄴ. ⊙의 상황에서 정부지출을 늘리면, 물가가 더욱 하락할 가능성이 높다.
ㄷ. ⓒ의 원인 중 하나로 국제 원자재 가격 상승이 있다.
ㄹ. ⓒ의 상황에서 통화량을 늘리면, 경기가 회복되고 물가가 안정된다.

① ㄱ, ㄴ
② ㄱ, ㄷ
③ ㄴ, ㄷ
④ ㄴ, ㄹ
⑤ ㄷ, ㄹ

63. 학생의 답변 중 (A), (B)에 들어갈 내용을 알맞게 짝지으면?

> • 교수: 국제 원유 가격이 달러 기준으로 하락했는데도 우리나라의 □□ 기업은 원화 기준으로 원유 구입비를 더 많이 지급했어요. 왜 그럴까요?
> • 학생: 원유 수요가 가격에 (A)이거나, 국제 원유 가격의 변동률보다 달러화 대비 원화 가치가 더 크게 (B)했다고 추론할 수 있어요.

	(A)	(B)
①	탄력적	하락
②	탄력적	상승
③	비탄력적	하락
④	비탄력적	상승
⑤	단위탄력적	하락

64. 그림은 우리나라 1인당 국민총소득(GNI) 증가율과 경제성장률 추이를 나타낸다. 2021년의 통계 수치와 관련한 대화 중 옳지 <u>않은</u> 내용은?

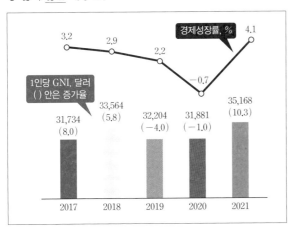

① 가영: 실질GDP가 증가했을 거야.
② 나영: 원화 가치가 상승한 영향이 있을 거야.
③ 다영: 국외 순수취 요소소득이 감소했기 때문일 거야.
④ 라영: 우리나라는 전년보다 국가 경제 규모가 늘어났을 거야.
⑤ 마영: 인구증가율이 국민총소득 증가율보다 낮아서일 거야.

65. 아래의 해당 시장에 관한 특징을 〈보기〉에서 고르면?

> 학생들이 다니는 학원도 무수히 많이 존재하지만 학원이 제공하는 강의 수준이 다르기 때문에 학생들 각자의 기준에 따라 신뢰하고 소비한다. 즉, 해당 재화나 서비스에 대해 '단골'이 된다. 우리가 주변에 흔히 볼 수 있는 미용실의 경우도 소비자가 헤어디자이너의 맞춤화된 서비스, 거리, 광고, 가격 조건 등을 다른 미용실과 비교하여 하나의 단골집을 선택한다.

> ─〈보기〉─
> ㄱ. 제품차별화
> ㄴ. 비가격경쟁
> ㄷ. 역선택
> ㄹ. 가격수용자

① ㄱ, ㄴ
② ㄱ, ㄷ
③ ㄴ, ㄷ
④ ㄴ, ㄹ
⑤ ㄷ, ㄹ

66. 아래 신문기사를 읽고, ㉠~㉤에 대한 학생들의 설명 중 옳지 <u>않은</u> 것은?

> 국회에서 논의 중인 전기통신사업법 개정안은 유튜브, 넷플릭스 등 대규모 트래픽을 발생시키는 해외 ㉠ 콘텐츠 제공업자(CP)에게 ㉡ 망사용료를 부과하는 내용을 골자로 한다. 콘텐츠 사용 증가로 늘어난 네트워크 투자 부담을 대형 CP도 함께 져야 한다는 논리이다. 네이버, 카카오 등이 망 사용료를 내는 것과 달리 구글, 넷플릭스는 망 사용료를 내고 있지 않다. ㉢ 통신 3사 관계자는 "글로벌 빅테크의 인터넷 ㉣ 무임승차를 방치하면 국내 인터넷 생태계에 ㉤ 공유지의 비극이 발생할 것"이라고 지적했다.
> ○○경제신문, 2022. 10. 13.

① 가영: ㉠이 등장하면서, 코로나19 시기 경제가 셧다운 되었어도 문화 소비 활동이 가능했지.
② 나영: ㉡은 망 중립성에 관한 ㉠과 ㉢의 갈등을 촉발시켰지.
③ 다영: ㉢을 인터넷 서비스 제공업자(ISP)라 부르지.
④ 라영: ㉢이 구축한 망에 해외 ㉠을 배제할 수 없기 때문에 ㉣이 나타나지.
⑤ 마영: ㉤을 해결하기 위해 일종의 재산권이라 할 수 있는 ㉡을 부과하자는 것이 ㉠의 입장이지.

67. 아래 사례에서 설명하고 있는 해당 기업의 전략을 심화시키는 요인으로 적절하지 <u>않은</u> 것은?

> 독점적 위치를 차지하고 있는 전자상거래업체 A사의 유료회원인 B씨는 180만 원 넘는 C사의 노트북을 사려다 분통 터지는 일을 겪었다. 같은 유료회원인 옆자리 동료와 한 대씩 구매하려던 B씨는 카드 할인 방식이 다르다는 것을 발견했다. … (중략) … A사의 같은 상품을 두고 충성고객에게 더 비싼 가격을 물리는 데서 나아가 유료회원에게 카드 할인 혜택 노출마저 다르게 적용한다는 사실이 드러난 것이다.

① 멤버십 가입자 증가
② 높은 시장 진입 비용
③ 개별 수요에 대한 정보 증가
④ 소비자의 동질적인 유보가격
⑤ 소비자와 판매자 간 정보 비대칭성

68. 아래 통계 자료의 빈칸 ㉠과 ㉡에 들어갈 금액의 합을 구하면?

> 〈갑국의 경제 통계 자료(2021년)〉
> • 실질 국내총생산(GDP): 7,000억 달러
> • 실질 국민총생산(GNP): 9,000억 달러
> • 실질 국민총소득(GNI): 9,300억 달러
> • 교역 조건 변화에 따른 실질 무역 이익: (㉠)
> • 해외 수취 요소소득: 3,500억 달러
> • 해외 지불 요소소득: (㉡) 달러
>
> *실질GNI = 실질 국내총생산(GDP)+해외 순수취 요소소득+교역 조건 변화로 인한 실질 무역 이익

① 1,200억 달러
② 1,400억 달러
③ 1,600억 달러
④ 1,800억 달러
⑤ 2,000억 달러

69. ㉠∼㉢의 변화 방향을 알맞게 짝지으면? (여기서 투자는 기업의 설비투자 등을 의미함)

> A국 중앙은행은 채권 발행을 늘렸더니 ㉠ 통화량이 변화했고, 이어서 ㉡ 국내 금리(이자율)에 영향을 주었다. 이는 ㉢ 소비와 투자에 영향을 주어 경제가 안정화되었다.

	㉠	㉡	㉢
①	감소	하락	감소
②	감소	상승	감소
③	감소	상승	증가
④	증가	하락	감소
⑤	증가	상승	증가

70. 아래처럼 기준금리와 빚이 지속적으로 증가한다고 가정하자. 이때 나타날 수 있는 경제현상 중 옳지 <u>않은</u> 것은? (단, 다른 조건은 일정하다고 가정한다.)

> 한국은행이 기준금리 인상을 단행했다. 기준금리는 10년 만에 3%대로 올라섰다.

자료: 한국은행, 기획재정부

① 한국은행이 기준금리를 인상하면, 대출을 받은 경제 주체의 이자 부담은 증가할 것이다.
② 경기선행지수는 지속적으로 하락할 가능성이 높다.
③ 인구 증가가 없다면, 국민 한 사람당 갚아야 할 정부 부채는 점점 늘어날 것이다.
④ 부채가 증가한 가계는 기준금리 인상으로 가처분 소득이 감소할 것이다.
⑤ 한국은행이 기준금리를 인상하면, 코픽스(COFIX)는 내려갈 것이다.

71. 찬호는 당첨 상품이 {자동차, 유럽 여행, 백화점 상품권, 꽝}인 경품 행사에 참가하려고 한다. 각각의 결과에 대한 찬호의 기대효용은 U(자동차)=100, U(유럽여행)=80, U(백화점 상품권)=30, U(꽝)=0이다. 이때 A안은 각각 당첨 상품이 나올 확률이 $\left\{\frac{1}{2}, 0, 0, \frac{1}{2}\right\}$이고 B안은 $\left\{\frac{1}{4}, \frac{1}{4}, \frac{1}{4}, \frac{1}{4}\right\}$이다. 찬호의 A안과 B안에 대한 기대효용은 얼마인가?

	A안 기대효용	B안 기대효용
①	51	55
②	50	52.5
③	50	47
④	52.5	50
⑤	50	50

72. 지문에서 (가) ~ (다)에 들어갈 내용을 알맞게 짝지으면?

국제 신용평가회사인 스탠더드앤드푸어스(S&P)는 A국에 신용등급 전망을 부여하기 시작한 1991년 이후 처음으로 A국 국채의 신용등급 전망을 '안정적'에서 '(가)'으로 낮췄다. S&P는 성명을 통해 "A국이 같은 등급을 받고 있는 국가들과 비교할 때 막대한 정부의 (나)와 국가부채 급증에 대처하는 과정에서 예상되는 불확실성 등으로 장기 전망을 '안정적'에서 '(가)'으로 낮췄다."고 밝혔다. … (중략) … A국 신용전망 소식이 전해지면서 이날 개장한 A국 증시는 급락하고, A국 국채 수익률은 소폭 (다)하는 등 부정적 영향을 받고 있다.

	(가)	(나)	(다)
①	긍정적	영업적자	하락
②	긍정적	재정적자	상승
③	부정적	영업적자	하락
④	부정적	재정적자	상승
⑤	불분명	무역적자	하락

73. 아래 현상을 유발할 수 있는 환율 변동 요인의 조합으로 가장 적절한 것은?

- 수출 호조로 무역수지 적자 폭 축소
- 수입 원자재 가격 상승에 따른 소비자 물가 상승
- 환차손을 우려한 외국인 투자자의 보유 주식 투매로 주가 급락

① 내국인의 해외 투자 증가, 외국인 관광객의 국내여행 감소
② 내국인의 해외 투자 감소, 외국인 관광객의 국내여행 증가
③ 내국인의 해외여행 증가, 외국인의 국내 투자 증가
④ 내국인의 해외여행 감소, 외국인의 국내 투자 감소
⑤ 내국인의 해외 투자 증가, 외국인의 국내 투자 증가

74. 그림은 A국의 경기변동 추세를 나타낸다. 이와 관련한 〈보기〉의 설명 중 옳은 것을 고르면?

〈보기〉

ㄱ. ㉠에서는 소득이 감소한다.
ㄴ. ㉡에서는 경제 전반의 수요가 점진적으로 하락한다.
ㄷ. ㉢에서는 투자가 감소하고 물가는 상승한다.
ㄹ. ㉣에서는 생산과 고용이 감소한다.

① ㄱ, ㄴ
② ㄱ, ㄷ
③ ㄴ, ㄷ
④ ㄴ, ㄹ
⑤ ㄷ, ㄹ

75. 아래 신문기사를 읽고, 새로운 사업을 막는 역사적 사례나 이론을 〈보기〉에서 고르면?

> 타다와 카카오택시는 기존 시장을 흔들었고 서서히 우세종(種)으로 자리를 잡아갔습니다. 환경에 잘 적응하는 종은 번창하고, 적응하지 못하는 종은 도태된다는 찰스 다윈의 '자연선택(natural selection)'과 유사합니다. 택시업계는 낯선 침입자들을 내쫓아야 했습니다. 타다는 고발됐고, 수사를 받았고, 결국 타다금지법이 생겨서 사업을 접었습니다.
>
> ○○경제신문, 2022. 10. 10.

〈보기〉

ㄱ. 코즈의 정리
ㄴ. 쿠즈네츠 파동
ㄷ. 철의 삼각
ㄹ. 붉은 깃발법

① ㄱ, ㄴ
② ㄱ, ㄷ
③ ㄴ, ㄷ
④ ㄴ, ㄹ
⑤ ㄷ, ㄹ

76. 이동통신사 A는 모바일 서비스를 독점적으로 제공한다. 이 회사의 서비스를 사용하는 소비자 (가) ~ (마)의 지불용의는 아래 〈표〉와 같으며, 서비스 제공에 따른 한계비용 및 고정비용은 0이다. 이동통신사 A의 이윤극대화 결과와 관련한 설명 중 옳지 않은 것은?

소비자	모바일
(가)	9
(나)	0
(다)	5
(라)	7
(마)	2

① 이동통신사 A의 이윤은 15이다.
② 이동통신사 A의 이윤은 수입과 같다.
③ 이동통신사 A는 모바일 서비스 가격을 7로 설정한다.
④ 이동통신사 A의 모바일 서비스를 구매하는 소비자는 총 3명이다.
⑤ 소비자 (마)는 이동통신사 A의 모바일 서비스를 구매하지 않는다.

77. 〈표〉는 갑국의 고구마 수요와 공급을 나타낸 것이다. 갑국이 개당 고구마 가격을 1,000원으로 유지하고자 할 때, 고구마 수매에 필요한 금액과 이 정책의 명칭을 알맞게 짝지으면?

공급량(개)	가격(원)	수요량(개)
2,000	1,000	900
1,800	800	1,200
1,500	600	1,500
1,200	500	1,900
900	400	2,000

① 90만 원, 최저가격제
② 110만 원, 최저가격제
③ 90만 원, 최고가격제
④ 110만 원, 최고가격제
⑤ 90만 원, 균형가격제

78. 아래 신문기사를 읽고, 한국이 세계국채지수에 편입되면 나타날 영향에 대한 설명 중 옳지 않은 것은? (단, 다른 조건은 일정하다고 가정한다.)

> 한국이 '선진국 국채클럽'으로 불리는 세계국채지수(WGBI)에 관찰대상국으로 이름을 올렸다. 지수 편입을 위한 마지막 단계로, 내년 편입이 이뤄지면 50조 ~ 60조 원에 달하는 외국인 국채투자 자금이 유입될 전망이다.
>
> ○○경제신문, 2022. 10. 1.

① 한국의 국고채 금리가 하락한다.
② 외국인의 한국 채권 투자가 증가한다.
③ 한국에 대한 CDS 프리미엄이 상승한다.
④ 달러화 대비 원화 환율이 하락하는 요인이다.
⑤ 한국 국채에 대한 신용등급이 상승하는 요인이다.

79. 아래 신문기사를 읽고, ㉠~㉤과 관련한 설명 중 옳지 않은 것은?

> ㉠ 항공권 가격은 기본운임과 공항세, 유류할증료로 구성된다. ㉡ 항공권 가격은 일반직으로 수요·공급 논리에 좌우된다. 다만, 수익 극대화를 위한 항공사들의 '가격 마케팅'에 따라 항공권 가격은 천차만별이다. 재고가 없는 항공권 특성상 출발 전까지 빈 좌석을 얼마나 최소화하느냐에 따라 수익이 좌우되기 때문이다. ㉢ '좌석이 100개이면 가격도 100개이다.'는 말이 있을 정도이다. … (중략) … ㉣ 등급에 따라 마일리지가 얼마나 적립되는지, 좌석 승급이 가능한지, 예약 변경 및 취소가 가능한지, 수수료가 얼마인지 등이 달라진다. 가격이 싼 좌석일수록 부가 서비스 혜택이 작다. 항공사들이 마케팅 차원에서 파격적인 가격에 판매하는 '얼리버드' 항공권이 이런 유형이다. 환불 또는 좌석 승급이 일절 불가능하다. 일반적으로 항공사들은 초기엔 낮은 등급의 항공권을 판매하다가 ㉤ 출발 기한이 얼마 안 남은 상황에선 고가 항공권을 판매한다. 항공권을 일찍 예약하면 가격이 저렴하다고 알려진 것도 이 때문이다.
>
> ○○경제신문, 2022. 10. 6.

① ㉠: 기업 활동을 위한 최소한의 비용으로 구성되어 있다.
② ㉡: 성수기에는 항공권 가격이 비싼 이유이다.
③ ㉢: 1급 가격차별이 연상된다.
④ ㉣: '공짜 점심은 없다.'는 문구가 적절한 표현이다.
⑤ ㉤: 해당 항공권은 수요의 가격탄력성이 높기 때문이다.

80. 아래는 『허상을 좇는 돈』이라는 책을 소개한 글의 내용 중 일부를 발췌한 것이다. 이와 관련한 설명 중 옳지 않은 것은?

> 신용화폐 제도가 본격 형성되기 시작했다. 외상이나 어음, 선물옵션 거래, 왕실의 차입은 오래전부터 존재했지만, 이 시기는 좀 더 특별했다. 잉글랜드은행이 발급한 귀금속 보관증서가 화폐를 대신하기 시작했다. 영국 의회가 왕실 재정 충당을 위한 차입에 보증을 서기 시작하면서 국왕의 채무는 국가 채무로 전환됐고 국채 시장이 탄생했다. 물론, 복지가 아니라 전쟁용이었다. 영국은 명예혁명 이후 1688~1697년 5,000만 파운드를 대(對)프랑스 전쟁 비용으로 썼는데, 이 중 1,600만 파운드가 차입이었고, 이 가운데 700만 파운드는 의회 보증 국채로 조달한 것이었다. … (중략) … 남해회사는 주식 발행 대금 대부분을 국채 매입에 지출했다. 의회가 보증하는 안전한 공기업이라는 허상의 믿음을 바탕으로, 주가는 1720년 1월 100파운드에서 출발해 6월에 700파운드를 거쳐 1,000파운드까지 치고 올랐다. 당시 회사의 미래 예상수익을 근거로 주기적으로 주식의 적정 가치를 계산한 아치볼드 허치슨에 따르면, 연간 주당순이익이 200파운드가 돼야 700파운드 주가가 뒷받침됐는데, 이는 조폐국장 뉴턴의 5개월 치 월급이었다. 이쯤되면 논리적 분석 따위는 의미가 없다. 그저 남들이 하니까 나도 하는 것이다. 그해 8월 하락세로 돌아선 이후 대파국은 말할 것이 없다.

① 남해회사의 당시 주가는 수익성에 비해 높게 형성되었다.
② 17세기 영국의 국채 발행은 전쟁비용을 충당하는 것이 주된 목적이다.
③ 남해회사의 주식은 손실 위험이 전혀 없는 위험도가 매우 낮은 투자 상품이었다.
④ 포모(FOMO)증후군이 현재뿐만 아니라 과거에도 일어났다는 것을 보여준다.
⑤ 남해회사는 스페인 식민지와의 무역권을 독점하는 무역회사였지만, 실질적으로 영국 정부의 자금조달 창구였다.

국가공인 1호 경제이해력 검증시험
제77회 특별 TESAT 문제지

성 명		수험번호							

■ 문제지 표지에 성명과 수험번호를 적었는지 확인하십시오.

■ 경제이론과 시사경제 · 경영은 문항당 3점, 4점이고 상황추론 · 판단은 문항당 5점입니다.

■ 시험시간은 100분입니다.

〈 경 제 이 론 〉

1. 경제학에서 정의하는 희소성이 발생하는 가장 큰 이유는?

① 사용 가능한 자원이 제한되어 있기 때문이다.

② 모든 사람이 선택의 문제에 직면하기 때문이다.

③ 각국의 정부가 사회적 부작용을 고려하여 생산량을 통제하기 때문이다.

④ 많은 국가의 사람들이 비정상적으로 많은 재화와 서비스를 소비하기 때문이다.

⑤ 대부분 국가의 생산방식이 좋지 않아 충분한 물건을 생산해내지 못하기 때문이다.

2. 올해 국내총생산(GDP)에 포함되는 사례를 고르면?

① 살던 집을 매각한 대금 2억 원

② ○○ 기업 주식을 매각한 돈 1억 원

③ 유선방송에서 최신 영화를 보기 위해 지불한 2,000원

④ 남편이 출근한 뒤 집안을 청소한 가정주부의 노동 가치 10만 원

⑤ 떡 가게에서 떡을 빚기 위해 구입한 지난해 생산된 쌀값 5만 원

3. 수요곡선에 미치는 영향이 다른 하나는?

① 대체재 공급 감소

② 소비자의 수 증가

③ 미래 가격 상승 예상

④ 보완재 단위당 생산성 하락

⑤ 재화에 대한 소비자의 선호도 증가

4. 공급측면에서 인플레이션을 발생시키는 원인이 아닌 것은?

① 정부지출 증가

② 국제 원자재 가격 급등

③ 기업에 대한 환경규제 강화

④ 홍수나 한파와 같은 자연재해

⑤ 노동생산성을 초과한 과도한 임금 상승

5. 소비자잉여에 대한 설명 중 옳지 않은 것은?

① 소비자잉여는 소비자가 시장에 참여해 얻는 이득이다.

② 소비자가 지불할 수 있는 최저가격과 시장가격의 차이를 소비자잉여라고 한다.

③ 소비자잉여는 수요곡선의 아래, 가격 수준 윗부분의 면적으로 계산할 수 있다.

④ 완전경쟁시장일 때 수요와 공급의 균형상태에서 소비자잉여와 생산자잉여의 합이 극대화된다.

⑤ 소비자잉여란 구입자의 지불용의금액에서 구입자가 실제로 지불한 금액을 뺀 나머지 금액을 말한다.

6. 중앙은행이 경기침체에 대응하기 위해 화폐공급을 증가시켰다고 하자. 이때 중앙은행이 의도한 통화정책의 전달경로로 알맞은 것은?

① 이자율 상승 → 투자 감소 → 총수요 감소 → 국민소득 감소
② 이자율 상승 → 투자 감소 → 총수요 증가 → 국민소득 감소
③ 이자율 하락 → 투자 증가 → 총수요 감소 → 국민소득 감소
④ 이자율 하락 → 투자 증가 → 총수요 증가 → 국민소득 증가
⑤ 이자율 하락 → 투자 감소 → 총수요 증가 → 국민소득 증가

7. 세금 부과와 관련한 설명 중 옳은 것을 고르면?

① 세율을 지속해서 높이면 세금 수입이 계속 늘어난다.
② 공급자에게 물품세를 부과하면 공급곡선이 우측으로 이동한다.
③ 소비자의 가격탄력성이 무한대라면 세금은 소비자가 모두 부담한다.
④ 세금의 실제 부담 주체는 누구에게 세금을 부과하는가와 밀접한 관련이 있다.
⑤ 완전경쟁시장에서 거래되는 재화에 세금을 부과하면 사회적 총잉여는 감소한다.

8. 금리와 예금·주식·채권의 관계에 대한 설명 중 옳지 <u>않은</u> 것은?

① 금리가 인상되면, 주식시장에는 악재 요인이다.
② 금리가 인상되면, 채권금리 상승으로 채권가격이 상승할 것이다.
③ 금리가 인상되면, 예금을 꾸준히 하는 사람이 상대적으로 유리해진다.
④ 금리 인하 시기에는 예금보다는 주식 또는 채권시장이 유망하다.
⑤ 금리가 인하되면, 수익성 측면에서 예금보다 주식이 상대적으로 유리해진다.

9. 그림은 갑국의 경기변동 추세를 나타낸다. 이와 관련한 〈보기〉의 설명 중 옳은 것을 고르면?

〈보기〉

ㄱ. ㉠에서는 생산이 증가한다.
ㄴ. ㉡에서는 경제 전반의 수요가 점진적으로 하락한다.
ㄷ. ㉢에서는 투자가 감소하고 물가는 상승한다.
ㄹ. ㉣에서는 기업의 이윤이 늘어나고, 고용상황이 개선된다.

① ㄱ, ㄴ
② ㄱ, ㄷ
③ ㄴ, ㄷ
④ ㄴ, ㄹ
⑤ ㄷ, ㄹ

10. 아래 지문을 읽고, ㉠~㉢에 들어갈 내용을 알맞게 짝지으면?

비대칭 정보의 상황에서 감추어진 특성이 문제가 되어 정보를 갖지 못한 경제 주체가 바람직하지 않은 특성을 가진 상대방과 거래할 가능성이 높아지는 것을 (㉠)(이)라고 한다. 이 상황에서 정보를 가진 측이 자신의 특성을 상대방에게 알리는 (㉡)와(과) 정보를 갖지 못한 측이 정보를 가진 측의 유형을 판별하고자 노력하는 (㉢)이(가) (㉠)의 문제를 완화시킬 수 있다.

	㉠	㉡	㉢
①	역선택	신호발송	선별
②	역선택	선별	스티그마
③	역선택	유인설계	선착순
④	도덕적 해이	스티그마	선별
⑤	도덕적 해이	유인설계	신호발송

11. 아래 그림과 관련한 설명 중 옳지 <u>않은</u> 것은?

① 국민소득 3면 등가의 법칙을 나타낸다.
② (가)는 분배 국민소득이다.
③ (나)지출은 기업이 재고를 보유하는 행위를 포함한다.
④ (다)에서 중간재의 가치는 포함되지 않는다.
⑤ (라)는 정부가 세금을 징수하여 얻는 대가이다.

12. 무차별곡선이 원점에 대해 볼록한 것과 가장 관련이 깊은 설명은?

① 재화 및 서비스는 양이 많을수록 선호한다.
② 재화 및 서비스가 골고루 섞여 있는 소비묶음을 선호한다.
③ 모든 재화 및 서비스의 소비묶음은 선호를 비교할 수 있다.
④ 재화 및 서비스에 대한 소비자의 선호가 갑자기 변할 수 없다.
⑤ 소비묶음 A보다 B를 선호하고 B보다 C를 선호하면 A보다 C를 선호한다.

13. 절약의 역설에 대한 설명 중 옳지 <u>않은</u> 것은?

① 경제학자인 케인스가 강조하였다.
② 경제의 장기적인 관점에서 유효한 현상이다.
③ 국내총생산의 결정에 있어 총수요의 중요성을 강조한다.
④ 경기불황에는 오히려 소비를 늘리는 것이 도움이 된다.
⑤ 개인에게 도움이 되는 행동이 경제 전체로는 해가 될 수 있다.

14. 어떤 재화 수요의 가격탄력성이 완전탄력적이라고 하자. 이와 관련한 설명 중 옳은 것은?

① 공급이 증가하면 가격이 하락한다.
② 수요곡선은 수직선 모양의 직선이다.
③ 공급이 감소해도 재화의 거래량은 감소하지 않는다.
④ 공급자에게 부과된 세금은 공급자가 모두 부담한다.
⑤ 소비자에게 세금을 부과하면, 소비자잉여는 감소한다.

15. 무역을 허용하지 않았던 국가가 외국과의 무역을 개방함에 따라 예상되는 결과가 <u>아닌</u> 것은?

① 무역을 통해 얻는 이익은 모든 경제 주체에게 돌아간다.
② 국가 간 생산성이 크게 차이가 나더라도 무역이 이루어질 수 있다.
③ 경쟁력을 갖추지 못한 기업이나 산업은 해당 시장에서 퇴출당할 수 있다.
④ 국내 독과점 기업이 지니는 문제를 해외 무역으로 개선할 수도 있다.
⑤ 비교열위에 있는 상품을 덜 생산하는 대신 비교우위에 있는 상품을 더 생산해 수출함으로써 자원이 더 효율적으로 사용된다.

16. 아래 나열한 내용을 지칭하는 소비 행태는 무엇인가?

- 친구 따라 강남 간다.
- 남들이 구매하는 제품은 나도 구매해야 한다.

① 기저효과
② 파레토 법칙
③ 파랑새 증후군
④ 밴드왜건효과
⑤ 피터팬 증후군

17. 필립스곡선과 관련한 설명 중 옳은 것은?

① 단기 필립스곡선이 장기 필립스곡선보다 가파르다.
② 자연실업률이 증가하면 필립스곡선은 왼쪽으로 이동한다.
③ 자연실업률 가설에 따르면 장기 필립스곡선은 수평선이 된다.
④ 단기 필립스곡선은 실업률과 물가상승률 간의 상충관계를 보여준다.
⑤ 1970년대 스태그플레이션으로 실업률과 물가상승률 간의 상충관계가 더욱 명확하다는 것이 입증되었다.

18. 경쟁시장에 있는 A기업은 철판을 생산하면서 부득이하게 환경을 오염시키고 있다. 이 회사의 환경오염을 막으려면 정부는 어떻게 해야 할까? (단, 거래비용은 존재한다.)

① 시장의 자율기능에 맡기고 정부는 개입하지 않는다.
② 한계 사적비용에 해당하는 만큼의 세금을 부과한다.
③ 한계 사적비용에 해당하는 만큼의 보조금을 지급한다.
④ 한계 사회적비용과 한계 사적비용의 차이에 해당하는 만큼의 세금을 부과한다.
⑤ 한계 사회적비용과 한계 사적비용의 차이에 해당하는 만큼의 보조금을 지급한다.

19. 그림은 민간 경제의 흐름을 나타낸다. 이에 대한 〈보기〉의 설명 중 옳은 것을 고르면?

─〈보기〉─
ㄱ. (가)는 공공재 생산의 주체이다.
ㄴ. (나)는 효용극대화를 위해 경제 활동을 한다.
ㄷ. ㉠은 (가)가 받는 임금에 속한다.
ㄹ. ㉡은 (나)의 판매수입에 해당한다.

① ㄱ, ㄴ
② ㄱ, ㄷ
③ ㄴ, ㄷ
④ ㄴ, ㄹ
⑤ ㄷ, ㄹ

20. 아래 실업 유형과 관련한 설명 중 옳지 않은 것은?

> 근로자들이 이직하는 과정에서 발생하는 실업

① 완전고용 상태에서도 이러한 실업은 나타난다.
② 이러한 실업은 경제의 윤활유 같은 역할을 한다.
③ 일자리 정보 확충을 통해 이러한 실업을 줄일 수 있다.
④ 일반적으로 실업보험급여 수급기간 확대는 이러한 실업을 늘린다.
⑤ 산업구조 개편 등 경제구조의 변화가 이러한 실업을 늘린다.

21. 해외로부터의 외자 도입에 따른 이자 지급은 국제수지표에서 어느 항목에 기록되는가?

① 자본계정
② 소득계정
③ 투자계정
④ 서비스계정
⑤ 준비자산계정

22. 아래 그림은 시장의 유형을 분류한 것이다. (가)~(라)에 대한 설명 중 옳지 않은 것은?

① (가)에서는 자원 배분이 효율적으로 이루어진다.
② (나)의 사례는 미용실, 음식점 등에서 찾아볼 수 있다.
③ (다)는 우월전략균형으로 설명할 수 있다.
④ (라)는 기업 간 상호의존성이 매우 높다.
⑤ (나)는 (가)보다 각 기업이 해당 시장에서의 지배력이 강하다.

23. 정부가 경기진작을 위해 소득세를 감면하고 정부 부채를 증가시켰다고 하자. 이런 정책의 효과가 커질 수 있는 조건이 <u>아닌</u> 것은?

① 소득에 대한 한계소비성향이 높다.
② 정부 부채 증가가 이자율 상승을 초래하지 않는다.
③ 소비자들이 먼 미래를 생각하지 않고 현재 중심으로 소비를 한다.
④ 신용제약에 걸려 은행으로부터 차입하기 어려운 소비자들이 존재한다.
⑤ 소비자들이 정부 부채 증가가 가까운 미래에 조세 증가로 이어질 것으로 예상한다.

24. 환율과 관련한 설명 중 옳지 <u>않은</u> 것은? (환율은 달러화 대비 원화 환율이다.)

① 환율이 상승하면, 한국 정부의 대외 부채 부담이 늘어난다.
② 환율이 하락하면, 국내 생산 기업의 수출 가격 경쟁력이 악화된다.
③ 미국인의 주식 투자자금이 국내에 유입되면 환율은 상승한다.
④ 환율이 하락하면, 미국에 유학생을 둔 부모의 학비 송금 부담이 줄어든다.
⑤ 환율 상승은 원화 가치가 미국 달러화 가치보다 상대적으로 하락함을 의미한다.

25. 아래 지문과 관련한 설명 중 옳은 것은? (단, A와 B는 각각 시장경제체제와 계획경제체제 중 하나이다.)

> 경제체제는 자원의 배분 방식에 따라 A와 B로 구분할 수 있다. A와 달리 B는 정부의 명령과 통제에 의해 자원 배분이 이루어진다.

① A에서는 희소성에 의한 경제문제가 발생하지 않는다.
② A는 보이지 않는 손에 의한 자원 배분을 중시한다.
③ A는 원칙적으로 생산 수단의 사적 소유를 인정하지 않는다.
④ B는 A보다 시장에서의 경제적 유인을 강조한다.
⑤ B는 경제문제의 해결 기준으로 형평성보다 효율성을 중시한다.

26. 경기침체 시에 중앙은행이 시도하는 정책으로 알맞은 것은?

① 소득세율을 낮추어 소비를 진작시킨다.
② 기업의 연구개발을 장려하는 정책을 펼친다.
③ 지급준비율을 낮추어 통화승수를 높이는 정책을 펼친다.
④ 기준금리를 높여서 가계와 기업의 무분별한 차입을 억제한다.
⑤ 통화안정증권을 발행하여 통화량을 줄이고 경제를 안정시킨다.

27. 아래의 지문에서 나타난 중고차와 신차의 관계를 가장 잘 설명할 수 있는 개념은 무엇인가?

> 대학생 중 자차를 소유한 사람의 비율은 높지 않다. 하지만 대학 졸업 후 취업을 하여 소득이 생기면 차를 구입하는 경우가 많은데, 처음에는 주로 중고차를 구입한다. 하지만 시간이 흘러 경제적 여유가 생기면 중고차를 처분하고 신차를 구입하는 경우가 많다.

① 재화와 비재화
② 공유재와 공공재
③ 정상재와 열등재
④ 매몰비용과 기회비용
⑤ 명시적 비용과 암묵적 비용

28. 외환보유액에 대한 〈보기〉의 설명 중 옳은 것을 고르면?

> ─〈보기〉─
> ㄱ. 일반적으로 외환보유액은 국가 신용도와 밀접한 상관관계가 있다.
> ㄴ. 충분한 외환보유액을 보유하면, 기업 및 금융회사의 외국 자본 조달 비용을 낮추고 외국인 투자를 촉진하는 효과도 있다.
> ㄷ. 외환보유액이 많다는 의미는 국내 통화량이 감소했다는 의미이다.
> ㄹ. 정부가 보유한 달러화와 금은 포함되지만 위안화, 유로화 등은 달러화만큼 널리 사용되지 않기 때문에 외환보유액에 포함하지 않는다.

① ㄱ, ㄴ
② ㄱ, ㄷ
③ ㄴ, ㄷ
④ ㄴ, ㄹ
⑤ ㄷ, ㄹ

29. 독점시장에서 가격차별이 가능하기 위한 전제조건을 〈보기〉에서 고르면?

―〈보기〉―
ㄱ. 많은 판매자와 낮은 진입장벽이 존재해야 한다.
ㄴ. 가격차별 대상이 되는 집단 간에 상호 재판매가 불가능해야 한다.
ㄷ. 가격차별 대상에 따라 분리된 시장에서 수요의 가격탄력성이 서로 달라야 한다.
ㄹ. 시장분리비용이 시장분리에 따른 이윤증가분보다 커야 한다.

① ㄱ, ㄴ
② ㄱ, ㄷ
③ ㄴ, ㄷ
④ ㄴ, ㄹ
⑤ ㄷ, ㄹ

30. 아래 그림과 관련한 설명 중 옳지 않은 것은?

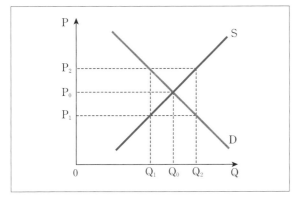

① 정부가 최고가격을 P_1으로 설정하는 경우 $Q_1 \sim Q_2$만큼의 초과수요가 발생한다.
② 정부가 최저가격을 P_2로 설정하면, $Q_1 \sim Q_2$만큼의 초과공급이 발생한다.
③ 정부가 최고가격을 P_1으로 설정하면, 암시장에서 P_2의 가격을 지불하려는 소비자가 발생한다.
④ 정부가 공급자에게 단위당 $P_1 \sim P_2$만큼의 조세를 감면하든, 수요자에게 $P_1 \sim P_2$만큼의 소비 보조금을 지급하든 균형거래량은 같다.
⑤ 정부가 공급자에게 단위당 $P_0 \sim P_1$만큼의 세금을 부과하면, 균형가격은 P_2가 된다.

〈 시사경제 · 경영 〉

31. 법정최고금리를 인하하자 오히려 저신용자가 불법 사금융시장으로 밀려나는 현상을 설명할 수 있는 용어는?
① 낙수효과
② 롤링효과
③ 분수효과
④ 밀러효과
⑤ 풍선효과

32. 한 가지 금융상품에 몰아서 투자하지 않고 여러 자산에 분산 투자하는 행위의 가장 큰 목적은 무엇인가?
① 복리효과
② 나비효과
③ 지렛대효과
④ 리스크 축소
⑤ 고위험 고수익

33. '이 법'은 미국이 자국 내 친환경 에너지 공급망을 탄탄하게 하기 위해 약 480조 원을 투입하겠다는 내용 등을 담은 법안이다. 2022년 8월 7일 법안이 미국상원을 통과했고, 같은 달 16일 조 바이든 미국 대통령이 법안에 서명하면서 발효됐다. 하지만 법안의 내용 중 미국에서 제조한 전기차에만 혜택을 주어 한국자동차 산업에 불리하다는 우려가 제기된 '이 법'의 이름은 무엇인가?
① 도드 – 프랭크 법
② 슈퍼 301조 법
③ 인플레이션 감축법
④ 스무트 – 홀리 관세법
⑤ 우루과이라운드 법

34. 경기를 판단하는 지표로 BSI(기업경기실사지수), CSI(소비자동향지수), PMI(구매관리자지수) 등 여러 가지가 있다. 이때 BSI와 CSI에서 경기 확장, 수축을 판단하기 위한 기준이 되는 숫자는 얼마인가?

① 10
② 50
③ 100
④ 150
⑤ 200

35. 아래 나열한 내용을 설명할 수 있는 용어를 고르면?

- 자금조달비용지수
- 주택담보대출 금리 등의 기준이 됨
- 국내 8개 은행이 시장에서 조달하는 정기 예·적금, 금융채, 양도성예금증서(CD) 등 8개 수신 상품 자금의 평균 비용을 가중 평균해 산출

① 코픽스
② 코스닥
③ 코스피
④ 코리보
⑤ 코넥스

36. 최근 한국의 고령화 속도가 빨라지면서, 사회·경제적으로 많은 영향을 미칠 것으로 보인다. 이에 따라 한국개발연구원(KDI)은 가까운 미래에 닥칠 경제적 충격을 완화하기 위해 노인연령 상향 조정을 제시하였다. 현재 노인복지법에 따라 주요 노인 복지제도의 기준이 되는 나이는 얼마인가?

① 60
② 62
③ 65
④ 68
⑤ 70

37. 기업이 발행하는 여러 종류의 채권 중 일정 조건에서 해당 업체 주식으로 바꿀 수 있는 권리가 부여된 것은?

① 영구채
② 전환사채
③ 할인채
④ 듀레이션
⑤ 커버드콜

38. 아래 나열한 기관을 일컫는 용어로 알맞은 것은?

- 한국투자공사
- 테마섹
- 아부다비 투자청

① 헤지펀드
② 국부펀드
③ 벌처펀드
④ 퀀트펀드
⑤ 매칭펀드

39. '이 산업'은 원활한 경제활동의 토대가 되는 중요한 산업을 의미한다. 대표적으로 자동차, 철강, 석유, 조선, 화학 등을 포함하는 '이 산업'은 무엇인가?

① 리스산업
② 사양산업
③ 한계산업
④ 기간산업
⑤ 후방산업

TESAT

40. 아래 A, B의 내용을 설명할 수 있는 용어를 알맞게 짝지으면?

> - A: 이미 알려진 악재이지만, 적당한 해결책이 없어 위험 요인이 계속 존재하는 상태
> - B: 갑자기 발생한 것이 아니라 계속해서 경고음을 내면서 빠르게 다가오는 위험

	A	B
①	블랙 스완	그레이 스완
②	블랙 스완	화이트 스완
③	블랙 라이노	그레이 라이노
④	그레이 스완	그레이 라이노
⑤	그레이 라이노	화이트 스완

41. 주식을 가지고 있지 않은 상태에서 주식을 팔겠다는 주문을 내는 것을 말한다. 시세 차익을 추구하는 투자 방법의 하나 이지만, 개인투자자에게 피해를 주는 부작용이 크다는 비판도 받고 있는 '이것'은?

① 유상감자
② 로스컷
③ 무상증자
④ 숏커버링
⑤ 공매도

42. 확정기여(DC)형 퇴직연금에 가입한 근로자가 특별한 운용 지시를 하지 않을 경우, 금융회사가 사전에 결정된 운용방법으로 투자상품을 자동으로 선정, 운용하는 제도는?

① 순환출자
② 골드뱅킹
③ 대체투자
④ 플래시백
⑤ 디폴트 옵션

43. 상장사 주가에 영향을 줄 수 있는 언론 보도나 소문에 대한 확인 요구에 해당 기업이 직접 사실 여부를 답변하도록 한 제도는 무엇인가?

① 기업공개
② 조회공시
③ 내부감사
④ 외부감사
⑤ 수요예측

44. 미국의 지속적인 기준금리 인상으로 세계 각국의 환율 변동성이 커지고 있다. 한국도 달러화 대비 원화 환율이 급상승하면서. 전문가들은 기축통화국인 미국과 통화 '이것'을 체결하는 것이 필요하다고 강조한다. 교환이라는 의미를 가진 '이것'은 무엇인가?

① 스와프
② 베이시스
③ 헤징
④ 인덱스
⑤ 스프레드

45. 아래 A, B는 경제학 발전 과정에 지대한 영향을 미친 학자들의 생각을 단적으로 표현한 문장이다. A와 B를 말한 경제학자를 알맞게 짝지으면?

> ─ 〈보기〉 ─
> A: Cool head and warm heart.
> B: Inflation is always and everywhere a monetary phenomenon.

	A	B
①	J. M. Keynes	I. Fisher
②	A. Smith	J. M. Keynes
③	A. Marshall	M. Friedman
④	J. M. Keynes	A. Marshall
⑤	A. Smith	M. Friedman

46. 소비수준이 한 번 높아지면 다시 낮아지기 힘들어지는 현상을 설명하는 용어는?

① 톱니효과
② 승수효과
③ 피구효과
④ 스놉효과
⑤ 핀볼효과

47. 한때 삼성전자가 메모리 반도체인 D램 시장에서 경쟁업체들과 '이것'을 통해 시장 점유율을 증가시켰다. '이것'은 게임이론에서도 사용되는 용어로, 어느 한쪽이 무너질 때까지 출혈 경쟁을 하는 것이다. '이것'은 무엇인가?

① 치킨게임
② 바벨전략
③ 콜드게임
④ 상쇄전략
⑤ 룰렛게임

48. 투자자가 입력한 투자성향, 시장상황 등의 정보를 토대로 알고리즘을 활용해 개인의 자산 운용을 자문하고 관리해주는 자동화된 서비스를 일컫는 용어는?

① 빅블러
② 메타버스
③ 로보어드바이저
④ 블록체인
⑤ 텔레매틱스

49. 공정거래위원회에서는 1개 사업자의 시장 점유율이 A% 이상이거나 3개 이하 사업자의 시장 점유율 합이 B% 이상이면 시장지배적 사업자로 판단한다. A, B에 들어갈 알맞은 숫자를 짝지으면?

	A	B
①	33	33
②	33	50
③	33	75
④	50	75
⑤	50	90

50. 아래 그림은 어느 기간의 유로당 달러 환율의 추이를 나타낸 것이다. 동그라미로 표시한 부분은 1유로=1달러의 등가인 '이것'이 깨져 유로화 가치가 하락한 모습을 보인다. 이때 '이것'을 무엇이라고 하는가?

① 업숏션
② 황금률
③ 녹아웃
④ 패리티
⑤ 트리핀

51. 아람코, 석유수출국기구(OPEC)의 맹주에서 공통적으로 연상되는 나라는?

① 아르헨티나
② 나이지리아
③ 남아프리카공화국
④ 베네수엘라
⑤ 사우디아라비아

52. 기업이나 국가의 회계기준에서 경제적 거래가 발생하는 시점에 거래를 기록하는 방식을 무엇이라고 하는가?

① 발생주의
② 현금주의
③ 결과주의
④ 총액주의
⑤ 확정주의

53. 기업이 제품의 개발·생산·유통·판매·사후관리에 이르는 전 과정에 관련된 업체를 계열사로 두는 방식은?

① 관리대상계열
② 라이선스생산
③ 수평계열화
④ 주채무계열
⑤ 수직계열화

54. 아래 나열한 자산들의 공통점과 거리가 먼 것은?

> • 금
> • 미국 달러화
> • 미국 국채

① 안전자산으로 불린다.
② 불황기에는 인기가 많다.
③ 투자 손실 위험이 상대적으로 작다.
④ 무위험자산에 가깝다고 할 수 있다.
⑤ 주기적으로 배당 수익을 얻을 수 있다.

55. 아래 내용은 신문기사의 내용을 일부 발췌한 것이다. A에 공통적으로 들어갈 용어를 고르면?

> • 투자업계에선 '올 게 왔다.'는 분위기도 감지된다. 그동안 핀테크 업계에 돈이 지나치게 많이 몰리면서 기업 가치가 과도하게 치솟는 (A)이(가) 바로잡힐 때가 됐다는 것이다.
> • 당국이 환율 급등에 대응하는 시기를 놓치면 가수요 등으로 일시적 가격 폭등이 발생하는 (A)이(가) 나타나 막대한 비용을 초래할 수 있다.

① 어닝쇼크
② 오버슈팅
③ 턴어라운드
④ 크로스오버
⑤ 오너어닝

56. 증권회사의 재무건전성을 보여주는 지표를 NCR(영업용순자본비율)이라고 한다. 그리고 보험회사의 재무건전성을 나타내는 지표도 존재한다. '이 지표'는 보험계약자가 일시에 보험금을 요청했을 때 보험사가 보험금을 제때 지급할 수 있는 능력을 수치화한 것이다. '이 지표'는 무엇인가?

① EVA
② RBC
③ ROE
④ LBO
⑤ CMA

57. 해외에 나가 있는 자국 기업들을 각종 세제 혜택과 규제 완화 등을 통해 자국으로 불러들이는 정책은 무엇인가?

① reshoring
② retender
③ recovery
④ recession
⑤ retirement

58. 아래 지문의 내용을 설명할 수 있는 알맞은 용어는?

> 미국 지역 12개 연방은행 중 하나인 캔자스시티 연방은행이 매년 8월 주요국 중앙은행 총재와 경제전문가를 와이오밍주 해발 2,100m 고지대의 휴양지에 초청해 개최하는 연례 경제정책 심포지엄이다. 최근 제롬 파월 미국 중앙은행(Fed) 의장이 이 심포지엄에서 향후 기준금리 인상과 관련한 발언을 하여 금융시장에 큰 영향을 주었다.

① 타운홀 미팅
② 잭슨홀 미팅
③ 킥오프 미팅
④ 오픈 컨퍼런스
⑤ 선밸리 컨퍼런스

59. 아래 글에서 밑줄 친 기관과 성격이 다른 기관을 고르면?

> S&P는 ○○국의 신용등급을 'BB-'에서 'B+'로 한 단계 내렸다고 발표했다. ○○국의 국채는 이미 투기등급(정크)이지만 한 단계 더 아래로 끌어내린 것이다. S&P는 '○○국 화폐 가치 급락이 ○○국의 대외부채를 확대하고 민간 기업에 대한 압력을 키워 경제 전반에 부정적인 영향을 미칠 것'이라고 등급 강등 이유를 밝혔다.

① NICE
② 피치
③ 골드만삭스
④ 무디스
⑤ 한국기업평가

60. 주민이 자신이 사는 지역에 혐오시설이 유치되는 것을 반대하는 현상을 설명할 수 있는 가장 적절한 용어는?

① 병목현상
② 설단현상
③ 적목현상
④ 님비현상
⑤ 공동현상

〈 상황추론 · 판단 〉

61. 아래의 사례가 반도체 시장의 가격과 거래량에 어떠한 영향을 주는가? (단, 다른 요인은 변함이 없다고 가정한다.)

> 코로나19의 확산으로 주요 반도체 공장이 잇따라 셧다운(일시 가동 중단)됐다. 멈춰선 공장엔 최근 공급이 턱없이 부족한 차량용 반도체를 생산하는 라인이 다수 포함돼 있다. 전문가들은 한동안 반도체 수급난이 심화될 것으로 예측하고 있다.

	가격	거래량
①	상승	증가
②	상승	감소
③	상승	변화 없음
④	하락	증가
⑤	하락	감소

62. 아래 신문기사와 그림과 관련한 설명 중 옳지 <u>않은</u> 것은?

> 강달러 현상의 배경에는 고물가가 있다. 고공행진하는 물가를 잡기 위해 미국 중앙은행(Fed)이 자이언트스텝(기준금리 한 번에 0.75%포인트 인상)을 연속해서 밟으면서 달러 가치가 올랐다. Fed의 긴축 강화가 글로벌 자금을 안전자산인 달러에 몰리게 했다. 미국을 제외한 다른 국가들의 경기 전망이 암울하다는 점도 강달러 현상을 부추기는 요인이다. WSJ는 "유럽은 러시아 제재로 에너지 위기에 직면했고, 수십 년에 걸친 중국의 부동산 호황도 꺼지고 있다."고 분석했다.
>
> ○○경제신문. 2022. 9. 20.

달러 인덱스 추이

109.76

94.79

2022년 1월 13일   9월 16일

자료 : ICE선물거래소

① 올해 1월보다 9월이 미국 달러화의 국제적인 가치가 높다.
② 미국의 입장에서는 수입 물가 하락으로 인플레이션 억제에 도움이 될 것이다.
③ 유럽과 중국 경제의 불황도 미국 달러화 가치를 끌어올리는 요인이다.
④ 현재의 달러 인덱스 추이는 달러화 대비 원화 환율이 상승하는 요인이 된다.
⑤ 올해 1월의 미국 달러화 가치는 주요국 통화와 비교해 가치가 높다고 할 수 있다.

63. 아래 글은 신문기사 사설의 내용을 일부 발췌한 것이다. 사설 내용을 설명할 수 있는 알맞은 속담은?

> 정부가 내년 국민·공무원·사학·군인 등 4대 공적 연금에 9조 9,000억 원의 혈세를 투입한다고 한다. 올해보다 11.6% 늘어난 규모로, 대부분이 공무원연금(5조 6,000억 원)과 군인연금(3조 1,000억 원) 적자 보전용이다. 공적연금 재정투입액이 내후년이면 10조 원을 돌파하는 등 특단의 대책이 없는 한 재정투입액만 늘어나 국민의 혈세가 계속 낭비되는 상황이다.
>
> ○○경제신문. 2022. 9. 6.

① 티끌 모아 태산
② 밑 빠진 독에 물 붓기
③ 같은 값이면 다홍치마
④ 우물에 가 숭늉 찾는다.
⑤ 바늘 도둑이 소도둑 된다.

64. 아래 역사적 사례를 통해 인텔이 CPU 시장 점유율에서 강세를 보이는 가장 근본적인 이유를 고르면?

> 한때 세계 시장을 100% 장악했던 미국 인텔은 1985년 D램 사업을 전격적으로 포기했다. 회사 매출이 1984년 16억 3,000만 달러에서 1985년 13억 6,000만 달러로 16.7% 감소하긴 했지만, 사업을 포기할 정도는 아니었다. 하지만 인텔 경영진은 정부 지원을 받던 일본 반도체업체들의 저가 공세를 이겨 내기가 쉽지 않을 것으로 내다봤다. 대신 부가가치가 높고 성장 가능성이 큰 중앙처리장치(CPU)를 택했다. 결국, 인텔의 CPU 시장 점유율은 90%를 넘는다.

① 인텔이 카르텔을 활용했기 때문이다.
② 인텔이 CPU 시장에서 가격차별을 시행했기 때문이다.
③ 인텔이 시장지배력을 행사해 경쟁기업을 몰아냈기 때문이다.
④ 인텔이 시장지배력을 행사해 소비자에게 해를 끼치며 이익을 취했다.
⑤ 인텔이 보여준 시장 점유율은 그만큼 경쟁력 있는 제품을 만든 결과이다.

65. A국가의 생산가능인구에 대한 조사 결과가 아래와 같다. 이에 대한 설명으로 옳지 <u>않은</u> 것은?

- 취업자: 1,200명
- 실업자: 400명
- 비경제활동인구: 400명

① A국가의 실업률은 20%이다.
② A국가의 고용률은 60%이다.
③ A국가의 경제활동참가율은 80%이다.
④ A국가에 거주하는 직업 군인은 생산가능인구에 포함된다.
⑤ A국가에서 주당 10시간 이상 아르바이트 중인 A국 대학생은 취업자 1,200명에 포함된다.

66. 〈표〉는 ○○시의 금융복지상담센터에 신청된 상담 내용과 그에 대한 답변을 정리한 것이다. (가)~(마)의 답변 중 적절하지 <u>않은</u> 것은?

상담 신청자	상담 내용	답변 내용
갑	대출을 받으면 신용점수가 낮아질까요?	(가)
을	통신요금을 연체하지 않으면 신용점수에 영향을 미칠까요?	(나)
병	신용평가회사에 확인하니 제 점수가 700점에서 650점으로 낮아졌는데, 신용 상태가 좋아진 것인가요?	(다)
정	A은행에 6개월 연체 채무 500만 원, B은행에 1개월 연체 채무 600만 원이 있습니다. 어떤 채무부터 갚는 게 좋을까요?	(라)
무	제가 감당하기 어려운 빚이 있습니다. 해결할 방법이 있을까요?	(마)

① (가): 과도한 대출은 신용점수에 부정적인 영향을 미칩니다.
② (나): 통신요금 납부내역 등의 비금융 정보도 본인이 신청하지 않더라도 신용평가회사가 자동으로 신용점수에 반영합니다.
③ (다): 신용이 낮을수록 낮은 점수가 부여됩니다.
④ (라): 연체는 기간이 길수록 불리하니 6개월 연체 채무부터 상환해야 합니다.
⑤ (마): 신용회복지원을 받을 수 있으니 신용회복위원회에 신청하시기 바랍니다.

67. 아래 지문을 읽고, A국 시멘트시장이 속하는 시장 형태와 관련한 내용을 〈보기〉에서 고르면?

A국 ○○○ 레미콘 협회장은 "국내 시멘트시장의 94%를 차지하고 있는 5개 대기업 시멘트사들의 기습적·일방적 가격 인상으로 업계는 벼랑 끝에 몰려있다."며, "시멘트 원자재 구매처를 투명하게 공개하고 산업부는 시멘트 가격의 적정성 여부를 모니터링해주길 요청한다."고 산업부장관에게 건의했다.

〈보기〉

ㄱ. 게임이론
ㄴ. 카르텔
ㄷ. 리니언시
ㄹ. 공유지의 비극
ㅁ. 가격수용자

① ㄱ, ㄴ, ㄷ
② ㄱ, ㄷ, ㄹ
③ ㄴ, ㄷ, ㄹ
④ ㄴ, ㄷ, ㅁ
⑤ ㄷ, ㄹ, ㅁ

68. 아래는 총수요와 총공급곡선을 나타낸 그림이다. 이때 균형점 E_1에서 E_2로 이동하게 된 원인과 영향을 알맞게 짝지으면?

	원인	영향
①	정부지출 증가	채무자 유리
②	순수출 감소	연금생활자 불리
③	기업투자 증가	채권자 유리
④	기준금리 인하	임금 근로자 유리
⑤	가계 소비 감소	실물자산 보유자 불리

69. 아래 글은 적기조례법과 관련한 내용이다. 이때 발생한 현상과 관련한 설명 중 옳지 <u>않은</u> 것은?

> 산업혁명이 한창이던 19세기 영국에서 증기자동차가 나왔다. 영국 의회는 1865년 적기조례법(Red Flag Act)이라는 법을 제정하였다. 자동차가 마차보다 느리게 다니도록 한 규제 법률이었다. 마차 사업자의 이익을 보호한다는 착한(?) 명분이 작용했다. 요즘 자동차보다 성능이 형편없지만, 당시만 해도 증기자동차는 꿈의 속도로 달릴 수 있었다. 시속 30마일, 즉 시속 48km였다. 이런 적기조례법에 대해 제임스 뷰캐넌은 개인뿐만 아니라 집단도 자신들의 이익을 추구한다고 했다. 이를 지대추구라고 한다.

① 이 과정을 철의 삼각으로 설명할 수 있다.
② 지대추구행위는 정부 실패의 요인 중 하나이다.
③ 적기조례법으로 자동차에 투입될 자원이 비효율적으로 배분되었다.
④ 지대추구행위는 소비자잉여를 증가시키고 생산자잉여를 감소시킨다.
⑤ 이익집단들이 정책 결정에 영향력을 행사하려는 것도 지대추구행위이다.

70. 아래 신문기사 제목의 내용에 따라 나타날 변화를 <u>잘못</u> 추론한 것은? (단, 다른 조건은 일정하다고 가정한다.)

> • 美 Fed 내 비둘기파 사라지고 매파 우위
> • "물가 잡으려면 기준금리 0.75%P 올려야" Fed 주요 인사들 매파 발언 쏟아내

① 달러 인덱스가 더욱 상승할 가능성이 크다.
② 미국 중앙은행(Fed)은 물가를 잡기 위해 일정 수준의 실업률을 용인할 것이다.
③ 현재 상태에서 Fed 주요 인사들은 경제성장보다는 물가 안정을 중시하고 있다.
④ 미국의 기준금리 결정에 기준금리 인상을 지지할 Fed 위원들이 다수를 차지할 것이다.
⑤ 현재 Fed의 통화정책을 결정하는 위원들이 지지하는 여러 정책 중에는 국공채 매입이 있다.

71. A국 정부의 정책으로 나타나게 된 영향을 설명할 수 있는 알맞은 표현을 고르면?

> A국 정부의 카드 가맹점 수수료 인하 정책의 여파로 올해 하반기부터 신용카드를 쓸 때 소비자 혜택이 많이 줄어든다. 정부는 그간 카드회사가 소비자에게 주는 혜택을 줄여 이를 가맹점에 주라고 해왔다. 줄어드는 소비자 혜택은 무이자 할부와 할인뿐 아니라 포인트 적립, 캐시백 등에 이를 것으로 예상된다.

① 세상에 공짜 점심은 없다.
② 가을 부채는 시세가 없다.
③ 사촌이 땅을 사면 배가 아프다.
④ 장기적으로 우리는 모두 죽는다.
⑤ 오얏나무 아래에서 갓을 고쳐 쓰지 말라.

72. 아래 지문에서 ㉠과 ㉡을 초래하는 요인을 알맞게 짝지으면?

> 경쟁시장에서는 제한된 자원으로 최대의 결과를 얻을 수 있다. 그러나 이와 같은 효율성이 달성되기 위해 필요한 여러 조건이 현실의 시장에서는 완전하게 충족하지 못한다. 우리는 이것을 (㉠)(이)라고 부른다. 그러나 (㉠)을(를) 교정하기 위한 정부의 개입이 오히려 바람직하지 못한 결과를 초래하는 (㉡)을(를) 야기할 수 있다.

	㉠	㉡
①	압력단체	외부경제
②	공공재	정보 부족
③	비대칭 정보	외부불경제
④	불공정 경쟁	공공재
⑤	관료제 의사결정	공유자원

73. 밑줄 친 정책이 갑국에 미칠 영향과 관련한 설명 중 옳은 것은?

> 국제시장에서 X재를 수입하던 갑국이 최근 X재에 대해 부과하던 관세를 10%에서 25%로 인상할 것이라고 밝혔다. (단, 갑국은 X재를 생산하고 있으며, X재는 수요와 공급의 법칙을 따르며 갑국의 관세 인상이 X재의 국제 가격에 영향을 미치지 않는다고 가정한다.)

① 갑국의 X재 가격이 하락한다.
② 갑국의 X재 수입이 증가한다.
③ 갑국의 X재 생산량이 증가한다.
④ 갑국의 X재에 대한 수요량이 증가한다.
⑤ 갑국의 X재에 대한 관세 수입은 감소한다.

74. 그림은 생애주기에 따른 소비와 소득곡선을 나타낸다. 이에 대한 〈보기〉의 설명 중 옳은 것을 고르면? (단, 소득은 소비와 저축의 합이다.)

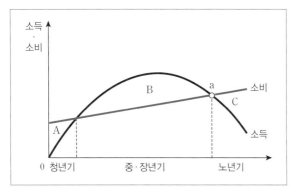

〈보기〉
ㄱ. a점에서 소비 누적액이 가장 높다.
ㄴ. 소비와 달리 소득은 지속적으로 감소한다.
ㄷ. B는 저축에 해당한다.
ㄹ. A + C < B인 경우 안정적인 노후 생활을 보낼 수 있다.

① ㄱ, ㄴ
② ㄱ, ㄷ
③ ㄴ, ㄷ
④ ㄴ, ㄹ
⑤ ㄷ, ㄹ

75. A국의 아래와 같은 정책 변화에 따라 균형국민소득과 균형물가 수준은 어떻게 바뀌겠는가?

> A국 중앙은행은 공개시장조작을 통해 국공채를 매각했다.

	균형국민소득	균형물가 수준
①	증가	하락
②	증가	알 수 없음
③	감소	상승
④	감소	하락
⑤	알 수 없음	하락

76. 그림은 우리나라의 물가상승률, 실업률(계절조정), 고통지수(물가상승률+실업률)의 추이를 나타낸다. 이와 관련한 설명 중 옳지 않은 것은?

① 최근 고통지수 상승은 주로 물가상승률이 높아진 데 따른 것이다.
② 금리를 인상하면, 물가상승률이 낮아지고 실업률이 높아질 수 있다.
③ 재정지출을 확대하면, 실업률이 낮아지고 물가상승률이 높아질 수 있다.
④ 2010년 이후 통화량의 급속한 증가는 물가상승률과 실업률을 모두 높이는 요인이다.
⑤ 우크라이나 전쟁에 따른 곡물 가격 급등은 물가상승률과 실업률을 모두 높이는 요인이다.

77. 아래 지문은 경제학의 한 분야인 공공선택이론에 관한 내용이다. 이 시각에서 볼 때, 이와 관련한 학생들의 의견 중 옳지 <u>않은</u> 것은?

> 정치도 일종의 경제적 행위이며 비즈니스의 하나이다. 보이지 않는 손은 정치의 세계에선 그 기능을 상실해 주인-대리인 문제(Principal-Agent Problem)가 발생한다.

① 가영: 시장이 실패하더라도 정부가 함부로 시장에 개입하면 안 된다.
② 나영: 정치인들의 선심 정책으로 정치적 경기순환이 나타나기도 한다.
③ 다영: 정부와 정치인들은 공익을 위해 노력하는 개인들이 모인 집단이다.
④ 라영: 정치에서 주인-대리인 문제를 막으려면 정치인에 대한 감시와 감독을 체계화해야 한다.
⑤ 마영: 유권자는 국가에 이익이 되더라도 자신에게 돌아오는 이익이 적으면 무시하는 경향이 있다.

79. 밑줄 친 대출과 관련한 설명 중 옳지 <u>않은</u> 것은?

> 직장인 갑은 전세금 마련을 위해 은행을 찾았다. 은행에서는 갑의 소득, 재직 상태, 금융권 거래내용, 기존 대출 현황, 연체 이력, 카드 사용액 등을 고려한 후 심사가 완료되면 <u>대출</u> 여부를 알려주기로 했다. 은행은 담보를 요구하지는 않았다.

① 신용 대출에 해당한다.
② 일반적으로 담보 대출보다 이자율이 높다.
③ 채무불이행하면, 신용등급이 낮아질 수 있다.
④ 은행의 입장에서는 담보 대출보다 안전하다.
⑤ 이전보다 급여소득이 높아지면, 이미 실행된 대출에 대한 금리가 낮아질 수도 있다.

78. 아래는 A국과 B국의 로렌츠곡선이다. 이와 관련한 설명 중 옳지 <u>않은</u> 것은?

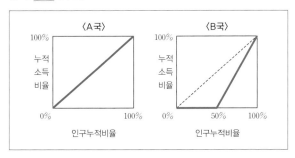

① A국 지니계수는 0이다.
② B국은 A국보다 지니계수가 높다.
③ A국이 B국보다 소득분배를 위한 누진세제 도입이 시급하다.
④ B국 로렌츠곡선을 통해 하위 50% 계층은 소득이 없음을 알 수 있다.
⑤ A국의 소득분배기 B국의 소득분배보다 더 균등하다.

80. 아래 글은 줄리언 사이먼의 『근본자원』에서 발췌하였다. 이 글을 읽고, 저자가 가장 동의할 수 <u>없는</u> 추론을 고르면?

> 인구 증가와 토지 부족 때문에 장기적으로는 식량 부족에 직면하게 된다는 맬서스적 개념은 틀린 개념이다. 단위 면적당 식량 생산량은 놀랍게도 매우 빠르게 증가한다. 인구가 몇 배 증가하면 현재의 선진국형 토지농사까지 극복하고자 하는 인센티브가 충분히 생길 것이다. 사람들에게는 의심의 그림자가 드리워져 있지만 어두운 그늘의 저편에는 지금보다 훨씬 작은 농지에서 현재 지구 인구의 몇 배가 되는 인구를 부양할 수 있는 영농지식이라는 밝은 곳이 이미 존재하고 있다. 지식의 증가 덕분에 생계수준을 넘어서 생활수준의 여러 측면을 개선할 수 있는 능력이 더 빨리 지수적으로 증가하고 있다. 결국, 세월이 갈수록 식량은 점점 싸진다.

① 인간의 지식이 어떤 자연자원보다 근본적인 자원이다.
② 자연자원은 고정되어 있지만, 대체자원이 꾸준히 개발된다.
③ 인구가 증가하면서 밀 가격은 장기적으로 상승해 왔을 것이다.
④ 인구 증가보다 농업 생산성 향상이 빨랐던 것이 역사적인 사실이다.
⑤ 한국은 자연자원이 부족하지만, 풍부한 인적자원으로 경제성장을 이루었다.

국가공인 1호 경제이해력검증시험
제74회 특별 TESAT 문제지

- 문제지 표지에 성명과 수험번호를 적었는지 확인하십시오.
- 경제이론과 시사경제·경영은 문항당 3점, 4점이고 상황추론·판단은 문항당 5점입니다.
- 시험시간은 100분입니다.

〈 경 제 이 론 〉

1. 경제학이란 사회가 희소자원을 어떻게 관리하는지 연구하는 학문이다. 이와 관련하여 경제학의 기본원리라고 할 수 없는 것은?

① 합리적 판단은 한계적으로 이뤄진다.
② 자유 거래는 모든 사람을 이롭게 한다.
③ 한 나라의 생활 수준은 그 나라의 생산 능력에 달려 있다.
④ 단기적으로는 인플레이션과 실업 사이에 양(+)의 상관관계가 존재한다.
⑤ 모든 선택에는 대가가 있으며 선택의 대가는 그것을 위해 포기한 그 무엇이다.

2. 시장경제 측면에서 공유지의 비극을 해소하기 위한 가장 알맞은 방법은?

① 재산권의 부여
② 비례세의 확대
③ 자원의 균등 배분
④ 완전가격차별의 시행
⑤ 정부의 감시 행정 강화

3. 중앙은행이 통화량을 늘리는 팽창적인 통화정책을 시행할 때, 전달경로로 옳은 것은?

① 이자율 상승 → 투자 감소 → 총수요 감소 → 국민소득 감소
② 이자율 상승 → 저축 감소 → 총수요 증가 → 국민소득 감소
③ 이자율 하락 → 투자 감소 → 총수요 증가 → 국민소득 증가
④ 이자율 하락 → 저축 증가 → 총수요 감소 → 국민소득 감소
⑤ 이자율 하락 → 투자 증가 → 총수요 증가 → 국민소득 증가

4. 미시경제학과 거시경제학에 대한 설명 중 옳지 않은 것은?

① 미시경제학은 개별 경제주체에 초점을 맞춘다.
② 미시경제학의 관심사는 총고용량, 물가 수준이다.
③ 소비자의 효용극대화는 미시경제학에서 다룬다.
④ 거시경제학은 국가 경제 전반의 움직임에 관심을 갖는다.
⑤ 통화량과 인플레이션의 관계는 거시경제학을 통해 설명할 수 있다.

5. 지문이 설명하는 개념은 무엇인가?

> 경제주체들이 자신의 이익을 위해 비생산적인 활동에 경쟁적으로 자원을 낭비하는 현상, 즉 로비·약탈·방어 등 경제력 낭비 현상을 지칭하는 말이다. 예를 들어 특정 경제주체가 면허 취득(개인택시기사, 의사 및 변호사) 등을 통해 독과점적 지위를 얻으면 별다른 노력 없이 초과소득을 얻을 수 있다.

① 보존 행위
② 재량 행위
③ 자구 행위
④ 불요식 행위
⑤ 지대추구 행위

6. A국과 B국이 비교우위에 따라 무역을 하면 해당 국가에 미칠 영향에 대한 옳은 설명을 〈보기〉에서 고르면?

　　─〈보기〉─
　　ㄱ. 외국 상품이 국내 시장을 점령한다.
　　ㄴ. 국내 독점 산업의 진입장벽이 제거되면서 국내 소비자 잉여가 증가한다.
　　ㄷ. 모든 산업의 근로자는 고용, 실업에서 영향을 받지 않는다.
　　ㄹ. 개방 이전보다 다양한 상품을 저렴한 가격에 구매할 수 있다.

① ㄱ, ㄴ
② ㄱ, ㄷ
③ ㄴ, ㄷ
④ ㄴ, ㄹ
⑤ ㄷ, ㄹ

7. 인플레이션이 초래하는 현상이 아닌 것은?
① 고정된 연금 소득을 받는 사람은 불리해진다.
② 기업의 이윤을 정확히 파악하는 데 도움이 된다.
③ 실물자산을 보유한 자가 현금자산을 보유한 자보다 유리해진다.
④ 기업들로 하여금 재화의 가격을 조정하는 데 드는 비용을 발생시킨다.
⑤ 예상하지 못한 인플레이션이 발생했다면 돈을 빌려준 사람이 불리해진다.

8. A국과 비교해 B국은 사유 재산권을 보장받고 있다. A국에 비해 B국의 경제체제에 나타나는 특성 중 알맞은 것은? (단, A와 B의 경제체제는 시장경제와 계획경제 중 하나이다.)
① 경제적 유인이 강조된다.
② 정부가 경제활동을 통제한다.
③ 효율성보다 형평성이 중시된다.
④ 시장 기능에 대한 신뢰도가 낮다.
⑤ 소비자의 선호에 따라 획일화된 상품이 생산된다.

9. 필립스곡선에 대한 설명으로 옳지 않은 것은?
① 실업률과 물가상승률 간 상충관계를 나타낸다.
② 예상 물가상승률이 높아지면 필립스곡선은 우측으로 이동한다.
③ 1970년대 스태그플레이션은 필립스곡선의 불완전성을 입증했다.
④ 자연실업률 가설에 따르면 장기적으로 정책당국이 실업률을 통제할 수 없다.
⑤ 합리적 기대에서 예상하지 못한 통화팽창은 단기적으로 실업률에 영향을 미칠 수 없다.

10. 국내총생산(GDP)은 한 나라의 영역 내에서 가계, 기업, 정부 등 모든 경제주체가 일정 기간 동안 생산된 모든 최종생산물의 시장가치를 합한 것이다. 올해 GDP를 계산할 때 실제로 포함되는 것은?
① 기업 주식을 매각한 돈 1억 원
② 살던 아파트를 매각한 대금 4억 원
③ OTT에서 최신 영화를 보기 위해 지불한 1만 원
④ 남편이 출근한 뒤 집 안을 청소한 가정주부의 노동가치 10만 원
⑤ 떡 가게에서 떡을 빚기 위해 구매한 지난해 생산된 쌀값 5만 원

11. 조세(tax)에 관한 설명 중 옳은 것은?
① 부가가치세는 간접세이다.
② 소득세 제도는 자동 안정화 장치와 무관하다.
③ 우리나라는 국세에 비해 지방세의 비중이 더 크다.
④ 세율이 일정하다면 수요와 공급이 비탄력적일수록 경제적 순손실이 커진다.
⑤ 세율이 계속 높아질수록 정부의 조세수입은 증가해 재정적자 완화에 도움이 된다.

12. 어떤 이가 햄버거를 소비하려 한다. 이 사람의 첫 번째 햄버거 소비에 대한 지불용의는 10,000원, 두 번째 소비에 대한 지불용의는 8,000원, 세 번째 소비에 대한 지불용의는 6,000원, 네 번째 소비에 대한 지불용의는 3,000원이다. 햄버거 하나의 가격이 5,000원이라고 할 때, 이 사람의 총 소비자잉여는 얼마인가?

① 8,000원
② 9,000원
③ 10,000원
④ 12,000원
⑤ 15,000원

13. 미국 중앙은행(Fed)의 기준금리 인상이 미국시장에 미칠 수 있는 영향이 <u>아닌</u> 것은?

① 미국의 수입 증가
② 달러화의 가치 상승
③ 미국으로 해외 자본의 유입
④ 미국 상품의 수출 가격경쟁력 강화
⑤ 원자재 수입물가 하락으로 미국 내 물가 하락

14. 지문을 읽고, A에 대한 〈보기〉의 설명 중 옳은 것을 고르면?

> 경합성과 배제성의 유무에 따라 재화 유형을 구분할 수 있는데, 이 중 A는 경합성과 배제성이 모두 없는 재화이다.

〈보기〉
ㄱ. 공공재라고 한다.
ㄴ. 무임승차의 문제가 발생한다.
ㄷ. 사회적 최적 수준에 비해 과다생산된다.
ㄹ. A재화를 한 개인이 소비하면 다른 개인이 소비하지 못할 수 있다.

① ㄱ, ㄴ
② ㄱ, ㄷ
③ ㄴ, ㄷ
④ ㄴ, ㄹ
⑤ ㄷ, ㄹ

15. 재화 X의 공급곡선이 완전비탄력적, 수요곡선은 완전탄력적이라고 가정하자. 정부가 종량세 200원을 부과했을 때 조세 귀착은?

① 소비자가 200원을 부담한다.
② 생산자가 200원을 부담한다.
③ 생산자와 소비자 모두가 부담한다.
④ 생산자와 소비자 아무도 부담하지 않는다.
⑤ 알 수 없다.

16. 국내의 물가가 오르는 동시에 균형국민소득이 감소할 수 있는 경우를 고르면?

① 정부지출의 증가
② 새로운 기술의 개발
③ 글로벌 경제의 회복으로 수출 증가
④ 석유, 구리 등 국제 원자재 가격의 상승
⑤ 가계의 소비심리 개선으로 전년 대비 소비활동 증가

17. 완전경쟁시장의 특징에 대한 설명 중 옳은 것은?

① 생산자가 가격설정자의 역할을 한다.
② 기업이 생산하는 제품은 각 기업마다 조금씩 다르다.
③ 소비자와 생산자가 시장에 대한 모든 정보를 알고 있다.
④ 시장 내에 소수의 생산자 및 다수의 소비자가 존재한다.
⑤ 진입장벽이 있어 생산자들이 시장에 자유롭게 진입하지 못한다.

18. 그림은 교역 전 소규모 경제의 국내 자전거시장을 나타낸다. 이 국가가 자전거를 자유무역하기로 할 때 이와 관련한 설명 중 옳지 <u>않은</u> 것은?

① 자전거 수출량은 (Q_3-Q_1)이다.
② 교역 전 사회 전체의 잉여는 (A+B+C)이다.
③ 교역 후 생산자잉여는 (B+C+D)이다.
④ 교역 후 소비자잉여는 증가한다.
⑤ 교역 후 사회 전체의 잉여는 D만큼 증가한다.

19. 수요와 공급의 법칙이 성립하는 시장에 대한 설명 중 옳지 <u>않은</u> 것은?

① 시장에서 균형이 달성되면 자원 배분의 효율성이 충족된다.
② 시장이 균형일 때, 수요량과 공급량은 언제나 일치한다.
③ 수요와 공급이 증가하면 균형가격은 반드시 증가한다.
④ 초과공급이 존재하면 가격이 하락하면서 시장은 균형 상태로 수렴하게 된다.
⑤ 다른 조건이 일정할 때 수요가 증가하면 균형가격과 균형거래량이 모두 증가한다.

20. 미국의 경제학자 밀턴 프리드먼의 항상소득가설에서 소비가 가장 많이 변화하는 경우는?

① 복권에 당첨되어 상금을 받음
② 감기로 일을 못하여 소득이 감소함
③ 부장으로 승진하여 연봉이 상승함
④ 날씨가 좋아 풍년으로 경작이 늘어 소득이 증가함
⑤ 과거에 숨겨두었던 현금을 잊고 있다가 우연히 발견함

21. 정부가 경기진작을 위해 소득세를 감면하고 정부 부채를 증가시켰다고 하자. 이런 정책의 효과가 커질 수 있는 조건이 <u>아닌</u> 것은?

① 소득에 대한 한계소비성향이 높다.
② 정부 부채 증가가 이자율 상승을 초래하지 않는다.
③ 소비자들이 현재 상황을 중심으로 소비활동을 한다.
④ 신용제약에 걸려 은행으로부터 차입하기 어려운 소비자들이 존재한다.
⑤ 소비자들이 정부 부채 증가를 가까운 미래의 조세 증가로 메울 것으로 기대한다.

22. 통화량의 변화가 다른 사례들과 반대 방향으로 변하는 경우를 고르면?

① 중앙은행이 국고채를 매입했다.
② 중앙은행이 기준금리를 0.5%포인트 인하했다.
③ 중앙은행이 외환시장에 개입해 미국 달러화를 매각한다.
④ 정부가 중앙은행으로부터 차입해 대규모 토목사업을 벌인다.
⑤ 중앙은행이 시중은행에 빌려주는 대출에 대한 재할인율을 인하한다.

23. 지문을 읽고, ㉠~㉢에 대한 설명 중 옳지 <u>않은</u> 것은?

> 김갑돌은 대학 졸업 후 회사에 입사하면서 정기적으로 월급을 받게 되었다. 그는 앞으로 금융 거래가 많아질 것을 대비해 ○○은행에서 ㉠요구불 예금 계좌를 만들고 그 계좌에 ㉡마이너스 통장을 신청했다. 그리고 ㉢신용카드도 새로 신청했다.

① ㉠은 목돈을 일정 기간 넣어두기에는 적합하지 않다.
② ㉡은 현금을 사용한 기간과 액수만큼 이자를 지불해야 한다.
③ ㉢으로 물품이나 서비스 구매 외에 현금 대출이 가능하다.
④ ㉡과 달리 ㉠은 대출 한도 내에서 언제든 대출금을 인출할 수 있다.
⑤ ㉡과 ㉢은 모두 개인의 신용도에 따라 한도 금액이 정해진다.

24. 그림은 갑국의 X재 시장을 나타낸다. 이에 대한 설명으로 옳은 것은? (단, 시장 균형가격은 P_0이고, 시장 균형거래량은 Q_0이다.)

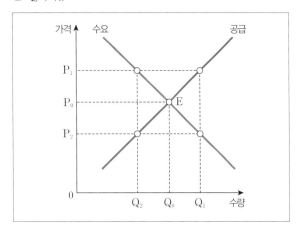

① 갑국이 P_1 수준에서 최저가격제를 시행하면 X재 시장 거래량은 Q_2이다.
② 갑국이 P_1 수준에서 최고가격제를 시행하면 X재 시장 거래량은 Q_1이다.
③ 갑국이 P_2 수준에서 최고가격제를 시행하면 X재 시장 거래량은 Q_1이다.
④ 갑국이 P_2 수준에서 최저가격제를 시행하면 X재 시장 거래량은 Q_2이다.
⑤ 갑국이 P_2 수준에서 최고가격제를 시행하면 X재 시장 가격은 P_0이다.

25. 환율 제도에 대한 설명 중 옳지 <u>않은</u> 것은?

① 고정환율제에서는 통화정책의 자주성을 확보할 수 있다.
② 인플레이션의 안정화가 필요한 국가는 고정환율제가 유리하다.
③ 변동환율제에서는 국제수지 불균형이 환율 변동으로 조정될 수 있다.
④ 무역과 투자 등 국제 거래의 변동성을 낮춘다는 측면에서는 고정환율제가 유리하다.
⑤ 고정환율제에서는 고정된 환율과 균형 환율 간의 차이가 존재하면 국제수지 불균형이 발생한다.

26. 경쟁시장에 있는 A기업은 철판을 생산하면서 부득이 하게 환경을 오염시키고 있다. 이 회사의 환경오염을 막으려는 정부의 대책으로 알맞은 것은?

① 한계 사적비용에 해당하는 만큼의 세금을 부과한다.
② 한계 사적비용에 해당하는 만큼의 보조금을 지급한다.
③ 시장의 자율기능에 맡기고 정부는 개입하지 않는다.
④ 한계 사회적비용과 한계 사적비용의 차이에 해당하는 만큼의 보조금을 지급한다.
⑤ 한계 사회적비용과 한계 사적비용의 차이에 해당하는 만큼의 세금을 부과한다.

27. 파레토 효율에 대한 〈보기〉의 설명 중 옳은 것을 고르면?

─〈보기〉─
ㄱ. 파레토 효율적일 때, 형평성이 극대화된다.
ㄴ. 파레토 효율적일 때, 사회적잉여는 극대화된다.
ㄷ. 열 명 중 한 명이 자원을 독점하고 있다고 하더라도 파레토 최적이 될 수 있다.
ㄹ. 다른 경제주체의 후생을 감소시키지 않고 어떤 경제주체의 후생을 증대시킬 수 있을 때 그 결과는 파레토 효율적이다.

① ㄱ, ㄴ
② ㄱ, ㄷ
③ ㄴ, ㄷ
④ ㄴ, ㄹ
⑤ ㄷ, ㄹ

28. 자연실업률에 관한 설명으로 옳지 않은 것은?

① 인터넷의 발달은 자연실업률을 낮추는 역할을 한다.

② 경기침체로 발생하는 실업은 자연실업률의 일부이다.

③ 산업 간 또는 지역 간 노동수요 구성의 변화는 자연실업률에 영향을 미칠 수 있다.

④ 최저임금제나 효율성임금은 구조적 실업을 증가시켜 자연실업률을 높이는 요인으로 작용한다.

⑤ 실업보험제도가 시행되고, 고령화로 경제활동인구 중 노년층의 비중이 높아지면 자연실업률이 높아질 가능성이 크다.

29. 가격차별에 대한 설명 중 옳지 않은 것은?

① 1급, 2급, 3급 가격차별로 구분한다.

② 철도, 우편, 전기 등 공공서비스 요금에도 적용할 수 있다.

③ 영화관의 조조할인, 대형마트의 덤 행사 등이 대표적인 사례이다.

④ 같은 상품에 대해 구입자에 따라 다른 가격을 받는 행위를 말한다.

⑤ 완전경쟁시장에서 나타나며, 독점시장에서는 사례를 찾아볼 수 없다.

30. 채권에 대한 설명 중 옳지 않은 것은?

① 시중 통화량이 늘어나면 채권의 가격은 상승한다.

② 채권의 가격이 오르면 채권의 금리도 동반 상승한다.

③ 일반적으로 디폴트를 선언한 국가의 채권 가격은 하락한다.

④ 신용등급이 AA인 회사채의 금리는 일반적으로 BBB인 회사채보다 낮다.

⑤ 일반적으로 선진국의 채권 금리는 개발도상국의 채권 금리보다 낮은 편이다.

〈 시사경제 · 경영 〉

31. '이것'은 가격 변동성을 최소화하도록 설계된 암호화폐이다. 미국 달러화나 유로화 등 법정 화폐와 1대 1로 가치가 고정되어 있는데, 보통 1코인이 1달러의 가치를 갖도록 설계된다. '이것'은 무엇인가?

① 다크코인

② 도지코인

③ 블루코인

④ 라이트 코인

⑤ 스테이블 코인

32. 전문가들은 코로나19에 대해 종식되지 않고 주기적으로 발생하거나 풍토병으로 굳어진 감염병을 뜻하는 '이것' 국면이라는 전망을 내놓고 있다. '이것'을 전망하는 요인에는 높아진 백신 접종률과 바이러스 자체의 치명률이 지속적으로 낮아지고 있는 점 등이 꼽힌다. '이것'은 무엇인가?

① 팬데믹

② 에피데믹

③ 인포데믹

④ 엔데믹

⑤ 신데믹

33. 물가가 자꾸 떨어지면서 경기침체가 우려되는 상황을 가장 잘 설명한 용어는?

① D의 공포

② 펀더멘털

③ 블랙아웃

④ J-Curve효과

⑤ 하이퍼인플레이션

34. 기존 이동통신사에서 망을 빌려 저렴한 값에 서비스를 제공하는 가상 이동통신망 사업자를 지칭하는 영어 약자는 무엇인가?

① NFC
② RCEP
③ ISBN
④ MVNO
⑤ Fintech

35. 아래 내용이 결합되어 사용되는 용어는 무엇인가?

> • 전통적인 교통수단과 정보통신기술을 결합
> • 사람들의 이동을 편리하게 만드는 각종 서비스
> • 자율주행차, 공유 전동 킥보드, 카 셰어링 등

① 플랫폼
② 클라우드
③ 유비쿼터스
④ 메타버스
⑤ 모빌리티

36. 아래 신문기사를 읽고, 밑줄 친 (A)와 같은 기능을 하는 금융사의 건전성 지표를 〈보기〉에서 고르면?

> 올해 들어 시장금리가 급등하면서 보험사의 건전성 지표로 활용되는 (A) 지급여력(RBC) 비율이 크게 떨어져 회사마다 비상이 걸렸다.
> ○○경제신문, 2022. 4. 21.

> ─〈보기〉─
> ㄱ. ROA 비율 　　　　ㄴ. EBITDA 비율
> ㄷ. BIS 비율 　　　　ㄹ. NCR 비율

① ㄱ, ㄴ
② ㄱ, ㄷ
③ ㄴ, ㄷ
④ ㄴ, ㄹ
⑤ ㄷ, ㄹ

37. '이것'은 예금금리와 대출금리의 차이를 뜻한다. 은행의 핵심 수익원이기도 한 '이것'은?

① 지급준비율
② 감가상각
③ 예대마진
④ 순이자마진
⑤ 레버리지비율

38. 미국 중앙은행(Fed)은 5월 연방공개시장위원회(FOMC) 정례회의에서 기준금리를 0.5%포인트 올리고, 6월부터는 시중의 유동성을 빠르게 흡수하기 위해 '이것'을 단행하였다. '이것'은 Fed의 대차대조표 규모를 축소하는 것이다. Fed는 보유 중인 만기 채권에 대한 돈을 받으면 다른 채권을 사지 않고 시중의 유동자금을 흡수하고, 채권 규모를 줄이는 과정이다. '이것'은 무엇인가?

① 코넥스
② 양적긴축
③ 데드크로스
④ 트리플 옵션
⑤ 오퍼레이션 트위스트

39. 국제통화기금(IMF)는 8월부터 '이것'을 구성하는 5종의 통화 중 달러와 위안 비율을 높이고, 나머지 유로, 엔, 파운드 비중을 내리기로 결정했다. '이것'에 대한 설명 중 옳지 <u>않은</u> 것은?

(단위: %)

$	달러	41.73	43.38
€	유로	30.93	29.31
¥	위안	10.92	12.28
¥	엔	8.33	7.59
£	파운드	8.09	7.44

① 별명은 페이퍼 골드라고 하고, 공식 명칭은 특별인출권이라고 한다.
② 2016년 영국 파운드화가 추가되어 현재의 체제가 되었다.
③ IMF 회원국들의 출자 비율에 따라 '이것'을 배분받는다.
④ '이것'의 가치기준은 표준 바스켓 방식으로 계산·표시하고 있다.
⑤ IMF 회원국이 국제수지 적자 상태에 빠졌을 경우 할당받은 '이것'을 외국의 통화당국이나 중앙은행에 인도하고 필요한 외화를 획득함으로써, 그 외화를 국제결제 등에 이용하는 대체통화이다.

40. 조 바이든 미국 대통령은 5월 한국과 일본을 방문하는 과정에서 '이것'의 공식 출범을 선언하였다. '이것'은 인도·태평양 지역에서 중국의 경제적 영향력 확대를 억제하기 위해 미국이 동맹·파트너 국가를 규합해 추진하는 다자 경제협의체다. 무역, 원자재 공급망, 인프라, 청정에너지 등의 분야에서 협력을 강화하기 위해 미국, 한국, 일본 등 총 13개국이 참여하는 '이것'의 영어 약자는 무엇인가?

① WTO
② APEC
③ IPEF
④ CPTPP
⑤ NAFTA

41. 한국은행은 2022년 5월 금융통화위원회를 개최하여 기준금리를 (A)에서 (B)로 0.25%포인트 올렸다. (A)와 (B)의 값을 더하면 얼마인가?

① 2.75
② 3.25
③ 3.75
④ 4.25
⑤ 4.75

42. 특정 제품의 수요가 10억 원어치 생겨날 때, 직간접적으로 늘어나는 취업자 수로, 고용 창출 효과를 보여주는 이 지표는?

① 고용률
② 취업률
③ 노동분배율
④ 취업유발계수
⑤ 경제활동참가율

43. 아래 나열한 내용을 통해, 지칭할 수 있는 알맞은 국가는?

- 수도는 타이베이
- 파운드리 업체 1위 TSMC의 본사

① 태국
② 대만
③ 필리핀
④ 베트남
⑤ 싱가포르

44. 아래 신문기사를 읽고, (A)에 들어갈 알맞은 색깔을 고르면?

기획재정부는 13일 발간한 '5월 경제동향[(A)북]'을 통해 "우크라이나 사태 및 공급망 차질 장기화 등으로 투자 부진 및 수출 회복세 제약이 우려되고 물가 상승세가 지속적으로 확대되고 있다."고 진단했다. (A)북은 기재부가 매월 발간하는 책자로 정부가 현재 경제상황을 어떻게 보고 있는지 확인할 수 있다. ○○경제신문. 2022. 5. 14.

① 그린
② 옐로
③ 베이지
④ 블랙
⑤ 그레이

45. 코인 가격이 폭락하면서 암호화폐 시장 전체가 심각한 장기 침체에 빠져드는 상황은?

① 더블딥
② 산타랠리
③ 서킷 브레이커
④ 크립토 윈터
⑤ 퍼펙트 스톰

46. 통화정책에서 매파와 관련한 내용으로 가장 거리가 먼 것을 고르면?

① 물가안정
② 테이퍼링
③ 기준금리 인상
④ 인플레이션 파이터
⑤ 최종 대부자

47. '이것'은 뜨겁지도 차갑지도 않은 이상적인 경제상황을 말한다. '이것' 경제는 통상적으로 불황기(겨울)와 호황기(여름) 사이에 나타나는 것으로 알려져 있다. '이것'은 경제의 봄과 같은 시기인 셈이다. 영국의 전래동화에서 유래된 말로 곰 세 마리가 사는 집에 놀러 온 여자 아이의 이름을 딴 것이다. '이것'은 무엇인가?

① 독트린
② 스핀닥터
③ 골디락스
④ 블루오션
⑤ 스트라이샌드

48. 아래 나열한 기업들을 공통적으로 지칭하는 용어는 무엇인가?

| 구글 아마존 메타 애플 네이버 카카오 |

① 빅테크
② 텐 배거
③ 실리콘밸리
④ 사이드카
⑤ 로스리더

49. 신문기사의 (A)에 들어갈 용어로 알맞은 것을 고르면?

리쇼어링 대신 (A)하는 기업도 늘어나고 있다. 미국 등 본토로 복귀하기에는 인건비 등의 부담이 너무 크기 때문에 인근 중남미를 주로 선택하고 있다. 미국 장난감 제조사 마텔은 이달 초 "멕시코에 제조공장을 증설하기 위해 5,000만 달러를 투자하겠다."고 발표했다. 멕시코 공장은 마텔의 최대 역외공장이 될 예정이다.

○○경제신문. 2022. 4. 16.

① 니어쇼어링
② 홈소싱
③ 오픈소싱
④ 오프쇼어링
⑤ 트러스트쇼어링

50. 기업이나 국가의 회계기준에서 경제적 거래가 발생하는 시점에 거래를 기록하는 방식을 무엇이라고 하는가?

① 현금주의
② 총액주의
③ 발생주의
④ 실현주의
⑤ 권리의무 확정주의

51. 기업이 자기 회사가 발행한 주식을 액면분할할 때, 나타날 수 있는 효과가 **아닌** 것은?

① 주식을 액면분할 한 회사의 자본금은 감소한다.
② 액면분할 이후 주식 액면가가 하락한다.
③ 액면분할 이후 유통되는 주식 수는 증가한다.
④ 액면분할 이후 소액 투자자들의 투자가 증가한다.
⑤ 액면분할을 한 회사의 주식 거래가 활성화된다.

52. 지문에서 '이것'이 지칭하는 동물은 무엇인가?

'이것'효과는 어떤 제품의 구매를 망설이던 소비자가 다른 사람들이 구매하기 시작하면 자신도 이에 영향을 받아 덩달아 구매하게 되는 소비 행태를 뜻한다. '이것'효과는 '이것'의 습성에서 유래된 말로, '이것'은 먹이를 구하기 위해 바다에 뛰어들어야 하지만 바다표범과 같은 천적들이 있어 잠시 주저한다. 하지만 한 마리가 먼저 바다로 뛰어 들면 나머지 '이것'들도 따라 바다로 뛰어드는데, 이를 빗대어 '이것'효과라고 한다.

① 곰
② 상어
③ 펭귄
④ 거북이
⑤ 돌고래

53. 아래 신문기사를 읽고, (A), (B)에 들어갈 알맞은 용어를 짝지으면?

한국 증시에 주당 가격이 100만 원이 넘는 (A)가 사라졌다. 미국 중앙은행(Fed)의 긴축이 시작되면서 주가 하락이 이어진 탓이다. 반면, 주당 가격이 1,000원 미만의 (B) 숫자는 1년 새 60% 넘게 증가했다.
○○경제신문, 2022. 5. 17.

	(A)	(B)
①	황제주	우선주
②	지폐주	황제주
③	황제주	동전주
④	우선주	황제주
⑤	동전주	가치주

54. 미술품, 음악저작권, 명품 가방 등 개인이 접근하기 어려웠던 자산에 여러 사람이 함께 투자하고 이익을 함께 나눠 갖는 신종 투자 방식을 무엇이라고 하는가?

① 조각투자
② 퀀트투자
③ 엔젤투자
④ 유발투자
⑤ 임팩트투자

55. 공인회계사가 제시하는 감사의견 중 기업 존립에 의문이 들 정도로 중대한 결함이 발견된 가장 심각한 상태를 무엇이라고 하는가?

① 부실
② 한정
③ 부적정
④ 적정
⑤ 의견거절

56. 주식회사에 관한 설명 중 옳지 **않은** 것은?

① 주식회사는 자본시장에서 자금을 쉽게 조달할 수 있는 회사 형태이다.
② 주식회사는 규모가 작은 회사보다는 규모가 큰 회사에 적합한 회사 형태이다.
③ 주식회사는 출자자가 출자금 한도 내에서만 책임을 진다.
④ 우리나라는 주식회사의 이익 분배 주체를 주주뿐만 아니라 채권자, 계약자, 근로자, 국가, 사회 등 포괄적인 이해관계자로 보고 있다.
⑤ 독일 등 외국에 비해 우리나라에는 주식회사가 유한회사보다 월등히 많다.

57. 한국은 4월까지 누적 무역수지가 적자를 기록하면서 올해 연간 경상수지까지 적자를 기록할 수 있다는 관측이 나온다. 또한, 정부지출의 증가로 올해에도 재정수지가 적자를 이어갈 것으로 보인다. 이에 따라 아래 그림과 같은 추세가 이어지면서 경상수지와 재정수지가 적자를 동시에 기록하는 '이것' 적자를 무엇이라고 하는가?

무역수지
(단위: 억 달러)

8.2

2021년 2022년
12월 1월 2월 3월 4월
−4.5   −1.2

−26.6

−47.3   자료: 산업통상자원부

100조 원 넘어선 재정적자
(단위: 조 원)

110.0

54.4

38.0
22.7 18.5
10.6

2015년 2016 2017 2018 2019 2020
※ 2020년은 추정치

① 자본
② 쌍둥이
③ 트리핀
④ 재무
⑤ 유동성

58. 다음 나열한 지표들의 최댓값은 얼마인가?

• BSI	• CSIII	• ESI

① 10
② 50
③ 100
④ 200
⑤ 300

59. 아래 신문기사를 읽고, (A) 기관과 연관된 설명을 〈보기〉에서 고르면?

한국 (A)은(는) 지난 2월 양사 합병을 조건부 승인하면서 5개 노선 모두 독점 우려가 있다고 판단했다. 이에 따라 10년 유예기간을 두고 경쟁 제한 우려가 있는 26개 국제노선과 8개 국내 노선에서 신규 항공사의 진입을 허용하고, 통합항공사의 일부 슬롯(시간당 항공기 운항 횟수)과 운수권을 반납하도록 했다. ○○경제신문. 2022. 4. 23.

─〈보기〉─
ㄱ. 기업결합 심사   ㄴ. 빅맥지수
ㄷ. 리니언시   ㄹ. 오버슈팅

① ㄱ, ㄴ
② ㄱ, ㄷ
③ ㄴ, ㄷ
④ ㄴ, ㄹ
⑤ ㄷ, ㄹ

60. 아래 사진은 자발적 탄소 거래 플랫폼을 만든 한 회사의 어플을 나타낸 것이다. 이와 관련한 제도나 이론을 〈보기〉에서 고르면?

자발적
탄소 거래 플랫폼
pople

─〈보기〉─
ㄱ. 규제 일몰제   ㄴ. 오일러의 정리
ㄷ. 코즈의 정리   ㄹ. 탄소 크레딧

① ㄱ, ㄴ
② ㄱ, ㄷ
③ ㄴ, ㄷ
④ ㄴ, ㄹ
⑤ ㄷ, ㄹ

〈 상황추론·판단 〉

61. 아래 그림에서 ⓐ~ⓓ에 대해 옳게 설명한 것을 〈보기〉에서 고르면?

이 시간에 공부할 내용입니다.

ⓐ 가격 ⓑ 경제적 자유
ⓒ 사유재산권 보장 ⓓ 경쟁

─〈보기〉─

ㄱ. 시장경제체제에서 ⓐ는 자원을 적재적소에 배분하는 기능을 수행한다.
ㄴ. ⓑ를 통해 소득 분배의 형평성만 추구할 수 있다.
ㄷ. ⓑ와 ⓒ는 밀접한 관계가 있으며, ⓒ가 없는 ⓑ는 허울에 불과하다고 할 수 있다.
ㄹ. ⓓ가 생산자들 간에 이루어지면 가격이 오르고 자원 배분이 비효율적으로 이루어진다.

① ㄱ, ㄴ
② ㄱ, ㄷ
③ ㄴ, ㄷ
④ ㄴ, ㄹ
⑤ ㄷ, ㄹ

62. 표는 가격에 따른 재화의 수요량과 공급량을 나타낸다. 표에 대한 설명 중 옳지 않은 것은? (단, 이 재화는 정상재이다.)

〈재화의 수요 및 공급표〉

㉠	가격(원)	㉡
200	10,000	160
190	13,000	190
180	15,000	210
㉢	17,000	㉣

① ㉠에는 수요량, ㉡에는 공급량이 들어가야 한다.
② ㉣에서 ㉢을 뺀 값은 음(−)의 값이다.
③ 이 재화의 균형가격은 13,000원이다.
④ 가격이 10,000원일 때 시장에 초과수요가 존재한다.
⑤ 현재 가격이 15,000원이라면 가격이 앞으로 하락할 것이다.

63. 아래 그림에서 동그라미로 표기한 부분과 같이 미국의 기준금리가 더 높을 때, 이와 같은 상황에서 발생하는 경제현상에 대한 설명 중 옳지 않은 것은? (단, 다른 조건은 일정하다고 가정한다.)

한·미 기준금리(단위: 연 %)

① 한국의 달러화 대비 원화 환율이 상승하는 요인이다.
② 한국에서 국외로 외국인 자금이 유출될 것이다.
③ 한국의 국내 수출 기업은 수출 가격 경쟁력 차원에서는 긍정적인 요인으로 작용할 수 있다.
④ 미국에서 돈을 빌려 한국에 투자한 미국 투자자는 이익이 더 늘어날 것이다.
⑤ 한국 입장에서 미국과의 통화스와프는 기준금리가 역전된 상황에서 금융시장 안정에 기여할 수 있을 것이다.

64. 아래 신문기사를 읽고, 제목에 들어갈 적절한 문구를 고르면?

음식을 너무 많이 먹으면 소화가 안 되고, 다이어트를 위해 음식을 너무 적게 먹으면 몸의 영양 균형이 깨지기도 합니다. 무엇이든 적절한 수준으로 하는 것이 좋은데, 이게 쉽지 않습니다. 너무 많이 먹어도 문제, 너무 적게 먹어도 문제죠. 어느 쪽으로든 정도의 지나침이 과하면 안 됩니다. … (중략) … 물가가 오른 다양한 요인이 있겠지만, 그중 하나는 바로 지나치게 풀린 '통화량'입니다. 코로나19 이후 각국은 침체된 경기를 부양하기 위해 재정·통화정책을 펼쳐 막대한 통화량을 시중에 풀었습니다. 과도하게 흘러나온 통화량은 주식, 부동산, 원자재 같은 자산시장으로 유입되면서 물가를 밀어 올렸습니다.

○○경제신문, 2022. 5. 23.

① 괄목상대의 경제
② 우공이산의 경제
③ 과유불급의 경제
④ 군계일학의 경제
⑤ 유비무환의 경제

65. 다음 자료의 ㉠으로 인해 예상되는 결과로 옳은 것은? (단, A, B재는 정상재이며, 수요와 공급의 법칙을 따른다.)

> A재와 B재는 각각 소비할 때보다 함께 소비할 때 만족감이 더 크다는 특성이 있다. 최근 ㉠ 정부가 A재 생산에 보조금을 지급하였다.

① A재의 균형가격은 하락한다.
② A재의 균형거래량은 감소한다.
③ B재의 매출액은 알 수 없다.
④ B재의 균형가격은 하락한다.
⑤ B재의 균형거래량은 감소한다.

66. 아래 표는 A국의 연도별 물가상승률과 명목이자율을 나타낸 것이다. 이와 관련한 분석으로 옳은 것은?

구분	2019년	2020년	2021년
물가상승률(%)	3	3	1
명목이자율(%)	5	1	2

① 실질이자율이 매년 하락하였다.
② 2020년의 물가 수준은 2019년과 같다.
③ 2020년의 실질이자율은 양(+)의 값이다.
④ 2021년의 실질이자율은 음(−)의 값이다.
⑤ 2020년이 2021년보다 실질이자율이 낮다.

67. 다음은 허버트 그루벨 캐나다 사이먼 프레이저 대학교 명예교수가 자신의 연구결과 중 일부를 언급한 것이다. 이 내용이 의미하는 알맞은 설명을 고르면?

> "1990년 소득 하위 20%에 속한 캐나다인 중 2009년 같은 그룹에 속한 사람은 13%밖에 남아 있지 않았다."며, "나머지 87%는 19년간 소득이 늘어나 상위 그룹으로 움직였다."고 말했다.

① 부의 세습을 입증하는 통계
② 가난의 세습을 입증하는 통계
③ 빈익빈 부익부를 입증하는 통계
④ 통계수치는 아무런 의미가 없는 수치
⑤ 가난한 사람도 부자가 될 수 있다는 것을 입증하는 통계

68. A국의 총인구가 5,000만 명, 비경제활동인구가 1,000만 명, 취업자 2,400만 명, 실업자 600만 명이라고 하자. 이때 경제활동참가율과 실업률을 구하면?

	경제활동참가율	실업률
①	75%	20%
②	75%	25%
③	80%	20%
④	80%	25%
⑤	60%	20%

69. 아래 글은 애덤 스미스의 『국부론』을 축약한 책에서 나오는 한 대목이다. 글에서 주장하는 바를 가장 잘 이해한 사람을 고르면?

> 상업과 제조업은 사법행정이 원칙적으로 운영되지 않는 나라, 즉, 국민이 재산소유를 보장받고 있다고 느끼지 못하는 나라, 계약의 법적 효력이 신뢰받지 못하는 나라, 그리고 채무상환 능력이 있는 사람으로 하여금 채무를 상환하도록 강제하는 데 국가의 권위가 합당하게 활용된다고 믿기지 않는 나라에서는 오래도록 번성할 수 없다. … (중략) … 미개한 사회 상태에서는 대규모 상업 자본이나 제조업 자본이 없다. 개인들은 절약할 수 있는 돈을 저장하고 저장한 돈을 은닉한다. 개인들이 그렇게 하는 이유는 정부의 사법행정에 대한 불신이 만연하고, 만약 저장한 사실이 알려지거나 은닉한 장소가 발각되면 곧바로 빼앗기리라는 두려움을 가지기 때문이다.
>
> 『한 권으로 읽는 국부론』

① 가영: 국가가 개인 간의 계약을 보장하기 위해 모든 계약 조항을 꼼꼼하게 심사하고 통제할 필요가 있지.
② 나영: 상업과 제조업이 줄면 정부의 공공부채는 극적으로 감소하는 효과를 볼 수 있다는 역설을 강조하고 있지.
③ 다영: 북한 사람들은 번 돈을 은행에 저축하지 않고 집안에 숨겨둔다고 하던데 이것은 금융제도를 불신한 탓이겠지.
④ 라영: 국가는 특정 목적에 맞는 법을 시장 참여자들이 예측하기 어려울 정도로 자주 바꿔야 해.
⑤ 마영: 국가는 상대적 약자인 임차인을 보호하기 위해 임대 기간과 임대료를 동일하게 규제해야 하지.

70. 신문기사에서 밑줄 친 변화에 대한 분석으로 옳은 것은?

○○경제신문

갑국 중앙은행 기준금리 추가로 인하 발표!

갑국의 중앙은행은 지난 1/4분기에 이어 이번 3/4분기에 기준금리를 추가로 인하하였다. 또한 내년에도 기준금리를 추가 인하하겠다고 발표하여 시장에 미치는 영향이 클 것으로 보인다.

① 대출 금리 상승 요인이다.
② 디플레이션의 발생 요인이다.
③ 시중 통화량의 감소 요인이다.
④ 기업 투자 심리의 축소 요인이다.
⑤ 소비자의 소비활동이 증가하는 요인이다.

71. 신문기사의 내용을 바탕으로 국내 기업에 미칠 영향에 대한 설명 중 옳지 <u>않은</u> 것은?

국내 반도체·가전·디스플레이 등 7대 수출 주력 업종의 대표 기업들이 글로벌 경쟁사에 비해 매출, 자산, 시가총액 등 기업 규모는 뒤처진 반면 평균 조세부담률은 더 높다는 조사 결과가 나왔다. … (중략) … 국내 기업의 법인세 부담률은 평균 25.7%로, 글로벌 경쟁사 평균(15.7%)보다 10%포인트 높은 것으로 집계됐다. 특히 휴대폰 분야에서 삼성전자와 애플의 법인세 부담률 차이가 컸다. 애플은 삼성전자(휴대폰 부문)보다 지난해 매출이 4배 많았지만 법인세 부담률은 13.3%로, 삼성전자(25.2%)의 절반에 불과했다.

○○경제신문. 2022. 4. 15.

① 국내 기업의 BSI 지수는 하락할 것이다.
② 국내 총수요(AD)곡선이 우측으로 이동할 것이다.
③ 국내 기업은 해외에 직접 생산하는 비중을 늘릴 것이다.
④ 국내 기업은 해외 기업과 비교하면 규모의 경제 측면에서 열세에 처해 있다.
⑤ 국내 기업이 생산한 같은 제품이더라도 국내 생산 제품보다 해외 직접 생산 제품의 가격이 더 낮을 것이다.

72. 다음 대화를 통해 (A)에 들어갈 내용으로 적절한 것은?

- 정부 발표 : (A)
- 가영 : 조세 부담의 형평성이 개선되겠군.
- 나영 : 물가안정에도 다소 도움이 되지 않을까?

① 할당관세를 도입하기로
② 추가경정예산을 증액하기로
③ 예비타당성조사를 강화하기로
④ 중앙은행이 국채를 매입하기로
⑤ 직접세 징수의 비중을 높이기로

73. 아래 지문에서 밑줄 친 단어와 관련된 내용을 〈보기〉에서 고르면?

로이터통신 등은 소식통을 인용해 "<u>석유수출국기구(OPEC)와 러시아 등 비(非)OPEC 주요 산유국 협의체인 OPEC+가 원유를 증산하는 데 최종적으로 합의했다.</u>"고 보도했다.

〈보기〉

ㄱ. 석유파동과 한국의 중동진출
ㄴ. 페트로 달러
ㄷ. 플라자 합의
ㄹ. 독점적 경쟁시장

① ㄱ, ㄴ
② ㄱ, ㄷ
③ ㄴ, ㄷ
④ ㄴ, ㄹ
⑤ ㄷ, ㄹ

74. A국 정부의 정책으로 우려되는 결과를 〈보기〉에서 알맞게 고르면?

> A국 정부는 대부업체가 보유 중인 장기·소액 연체채권을 사들여 소각하는 방안을 시행하기로 했다. 서민·취약계층의 재기를 돕기 위해 빚 탕감 범위를 금융공기업에 이어 민간 금융회사로 확대하겠다는 계획이다. 빚 탕감 대상자가 사상 최대인 150만 명에 달할 것으로 예상된다.

> ─〈보기〉─
> ㄱ. 도덕적 해이 확산　　ㄴ. 신용시장 위축
> ㄷ. 스놉효과　　　　　　ㄹ. 스미스의 역설

① ㄱ, ㄴ
② ㄱ, ㄷ
③ ㄴ, ㄷ
④ ㄴ, ㄹ
⑤ ㄷ, ㄹ

75. 그림과 같이 A국의 물가와 산출량의 균형점이 E_1에서 E_2로 이동한 원인과 영향을 알맞게 짝지으면?

	원인	영향
①	순수출 감소	연금생활자 유리
②	통화량 증가	실물자산 보유자 불리
③	통화량 증가	임금 근로자 불리
④	기업 투자 감소	채무자 유리
⑤	가계소비 증가	채권자 유리

76. 아래는 2020~2060년 국민연금 재정수지 전망과 관련한 신문기사와 그림을 나타낸 것이다. 이와 관련한 경제현상을 추론 및 분석한 설명 중 옳지 않은 것은?

> 국회예산정책처는 국민연금 적립금이 2020년 740조 원에서 2030년 1,027조 7,000억 원으로 늘어나겠지만 2040년 1,019조 9,000억 원으로, 2050년 416조 4,000억 원으로 줄어드는 데 이어 2055년에는 아예 고갈될 것으로 예상했다.
> ○○경제신문, 2022. 5. 24.

① 2030년에는 국민연금 적립금이 2020년보다 늘어날 것이다.
② 자료에 따르면 2040년부터는 국민연금 적립금은 모두 고갈될 것이다.
③ 인구 고령화 속도가 더 빨라진다면, 국민연금 재정수지 적자의 증가 속도는 더 빨라질 것이다.
④ 이와 같은 전망에 따르면 국민연금 보험료를 더 내고, 연금 수급을 덜 받는 방식의 연금개혁에 대한 사회적 논의가 진행될 가능성이 높다.
⑤ 신문기사에 따르면 2055년부터는 생산가능인구가 납부하는 연금 보험료만으로는 국민연금 수급자의 지급 금액을 모두 감당할 수 없다.

77. 아래 지문의 경제상황에 대한 설명으로 옳지 않은 것은?

> 한약재시장에 국산과 중국산일 확률이 각 50%이며, 국산 한약재의 가치는 1천만 원, 중국산 한약재의 가치는 2백만 원이다. 한약재 구매자는 국산과 중국산을 식별할 능력이 없다.

① 비대칭 정보로 인한 문제가 발생한다.
② 신호 보내기를 통해 문제를 완화할 수 있다.
③ 역선택 문제로 한약재시장에서 시장 실패가 발생한다.
④ 구매자는 한약재에 1천만 원 이상을 지불할 의향이 없다.
⑤ 장기적으로 한약재시장에는 레몬 상품이 지배적으로 많을 것이다.

78. 다음 표는 A국과 B국의 지니계수에 대한 연도별 자료이다. 이와 관련한 설명 중 옳지 <u>않은</u> 것은?

구분	2019년	2020년	2021년
A국	0.45	0.42	0.39
B국	0.40	0.45	0.37

① 2019년 A국은 B국보다 소득의 불평등 수준이 높다.
② 2020년 B국은 A국보다 로렌츠곡선이 대각선에 멀어진 상태이다.
③ B국은 소득불평등 수준이 계속 개선되었다.
④ 2021년 B국의 소득분배가 전년보다 개선됐다.
⑤ A국은 소득불평등을 완화하기 위한 복지정책을 펼쳤을 것으로 보인다.

79. 아래 뉴스는 지난해 8월 존 테일러 교수가 기고한 글에 대한 내용이다. 뉴스에서 밑줄 친 (A), (B)와 관련한 설명으로 옳지 <u>않은</u> 것은?

'테일러 준칙'을 제시한 미국 경제학자 존 테일러는 연방준비제도(Fed)는 과열된 경제를 진정시키기 위해 기준금리를 5%까지 인상해야 한다고 주장했다. 테일러 교수는 현재 기준금리가 예외적으로 낮고, 그것이 얼마나 예외적인지를 알아보기 위해서는 테일러 준칙을 살펴봐야 한다고 설명했다. (A) 테일러 준칙은 인플레이션의 실제와 목표치의 격차에 따라 연방기금 금리의 목표를 설정해야 한다는 법칙이다. … (중략) … 테일러 교수는 "현재 (B) 연준은 통화정책의 준칙에서 벗어나고 있다."며, "시장은 이런 괴리가 계속되리라는 예상에 근거해 미래 금리를 추정하고 있다."고 진단했다.

○○뉴스, 2021. 8. 31.

① (A)의 입장에서는 준칙에 입각한 통화정책을 중시한다.
② 통화주의학파는 (A)와 같은 정책을 실시하는 것이 바람직하다고 주장했다.
③ (B)에서 언급된 연준(Fed)의 정책은 재량에 입각한 통화정책이다.
④ 케인스학파는 연준이 (B)보다는 (A)에 입각한 통화정책을 하는 것이 바람직하다고 주장할 것이다.
⑤ 존 테일러 교수는 (A)의 입장에 따르면 현재 Fed의 기준금리도 매우 낮은 수준이다.

80. 아래 신문기사를 읽고, 관련한 학생들의 대화 중 옳지 <u>않은</u> 것은?

조선 후기 흥선대원군은 아들인 고종이 즉위하자 왕권 강화를 위한 조치를 시행했습니다. 대표적으로 임진왜란 때 타버린 경복궁을 중건하는 것이었습니다. 이를 위해 돈이 필요했습니다. 그래서 생각해낸 것이 '당백전'이라는 화폐의 발행이었습니다. 흥선대원군은 기존에 유통되던 '상평통보'에 더해 당백전을 함께 발행했습니다. 당백전은 이름대로 명목가치는 상평통보의 100배였지만, 실제 가치는 5~6배에 불과했습니다. … (중략) … 당백전은 처음 6개월 동안 1,600만 냥이 풀렸습니다. 백성들은 당백전을 신뢰하지 않았습니다. 백성들은 가치가 높아진 상평통보를 소유하거나 거래를 상평통보만 받았습니다. 그래서 당백전의 가치는 더욱 하락했고, 물가가 올라 백성들의 생활은 더욱 어려워졌죠.

○○경제신문, 2022. 4. 25.

① 가영: 조선의 백성들은 당백전의 실제 가치가 상평통보의 100배까지는 되지 않는다고 생각했어.
② 나영: 당백전의 발행으로 조선은 높은 인플레이션을 경험했을 거야.
③ 다영: 조선의 당백전 사례는 16세기 영국의 토머스 그레셤이 언급한 그레셤의 법칙으로 설명할 수 있어.
④ 라영: 우리나라에서 현재 사용되는 화폐에서도 그레셤의 법칙이 발생해.
⑤ 마영: 조선의 사례에서 보듯, 금속화폐 시절에는 정부가 수입을 얻기 위한 목적으로 새로운 화폐를 발행하기도 했지.

■ 문제지 표지에 성명과 수험번호를 적었는지 확인하십시오.
■ 경제이론과 시사경제·경영은 문항당 3점, 4점이고 상황추론·판단은 문항당 5점입니다.
■ 시험시간은 100분입니다.

〈 경 제 이 론 〉

1. 시장과 관련된 설명으로 가장 거리가 먼 것은?

① 시장은 자본주의 이전부터 존재해왔다.
② 시장은 사회적 분업을 더욱 촉진시켰다.
③ 기계의 등장으로 시장은 더욱 발전하게 되었다.
④ 산업혁명 이후로 시장은 더욱 폭발적으로 증가하게 되었다.
⑤ 시장은 빈부격차를 해소하여 공평한 소득분배를 가능하게 한다.

2. 경제성장이 둔화할 수 있는 요인으로 알맞은 것을 〈보기〉에서 고르면?

〈보기〉
ㄱ. 인구 고령화가 급속히 진행된다.
ㄴ. 외국으로부터의 기술 도입이 활발해졌다.
ㄷ. 경쟁국과 관세 부과 등 무역 분쟁이 진행 중이다.
ㄹ. 기업의 R&D(연구개발)와 관련한 세액공제가 줄어들었다.
ㅁ. 정부가 신(新)산업에 관한 규제를 완화하였다.

① ㄱ, ㄴ, ㄷ
② ㄱ, ㄷ, ㄹ
③ ㄴ, ㄷ, ㄹ
④ ㄴ, ㄷ, ㅁ
⑤ ㄷ, ㄹ, ㅁ

3. 정부 실패란 시장 실패를 교정하기 위한 정부의 개입이 오히려 바람직하지 못한 결과를 초래하는 현상이다. 다음 중 정부 실패의 원인으로 옳지 <u>않은</u> 것은?

① 정보의 부족
② 관료제도의 비효율성
③ 정부정책 시차의 가변성
④ 한계생산물체감의 법칙
⑤ 정부정책을 예견한 민간부문 반응의 변화

4. 수요곡선에 미치는 영향이 <u>다른</u> 하나는? (재화는 정상재라고 가정한다.)

① 소비자의 소득 증가
② 보완재 생산기술 발전
③ 대체재 공급 증가
④ 미래 가격 상승 예상
⑤ 재화에 대한 소비자의 선호도 증가

5. 밑줄 친 ㉠, ㉡에 대한 설명 중 옳은 것은?

인플레이션 유형에는 ㉠총수요의 변동으로 나타나는 인플레이션과 ㉡총공급의 변동으로 나타나는 인플레이션이 있다.

① ㉠은 비용인상 인플레이션이다.
② ㉠의 원인 중 민간 소비 지출 감소가 있다.
③ ㉠에 대한 대책으로 정부지출 확대를 들 수 있다.
④ ㉡의 원인으로 국제 원자재 가격 상승을 들 수 있다.
⑤ ㉡은 ㉠과 달리 실질 국내총생산(GDP)의 증가를 수반한다.

6. 어떤 재화의 수요의 가격탄력성이 완전탄력적이라고 하자. 이에 대한 설명 중 옳은 것은?

① 수요곡선은 수직선의 모양을 가진다.
② 공급이 증가하더라도 가격은 변함이 없다.
③ 공급이 감소해도 재화의 거래량은 감소하지 않는다.
④ 이 재화의 공급자에게 세금을 부과하면 수요자가 세금을 모두 부담한다.
⑤ 이 재화의 수요자에게 세금을 부과하면 세금의 일부가 재화의 공급자에게 전가된다.

7. 기회비용의 사례로 적절하지 않은 것은?

① 입장료가 아까워서 재미없는 영화를 계속 보았다.
② 여행을 가는 바람에 집 청소를 하지 못했다.
③ 올해는 배추를 심어서 고추를 심을 수 없게 되었다.
④ 오늘 축구경기를 시청해서 수학 공부를 하지 못했다.
⑤ 피자를 사 먹는 바람에 교통비가 부족해서 집까지 걸어가야 했다.

8. 어떤 국가의 올해 지니계수가 작년보다 낮아졌다고 한다. 이를 가장 잘 설명한 것은?

① 로렌츠곡선이 45°선에 가까워졌다.
② 올해 10분위분배율이 작년보다 작아졌다.
③ 올해 국민소득이 작년보다 훨씬 작아졌다.
④ 올해 노동소득분배율이 점점 불평등해졌다.
⑤ 생산가능곡선이 왼쪽으로(안쪽으로) 이동했다.

9. 경기침체를 극복하기 위한 재정정책과 금융정책에 대한 설명 중 옳은 것은?

① 금융정책은 재정정책보다 직접적이고 확실한 효과가 있다.
② 국채 발행을 통해 정부가 자금을 조달할 경우 시중 이자율은 하락한다.
③ 재정정책을 중시하는 입장에서는 구축효과보다는 승수효과를 더 크게 본다.
④ 중앙은행의 대표적인 금융정책으로는 추가경정예산편성이 있다.
⑤ 통화를 아무리 많이 공급해도 투자와 소비가 늘지 않는다면 파레토 개선에 빠졌다고 할 수 있다.

10. 아래 지문을 읽고, 장기적으로 어떤 상황에 도달할지에 대한 설명 중 옳은 것은?

중앙은행의 정책 목표가 실업률을 자연실업률 수준으로 유지하는 것이라고 하자. 자연실업률은 실제로 5%이지만 중앙은행은 4%라고 믿고 있다.

① 실제 실업률이 항상 5%로 유지된다.
② 인플레이션율이 하락한다.
③ 자연실업률이 4%로 하락한다.
④ 인플레이션율이 상승한다.
⑤ 실제 실업률이 장기적으로 4%로 하락한다.

11. 가격 하한제를 실시하여 시장가격에 변동이 생기는 상황에 대한 설명 중 옳지 않은 것은?

① 시장에서 공급자를 보호하기 위한 제도이다.
② 기존의 시장 균형가격보다 낮은 수준에서 가격이 설정된다.
③ 농산물시장에서 가격지지 제도가 대표적인 사례이다.
④ 상품시장에서 가격 하한제를 실시하면 소비자잉여는 감소한다.
⑤ 노동시장에서 가격 하한제를 실시하면 비자발적 실업이 발생한다.

12. (가) ~ (라)는 재화의 유형을 경합성과 배제성의 유무로 분류한 것이다. 이에 대한 설명이 옳지 <u>않은</u> 것은?

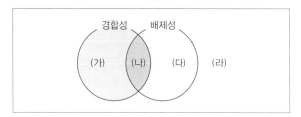

① '공유지의 비극'은 (가)보다 (다)에서 나타난다.
② 시장에서 거래되는 사적재는 (나)에 해당한다.
③ 한산한 유료 고속도로는 (다)에 해당한다.
④ 국가가 제공하는 치안과 국방은 (라)에 해당한다.
⑤ (라)와 같은 재화는 시장에서 충분히 공급되지 않는 시장 실패가 발생한다.

13. 아래 표는 금융상품 A, B의 일반적인 특징을 비교한 것이다. 이와 관련한 설명 중 옳은 것을 고르면? (단, A, B는 각각 주식 또는 채권 중 하나이다.)

질문	A	B
기업이 회사 소유권의 일부를 투자자에게 부여하는 증표인가?	예	아니요
(가)	아니요	예
(나)	예	예

① A를 보유한 사람은 확정 이자를 기대할 수 있다.
② B를 발행하면 기업 입장에서는 자기자본에 해당한다.
③ (가)에는 '이사회에 참석할 수 있는 권리가 주어지는가?' 가 들어갈 수 있다.
④ (나)에는 '배당 수익을 기대할 수 있는가?'가 들어갈 수 있다.
⑤ A, B 모두 시세 차익을 기대할 수 있다.

14. 총수요에 대한 설명 중 옳은 것은?

① 이자율과 투자는 정(+)의 관계이다.
② 총수요는 이자율의 영향을 받지 않는다.
③ 총수요에서 변동성을 크게 하는 요인은 소비보다는 투자이다.
④ 화폐의 중립성이 성립한다면 화폐량의 증가가 총수요의 증가를 가져온다.
⑤ 개방경제일 때, 한 국가에서 생산한 상품의 총수요는 소비, 투자, 정부지출, 수출로 구성되어 있다.

15. 한국의 수출액은 2,000억 달러이고 수입액은 1,500억 달러라고 하자. 한국인은 해외 자산을 600억 달러 매입하였고, 외국인은 국내 자산을 500억 달러 매입하였다. 이때 한국의 외환보유액은 어떻게 변하는가?

① 500억 달러 감소
② 500억 달러 증가
③ 400억 달러 감소
④ 400억 달러 증가
⑤ 100억 달러 증가

16. 아래 실업 유형에 대한 설명으로 옳지 <u>않은</u> 것은?

> 근로자들이 이직하는 과정에서 발생하는 실업

① 완전고용상태에서도 이러한 실업은 존재한다.
② 이러한 실업은 경제의 윤활유 같은 역할을 한다.
③ 구직과 관련한 정보망 확충으로 이러한 실업을 줄일 수 있다.
④ 최저임금제, 노동조합의 강화로 이러한 실업이 늘어난다.
⑤ 일반적으로 실업보험급여 지급 확대는 해당 유형의 실업을 늘리는 요인이다.

17. 외부효과와 관련한 설명 중 옳지 <u>않은</u> 것은?

① 과수원 근처에 양봉업자가 이주해옴으로써 사과 수확량이 증가했다.

② 강 상류에서 돼지 사육으로 발생한 축산 폐수를 방류한 결과 하류의 어획량이 감소했다.

③ 코즈의 정리에 따르면 재산권이 누구에게 있는지에 따라 외부불경제를 감소시키는 정도가 다를 수 있다.

④ 긍정적 외부효과가 존재한다는 것은 사회적 편익이 사적 편익보다 크다는 것을 의미한다.

⑤ 사회적 비용이 사적 비용보다 크면, 이 기업의 균형생산량은 최적생산량보다 많은 상태이다.

18. 도덕적 해이를 설명하는 예로 옳지 <u>않은</u> 것은?

① 정해진 급여를 지급한 후, 일부 직원들의 근무태도가 불성실하다.

② 팀 발표 준비 과정에서 구성원 중 일부가 발표준비를 소홀히 한다.

③ 에어백을 설치한 자동차의 운전자가 설치 이전보다 부주의하게 운전한다.

④ 화재보험에 가입한 보험 가입자는 가입 이전보다 화재방지 노력을 덜 한다.

⑤ 보험시장에서 평균 보험료를 제시하면 사고를 낼 확률이 높은 사람이 가입한다.

19. 기업의 생산기술이 규모에 대한 수익 체증이라고 하자. 이에 대한 설명으로 옳은 것을 고르면?

① 이 기업의 생산기술은 쿠즈네츠 순환이 작용한다.

② 모든 생산요소의 투입을 두 배 늘려도 산출량은 변하지 않는다.

③ 고정요소의 투입을 두 배 늘리면 산출량이 두 배 늘어난다.

④ 모든 생산요소의 투입을 두 배 늘리면 산출량이 두 배를 초과하여 늘어난다.

⑤ 고정요소의 투입을 두 배 늘리면 산출량이 두 배 미만으로 늘어난다.

20. 아래 그림은 민간 경제의 흐름을 나타낸다. 이에 대한 〈보기〉의 설명 중 옳은 것을 고르면?

〈보기〉

ㄱ. (가)는 소비활동의 주체이다.

ㄴ. (나)는 이윤극대화를 위해 경제활동을 한다.

ㄷ. ㉠은 (가)의 판매수입에 해당한다.

ㄹ. ㉡은 (나)의 소비활동의 원천이 된다.

① ㄱ, ㄴ

② ㄱ, ㄷ

③ ㄴ, ㄷ

④ ㄴ, ㄹ

⑤ ㄷ, ㄹ

21. 절약의 역설에 대한 설명 중 옳지 <u>않은</u> 것은?

① 영국의 경제학자인 케인스가 언급하였다.

② 경제의 장기 현상에 대한 설명이다.

③ 국내총생산의 결정에 있어 총수요의 중요성을 강조한다.

④ 경기불황에는 오히려 소비를 늘리는 것이 도움이 된다.

⑤ 개개인에게 도움이 되는 행동이 경제 전체로는 해가 될 수 있다.

22. 아래 지문은 화폐의 기능 중 어떤 것에 대한 설명인가?

> 예를 들면 물물교환 경제에서는 쌀을 가진 사람이 옷을 구하고자 할 때, 자신이 가진 쌀로 얼마만큼의 옷을 살 수 있는지를 알기 위해서는 다른 상품 간의 교환비율까지 모두 알아야 한다. 그러나 화폐 경제에서는 모든 물건의 가치가 같은 화폐 단위로 표시되므로 모든 상품 간의 교환비율을 즉시 알 수 있다.

① 교환매개

② 가치저장

③ 지급수단

④ 재산증식

⑤ 가치척도

23. 아래 지문을 읽고, 빈칸 (A) ~ (E)에 들어갈 내용을 알맞게 짝지으면?

> 어떤 수입기업이 불완전경쟁을 하고 있다고 가정하자. 만약 소규모 국가인 해당 국가가 수입할당제를 시행한다면 국내 물가는 (A)하고, 생산자잉여는 (B)하고, 소비자잉여는 (C)하고, 정부의 관세수입은 (D)하고, 해당 국가의 후생수준은 전반적으로 (E)할 것이다.

	(A)	(B)	(C)	(D)	(E)
①	상승	불변	감소	증가	감소
②	상승	증가	감소	불변	감소
③	감소	감소	증가	감소	불변
④	감소	증가	감소	증가	감소
⑤	불변	불변	감소	증가	감소

24. 국내총생산(GDP)과 관련한 설명으로 옳은 것은?

① 수입이 증가하면 GDP는 감소한다.

② 전업주부의 가사노동은 GDP에 포함된다.

③ 기준연도에서 실질GDP와 명목GDP는 일치하지 않는다.

④ 국내에서 근무하는 외국인 근로자가 생산한 가치는 GDP에 포함되지 않는다.

⑤ A년도에 생산한 제품이 다음 연도인 B년도에 판매되면 이는 B년도 GDP에 포함된다.

25. 무차별곡선의 특징 중 볼록성(Convexity)은 어떤 의미를 가지는가?

① 재화 및 서비스의 양이 많을수록 선호한다.

② 재화 및 서비스의 선호는 갑자기 변할 수 없다.

③ 재화 및 서비스가 골고루 섞여있는 소비묶음을 선호한다.

④ 두 개의 재화 중 일방적으로 하나의 재화만을 매우 선호한다.

⑤ 소비묶음 A보다 B를 선호하고, B보다 C를 선호하면 A보다 C를 선호한다.

26. 그림은 시장의 유형을 분류한 것이다. (가) ~ (라)에 대한 〈보기〉의 설명 중 옳은 것을 모두 고르면?

─ 〈보기〉 ─

ㄱ. (가)에서는 자원 배분이 효율적으로 이뤄진다.
ㄴ. (나)시장에서는 기업 간 담합과 리니언시에 관한 논쟁이 나타날 수 있다.
ㄷ. (다)는 다른 기업의 진입이 불가능한 진입장벽이 존재한다.
ㄹ. (라)는 기업의 경쟁이 심해 상호 의존성이 낮다.

① ㄱ, ㄴ
② ㄱ, ㄷ
③ ㄴ, ㄹ
④ ㄱ, ㄴ, ㄷ
⑤ ㄴ, ㄷ, ㄹ

27. 인플레이션의 비용과 관련한 설명 중 옳지 않은 것은?

① 기업은 메뉴비용이 발생한다.
② 미래소득의 측정을 어렵게 한다.
③ 현금보다는 금을 보유하는 것이 유리하다.
④ 재화와 서비스의 상대가격 변화로 자원의 효율적 배분을 저해한다.
⑤ 예상된 인플레이션은 채무자와 채권자 사이에 부를 재분배시킨다.

28. 국제무역을 증가시키는 요인이 아닌 것은?

① 핀테크 기술의 발달
② 관세와 수입쿼터 철폐
③ 국제가치사슬 강화
④ 유가의 하락 안정
⑤ 무역 상대국 인플레이션의 높은 변동성

29. 국가 대외신인도가 하락하는 부정적 징후로 평가되는 것을 〈보기〉에서 모두 고르면?

─ 〈보기〉 ─

ㄱ. 외국환평형기금채권의 가산금리가 상승했다.
ㄴ. 신용부도스와프(CDS) 프리미엄이 하락했다.
ㄷ. 무디스, 피치, S&P(스탠더드앤드푸어스)가 평가한 국가신용등급이 하락했다.

① ㄱ
② ㄱ, ㄴ
③ ㄱ, ㄷ
④ ㄴ, ㄷ
⑤ ㄱ, ㄴ, ㄷ

30. 1급 가격차별이 시행되는 독점시장에 대한 설명 중 옳지 않은 것은?

① 소비자잉여는 양(+)의 값을 가진다.
② 한계수입곡선은 시장 수요곡선과 동일하다.
③ 모든 소비자는 각각 다른 가격을 지불한다.
④ 일반 독점시장에 비해 사회적 후생이 더 크다.
⑤ 완전경쟁시장과 동일한 수량이 시장에 공급된다.

〈 시사경제·경영 〉

31. 유니콘과 데카콘은 각각 기업가치 몇 억 달러가 기준이 되는가?

① 10 - 50
② 10 - 100
③ 50 - 10
④ 50 - 100
⑤ 100 - 200

32. 이 용어는 10루타를 의미하는 것으로, 실제 야구 경기에서 쓰이는 용어가 아니라 투자자들이 원하는 10배 이상의 수익률을 안겨준 주식 종목을 의미한다. 1977년부터 1990년까지 13년간 마젤란 펀드를 운영하면서 누적수익률 2,703%를 기록한 피터 린치가 이 용어를 사용했다. 이 용어는 무엇인가?

① 로스컷
② 바이백
③ 텐 배거
④ 오버행
⑤ 텟 포켓

33. 손질을 마친 식재료와 적절한 양의 양념, 부재료 등을 한 세트로 구성해 간단하게 조리해 먹을 수 있도록 한 상품은 무엇인가?

① PB
② OEM
③ 밀키트
④ 니오븀
⑤ 레토르트

34. 지문을 읽고, 빈칸 (A)에 들어갈 용어로 옳은 것은?

> 강력한 경쟁자가 나타났을 때 기존 기업의 경쟁력이 오히려 높아지는 현상을 (A)효과라고 한다.

① 메기
② 우산
③ 참새
④ 코끼리
⑤ 네트워크

35. 아래 그림은 미국 노동부가 발표하는 소비자 물가지수 상승률 추이이다. 이러한 추세가 지속되고 다른 변수가 영향을 미치지 않는다고 가정할 때, 함께 상승하는 경제지표나 지수 등을 〈보기〉에서 고르면?

소비자 물가지수(CPI) 상승률
(단위: %)

5.4 / 6.2 / 6.8 / 7.0 / 7.5 / 7.9 / 8.5

※ 전년 동월 대비

2021년 9월 · 10월 · 11월 · 12월 · 2022년 1월 · 2월 · 3월

┌〈보기〉
ㄱ. PMI지수   ㄴ. 엥겔지수
ㄷ. 소비자 심리지수   ㄹ. 장바구니 물가

① ㄱ, ㄴ
② ㄱ, ㄷ
③ ㄴ, ㄷ
④ ㄴ, ㄹ
⑤ ㄷ, ㄹ

36. 전력 부족으로 광범위한 지역의 전기가 일시에 모두 끊겨버리는 사태를 일컫는 용어는 무엇인가?

① 베일아웃
② 바이아웃
③ 블랙아웃
④ 워크아웃
⑤ 노크아웃

37. 정부가 국채 발행을 확대하며 씀씀이를 늘리면 시장금리도 올라가고, 민간의 소비·투자 활동을 위축시키는 이른바 '이것' 우려가 커진다. '이것'은 무엇인가?

① 구축효과
② 전시효과
③ 분수효과
④ 핀볼효과
⑤ 피셔효과

38. 아래 나열한 기업들이 공통적으로 생산하는 주력 제품은 무엇인가?

| • 삼성SDI | • LG에너지솔루션 | • SK온 |

① 전기차 배터리
② 플라잉 카
③ 태양광 패널
④ 메모리 반도체
⑤ 자율주행 자동차

39. 신문기사를 읽고, 이와 관련한 설명 중 옳지 않은 것은?

> 일론 머스크 테슬라 최고경영자가 트위터에 ㉠ 적대적 인수합병(M&A)을 시도하자 트위터 이사회가 ㉡ 포이즌 필을 전격 도입했다. … (중략) … 트위터는 누구든 이사회 승인 없이 지분율 15% 이상을 인수하면 포이즌 필을 발동한다고 밝혔다. 포이즌 필은 내년 4월 14일까지 적용된다. 현재 머스크는 트위터 지분 9.1%를 보유하고 있다. … (중략) … 그는 트위터 경영진에 주당 54.20달러(약 6만 6,638원), 총 430억 달러(약 53조 원)에 트위터 지분 전체를 매수하는 방안을 제안했다.
>
> ○○경제신문, 2022. 4. 18.

① 일반적으로 ㉠을 시도하더라도 백기사와 같은 우호세력이 있다면, ㉠이 쉽지 않다.
② 머스크가 한 ㉠은 공개매수가 대표적이다.
③ 이사회 입장에서는 ㉡은 경영권 방어 수단으로, 기존주주들에게 시가보다 싼 값에 트위터 주식을 살 수 있는 권리를 주는 것이다.
④ ㉡과 같은 목적을 가진 제도로 황금낙하산도 있다.
⑤ 한국에서도 ㉡이 제도로 채택되어 운영되고 있다.

40. 새로 임명된 경영자가 전임 경영자의 재직기간에 쌓인 손실과 잠재적 부실 요소를 회계장부에 한꺼번에 반영하여 털어버리는 행위를 뜻하는 용어는 무엇인가?

① 뱅크런
② 빅배스
③ 홀딩스
④ 숏커버링
⑤ 윈도드레싱

41. '이것'은 국민이 느끼는 경제적 생활의 고통을 계량화하여 수치로 나타낸 것이다. '이것'은 물가상승률과 실업률의 합하여 계산한다. '이것'은 무엇인가?

① 경제자유지수
② 경제압박지수
③ 경제투자지수
④ 경제고통지수
⑤ 경제신뢰지수

42. 신문기사에서 나타난 미국 정부의 우려는 어떤 논란과 관련한 것인가?

> ○ 메타가 디지털코인 '주크벅스(Zuck Bucks)'를 개발하고

미국 정부가 넷플릭스, 유튜브 등 콘텐츠 사업자(CP)에게 망 사용료를 부과하려는 한국 내 입법움직임에 대해 공개적으로 우려를 나타냈다.

○○경제신문, 2022. 4. 4.

① 페그제
② 로그롤링
③ 미란다 원칙
④ 스놉효과
⑤ 망 중립성

43. 신문기사를 읽고, ㉠ ~ ㉣에 관한 설명 중 옳지 <u>않은</u> 것은?

> ㉠ 메타가 디지털코인 '주크벅스(Zuck Bucks)'를 개발하고 있는 것으로 알려졌다. 메타는 과거에도 암호화폐 프로젝트를 추진하다가 접은 적이 있다. … (중략) … ㉡ 마크 저커버그 메타 최고경영자는 최근 "오는 5월 내로 인스타그램에 ㉢ 대체불가능토큰(NFT)을 도입하겠다."고 밝히기도 했다. … (중략) … 메타의 가상자산업계 진출 시도는 이번이 처음이 아니다. 2018년에는 '㉣ 리브라(이후 디엠)'라는 암호화폐 프로젝트를 출범시켰다.

○○경제신문, 2022. 4. 8.

① ㉠은 페이스북에서 명칭을 변경하였다.
② ㉡은 ㉠의 창업자이다.
③ 최근 ㉢ 기술은 디지털화된 예술품 경매시장에서 활발히 사용되고 있다.
④ ㉣은 현재도 활발히 거래되고 있다.
⑤ ㉠은 회사 이름을 변경하기 전에 FAANG에 속한 기업 중 하나이다.

44. 회사가 영업을 중단하고 보유자산을 모두 처분한다고 가정할 때 채권자, 주주 등에게 돌려줄 수 있는 돈을 계산한 것을 무엇이라고 하는가?

① 청산가치
② 수익가치
③ 존속가치
④ 본질가치
⑤ 부가가치

45. 공항, 철도 등의 사례에서 자주 나타나는 지역이기주의의 일종이다. 수익성 있는 사업을 무조건 자기 지방에 유치하려 하는 현상을 일컫는 용어는?

① 핌피현상
② 넛지효과
③ 베이크 아웃
④ 바나나현상
⑤ 지렛대효과

46. 이 용어는 어린이들이 안전하게 놀 수 있는 모래놀이터에서 착안한 용어이다. 규제를 바로 풀어주지는 못하더라도 안전한 환경에서 실제로 신사업을 운영해볼 수 있도록 일정 기간 규제를 유예 또는 면제해주는 제도이다. 이 용어는 무엇인가?

① 규제 기요틴
② 규제 실명제
③ 규제 일몰제
④ 규제 샌드박스
⑤ 규제 총량제

47. 고위공직자가 직무 수행 도중 사익을 취하지 못하도록 재산을 대리인에게 맡기도록 한 제도를 무엇이라고 하는가?

① 공증
② 백지신탁
③ 수의계약
④ 유상증자
⑤ 스톡옵션

48. 신문기사를 읽고, 밑줄 친 (A), (B)에 해당하는 정책이나 의견을 잘못 짝지은 것은?

> 이창용 한국은행 총재 후보자는 "데이터 변화에 따라 (A) 비둘기파도 (B) 매파도 될 수 있다."며, 경제·금융 상황에 맞춰 유연하게 통화정책을 운용하겠다는 뜻을 밝혔다.
> ○○경제신문, 2022. 4. 2.

> ㄱ. 국공채 매입   ㄴ. 지급준비율 인하
> ㄷ. 재할인율 인상   ㄹ. 인플레이션 안정
> ㅁ. 경제성장 중시   ㅂ. 기준금리 인상

① (A) - ㄱ
② (A) - ㄷ
③ (B) - ㄹ
④ (B) - ㅂ
⑤ (A) - ㅁ

49. 우크라이나의 '이것' 가입 갈등이 러시아가 침공하게 된 이유 중 하나로 꼽힌다. '이것'은 미국과 소련(현재의 러시아)의 냉전 시대에 소련이 유럽으로의 진출을 억제하기 위해 미국, 캐나다, 유럽 10개국 등 12개국이 참가해 발족시킨 집단방위기구이다. 북대서양조약 기구라고도 하는 '이것'의 영어 약자는 무엇인가?

① NAFTA
② UNCTAD
③ NATO
④ WFP
⑤ CPTPP

50. 중소기업은행, 산업은행, 수출입은행의 공통점은 무엇인가?

① 국책은행
② 저축은행
③ 예금은행
④ 중앙은행
⑤ 인터넷전문은행

51. 아래의 그림 (A), (B)가 각각 나타내는 경제상황을 순서대로 알맞게 짝지으면?

(A)
국내총생산 실질성장률
(단위: %, 전기 대비)

1.1
0.8
0.8
0.5
0.3

(B)
Economic Growth

Inflation

① 더블딥-그린슈트
② 스태그플레이션-스우시
③ 디커플링-디플레이션
④ 러프패치-소프트패치
⑤ 더블딥-스태그플레이션

52. 신문기사를 읽고, ㉠~㉢에 들어갈 내용을 알맞게 짝지으면?

> 한국은행 (㉠)이(가) 14일 기준금리를 연(㉡)%에서 연(㉢)%로, 0.25%포인트 인상했다. 사상 초유의 총재 공석 상황에서도 10년 만의 4%대 물가에 대응하기 위해 금리를 올린 것이다. 하지만 올해 경제성장률에 대해선 지난 2월 전망한 3.0%보다 낮은 2%대 중·후반이 될 것이라고 밝혔다.
> ○○경제신문, 2022. 4. 15.

	㉠	㉡	㉢
①	공개시장위원회	1.00	1.25
②	공개시장위원회	1.25	1.5
③	금융통화위원회	1.00	1.25
④	금융통화위원회	1.25	1.5
⑤	금융안정위원회	1.25	1.5

53. 시장 지수보다 높은 수익률을 목표로 펀드매니저들이 자산 비중을 적극적으로 조정하는 펀드를 무엇이라고 하는가?

① 인컴펀드
② 매칭펀드
③ 액티브펀드
④ 인덱스펀드
⑤ 스포트펀드

54. 아래 나열한 내용을 지칭하는 날을 무엇이라고 하는가?

- 1987년 10월 19일
- 미국 뉴욕 다우존스지수가 전일 대비 22.6% 대폭락한 날을 가리키는 말

① 박싱데이
② 블랙먼데이
③ 트레이딩데이
④ 프리미엄프라이데이
⑤ 트리플위칭데이

55. 러시아가 우크라이나와의 전쟁으로 국제사회의 제재를 받게 되자 러시아는 국가신용등급이 강등되고, 투자자들에게 달러화 채권 이자를 제때 지급하지 못하면서 '이것' 위험에 빠지게 되었다. '이것'은 국가가 외채 이자나 원리금을 만기에 갚지 못할 경우 발생한다. '이것'은 무엇인가?

① 컨센서스
② 모멘텀
③ 밸류에이션
④ 펀더멘털
⑤ 디폴트

56. (A), (B)가 설명하는 용어의 영어 약자를 알맞게 짝지으면?

(A) 일정한 조건에 따라 주식으로 전환할 수 있는 권리가 붙은 사채를 말한다. 전환청구기간 내에 전환권을 행사함으로써 미리 정해진 가격으로 신주를 인수할 수 있다.
(B) 미리 정해진 가격으로 일정액의 주식을 인수할 수 있는 권리가 붙은 사채이지만, (A)와 다른 점은 인수권의 행사에 의해 인수권 부분만 소멸될 뿐 사채부분은 계속 효력을 갖는다는 점이다.

	(A)	(B)
①	CB	ELW
②	BW	ELS
③	CB	BW
④	ETF	CB
⑤	ELS	ELW

57. 나열한 설명에서 (가), (나)에 들어갈 알맞은 용어를 고르면?

- K뷰티 열풍에 힘입어 화장품업체 A사의 주가가 사상 처음 주당 100만 원을 돌파하며 (가)에 등극했다.
- 연말 배당철을 앞둔 주식시장에서 (나)가 강세를 보이고 있다. 의결권이 없는 대신 보통주보다 높은 배당을 받을 수 있다는 장점이 주목받으면서이다.

	(가)	(나)
①	황금주	우선주
②	황제주	우선주
③	황금주	자사주
④	황제주	자사주
⑤	테마주	우선주

58. 신문기사의 (A)에 대한 설명으로 옳지 <u>않은</u> 것은?

> 한국은행에 따르면 국내 외부감사 의무기업 2만 2,688개 중 약 15%(3,465개·2020년 기준)는 이익으로 이자를 못 갚는 상태가 3년 이상 지속된 (A)(으)로 추정된다. 한은은 코로나19가 지속되면서 이런 (A)이(가) 20%까지 늘어날 수 있다고 경고해 왔다.

① 좀비기업이라고도 한다.
② (A)의 증가는 BSI 측면에서 부정적이다.
③ 성장 잠재력이 있는 기업에 가야 할 사회적 자원이 (A)의 지원에 사용되면서 국가 전체의 경쟁력에 부정적인 요인이 된다.
④ (A)에 대한 구조조정은 단기적으로 고용지표의 악화를 초래할 것이다.
⑤ (A)를 판단하는 기준은 이자보상배율이 3년 연속 2 미만일 때이다.

59. 신문기사를 읽고, 미국 중앙은행(Fed)의 금리인상 기조를 무엇이라고 하는가?

> 미국 중앙은행(Fed)은 다음달 3~4일 연방공개시장위원회(FOMC) 회의를 연다. 월스트리트저널(WSJ)은 "Fed가 다음달 회의에서 금리를 0.25%포인트가 아닌 한 번에 0.5%포인트 인상할 것"이라며 "우크라이나 사태로 에너지 가격 급등과 공급망 문제 등으로 최악의 인플레이션에 직면해 있다."고 했다.
>
> ○○경제신문, 2022. 4. 13.

① 빅샷
② 빅맥
③ 빅쿼리
④ 빅스텝
⑤ 빅브라더

60. 안전자산과 가장 거리가 <u>먼</u> 자산을 고르면?

① 금
② 달러화
③ 스위스 프랑
④ 은
⑤ 루블화

〈 상 황 추 론 · 판 단 〉

61. 김장을 앞두고 냉해를 입은 배추의 가격이 작년보다 크게 올랐다. 이 소식을 들은 세 명의 주부 갑, 을, 병의 반응은 다음과 같다. 배추에 대한 수요의 가격탄력성(절댓값)이 큰 사람부터 순서대로 나열한 것은?

> • 갑 : 올해 월급이 동결되었으니, 우리 집은 올해 김장 배추 구입비를 작년과 같게 유지할 거야.
> • 을 : 배춧값이 올랐다고 김장을 덜 할 수는 없잖아. 작년과 같이 20포기를 해야지.
> • 병 : 배춧값이 너무 비싸져 어쩔 수 없어. 배추 구입비를 줄일래.

① 갑, 을, 병
② 을, 갑, 병
③ 을, 병, 갑
④ 병, 갑, 을
⑤ 병, 을, 갑

62. 다음은 학생의 보고서 내용이다. ㉠과 ㉡에 들어갈 내용을 알맞게 짝지으면?

> 〈식물성 대체육시장 조사 보고서〉
>
> • 수요
> – 환경 및 동물복지에 대한 인식으로 식물성 대체육을 찾는 사람들이 많아짐
> • 공급
> – 식물성 대체육 생산기술 향상으로 저렴한 비용으로 생산이 가능해짐
> • 식물성 대체육시장 전망
> – 균형가격: (㉠), 균형거래량: (㉡)

	㉠	㉡
①	상승	증가
②	상승	감소
③	하락	알 수 없음
④	알 수 없음	감소
⑤	알 수 없음	증가

63. 아래 자료에 나타난 갑국의 경제상황을 개선할 수 있는 가장 알맞은 재정정책과 통화정책의 조합을 고르면?

〈갑국의 경제상황〉

• 취업률 급락 : 전년 대비 4.9%p 하락
• 명목금리는 전년과 동일하지만 실질금리는 5%p 상승
• 기업 고충의 심화 : 명목 부채의 실질 상환 부담 증가로 어려움을 호소하는 기업의 급격한 증가

① 정부지출 증가 – 기준금리 인상
② 소득세율 인상 – 국공채 매각
③ 법인세 인하 – 국공채 매입
④ 공공사업의 확대 – 지급준비율 인상
⑤ 소비세율 인상 – 지급준비율 인하

64. 아래 신문기사를 읽고, 이와 관련한 설명 중 옳지 <u>않은</u> 것은?

국내 인터넷 콘텐츠 이용료가 잇따라 인상되고 있다. 앱 장터를 운영하는 구글이 외부 결제 링크를 막고, 앱 내 제3자 결제 수수료를 높게 책정한 결과이다. 앱 내 결제를 강제하지 못하게 한 이른바 '구글 갑질 방지법'이 무용지물이 됐다는 평가가 나온다. … (중략) … 구글은 지난달 앱 개발사에 앱 내 외부 결제 링크를 삭제하라고 공지했다. 오는 6월 1일까지 링크를 빼지 않으면 구글 앱 마켓인 플레이스토어에서 퇴출당할 수 있다고 밝혔다.

○○경제신문. 2022. 4. 8.

① 구글이 앱 내 결제를 유도하는 것은 일종의 진입장벽이 될 수 있다.
② 구글의 이러한 행위는 시장지배적 사업자의 진입제한행위로 볼 수 있다.
③ 구글이 외부 결제 링크를 막는 요인에는 구글플레이가 한국의 앱 마켓에서 점유율을 70%가까이 차지하고 있기 때문이다.
④ 구글이 앱 마켓 시장에서 시장 점유율을 늘리고, 결제 정책을 정할 수 있는 것은 베블런효과가 하나의 요인이다.
⑤ 구글 갑질 방지법이 오히려 제3자 결제 수수료를 높게 책정하여 소비자의 후생을 악화시킨 규제의 역설이 나타났다.

65. 아래 사례와 관련한 경제개념을 〈보기〉에서 모두 고르면?

A국의 무료 공용 자전거가 퇴출 위기에 몰렸다. 주인이 없는 자원을 함부로 쓰는 이용자들의 이기적 행태에다 효율적이지 못한 관리체계 등의 문제가 겹치면서 운영사의 적자가 눈덩이처럼 불어서이다.

〈보기〉

ㄱ. 경합성   ㄴ. 비배제성
ㄷ. 공유자원의 비극   ㄹ. 과점 출현
ㅁ. 왈라스 법칙

① ㄱ, ㄴ, ㄷ
② ㄱ, ㄷ, ㅁ
③ ㄴ, ㄷ, ㄹ
④ ㄴ, ㄹ, ㅁ
⑤ ㄷ, ㄹ, ㅁ

66. 아래 그림의 추세가 지속된다고 할 때, 이와 관련한 설명 중 옳지 <u>않은</u> 것은?

① 생산연령인구가 감소하는 것은 인구의 고령화 수준이 높아지고, 합계 출산율이 낮아지고 있기 때문이다.
② 한국은 이미 2020년에 초고령사회에 진입했다.
③ 국내 생산연령인구의 감소에 대응하기 위해 외국인을 국내의 인구로 받아들이는 사회적 논의가 심화될 가능성이 높다.
④ 제조업은 생산 설비의 자동화와 스마트 팩토리로의 전환을 서두를 것이다.
⑤ 내국인의 0~14세 인구 비율은 2030년까지 줄어들다가 2040년에는 소폭 증가할 것으로 예상된다.

67. 다음 대화를 통해 추론할 수 있는 내용으로 가장 적절한 것은? (단, 다른 조건의 변화는 없다.)

① 실업률이 감소할 것이다.
② 민간투자가 늘어날 것이다.
③ 국내총생산이 증가할 것이다.
④ 총공급의 감소로 인한 물가 상승의 우려가 있다.
⑤ 총수요 증가로 인한 인플레이션이 발생할 가능성이 크다.

68. 최근 금융환경은 아래와 같이 요약할 수 있다. 이와 관련하여 경제에 미치는 영향과 추론에 대한 학생들의 설명 중 옳지 <u>않은</u> 것은?

> • 한국은행은 기준금리를 인상하기 시작했다.
> • 부동산 등 자산시장은 이례적으로 팽창해 있다.
> • 가계부채는 1,800조 원을 넘으면서 그 증가 속도가 가파르다.
> • 미국의 기준금리 인상이 시작되면서, 전 세계적으로 인플레이션 압력을 줄이기 위한 각국 중앙은행의 긴축 통화정책은 기정사실이 되었다.

① 가영: 미국과 금리 격차가 커지면 자본유출이 예상되므로 이를 방지하기 위해 한국은행은 기준금리를 인상할 필요성도 있어.
② 나영: 인플레이션 압력으로 기준금리를 인상해야 하지만, 가계와 기업의 이자 부담이 늘어나 경기를 침체로 이끌 수 있기에 한국은행은 딜레마에 빠졌어.
③ 다영: 기준금리를 현 상태로 유지할 경우 시중은행의 민간 대출이 지속적으로 이루어지므로 자산시장의 팽창을 멈출 수 없을 거야.
④ 라영: 부동산시장이 팽창한 것은 경제주체가 자산효과를 기대했다고 볼 수 있지.
⑤ 마영: 각국의 중앙은행이 기준금리를 인상하는 긴축 통화정책의 시행은 일반적으로 채권 가격의 상승 요인이야.

69. 밑줄 친 ㉠의 시장구조와 관련한 내용을 〈보기〉에서 고르면?

> 한진, 롯데글로벌로지스(롯데택배)에 이어 택배업계 1위 CJ대한통운이 다음달부터 택배 단가를 인상한다. 이로써 ㉠ 국내 택배시장 점유율이 77%에 달하는 '빅3' 택배사가 모두 택배 단가를 인상했다.

〈보기〉

ㄱ. 완전경쟁시장　　　ㄴ. 과점시장
ㄷ. 리니언시　　　　　ㄹ. 가격수용자

① ㄱ, ㄴ
② ㄱ, ㄷ
③ ㄴ, ㄷ
④ ㄴ, ㄹ
⑤ ㄷ, ㄹ

70. 그림은 생애주기에 따른 소비와 소득곡선을 나타낸다. 이에 대한 〈보기〉의 설명 중 옳은 것을 고르면? (단, 소득은 소비와 저축의 합이다.)

* 단, A~C는 해당 부분의 면적을 의미한다.

〈보기〉

ㄱ. a점에서 소비 누적액이 가장 높다.
ㄴ. B는 저축에 해당한다.
ㄷ. A + C < B라면 안정적인 노후생활을 보낼 수 있다.
ㄹ. 소비와 달리 소득은 지속적으로 감소한다.

① ㄱ, ㄴ
② ㄱ, ㄷ
③ ㄴ, ㄷ
④ ㄴ, ㄹ
⑤ ㄷ, ㄹ

71. 기자가 취재한 후, 아래의 글을 작성하고 기사의 제목으로 속담을 활용한다고 하자. 이때 알맞은 속담을 고르면?

> 정부가 건강보험 보장성 강화 대책의 부작용을 인정하고 건보의 보장성을 축소하기로 했다. 지난해 뇌 자기공명영상(MRI) 검사비에 대한 건보지원을 확대한 이후 이용자가 폭증하자 혜택을 줄이기로 한 것이다. 늦게나마 문제를 인식한 것은 다행이지만 이미 건보 재정 악화가 상당 부분 진행돼 부작용이 드러나자 뒤늦게 대처하는 것 아니냐는 지적이 나온다.

① 도랑 치고 가재 잡는다.
② 소 잃고 외양간 고친다.
③ 바늘 가는 데 실 간다.
④ 흉년의 떡도 많이 나면 싸다.
⑤ 맛있는 음식도 늘 먹으면 싫다.

72. 아래 글은 쥴리언 L.사이몬의『근본자원』의 내용 중 일부이다. 이를 읽고, 저자가 가장 동의할 수 <u>없는</u> 추론을 고르면?

> 인구 증가와 토지 부족 때문에 장기적으로는 식량 부족에 직면하게 된다는 맬서스적 개념은 틀린 개념이다. 단위 면적당 식량 생산량은 놀랍게도 매우 빠르게 증가한다. 인구가 몇 배 증가하면 현재의 선진국형 토지농사까지 극복하고자 하는 인센티브가 충분히 생길 것이다. 사람들에게는 의심의 그림자가 드리워져 있지만 어두운 그늘의 저편에는 지금보다 훨씬 작은 농지에서 현재 지구 인구의 몇 배가 되는 인구를 부양할 수 있는 영농지식이라는 밝은 곳이 이미 존재하고 있다. 지식의 증가 덕분에 생계 수준을 넘어서 생활 수준의 여러 측면을 개선할 수 있는 능력이 더 빨리 지수적으로 증가하고 있다. 결국 세월이 갈수록 식량은 점점 싸진다.

① 식량은 산술급수적으로 늘지만, 인구는 기하급수적으로 늘어난다.
② 인간의 지식이 어떤 자연자원보다 근본적인 자원이라 할 수 있다.
③ 한국이 자연자원은 빈국이지만 인적자원은 부국일수도 있다.
④ 인구 증가보다 농업 생산성 향상이 빨랐기에 식량난을 겪지 않았다.
⑤ 저자의 주장에 따르면 밀 가격은 장기적으로 하락할 것으로 전망하고 있다.

73. 아래 표는 일본 엔화 환율과 유가에 따른 경상수지 전망을 나타낸 것이다. 이와 관련한 설명 중 옳은 것은?

일본 경상수지 전망 (단위: 조 엔)

※ 환율은 달러당, 유가는 WTI 배럴당

엔화 환율	유가		
	90달러	110달러	130달러
110엔	-5.0	-11.1	-17.1
120엔	-3.3	-9.6	-16.4
130엔	-1.6	-8.6	-15.6

자료: 니혼게이자이신문

① 엔화 환율 110엔과 유가 130달러일 때 경상수지 적자 수준이 가장 약하다.
② 엔화 환율이 일정할 때, 유가의 상승은 경상수지 적자를 완화한다.
③ 표에 따르면 엔화 환율이 낮을수록, 유가가 높을수록 경상수지는 개선된다.
④ 유가 상승보다는 엔화 환율의 상승이 경상수지에 미치는 부정적 영향의 크기가 더 크다.
⑤ 유가가 일정할 때, 엔화 환율이 상승할수록 경상수지 적자가 개선된다.

74. 아래 지문에서 ㉠ ~ ㉢에 들어갈 용어를 순서대로 알맞게 나열한 것을 고르면?

> (㉠)은 인간의 심리적 특성을 경제학 이론에 적용시키는 학문으로, 인간의 합리성을 전제로 하는 주류경제학과 달리 인간이 완전히 합리적일 수 없다는 관점에서 경제주체의 의사결정을 분석한다. (㉠)과 관련된 용어로는 경제적 이익과 손실의 절대적 크기가 동일하다고 할지라도 손실에서 오는 비효용이 이득으로 인한 효용보다 큰 현상을 가리키는 (㉡)이(가) 있는데, 이 현상은 특정 대상이 자신의 소유가 되고 나면 객관적인 가치보다 더 높은 가치를 매기거나 좀처럼 팔지 않으려는 현상인 (㉢)을(를) 설명해주는 근거가 될 수 있다.

	㉠	㉡	㉢
①	행동경제학	손실 회피성	보유효과
②	행동경제학	자기과신	손실 회피성
③	행동경제학	보유효과	손실 회피성
④	사회경제학	손실 회피성	행동재무학
⑤	사회경제학	행동재무학	보유효과

75. 아래 사설을 읽고, 밑줄 친 ㉠, ㉡에 관한 설명 중 옳지 <u>않은</u> 것은?

> 한국은행 총재 후보자가 '㉠ 부가가치세 인상'이라는 화두를 꺼내 들었다. 국회 청문회 위원들의 질의에 대한 서면 답변에서 "㉡ 국가부채를 지속 가능한 수준으로 관리하기 위해서는 증세 등 세수 확충 노력이 필요하다."며, 부가가치세 인상을 하나의 대안으로 제시했다.
>
> ○○경제신문, 2022. 4. 20.

① ㉠은 간접세에 속하며, 한국의 세율은 10%이다.
② ㉠의 인상으로 국민의 조세부담률이 증가할 수 있다.
③ ㉡의 관리를 위해서는 정부는 의무지출을 더 늘려야 한다.
④ ㉡은 국가가 실제로 진 빚인 국가채무에 미래에 지출하기 위해 현재 충당해야 하는 연금충당부채까지 합한 것을 말한다.
⑤ ㉠의 인상이 경기를 침체시켜 오히려 정부 세수를 줄이게 되면, ㉡ 문제가 완화되는 것은 아니므로 항상 논란이 있는 주제이다.

76. 아래 신문칼럼을 읽고, 규제를 개혁할 때 이를 막는 역사적 사례나 이론을 〈보기〉에서 고르면?

> 이런 상태를 타파하는 것은 진정 쉽지 않다. 강고한 기득권에 기반해 관료제가 저항하고 있고 또 규제개혁의 요구를 어떻게 회피할지 노하우도 오랜 세월 축적했기 때문이다. 다른 말로 하면 관료제의 연기력도 뛰어나고, 개혁압력에 대한 내성의 수준도 매우 높다. 게다가 규제개혁은 현대적인 이슈에도 취약한 면이 있다. 불확실성과 안전이 그것이다. 불확실한 상황에서 국가와 정치인들이 안전과 위안을 줄 것이라는 믿음이 엄연히 존재하고 규제가 완화되면 국민들의 안전이 위협받으리라는 두려움도 높다. 심각하게 오도되고 섣불리 믿어지는 스토리지만 그 또한 국민의 염려인 것은 사실이다.
>
> ○○경제신문, 2022. 4. 5.

〈보기〉
ㄱ. 철의 삼각
ㄴ. 붉은 깃발법
ㄷ. 콩도르세의 역설
ㄹ. 인클로저 운동

① ㄱ, ㄴ
② ㄱ, ㄷ
③ ㄴ, ㄷ
④ ㄴ, ㄹ
⑤ ㄷ, ㄹ

77. 아래 그래프는 어떤 시기의 6개월간 달러화 대비 원화 환율의 추이를 보여주고 있다. 이 중 동그라미로 표시한 구간의 달러화 대비 원화 환율의 추이가 지속될 것으로 가정할 때, 예상되는 경제현상에 대한 설명 중 옳지 <u>않은</u> 것은?

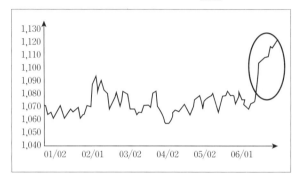

① 미국 여행 시기를 앞당기는 것이 유리하다.
② 달러화 표시 외채의 채무부담이 증가할 것이다.
③ 달러화에 대한 원화의 가치가 하락할 것이다.
④ 국내 기업이 미국으로 수출하는 제품의 가격경쟁력이 강화될 것이다.
⑤ 미국산 농산물을 우리나라에 수입할 때의 수입가격이 하락할 것이다.

78. 지문의 (가) ~ (다)에 들어갈 내용을 알맞게 짝지은 것은?

> P국은 신용등급 전망을 부여하기 시작한 1991년 이후 처음으로 P국 국채의 신용등급 전망을 '안정적'에서 '(가)'으로 낮췄다. 국제 신용평가회사인 스탠더드앤드푸어스(S&P)는 성명을 통해 "P국이 같은 AAA 등급을 받고 있는 국가들과 비교할 때 막대한 정부의 (나)와 국가부채 급증에 대처하는 과정에서 예상되는 불확실성 등으로 장기 전망을 '안정적'에서 '(가)'으로 낮췄다."고 밝혔다. … (중략) … P국 신용전망 소식이 전해지면서 이날 개장한 P국 증시는 급락하고, P국 국채 수익률은 소폭 (다)하는 등 부정적 영향을 받고 있다.

	(가)	(나)	(다)
①	중립적	영업적자	하락
②	중립적	재정적자	상승
③	부정적	영업적자	하락
④	부정적	재정적자	상승
⑤	불안정	무역적자	하락

79. 아래 신문기사와 그림과 관련한 설명 중 옳지 <u>않은</u> 것은?

> 시장금리도 고공행진 중이다. 한국은행이 기준금리를 올해 연 2.25%까지 올릴 수 있다는 관측이 나오면서 회사채 투자적격 최하단인 BBB- 등급 3년물 금리는 지난 11일 연 9.638%로 2012년 5월 10일(연 9.66%) 후 가장 높았다. 1년 전보다는 1.219%포인트 올랐다. 한은에 따르면 지난 2월 예금은행의 기업 대출금리 평균(신규취급액 기준)은 전달보다 0.14%포인트 상승한 연 3.44%로, 2019년 7월(연 3.52%) 후 최고치를 기록했다.
>
> ○○경제신문, 2022. 4. 14.

불어나는 기업 이자비용
(단위: 억 원)

66조 8,900~72조 6,600

2018년	2019	2020	2021	2022
49조 7,700	53조 3,500	53조 300	58조 1,200	

※ 2021년, 2022년은 추정치. 2022년은 연말 기준금리 연 1.75~2.25% 가정
자료: 한국은행, 한국경제연구원

① 기업의 투자활동이 위축될 가능성이 높다.
② 2018년에서 2022년까지 기업의 이자비용은 지속적으로 증가했다.
③ 4월 11일 기준 BBB- 등급 회사채는 1년 전보다 가격이 하락했을 것이다.
④ 예금은행의 기업 대출금리 상승은 은행의 영업이익 증가에 긍정적인 요인으로 작용할 수도 있다.
⑤ 채권 금리와 대출 금리가 기준금리보다 높은 것은 가산금리가 존재하기 때문이다.

80. 아래 글은 19세기 프랑스 지식인 프레데릭 바스티아가 쓴 『법』의 일부이다. 필자의 의도와 가장 거리가 <u>먼</u> 설명은 무엇인가?

> **고결하신 국회의원님들께**
>
> 저희는 저희에 비해 지나치게 월등한 조건에서 빛을 생산해내는 외부 경쟁자 때문에 극심한 고난을 겪고 있습니다. 그는 이미 믿기지 않을 정도의 저가와 고품질로 국내 시장을 석권하고 있습니다. 그 경쟁자는 바로 태양입니다. 의원님들이 이 불평등을 시정할 법을 통과시켜 주셨으면 하고 저희는 탄원하는 바입니다. 낮에는 국민들의 모든 창문과 지붕창, 채광창, 곁문, 커튼, 블라인드 등을 닫도록 하는 법안입니다. … (중략) … 선택을 하되 논리적으로 하십시오. 국내 산업을 보호한다면서 값싼 외국산 철강, 곡물, 직물 등의 수입을 막는데, 공짜나 다름없는 태양광을 막지 않는다면 얼마나 비논리적인 처사입니까!

① 필자는 보호무역주의를 우회적으로 비판하고 있다.
② 필자는 중상주의의 필요성을 강력히 주장하고 있다.
③ 필자는 양초와 태양의 비유를 통해 규제기관의 어리석음을 강하게 지적하고 있다.
④ 필자는 국회의원들이 양초업자들의 압력에 규제를 만들려는 상황을 풍자하고 있다.
⑤ 필자의 견해를 현대 경제학적 의미에서 보면 지나친 수입 규제가 경제발전을 해친다는 의미로 해석할 수 있다.

국가공인 1호 경제이해력 검증시험
제68회 TESAT 문제지

* 모바일로 정답입력 후
등급예측 및 성적분석

국가공인 1호 경제이해력 검증시험

TESAT

한국경제신문

성 명		수험번호						

■ 문제지 표지에 성명과 수험번호를 적었는지 확인하십시오.

■ 경제이론과 시사경제·경영은 문항당 3점, 4점이고 상황추론·판단은 문항당 5점입니다.

■ 시험시간은 100분입니다.

〈 경 제 이 론 〉

1. 시장을 설명한 것 중 가장 옳지 않은 것은?

① 시장은 사회적 분업을 더욱 촉진시켰다.
② 시장은 자본주의 이전부터 존재해 왔다.
③ 기계의 등장으로 시장은 더욱 발전하게 되었다.
④ 시장은 빈부격차를 해소하여 공평한 소득분배가 가능하다.
⑤ 산업혁명 이후로 시장은 더욱 폭발적으로 증가하게 되었다.

2. 다음 중 재정정책의 효과를 크게 만드는 경우를 〈보기〉에서 모두 고르시오.

〈보기〉
ㄱ. 한계소비성향이 크다.
ㄴ. 이자율의 변화가 작다.
ㄷ. 투자가 이자율에 영향을 많이 받음
ㄹ. 수입이 GDP에 비해 매우 큼

① ㄱ, ㄴ
② ㄱ, ㄷ
③ ㄴ, ㄷ
④ ㄴ, ㄹ
⑤ ㄷ, ㄹ

3. 다음 중 본원통화가 증가하는 경우를 고르시오.

① 정부가 조세를 증가시킴
② 정부가 정부지출을 증가시킴
③ 정부가 한국은행에 예치한 예금을 인출
④ 한국은행이 외환시장에 개입하여 달러를 매각
⑤ 한국은행이 보유 국채를 공개시장에서 매각

4. 다음 지문을 읽고, 유추할 수 있는 용어로 알맞은 것을 고르면?

A국 중앙은행이 발표한 '8월 국제수지(잠정)'에 따르면 경상수지는 36억 달러 흑자를 나타냈다. 흑자폭은 7월의 28억 달러보다 커졌다. 하지만 내용을 보면 수출이 큰 폭으로 줄어든 가운데 경기침체와 투자 위축 등으로 수입이 수출보다 더 크게 감소하는 양상이 뚜렷했다.

① 트리핀의 딜레마
② 쌍둥이 흑자
③ 저축의 역설
④ 불황형 흑자
⑤ 낙수효과

5. 그림은 갑국의 X재 시장을 나타낸다. 이에 대한 설명으로 옳은 것은? (단, 현재 시장 균형가격은 P_0이고, 시장 균형 거래량은 Q_0이다.)

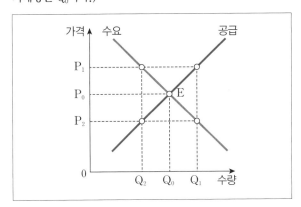

① 갑국이 P_1 수준에서 최고가격제를 시행하면 X재 시장 거래량은 Q_2이다.
② 갑국이 P_1 수준에서 최저가격제를 시행하면 X재 시장 거래량은 Q_1이다.
③ 갑국이 P_2 수준에서 최고가격제를 시행하면 X재 시장 거래량은 Q_1이다.
④ 갑국이 P_2 수준에서 최저가격제를 시행하면 X재 시장 거래량은 Q_0이다.
⑤ 갑국이 P_2 수준에서 최저가격제를 시행하면 X재 시장 가격은 P_2이다.

6. 국내총생산(GDP)갭이 양(+)의 값을 가질 때 이와 관련한 설명으로 옳지 않은 것은?

① 인플레이션 갭이라고도 한다.
② 실업률이 자연실업률보다 낮다.
③ 실제GDP가 잠재GDP보다 많다.
④ 구조적 실업자 역시 고용상태에 있을 가능성이 높다.
⑤ 경제상태는 생산가능곡선 내부에 위치할 가능성이 높다.

7. 다음 중 기회비용을 가장 바르게 설명한 것은?

① 구매를 결정할 때 쓰는 시간
② 구매할 때 쓰는 돈의 총액
③ 구매하고 남은 돈의 총액
④ 기회를 잡기 위해 지출한 돈의 총액
⑤ 무엇인가를 얻기 위해 포기한 편익

8. 다른 모든 것이 일정할 때, 커피산업의 임금과 고용량 모두를 감소시키는 것은?

① 커피 가격의 하락
② 커피 가격의 상승
③ 여가의 기회비용 감소
④ 여가의 기회비용 증가
⑤ 커피콩 가격의 하락

9. 경제성장 정책과 가장 거리가 먼 것은?

① 기술진보를 위하여 민간부문의 연구개발 활동을 장려하는 정책을 시행한다.
② 안정적인 경제활동을 위하여 재산권에 대한 위협요소를 낮추는 정책을 실시한다.
③ 외국인 투자자본의 투자 이익은 국외로 유출되므로 해외 자본의 유입을 제한하는 정책을 시행한다.
④ 다른 조건이 같다면 건강한 근로자들이 생산성이 높기 때문에 국민건강 증진을 위한 정책을 시행한다.
⑤ 교육은 인적자본에 대한 투자이기 때문에 수요자가 요구하는 교육제도와 체계를 만든다.

10. 소비자잉여에 대한 다음 설명 중 옳지 않은 것은?

　① 소비자잉여란 구입자의 지불용의에서 구입자가 실제로 지불한 금액을 뺀 나머지 금액을 말한다.

　② 소비자잉여는 소비자가 시장에 참여하여 얻는 이득을 나타낸다.

　③ 소비자잉여를 극대화하는 자원 배분을 효율적이라고 한다.

　④ 소비자잉여는 수요곡선의 아래와 가격 수준 윗부분의 면적으로 계산할 수 있다.

　⑤ 완전경쟁시장에서 수요와 공급이 균형상태를 이루면 소비자잉여와 생산자잉여의 합이 극대화된다.

11. 기업이 생산한 상품에 정부가 조세(물품세)를 부과할 경우, 이에 대한 설명 중 옳지 않은 것은?

　① 판매가격이 높아지고 거래량은 줄어든다.

　② 탄력성이 작을수록 후생 손실이 크다.

　③ 공급곡선이 세금 부과분만큼 위쪽으로 이동한다.

　④ 탄력성이 클수록 세금 부담이 적다.

　⑤ 생산자와 소비자 간 세금 부담의 크기는 탄력성에 따라 달라진다.

12. 중앙은행이 팽창적인 통화정책을 시행할 때, 통화정책의 전달경로로 옳은 것은?

　① 화폐공급 증가 → 이자율 하락 → 투자 감소 → 총수요 증가 → 국민소득 증가

　② 화폐공급 증가 → 이자율 하락 → 투자 증가 → 총수요 증가 → 국민소득 증가

　③ 화폐공급 증가 → 이자율 상승 → 투자 감소 → 총수요 감소 → 국민소득 감소

　④ 화폐공급 증가 → 이자율 상승 → 투자 감소 → 총수요 증가 → 국민소득 감소

　⑤ 화폐공급 증가 → 이자율 하락 → 투자 증가 → 총수요 감소 → 국민소득 감소

13. 다국적 기업들이 가상의 국가 A에 투자를 크게 늘리는 추세라고 하자. 아래 보기 중 반드시 성립한다고 볼 수 없는 것은?

　① A국가의 순해외 투자는 음(-)의 값을 갖는다.

　② A국가의 경상수지는 적자이다.

　③ A국가의 자본수지는 흑자이다.

　④ A국가의 정부재정은 적자이다.

　⑤ A국가의 국내 총투자가 국내 총저축을 초과한다.

14. 기업의 생산기술이 규모에 대한 수익 불변인 경우, 이에 대한 설명 중 옳은 것을 고르면?

　① 이 기업의 생산기술은 규모의 경제가 작용한다.

　② 고정요소의 투입을 두 배 늘리면 산출량이 두 배 늘어난다.

　③ 고정요소의 투입을 두 배 늘리면 산출량이 두 배 이상 늘어난다.

　④ 모든 생산요소의 투입을 두 배 늘려도 산출량은 변하지 않는다.

　⑤ 모든 생산요소의 투입을 두 배 늘리면 산출량이 두 배 늘어난다.

15. 다음은 거시경제학에서 일반적으로 사용하고 있는 개념들이다. 이 중 옳게 설명한 것은?

　① 국민소득에서 총(gross)개념과 순(net)개념의 차이는 재고 증감에 있다.

　② 경제학에서 완전고용은 마찰적 실업과 구조적 실업이 없는 상태이다.

　③ 인플레이션은 화폐의 가치를 떨어뜨리므로 실물자산 보유자에게 손해를 끼친다.

　④ 우리나라 거시경제정책의 목표는 금융안정 우선이다.

　⑤ 재정수지는 유량(flow)개념, 가계부채는 저량(stock)개념의 용어이다.

16. 기업에 대한 설명 중 옳지 <u>않은</u> 것은?

① 기업은 이윤을 극대화하려 한다.

② 기업의 손실은 소비자의 요구를 충족시키지 못한 결과로도 볼 수 있다.

③ 기업은 소비자를 만족시키는 양질의 재화를 공급해야 이윤을 얻을 수 있다.

④ 기업의 규모는 시장거래의 한계비용과 내부거래의 한계비용이 같아질 때까지 커질 수 있다.

⑤ 기업은 재화 생산에 필요한 모든 시장거래를 기업 내에 내부화하는 것이 효율성을 극대화한다.

17. 다음 중 실물 투자에 가장 좋지 않은 명목이자율과 인플레이션율의 조합을 고르면?

	명목이자율	인플레이션율
①	1%	0%
②	0%	3%
③	2%	4%
④	3%	5%
⑤	1%	2%

18. 수요와 공급의 법칙이 성립하는 시장에서의 균형에 대한 설명으로 옳지 <u>않은</u> 것은 무엇인가?

① 시장에서 균형이 달성되면 자원 배분의 효율성이 충족된다.

② 초과공급이 존재하면 가격이 상승하면서 시장은 균형상태로 수렴하게 된다.

③ 다른 조건이 일정할 때 수요가 증가하면 균형가격과 균형거래량이 모두 증가한다.

④ 수요와 공급이 증가하게 되면 균형거래량은 반드시 증가한다.

⑤ 시장이 균형상태에 도달하면 수요량과 공급량이 언제나 일치한다.

19. 다음은 A상품의 40년 동안의 가격과 소비자 물가지수(CPI)이다. 2018년 물가로 측정한다면 2008년도에 A상품의 가치는?

연도	가격(원)	소비자 물가지수(CPI)
1978	4	24
1988	6	28
1998	13	34
2008	28	60
2018	60	120

① 22원

② 25원

③ 45원

④ 56원

⑤ 65원

20. 다음 자료에 대한 설명으로 옳은 것은? (단, A와 B는 각각 시장경제체제와 계획경제체제 중 하나이다.)

> 경제체제는 자원의 배분 방식에 따라 A와 B로 구분할 수 있다. B와 달리 A는 정부의 명령과 통제에 의해 자원 배분이 이루어진다.

① A에서는 희소성에 의한 경제문제가 발생하지 않는다.

② A는 '보이지 않는 손'에 의한 자원 배분을 중시한다.

③ B는 원칙적으로 생산 수단의 사적 소유를 인정하지 않는다.

④ B는 A보다 시장에서의 경제적 유인을 강조한다.

⑤ A와 B 모두 경제문제의 해결 기준으로 효율성보다 형평성을 중시한다.

21. 시장경제 측면에서 '공유지의 비극'을 해소하기 위한 방안으로 가장 적절한 것은?

① 재산권 부여

② 정부 행정력 동원

③ 자원 균등 분배

④ 가격차별 시행

⑤ 토빈세 확대

22. 다음은 총수요와 총공급이 일치하지 않을 때 나타나는 경제 현상과 이에 대응하는 경제정책을 도식화한 것이다. (가)~(라)에 들어갈 내용으로 옳지 않은 것은?

① (가) – 재고 증가
② (가) – 물가 상승
③ (나) – 세율 인상
④ (다) – 실업률 상승
⑤ (라) – 기준금리 인하

23. 아래 그림과 같이 두 개의 공급곡선 S와 S'상의 세 개의 점을 각각 A, B, C점이라 하고, A, B, C점에서의 공급의 가격 탄력성을 각각 E_A, E_B, E_C라 하자. 이에 대한 설명으로 다음 보기 중 옳은 것을 고르면?

① E_A는 1이다.
② $E_A < E_B$이다.
③ E_C는 1보다 크다.
④ $E_B > E_C$이다.
⑤ E_B는 1보다 작다.

24. 거시경제에서 투자와 관련한 설명 중 옳지 않은 것은?

① 이자 소득에 대한 세율을 낮추면 장기적으로 투자가 증가한다.
② 중앙은행이 국채를 매각하면 투자가 크게 증가한다.
③ 한계소비성향이 작다면 독립투자의 증가로 인한 총수요 증대 효과는 작아진다.
④ 투자의 이자율 탄력성이 크다면 정부지출로 인한 승수 효과는 감소한다.
⑤ 자연실업률에 도달한 상황에서 정부의 재정적자는 투자를 줄어들게 만든다.

25. 다음 〈보기〉 중 국내총생산이 증가하는 경우를 모두 고르면?

─〈보기〉─
ㄱ. 주택 임대료 상승
ㄴ. 은행들의 주가 상승
ㄷ. 맞벌이 부부 자녀의 놀이방 위탁 증가
ㄹ. 국내 A사의 자동차 재고 감소

① ㄱ, ㄴ
② ㄱ, ㄷ
③ ㄴ, ㄷ
④ ㄴ, ㄹ
⑤ ㄷ, ㄹ

26. 다음 자료에 관한 설명 중 옳은 것은?

단위당 노동 투입량(시간)		
구분	직물(m²)	자동차(대)
A국	25	10
B국	30	40

* 단위당 노동 투입량은 각 재화를 한 단위 생산하기 위해 투입하는 노동 시간

① A국은 자동차 생산에 비교우위가 있다.
② A국은 직물 생산에 비교우위가 있다.
③ A국은 두 재화 모두에 비교우위가 있다.
④ B국은 자동차 생산에 비교우위가 있다.
⑤ 어느 국가도 비교우위를 갖지 않는다.

27. 기업이 완전경쟁시장과 독점시장에서 같은 제품을 생산한다고 하자. 이에 대한 설명 중 옳지 <u>않은</u> 것은?

① 시장 수요곡선이 다르다.
② 독점시장에 속한 기업의 생산량이 더 적다.
③ 기업의 한계수입곡선의 기울기가 다르다.
④ 독점시장에 속한 기업의 생산자잉여가 더 크다.
⑤ 기업이 한계비용과 한계수입이 같아지는 점에서 생산량을 결정한다는 조건은 같다.

28. S자동차 회사가 2019년 100대의 소형차를 생산하여 한 대당 가격을 2,000만 원으로 책정하여 내놓았다. 그러나 2019년에 팔리지 않고 2020년 초에서야 모두 팔렸다. 다음 설명 중 옳은 것은?

① 2019년 GDP와 2020년 GDP가 각각 20억 원 증가한다.
② 2019년 GDP와 2020년 GDP가 각각 10억 원 증가한다.
③ 2019년 GDP는 20억 원 증가하고, 2020년 GDP는 20억 원 감소한다.
④ 2019년 GDP에는 아무런 영향이 없고, 2020년 GDP는 20억 원 증가한다.
⑤ 2019년 GDP는 20억 원 증가하고, 2020년 GDP에는 아무런 영향이 없다.

29. 표는 경합성과 배제성을 기준으로 재화를 A ~ D로 분류한 것이다. 이에 대한 설명으로 옳은 것은?

구분		경합성	
		있음	없음
배제성	있음	A	B
	없음	C	D

① 공공 목초지는 A에 해당한다.
② B의 사례로 '막히는 무료도로'가 있다.
③ C는 비용을 지불한 사람만 소비할 수 있다.
④ D는 무임승차 문제가 발생할 수 있다.
⑤ A는 C와 달리 남용에 의해 고갈되기 쉽다.

30. 다음 지문에서 '여가'의 성격을 가장 정확히 설명하는 개념을 고르면?

> A씨는 하루 24시간을 노동과 여가에 배분한다. 소득세 인상으로 세후 임금이 감소한 이후 A씨의 노동시간이 증가했다고 가정하자.

① 독립재
② 정상재
③ 기펜재
④ 사치재
⑤ 소비재

〈 시사경제 · 경영 〉

31. 상장회사의 ESG(환경, 사회, 지배구조) 경영과 관련성이 가장 <u>낮은</u> 것은?

① 감사위원회의 회계 · 재무 전문성 강화
② 에너지 효율 향상을 위한 공간 재배치
③ 이익소각 목적으로 자기주식을 추가로 매입
④ 신입직원에 대한 평생교육 프로그램의 강화
⑤ 고객의 개인정보 보호를 위한 내부통제 강화

32. 사들이고자 하는 기업의 자산을 담보로 금융회사에서 빌린 자금을 활용해 기업을 인수하는 인수합병(M&A) 기법의 영어 약자는?

① LCC
② LBO
③ LED
④ MBS
⑤ REITs

33. 미국 중앙은행(Fed)의 연방준비제도이사회가 개최하는 경제정책회의 '연방공개시장위원회'를 가리키는 영어 약자는 무엇인가?

① CEPA
② FOMC
③ IPPA
④ APEC
⑤ NAFTA

34. 자기 지역에 이익이 되지 않는 일을 강력히 반대하고 지역이기주의를 추구한다는 의미를 가진 말은?

① 욜로(YOLO)
② 딩크(DINK)
③ 팡(FAANG)
④ 빅(BBIG)
⑤ 님비(NIMBY)

35. 아래 나열한 단어들이 공통적으로 지칭하는 용어는 무엇인가?

> 증강현실, 라이프로깅, 거울세계, 가상세계, 로블록스, 디지털 지구, 넷플렉스가 가장 두려워하는 것

① 유튜브
② 도지코인
③ 메타버스
④ 우주관광
⑤ 딥 러닝

36. 상장사 주가에 영향을 줄 수 있는 언론 보도나 소문에 대한 한국거래소의 확인 요구에 해당 기업이 직접 사실 여부를 답변하도록 한 제도는?

① 주식감리
② 기업공개
③ 외부감사
④ 그린메일
⑤ 조회공시

37. 아래 말이 설명하는 용어는 무엇인가?

> • 기술과 반발의 합성어
> • 빅테크 기업들의 독점력이 커지면서 이에 대한 반발작용
> • 미국의 연방거래위원회와 아마존 사이의 갈등

① 테크래시
② 자연독점
③ 데스랠리
④ 사이드카
⑤ 서킷 브레이커

38. 주가지수선물, 주가지수옵션, 개별주식옵션의 만기가 동시에 겹치는 일명 '세 마녀의 날'을 뜻하는 말은?

① 블랙먼데이
② 더블위칭데이
③ 레드먼데이
④ 트리플위칭데이
⑤ 사이버먼데이

39. 필요한 기술과 아이디어를 얻기 위해 다른 기업이나 연구조직과 유기적인 협력 관계를 구축하는 '개방형 혁신'은?

① 밴드왜건
② 아웃소싱
③ 신지식재산권
④ 크라우드소싱
⑤ 오픈 이노베이션

40. 아래 신문기사 중 빈칸 (　　)안에 들어갈 용어로 가장 적절한 것은 무엇인가?

> 애플 창업자인 고(故) 스티브 잡스가 쓴 입사지원서가 가상자산인 (　　)로 경매에 나왔다. 미국 경제매체 CNBC는 잡스가 1973년 자필로 쓴 입사지원서의 원본 문서와 이를 디지털화한 (　　)가 한꺼번에 경매에 부쳐졌다고 22일 보도했다. 경매가 이뤄지는 웹사이트에는 원본과 (　　) 중 어느 쪽 가치가 높은지를 알기 위해 둘을 한꺼번에 경매에 부치게 됐다고 적혀 있다. (　　)는 암호화폐처럼 블록체인 기술을 활용해 디지털 콘텐츠에 고유한 인식 값을 부여한 것이다. 소유권이나 판매 이력 등 정보가 디지털 장부에 저장돼 복제가 불가능한 '디지털 세계의 원작'이다. 최근 투자 자산으로 주목받으면서 (　　)가 적용된 디지털 이미지·영상·음원 등이 활발하게 거래되고 있다.
>
> ○○일보, 2021. 7. 23.

① NFS
② NFT
③ NFA
④ NFU
⑤ NFB

41. 최근 전국경제인연합회에서 산출한 경제협력개발기구(OECD) 가입 37개국 기업가 정신 지수 순위에서 한국은 27위에 그친 것으로 나왔다. 현재의 기업가 정신 지수 순위를 앞으로 끌어올리기 위해서 필요한 정책으로 알맞은 것을 〈보기〉에서 고르면?

OECD 회원국 기업가 정신 지수 순위

1	스위스	10	독일
2	뉴질랜드	23	리투아니아
3	룩셈부르크	24	프랑스
4	미국	25	벨기에
5	노르웨이	26	일본
6	네덜란드	27	한국
7	아이슬란드	37	멕시코
8	오스트리아		
9	핀란드		

※ 2019년 기준 기업 활력·제도 환경·기업 인식을 종합해 산출
자료: 전국경제인연합회

─〈보기〉─
ㄱ. 오프쇼어링 확대
ㄴ. 규제 일몰제 확대
ㄷ. 상계관세 부과
ㄹ. 벤처캐피털(VC) 활성화

① ㄱ, ㄴ
② ㄱ, ㄷ
③ ㄴ, ㄷ
④ ㄴ, ㄹ
⑤ ㄷ, ㄹ

42. 다음 신문사설이 말하고자 하는 바를 적절하게 표현한 것은?

> 정치권이 대형마트 등 오프라인 유통채널에 대한 규제 족쇄를 e커머스(전자상거래) 업계로까지 확대할 태세이다. 심지어 '소상공인 보호'를 내세워 온라인 장보기 서비스를 대형마트 출점규제와 같은 방식으로 규제하는 법안까지 준비 중이다. 소비자 선택권 제한이란 문제점은 말할 것도 없고 현실성도 결여해. 국회의원들이 온라인으로 물건이나 한 번 사보고 내놓는 법안들인지 의심스러울 정도이다.
> ○○경제신문, 2021. 6. 24.

① 지옥으로 가는 길은 선의로 포장되어 있다.
② 항산이 있어야 항심이 있다.
③ 바다는 메워도 사람 욕심은 못 메운다.
④ 김매는 주인이 일꾼 아흔아홉 못 한다.
⑤ 친구 따라 강남 간다.

44. 다음 그림이 보여주는 개념은?

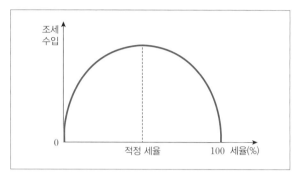

① 래퍼곡선
② 피셔효과
③ 계약곡선
④ 후방굴절
⑤ 조세구조

45. 다음 나열한 내용이 설명하는 신드롬은 무엇인가?

> • 대륙에서 멀리 떨어져 있어 고유종(固有種)의 생물이 많은 지역
> • 나쓰노 다케시 게이오대 교수가 이 현상에 대해 설명
> • 국제 표준과 세계시장의 흐름에서 벗어나는 현상

① 피터팬
② 스탕달
③ 스톡홀름
④ 갈라파고스
⑤ 아이젠멩거

43. 채권을 발행한 곳이 파산했을 때 다른 채권자 부채를 모두 청산한 다음 마지막으로 상환받을 수 있는 채권을 뜻하는 말은?

① 신주인수권부사채
② 디지털채권
③ 물가연동채권
④ 후순위채권
⑤ 외국환평형기금채권

46. 아래 글은 토드 부크홀츠의 저서 『죽은 경제학자의 살아 있는 이야기』에서 일부 발췌한 것이다. 빈칸 (A)에 들어갈 주어로 가장 적합한 경제학자를 고르시오.

> (A) delivered on his promise to show how the invisible hand regulated output, price, and profit. But the cheery Scotsman also promised to teach us what increases the wealth of nations.

① John Maynard Keynes
② Milton Friedman
③ David Ricardo
④ Alfred Marshall
⑤ Adam Smith

47. 기업이 가공의 매출을 기록하거나 비용을 적게 계상하는 등 회사 장부를 조작하는 행위를 무엇이라고 하는가?

① 결산
② 분식회계
③ 무상증자
④ 회계감사
⑤ 발생주의회계

48. 다음 중 인수합병(M&A)에 대한 설명으로 옳지 <u>않은</u> 것은?

① 적대적 M&A에서 피인수기업 주주는 일반적으로 손실을 본다.
② 막대한 프리미엄을 지불하고 인수합병(M&A)을 하기도 한다.
③ 인수합병(M&A) 실패의 가장 큰 원인의 하나는 인수 후 통합 과정의 문제 때문이다.
④ 인수합병(M&A) 시장의 활성화는 주주와 경영자 간 대리인 문제를 완화시키는 역할을 한다.
⑤ 우호 주주의 지분율을 높이는 것은 경영권 방어를 위한 수단이 될 수 있다.

49. 아래 신문기사를 읽고 빈칸 (A)에 들어갈 가장 적절한 용어를 고르시오.

> 백신도 만능이 아니라는 지적까지 나오면서 세계경제가 2분기 정점을 찍고 다시 코로나 초기 같은 침체에 빠질 수 있다는 우려도 제기된다. 문제는 위기 극복을 위해 풀린 유동성으로 이미 글로벌 인플레이션 조짐이 뚜렷한 상황에서 경기가 급락하면 (A)플레이션으로 치달을 수 있다는 점이다.
>
> ○○경제신문, 2021. 7. 22.

① 바이
② 아이언
③ 애그
④ 스태그
⑤ 에코

50. 스톡옵션을 <u>잘못</u> 설명한 것은?

① 기업이 임직원들에게 부여하는 자사주 매입 권리를 뜻한다.
② 임직원들에게 열심히 일할 수 있는 동기를 부여할 수 있다.
③ 벤처기업 등이 유능한 인재를 영입하기 위해 활용할 수 있다.
④ 스톡옵션을 받은 임직원은 미리 정해진 가격에 자기회사의 우선주만을 정해진 물량만큼 살 수 있다.
⑤ 스톡옵션을 받은 경우 옵션 행사가격이 주가보다 높더라도 반드시 행사해야 할 의무가 있는 것은 아니다.

51. 지난달 7일부터 법정최고금리가 (A)%에서 (B)% 낮아졌다. (A)와 (B)에 들어갈 숫자를 합하면? (제68회 시험은 2021년 8월 14일에 시행되었음에 유의)

① 42
② 43
③ 44
④ 45
⑤ 46

52. 국내 1위 여행 플랫폼인 야놀자가 손정의 일본 소프트뱅크 그룹 회장이 이끄는 비전펀드에서 2조 원 규모의 투자금을 유치했다. 야놀자는 약 10조 원의 기업가치를 인정받아 '이것'(기업가치 10조 원의 비상장사)에 등극하게 됐다. '이것'은 무엇인가?

① 유니콘
② 데카콘
③ 보나콘
④ 알파콘
⑤ 헥토콘

53. 밑줄 친 정책이 가져올 영향 중 옳은 것은?

> 카카오는 주식 액면가를 500원에서 100원으로 쪼개는 분할(1주 → 5주)을 마치고 이날부터 거래를 재개한다.
> ○○경제신문. 2021. 4. 15.

① 주식의 가격이 $\frac{1}{5}$로 낮아진다.

② 주식 거래량은 변하지 않는다.

③ 기업 가치가 $\frac{1}{5}$로 낮아진다.

④ 기업 가치가 5배로 높아진다.

⑤ 주식 수는 변하지 않는다.

54. 다음 신문기사를 읽고, (A)와 관련한 세금 및 정책을 고르면?

> 유럽연합(EU)이 항공기, 선박 등에 쓰이는 기름(휘발유 경유 등유)에 처음으로 (A)을(를) 부과하는 방안을 추진하고 있다. EU가 14일 발표하는 기후 변화 해결을 위한 입법 패키지 '핏포55(Fit for 55)'에 관련 내용이 포함될 예정이다.
> ○○경제신문. 2021. 7. 13.

─〈보기〉─

ㄱ. 규제 샌드박스　　　　ㄴ. 탄소국경세

ㄷ. 배출권거래제　　　　ㄹ. 죄악세

① ㄱ, ㄴ

② ㄱ, ㄷ

③ ㄴ, ㄷ

④ ㄴ, ㄹ

⑤ ㄷ, ㄹ

55. 다음 신문기사에서 밑줄 친 내용을 적절히 관리하기 위해 존재하는 이 기관과 관련한 설명으로 옳지 않은 것은?

> 15일 투자은행(IB)업계에 따르면 요기요를 운영하는 독일 딜리버리히어로(DH)는 요기요 지분 100%를 어퍼니티 컨소시엄에 매각하기로 하고 단독 협상 중이다. … (중략) … DH가 국내 1위 배달 플랫폼 배달의민족을 인수하자 이 기관은 올해 초 "국내 1, 2위 배달 플랫폼을 품으면 시장지배적 사업자가 된다."며, 합병을 불허하고 6개월 안에 요기요를 처분하도록 했다.
> ○○경제신문. 2021. 7. 16.

① 이 기관은 독점규제 및 공정거래에 관한 법률을 바탕으로 활동한다.

② 이 기관 존재의 목적은 기업 간의 공정하고 자유로운 경쟁을 보장하기 위한 경제활동의 기본질서를 확립하기 위한 것이다.

③ 경제력 집중 억제 문제를 시정하기도 한다.

④ 카르텔 방지도 이 기관이 존재하는 이유이다.

⑤ 1개 사업자의 시장 점유율이 40% 이상이거나, 3개 이하 사업자의 시장 점유율 합계가 60% 이상인 경우 이 기관에 의해 통제받는 시장지배적 사업자로 추정한다.

56. 다음 신문기사를 읽고, (A)에 들어갈 기업을 고르시오.

> 지난해 3월 발생한 팬데믹(전염병의 세계적 대유행)을 계기로 수십 년간 이어져온 미국 내 '저(低)인플레이션'이 막을 내렸다는 분석이 제기됐다. 미 노동부가 13일(현지시간) 발표한 6월 소비자 물가지수(CPI)는 지난해 같은 기간보다 5.4% 오르며 글로벌 금융위기 이후 13년 만에 가장 큰 상승폭을 기록했다. 최근의 물가 급등세는 일시적 현상에 그치지 않고 상당 기간 지속할 수 있다고 월스트리트저널(WSJ)이 보도했다. … (중략) … 전자상거래 발달도 가격 인하 경쟁을 유도한 일등공신으로 지목된다. 이른바 '(A)효과'이다. 2017년 투자은행 골드만삭스는 (A)(이)가 촉발한 온라인 가격 경쟁이 근원 물가상승률을 매년 최대 0.1%포인트 끌어 내렸을 것으로 추정했다.
> ○○경제신문. 2021. 7. 14.

① 애플

② 아마존

③ 넷플릭스

④ 페이스북

⑤ 마이크로소프트

57. 다음 신문기사에서 베네수엘라가 단행한 조치와 관련한 설명으로 옳지 <u>않은</u> 것은?

> 1일(현지시간) 블룸버그통신에 따르면 베네수엘라 중앙은행은 다음달께 볼리바르 화폐 단위에서 숫자 '0'을 여섯 개 빼는 100만 대 1의 화폐 개혁에 나설 계획이다. 현재 321만 9,000볼리바르 수준인 1달러가 하루아침에 3.2볼리바르로 바뀐다.
>
> ○○경제신문, 2021. 7. 3.

베네수엘라 살인적 물가상승률
(단위: %)

6만 5,370

1만 9,910

438.1   2,360   5,500

2017년   2018   2019   2020   2021
※ 2021년은 전망치   자료: IMF

① 보통 초인플레이션을 겪고 있는 국가에서 단행한다.
② 베네수엘라는 볼리바르 화폐 가치가 하락했다.
③ 이 조치는 지하경제를 양성화하는 장점이 있기도 하다.
④ 이 조치가 실패하면 기축통화국인 달러를 해당 국가의 화폐로 사용하기도 한다.
⑤ 이 조치 이전 베네수엘라의 소비자 물가지수(CPI)는 하락세를 보였을 것이다.

58. 다음은 통계청에서 발표한 '2021년 5월 산업활동동향' 선행종합지수 순환변동치이다. 그래프에서 표시한 동그라미의 추이가 이어진다고 가정할 때, 향후 나타날 경제현상을 <u>잘못</u> 추론한 것은?

① GDP갭이 음(-)이라면 0에서 점점 멀어질 것이다.
② 기업의 투자가 늘어날 가능성이 높다.
③ 소비 수요가 늘어날 가능성이 높다.
④ 인플레이션과 관련한 지수가 상승할 것이다.
⑤ 재고율은 하락할 것이다.

59. 다음 지문의 (A)에 들어갈 제도를 고르시오.

> 최근 다양한 고용형태가 급증하고 코로나19 등으로 일자리 위기가 상시화되고 있다. 이에 근로자에 대한 제도적 보호를 위한 전국민 (A)을(를) 위한 정책이 진행되고 있다.

① 화재보험
② 상병수당
③ 고용보험
④ 건강보험
⑤ 산재보험

60. 다음 신문기사와 그래프에 가장 적합한 신문기사 제목을 유추하면? (그래프에서 연도별로 은행은 왼쪽, 제2금융권은 오른쪽이다.)

> 은행권 대출 규제가 강화되면서 카드·보험사·저축은행·상호금융 등 2금융권의 대출 증가세가 가팔라지고 있다. 은행에서 원하는 만큼 대출을 받지 못한 실수요자들이 2금융권으로 몰렸기 때문이다.
>
> ○○경제신문, 2021. 7. 16.

불어나는 제2금융권 가계대출
(단위: 조 원)
■ 은행　■ 제2금융권

```
          40.7        41.6
21.4                         21.4




2019년      2020년      2021년
  -3.4       -4.2
```
※ 1~6일 중 전년 동기 대비 증감액　자료: 금융감독원

① 제2금융권 부실 대출에 따른 '뱅크런' 우려 나타나나
② '피구효과' 우려로 은행권 대출 규제 완화되나
③ 민간 경제 '유동성 함정'에 빠지나
④ 가계 대출 증가세 '부의 효과'가 발생하나
⑤ 금융당국, 가계대출 '풍선효과' 차단에 나서나

〈 상황추론 · 판단 〉

61. 다음은 가상의 암호화폐의 일별 가치변화와 거래량을 나타낸다. 단위는 한국 원화이다. 이 표를 보고 가상의 암호화폐가 화폐로 사용되기 어려운 가장 결정적인 이유를 바르게 설명한 것은?

일시	현재가(원)	변동률(%)	고가	저가	거래량
2021년 7월 1일	443	1000	500	300	120000
2021년 7월 2일	703	58.7	800	600	500000
2021년 7월 3일	1000	42.2	1200	900	40000
2021년 7월 4일	200	−80.0	200	200	300000
2021년 7월 5일	100	−50.0	300	50	900000
2021년 7월 6일	900	800.0	1000	500	300000
2021년 7월 7일	800	−11.1	1000	300	250000
2021년 7월 8일	300	−62.5	500	200	450000
2021년 7월 9일	20	−93.3	300	10	350000
2021년 7월 10일	80	300.0	100	50	450000

① 경우에 따라 매우 큰 수익을 올릴 수 있다.
② 가치의 변동이 심해 교환수단으로 받아들여지기 어렵다.
③ 가치의 변동과 거래량의 변화 사이의 상관관계가 너무 높다.
④ 일별 가치변화만 가지고는 매 순간 변화하는 가치를 알기 어렵다.
⑤ 암호화폐의 가치가 모든 사람들에게 알려져 있지 않다.

62. 표는 갑국의 연도별 실업률과 경제활동참가율을 나타낸다. 이에 대한 〈보기〉의 설명 중 옳은 것을 모두 고르면? (단, 생산가능인구는 변함이 없다.)

― 〈보기〉 ―

ㄱ. 전년 대비 t+1년의 고용률은 감소하였다.
ㄴ. t년의 비경제활동인구는 t+1년과 같다.
ㄷ. 전년 대비 t+2년의 실업자 수는 증가하였다.
ㄹ. 경제활동인구는 t+1년에 가장 많다.

① ㄱ, ㄴ
② ㄱ, ㄷ
③ ㄴ, ㄷ
④ ㄴ, ㄹ
⑤ ㄷ, ㄹ

63. 다음과 같은 상황에 대한 설명으로 옳은 것은?

기업 B는 기업 A에서 3만 원어치의 재료를 구입해 봉제 인형용 천과 솜으로 가공한 후 7만 원에 인형 제조업체 C에 판매했다. 이를 바탕으로 C는 최종 소비자에 판매할 곰 인형을 만들어 15만 원어치를 팔고, 팔리지 않은 5만 원어치를 재고로 남겨 두었다.

① GDP가 15만 원 증가했다.
② 천과 솜은 최종 생산물에 해당한다.
③ C가 창출한 부가가치는 13만 원이다.
④ 중간 생산물은 GDP 증가에 기여하지 못한다.
⑤ 세 사람이 창출한 부가가치 총액은 25만 원이다.

64. 꽃 수요의 가격에 대한 탄력성이 지역 A는 탄력적, 지역 B는 비탄력적이다. 꽃 재배 농가에 보조금을 지급하는 정책을 도입할 경우의 영향으로 옳은 것은? (단, 2개 지역의 꽃 공급과 가격은 동일하며, 수요자는 자신의 지역에서만 꽃을 구입한다.)

― 〈보기〉 ―

ㄱ. 공급곡선이 우측으로 이동한다.
ㄴ. 두 지역 모두 꽃 거래량이 감소한다.
ㄷ. 꽃 가격은 지역 A보다 B에서 더 많이 하락한다.
ㄹ. 두 지역 모두 꽃 재배 농가의 매출이 증가한다.

① ㄱ, ㄴ
② ㄱ, ㄷ
③ ㄴ, ㄷ
④ ㄴ, ㄹ
⑤ ㄷ, ㄹ

65. 구매력 평가설이 성립하기 위한 조건을 〈보기〉에서 모두 고르면?

― 〈보기〉 ―

ㄱ. 국가 간 자본이동이 자유로워야 한다.
ㄴ. 국가 간 무역장벽이 없어야 한다.
ㄷ. 국가 간 인건비나 재료비의 차이가 없어야 한다.
ㄹ. 국가 간 상품 운송비용이 거의 없어야 한다.

① ㄱ, ㄴ
② ㄱ, ㄷ
③ ㄴ, ㄷ
④ ㄴ, ㄹ
⑤ ㄷ, ㄹ

66. 그림은 개인이 생애에 걸쳐 소비를 평탄화한다는 이론을 보여준다. 이에 대한 설명으로 옳지 <u>않은</u> 것은?

소득·소비

소비

소득

0 청년기　　중·장년기　　노년기

* 단. A~C는 해당 부분의 면적을 의미한다.

① 모딜리아니가 주장한 소비 이론이다.
② 노년기보다 중·장년기의 평균 소비성향이 낮다.
③ 생애 소득에 변화가 있으면 소비 패턴이 달라진다.
④ 중·장년기에는 저축 누적액이 증가하다 감소한다.
⑤ 소비가 현재의 처분가능소득에만 의존하지 않는다.

67. 다음은 줄리언 L 사이먼의 『근본자원』에서 발췌한 글이다. 이를 바탕으로 저자가 가장 동의할 수 <u>없는</u> 추론을 고르면?

> 인구 증가와 토지 부족 때문에 장기적으로는 식량 부족에 직면하게 된다는 맬서스적 개념은 틀린 개념이다. 단위 면적당 식량 생산량은 놀랍게도 매우 빠르게 증가한다. 인구가 몇 배 증가하면 현재의 선진국형 토지농사까지 극복하고자 하는 인센티브가 충분히 생길 것이다. 사람들에게는 의심의 그림자가 드리워져 있지만 어두운 그늘의 저편에는 지금보다 훨씬 작은 농지에서 현재 지구 인구의 몇 배가 되는 인구를 부양할 수 있는 영농지식이라는 밝은 곳이 이미 존재하고 있다. 지식의 증가 덕분에 생계 수준을 넘어서 생활 수준의 여러 측면을 개선할 수 있는 능력이 더 빨리 지수적으로 증가하고 있다. 결국 세월이 갈수록 식량은 점점 싸진다.

① 아마도 인구가 증가하면서 밀 가격이 장기적으로 상승해 왔을 것이다.
② 인구 증가보다 농업 생산성 증가가 빨랐던 것이 사실일 것이다.
③ 한국은 자연자원은 빈국이지만 인적자원은 부국일수도 있다.
④ 자연 자원은 고정되어 있지만 대체자원이 꾸준히 개발된다.
⑤ 인간의 지식이 어떤 자연자원보다 근본적인 자원이다.

68. 다음 표는 A국과 B국의 지니계수에 대한 연도별 자료이다. 이와 관련한 설명 중 옳지 <u>않은</u> 것은?

구분	2018년	2019년	2020년
A국	0.48	0.42	0.39
B국	0.38	0.45	0.37

① 2018년 A국은 B국보다 소득의 불평등 수준이 높다.
② 2019년 B국은 A국보다 로렌츠곡선이 대각선에 멀어진 상태이다.
③ B국은 소득불평등 수준이 계속 개선되었다.
④ A국은 소득불평등을 완화하기 위한 복지정책을 펼쳤을 것으로 보인다.
⑤ 2020년 A국의 소득분배가 전년보다 개선됐다.

69. 다음 자료에 대한 적절한 분석 및 추론을 〈보기〉에서 모두 고르면?

> 근대 J국에서는 (A) 매년 한 번씩 각 지역의 특산물을 국가에 공물로 내도록 하는 제도가 있었다. 공물 부과는 각 지역의 산물을 부과하는 게 원칙이었는데 실제로는 그렇지 않은 경우가 많았다. 한 번 정해지면 바꾸기도 쉽지 않아 구하기 어려운 경우 공물로 내야 하는 생산물을 구입해서 납부하는 수밖에 없었다. 공물용 생산물을 전문적으로 판매하는 상인들이 나타났다. 시간이 흐르면서 국가의 관리들이 소수의 상인들에게 공물용 생산물 공급자라는 인증서를 발급했고, (B) 인증서를 발급받은 소수의 상인들로부터 구입한 생산물만 공물로 낼 수 있게 되었다. 그렇지 않으면 불량품이라고 공물로 받아주지 않았다. 점차 국가관리로부터 (C) 인증서를 받은 상인들은 생산물의 가격을 매우 높게 받아 폭리를 취하게 되었다.

〈보기〉

ㄱ. (A)는 공물로 내는 생산물의 공급이 가격에 대해 완전탄력적임을 나타낸다.
ㄴ. (B)는 독과점의 사례로 볼 수 있다.
ㄷ. (B)가 사라지면 공물로 바치는 생산물 거래가격이 낮아질 것이다.
ㄹ. (C)는 완전경쟁시장 공급자들의 모습으로 볼 수 있다.

① ㄱ, ㄴ
② ㄱ, ㄷ
③ ㄴ, ㄷ
④ ㄴ, ㄹ
⑤ ㄷ, ㄹ

70. (가) ~ (라)는 갑국에서 발생할 수 있는 경제상황이다. 이에 대한 분석 및 추론으로 옳은 것은? (단, 모든 재화는 수요와 공급 법칙을 따른다.)

> (가) X재의 원자재 가격 하락
> (나) X재 생산에 부과되는 세금 증가
> (다) X재에 대한 소비자의 선호도 증가
> (라) X재와 대체재 관계인 Y재 가격의 하락

① (가)만 발생할 경우 X재의 공급이 감소한다.
② (나)만 발생할 경우 X재의 수요가 증가한다.
③ (다)만 발생할 경우 X재의 판매수입이 감소한다.
④ (가)와 (라)가 동시에 발생할 경우 X재의 균형가격이 하락한다.
⑤ (나)와 (라)가 동시에 발생할 경우 X재의 균형거래량이 증가한다.

71. 다음 신문기사를 읽고, 밑줄 친 (A), (B)에 관한 설명 중 옳지 않은 것을 고르시오.

> 5대 은행의 총 대출 대비 중소기업 대출 비중이 40%를 넘어섰다. 중소기업·자영업자들이 코로나19 여파를 맞은 탓이다. 이자 비용도 벌지 못하는 '(A) 좀비기업'이 늘고 있는 가운데 앞으로 한계에 달한 중소기업들이 한꺼번에 부실화할 수 있다는 우려도 커지고 있다. … (중략) … 박창균 자본시장연구원 연구위원은 "무작정 유동성만 공급하면 경제주체들의 (B) 도덕적 해이를 유발할 수밖에 없다."고 했다. 주요 30개국(G30)은 최근 펴낸 금융 관련 보고서에서 "세계적으로 부실기업 대출이 대폭 늘었다."며, "지원 대상 범위를 좁혀 독자적으로 생존 가능한 기업에 지원을 집중할 필요가 있다."고 지적했다.
> ○○경제신문, 2021. 7. 9.

① 3년 연속 이자보상배율이 1 미만인 기업이 (A)에 해당한다.
② (A)가 늘어나면 정작 유동성 지원이 필요한 기업이 '흑자도산'하는 경우가 나타난다.
③ (A)가 늘어나면 기업의 투자에 부정적인 영향을 준다.
④ (A)의 (B)가 발생하면, 은행의 기업대출 연체율이 상승할 것이다.
⑤ (B)는 계약이 발생하기 이전에 나타날 수 있는 현상이다.

72. "경제학은 대체적 용도를 가진 희소자원의 사용에 대한 연구이다."라는 말을 두고 다섯 명의 대학생이 대화를 나누고 있다. 이 말을 가장 이해하지 못한 사람은 누구인가?

① 영호: 희소자원의 배분을 어떻게 결정하느냐에 따라 전체 사회의 삶에 영향을 미친다고 할 수 있다.
② 철수: 경제학의 관심은 희소자원을 이용해 생산하는 것, 즉 투입을 산출로 만드는 것에 있다.
③ 민영: 만약 모든 자원의 용도가 하나뿐이라면 경제학은 훨씬 단순했을 것이다.
④ 광복: 수요가 없는 재화의 생산에 투입하는 자원을 다른 용도로 쓰면 효율성을 더 끌어올릴 수 있다.
⑤ 진구: 희소한 자원은 매우 소중하기 때문에 엉뚱한 곳에 쓰이지 않도록 배분과정을 국회나 소비자 단체들이 협의해야 한다.

73. 다음 신문사설에서 주장하는 바와 가장 거리가 먼 것을 고르시오.

> 유엔무역개발회의(UNCTAD)가 지난 2일 한국의 지위를 개발도상국에서 선진국 그룹으로 변경했다. 1964년 UNCTAD가 설립된 이래 개도국 그룹에서 선진국 그룹으로 이동한 사례는 한국이 처음이다. UNCTAD 무역개발이사회는 한국의 선진국 진입을 만장일치로 합의해 무역과 투자를 통한 성장의 모범 사례라는 점을 확인했다. 한국이 개도국을 졸업해 선진국에 진입한 최초의 국가라고 유엔이 공인한 것이다. … (중략) … 해방 후 약 50년간 600억 달러에 달했던 국제원조는 '한강의 기적'을 일구는 마중물 역할을 했고 여기에 정치적 리더십과 기업의 피땀 어린 노력이 어우러져 선진국을 만들어냈다. 무엇보다 한정된 국내 시장보다 세계를 겨냥해 수출주도형 중화학공업 육성 정책을 편 정치적 결단이 주효했고 여기에 기업이 화답하며 삼성전자 현대자동차와 같은 글로벌 기업이 탄생할 수 있었다.
> ○○경제신문, 2021. 7. 3.

① 2차 세계대전 직후 독립한 나라 중 한국만큼 경제적으로 부강해진 나라를 찾아보기 힘들다.
② 한국은 원조를 받는 나라에서 원조를 해주는 나라로 성장했음을 국제적으로 공인받았다.
③ 한국은 신토불이, 자력갱생, 자급자족, 내수진작을 중심으로 한 경제 모델로 성장했다.
④ 한국은 시장경제와 개방정책을 묶은 수출주도형경제로 한강의 기적을 이뤘다.
⑤ 한국은 대만과 달리 대기업들과 중공업을 집중적으로 육성해 해외 경쟁력을 가졌다.

74. 아래는 19세기 프랑스 지식인 프레데릭 바스티아가 쓴 『법』의 글 일부이다. 필자의 의도와 가장 거리가 <u>먼</u> 설명은 무엇인가?

> **고결하신 국회의원님들께**
>
> 저희는 저희에 비해 지나치게 월등한 조건에서 빛을 생산해내는 외부 경쟁자 때문에 극심한 고난을 겪고 있습니다. 그는 이미 믿기지 않을 정도의 저가와 고품질로 국내 시장을 석권하고 있습니다. 그 경쟁자는 바로 태양입니다. 의원님들이 이 불평등을 시정할 법을 통과시켜 주셨으면 하고 저희는 탄원하는 바입니다. 낮에는 국민들의 모든 창문과 지붕창, 채광창, 결문, 커튼, 블라인드 등을 닫도록 하는 법안입니다. … (중략) … 선택을 하되 논리적으로 하십시오. 국내 산업을 보호한다면서 값싼 외국산 철강, 곡물, 직물 등의 수입을 막는데, 공짜나 다름없는 태양광을 막지 않는다면 얼마나 비논리적인 처사입니까!

① 필자는 보호무역주의를 우회적으로 질타하고 있다.
② 필자는 국내 산업을 보호하려는 중상주의보다 자유무역의 필요성을 강조하고 있다.
③ 필자는 양초업자들이 국회의원들에게 압력을 행사해서 양초산업을 살려야 한다고 말한다.
④ 필자의 견해를 현대 경제학적 의미에서 보면 지나친 수입규제가 경제발전을 해친다는 의미로 해석할 수 있다.
⑤ 필자는 정부의 어리석음을 강하게 지적하고 있다.

75. ○○ 기업의 생산량이 0, 1, 2단위인 경우 총비용이 400만 원, 480만 원, 540만 원인 것으로 나타났다. 이때 표 빈칸 중에서 A, B, C, D, E에 들어갈 숫자가 맞게 연결된 것을 고르시오.

총생산량 (Q)	총고정비용 (TFC)	총가변비용 (TVC)	총비용 (TC)	평균가변비용 (AVC)	평균비용 (AC)	한계비용 (MC)
0		B	400만 원			
1	A		480만 원			
2			540만 원	C	D	E

① A: 200만 원
② B: 0원
③ C: 90만 원
④ D: 150만 원
⑤ E: 30만 원

76. 다음은 특정 시점의 국내 주택시장 특징 및 시사점과 관련한 자료이다. 이 자료의 사실들이 전세시장 수요·공급에 미치는 영향을 순서대로 옳게 짝지은 것은? (단, 전세와 월세는 구분된 시장이라고 가정한다.)

> 고령화 사회에 진입하면서 ㉠ 안정적인 노후 준비를 위해 월세 등 현금 수입을 선호하는 경향이 나타나고 있다. 저금리 기조 또한 ㉡ 임대 수익률이 높은 월세 선호 현상을 확대시킨다. 한편 부동산 가격의 불확실성 등으로 ㉢ 임차가구의 주택구매 기피 현상이 확산되고 있다. 월세로 인한 현금 지출 부담이 지속되고 있는 것이다. 또한 ㉣ 재개발과 재건축 사업이 확대돼 이주 수요도 지속적으로 발생하고 있다.

	㉠	㉡	㉢	㉣
①	공급 감소	공급 감소	수요 증가	수요 증가
②	공급 감소	공급 감소	수요 감소	수요 감소
③	공급 감소	공급 증가	수요 증가	수요 감소
④	공급 증가	공급 증가	수요 증가	수요 증가
⑤	공급 증가	공급 감소	수요 감소	수요 증가

77. 다음 지문은 1930년대 미국의 대공황에 대한 진 스마일리의 『세계 대공황 : 80년 전에도 이렇게 시작됐다』에서 일부 발췌한 것이다. 글을 읽고 나눈 대화 중 견해가 <u>다른</u> 사람은?

> '대통령재고용협정'은 노동과 임금 관련 지침에서 강경한 입장을 취하고 있다. 사무직 근로자들은 주 40시간 이상 근무가 금지되었고, 기업은 소재하는 도시에 따라 최소한 주급 12~15달러를 지급해야 했다. 최저임금은 시간당 40센트였다. 기업들은 임금 인상 요구와 주당 근무시간을 단축해야 한다는 거센 비판에 직면했다. 이런 정책은 경기회복을 방해했고 기업들의 생산량은 줄어들었다.

① 가영: 개방과 자유무역은 국민 삶의 질을 높이지.
② 나영: 정부의 가격통제는 부작용이 따르는 경우가 많아.
③ 다영: 기업가 정신과 자유로운 경제활동의 보장이 경제를 살리는 길이야.
④ 라영: 기업의 자유로운 경영을 방해하는 규제는 경제발전에 해가 되는 법이지.
⑤ 마영: 정부가 기업들에게 임금을 올리도록 하면 소비가 늘어 경제가 활성화될 거야.

78. 위험 회피와 분산과 관련한 (A)와 (B) 두 가지 사례와 관련한 〈보기〉의 설명 중 옳은 것을 모두 고르면?

> (A) 보험회사는 위험분산과 관련하여 역선택과 도덕적 해이라는 두 가지 문제에 봉착한다.
> (B) 친구가 다음과 같은 제안을 했다. 동전을 던져 앞면이 나오면 10,000원을 당신에게 주고, 뒷면이 나오면 당신이 친구에게 10,000원을 주어야 한다.

〈보기〉

> ㄱ. (A)와 관련하여 보험에 일단 가입한 사람은 덜 조심하게 되는 경향이 있다.
> ㄴ. (B)에서 기대수익률은 0원이다.
> ㄷ. (A)와 관련하여 위험이 높은 사람이 낮은 사람보다 보험에 가입할 가능성이 낮다.
> ㄹ. (B)에서 위험 회피적이라면 친구의 제안을 받아들일 수도 거절할 수도 있다.

① ㄱ, ㄴ
② ㄱ, ㄷ
③ ㄱ, ㄹ
④ ㄴ, ㄷ
⑤ ㄴ, ㄹ

79. 다음 신문기사를 읽고, 밑줄 친 단어와 관련된 내용을 〈보기〉에서 모두 고르면?

> 14일 로이터통신 등은 소식통을 인용해 "석유수출국기구(OPEC)와 러시아 등 비(非)OPEC 주요 산유국 협의체인 OPEC+가 원유를 증산하는 데 최종적으로 합의했다."고 보도했다. 지난 1일 이후 세 차례 연기됐던 OPEC+ 회의는 이번에 극적으로 결실을 맺었다. OPEC+에 참여하는 주요 산유국 관계자들은 적절한 시기에 다음 회의 날짜를 결정하겠다고 밝혔다.
>
> ○○경제신문. 2021. 7. 15.

〈보기〉

> ㄱ. 페트로 달러
> ㄴ. 플라자 합의
> ㄷ. 석유파동과 한국의 중동진출
> ㄹ. 독점적 경쟁시장

① ㄱ, ㄴ
② ㄱ, ㄷ
③ ㄴ, ㄷ
④ ㄴ, ㄹ
⑤ ㄷ, ㄹ

80. 다음 신문기사와 자료를 잘못 설명하고 있는 것은?

> 7일 한국은행 경제통계시스템에 따르면 올해 1분기 가계의 국내소비지출액(217조 7,558억 원·명목기준) 가운데 식료품·비(非)주류음료 지출(29조 166억 원)이 차지하는 비중은 작년 4분기 대비 0.1%포인트 상승한 13.3%로 집계됐다. 분기 기준으로 2000년 2분기(13.5%) 후 가장 높았다. 지난 1분기 식료품·비주류음료 지출은 역대 최대치였다.
>
> ○○경제신문. 2021. 7. 8.

상승하는 엥겔지수 (단위: %)
※ 엥겔지수는 가계 명목 소비지출액에서 식료품·비주류음료 지출이 차지하는 비율
2017년 11.6 / 2018 11.5 / 2019 11.4 / 2020 12.9 / 2021 13.3
※ 2021년은 1분기 기준
자료: 한국은행

① 엥겔지수는 보통 소득이 높아질수록 낮아진다.
② 2017년~2019년까지 우리나라의 엥겔지수는 하락했다.
③ 식료품 가격이 하락하면 엥겔지수 상승에 영향을 준다.
④ 엥겔지수는 신종 코로나바이러스 감염증(코로나19) 이후 바깥 활동이 줄어들고 집에서 식사를 해결하는 집밥족이 늘어나면서 오히려 상승했다.
⑤ 우리나라 엥겔지수의 연간 상승률은 2020년이 가장 높다.

국가공인 1호 경제이해력 검증시험

제62회 TESAT 문제지

TESAT

성 명		수험번호							

eduwill

■ 문제지 표지에 성명과 수험번호를 적었는지 확인하십시오.

■ 경제이론과 시사경제 · 경영은 문항당 3점, 4점이고 상황추론 · 판단은 문항당 5점입니다.

■ 시험시간은 100분입니다.

〈 경 제 이 론 〉

1. 정부가 추진할 수 있는 경제성장 정책으로 적절하지 <u>않은</u> 것은?

① 기술진보를 위하여 민간부문의 연구개발활동을 장려하는 정책을 시행한다.

② 4차 산업분야와 같이 신(新)산업에 대한 규제개혁을 한다.

③ 교육은 인적자본에 대한 투자이기 때문에 좋은 학교를 만들고 국민들이 학교 교육을 받도록 장려한다.

④ 해외 자본의 투자는 이익을 본국으로 회수해가므로 해외 자본의 유입을 제한하는 정책을 시행한다.

⑤ 다른 조건이 같다면 건강한 근로자들이 생산성이 높기 때문에 국민건강 증진을 위한 정책을 시행한다.

2. 다음 자료를 바르게 설명한 것은?

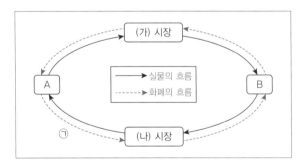

A는 이윤극대화를 추구하는 경제주체이다.

① A는 무차별곡선과 관련이 있다.

② B는 사회적 후생의 극대화를 추구한다.

③ (가) 시장에서 A는 공급자, B는 수요자이다.

④ (나) 시장은 생산물시장이다.

⑤ 대학생이 볼펜을 구입하고 돈을 지불하는 것은 ㉠에 해당한다.

3. 지대와 지대추구행위(Rent-seeking Behavior)에 관한 설명 중 옳지 <u>않은</u> 것은?

① 지대는 기회비용을 초과해 얻는 부분이다.

② 지대추구행위는 정부 실패의 요인은 아니다.

③ 지대추구행위는 사회적 후생손실을 발생시킨다.

④ 유명한 운동선수들이 비싼 연봉을 받는 이유도 지대 때문이다.

⑤ 이익집단들이 정책결정에 영향을 행사하려는 것도 지대추구행위이다.

4. 시장경제의 작동원리를 <u>잘못</u> 설명한 것은?

① 시장경제는 정부의 자의적인 규제가 없는 경제적 자유를 기본 가치로 삼는다.

② 시장경제는 개인들이 성실 · 노력 · 재주 · 능력 등을 투입해 소득을 얻는 시스템이다.

③ 시장에는 분배하는 실체가 없기 때문에 분배결과를 정의롭다거나 정의롭지 않다는 말로 시장의 분배결과를 평가하는 것은 옳지 않다.

④ 새로운 지식과 이윤기회를 찾는 기업가 정신의 존재 때문에 시장은 끊임없는 과정 속에 있다고 말할 수 있다.

⑤ 시장경제에서 복지는 국가가 보장하기 때문에 정부가 세금을 통해 개인의 재산권을 제약할 수 있다.

5. 다음 실업 유형에 대한 설명으로 옳지 <u>않은</u> 것은?

근로자들이 이직하는 과정에서 발생하는 실업

① 이러한 실업은 경제의 윤활유 같은 역할을 한다.

② 정부의 실직자 재훈련 및 직장 알선 노력 등으로 이러한 실업을 줄일 수 있다.

③ 완전고용상태에서도 이러한 실업은 나타난다.

④ 일반적으로 실업보험급여는 이러한 실업을 늘린다.

⑤ 산업구조 개편 등 경제구조의 변화가 이러한 실업을 늘린다.

6. 미나는 입사시험에 합격한 2개의 회사 중에서 한 곳을 결정해야 하는데 매월 250만 원의 월급을 주는 직장에 가지 않고 월 200만 원을 주는 선배 회사에 입사하기로 결정하였다. 회사를 다니는 데 두 회사 모두 다른 비용은 들어가지 않는다고 한다면 미나의 선택에 대한 기회비용은 매월 얼마인가?

① 0원
② 50만 원
③ 200만 원
④ 250만 원
⑤ 400만 원

7. 발전회사들이 석탄이나 천연가스를 사용하여 전력을 생산하고 있다. 정부는 석탄보다 발전비용 측면에서 비용이 높지만 친환경적인 태양열을 이용한 전력생산을 늘리고 석탄을 이용한 전력생산을 줄이고자 한다. 태양열을 이용한 전력공급이 늘어난다면 석탄의 시장가격과 생산량은 어떻게 변하는가? (단, 다른 조건은 일정하며, 석탄시장의 수요곡선은 우하향, 공급곡선은 우상향한다고 가정한다.)

	가격	생산량
①	하락	감소
②	하락	증가
③	불변	증가
④	상승	증가
⑤	상승	감소

8. 아래 그래프에 대한 설명으로 적절하지 <u>않은</u> 것을 고르면?

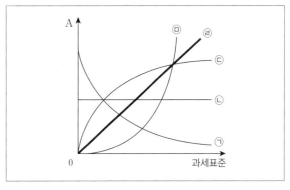

① A가 '세율'이라면 ⓛ은 비례세를 나타낸다.
② A가 '세액'이라면 ⓔ은 비례세를 나타낸다.
③ A가 '세율'이라면 ⓒ, ⓔ, ⓜ은 누진세를 나타낸다.
④ A가 '세액'이라면 ⓖ과 ⓛ은 역진세적인 성격을 갖는다.
⑤ A가 '세액'이라면 부가가치세는 ⓖ에 해당한다고 할 수 있다.

9. 완전경쟁시장의 특징을 바르게 설명한 것은?

① 기업이 생산하는 제품은 기업마다 조금씩 다르다.
② 소비자와 생산자가 시장에 대한 모든 정보를 알고 있다.
③ 시장 내에 다수의 생산자 및 소수의 소비자가 존재한다.
④ 생산자에 의해 제품의 가격이 결정된다.
⑤ 진입장벽이 있어 생산자들이 시장에 자유롭게 진입하지 못한다.

10. 실질임금을 높이면 근로자들의 생산성이 증가하여 기업의 이윤을 올릴 수 있다는 주장이 있다. 이러한 주장의 근거로 볼 수 <u>없는</u> 것은?

① 보다 우수한 능력을 가진 근로자를 고용할 가능성이 높아진다.
② 이직률을 낮추어 근로자들의 숙련성이 높아진다.
③ 근로자들의 노동시간이 증가한다.
④ 기업에 대한 충성심을 고취시켜 근로자들이 더욱 열심히 일한다.
⑤ 기본생활이 보장되어 근로자들이 근로활동에 보다 전념할 수 있게 한다.

11. 아래 지문을 읽고 괄호 A, B, C에 들어갈 용어를 순서대로 옳게 연결한 것은?

> 가격차별이란 동일한 제품과 서비스에 대해 소비자마다 가격을 다르게 책정하는 것을 의미한다. 가격차별의 대표적인 예로는 학생할인, 영화관의 조조할인 등이 있다. 가격차별의 종류에는 구매하는 재화나 서비스의 수량에 따라 가격을 다르게 책정하는 (A) 가격차별, 그리고 각각의 소비자에게 소비자의 최대지불용의만큼을 가격으로 선정하는 (B) 가격차별이 있다. (B) 가격차별의 경우, (C)라고 불리기도 한다. (A) 가격차별과 (B) 가격차별의 차이는 독점기업이 소비자의 효용함수에 대해 정확하게 알고 있는지 여부에 달려있다.

	A	B	C
①	2급	1급	불완전가격차별
②	2급	1급	완전가격차별
③	3급	2급	불완전가격차별
④	3급	2급	시장가격차별
⑤	1급	2급	구간가격차별

12. 통화량 증감의 방향성이 다른 하나를 고르시오.

① 민간이 현금통화비율을 증가시킨다.
② 중앙은행이 본원통화를 증가시킨다.
③ 시중은행이 초과 지급준비금을 낮춘다.
④ 시중은행이 중앙은행으로부터 차입을 늘린다.
⑤ 중앙은행이 시중은행에 대한 지급준비율을 낮춘다.

13. 자연독점을 잘못 설명한 것은?

① 평균비용이 한계비용보다 크다.
② 범위의 경제가 발생한다.
③ 전체 산업 공급량을 한 기업이 생산하는 것이 비용 측면에서 효율적이다.
④ 가격을 한계비용과 같게 설정하면 손실이 발생한다.
⑤ 생산량 증가에 따라 평균비용이 하락한다.

14. 그림은 A~C지역에서 수요의 법칙을 따르는 X재의 가격과 총판매수입과의 관계를 나타내고 있다. 이에 대한 올바른 분석과 추론을 〈보기〉에서 모두 고르면?

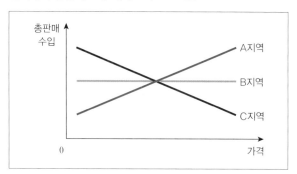

〈보기〉
ㄱ. X재의 수요의 가격탄력성은 C지역보다 A지역이 크다.
ㄴ. B지역에서 X재의 수요의 가격탄력성은 A지역보다는 작고 C지역보다는 크다.
ㄷ. B지역에서의 X재의 수요의 가격탄력성은 단위탄력적이다.
ㄹ. X재의 대체재가 가장 많이 존재하는 지역은 C지역일 가능성이 크다.

① ㄱ, ㄴ
② ㄴ, ㄷ
③ ㄷ, ㄹ
④ ㄱ, ㄴ, ㄹ
⑤ ㄴ, ㄷ, ㄹ

15. A국은 국민의 건강을 이유로 담배 1갑에 담배세 1,500원을 부과했다. 담배 수요의 가격탄력성이 0이라고 할 때, 소비자에게 전가된 세금은?

① 0원
② 500원
③ 1,000원
④ 1,200원
⑤ 1,500원

16. 환율을 상승(자국통화 가치 하락)시키는 요인이 아닌 것은?

   ① 내국인의 해외여행 증가
   ② 경기호황에 따른 설비투자의 확대
   ③ 정부의 외환시장 개입으로 달러 매수
   ④ 외국인 주식투자 자금의 국내 유입
   ⑤ 국내 투자자의 해외 주식시장 투자 증가

17. 다음 지문에서 '여가'의 성격을 가장 정확히 설명하는 개념을 고르면?

> A씨는 하루 24시간을 노동과 여가에 배분한다. 소득세 인상으로 세후 임금이 감소한 이후 A씨의 노동시간이 증가했다고 가정하자.

   ① 정상재
   ② 사치재
   ③ 소비재
   ④ 기펜재
   ⑤ 자본재

18. 밑줄 친 부분에 들어갈 내용으로 옳은 것은?

> • 사회자: 최근 국민의 삶을 GDP 지표에만 의존해선 안 된다는 목소리가 나오고 있습니다. GDP 지표가 갖는 문제점이 무엇인지 알기 쉽게 설명해 주시기 바랍니다.
> • 교수: _____

   ① 가사노동의 가치가 지나치게 높게 평가되어 있습니다.
   ② 시장에서 거래되지 않는 공유경제가 포함되어 있습니다.
   ③ GDP는 중간 생산물의 가치도 모두 포함하고 있습니다.
   ④ 사람들이 자신의 물질 생활 수준에 얼마나 만족하는가의 정도가 고려되지 않습니다.
   ⑤ 새로 만든 물건만 포함하고, 버스를 타거나 택시를 타는 것 등이 포함되지 않습니다.

19. 거시경제의 투자를 잘못 설명한 것은?

   ① 투자지출은 소비지출에 비해 상대적으로 GDP에서 차지하는 비중이 대체로 낮다.
   ② 재고의 변화는 투자로 간주되지 않는다.
   ③ 금융시장에서의 불확실성 증가는 투자를 저해한다.
   ④ 정부의 투자세액 공제는 기업의 투자를 촉진시키는 효과가 있다.
   ⑤ 투자는 변동성이 심해 경기변동을 초래하는 중요한 요인으로 간주된다.

20. 총공급곡선을 왼쪽으로 이동시키는 충격이 발생하였다. 이와 관련한 설명으로 옳지 않은 것은?

   ① 생산요소 비용이 상승하였기 때문이다.
   ② 경기부양을 위해 통화량을 증가시키면 물가가 더욱 상승한다.
   ③ 물가는 급격히 하락하고 GDP는 상승하는 디스인플레이션 상황이다.
   ④ 물가안정을 위해 통화량을 감소시키면 경기침체는 더욱 심화된다.
   ⑤ 재정지출을 늘리면 인플레이션은 더욱 심화된다.

21. 총수요 부족으로 경기침체를 겪고 있는 어떤 나라 정부가 재정정책의 일환으로 정부구매를 2,000억 원을 늘린다고 하자. 투자지출은 고정되어 있고 한계소비성향은 $\frac{1}{3}$일 경우 총수요의 변화는?

   ① 2,000억 원 감소
   ② 3,000억 원 증가
   ③ 6,000억 원 증가
   ④ 3,000억 원 감소
   ⑤ 6,000억 원 감소

22. 다음 중 항상소득가설에 따라 소비에 미치는 영향이 가장 큰 소득의 변화는 무엇인가?

① 로또에서 3등으로 당첨되어 당첨금을 받았다.
② 휴가를 최대한 사용하여 미사용 연차휴가 수당이 감소하였다.
③ 일시적인 수요 증가로 초과 근무가 늘어나고 초과 수당이 증가하였다.
④ 감기로 인한 결근으로 급여가 일시적으로 감소하였다.
⑤ 직장에서 과장으로 승진하여 월급이 올랐다.

23. 구축효과(Crowding-out Effect)를 바르게 설명한 것은?

① 정부지출의 확대가 더 많은 수요를 창출한다.
② 재정확대와 총수요의 증가로 실업이 감소한다.
③ 재정지출의 확대가 경제의 자유경쟁을 감소시킨다.
④ 재정정책과 금융정책이 동시에 사용될 때 효과가 상쇄된다.
⑤ 재정지출 증가를 위한 자금 조달이 이자율을 상승시켜 민간투자가 감소한다.

24. 다음 자료의 (A)에 대한 옳은 설명을 〈보기〉에서 고른 것은?

> 경합성과 배제성의 유무에 따라 재화의 유형을 구분할 수 있는데, 이 중 (A)은(는) 경합성과 배제성이 모두 없는 재화이다.

〈보기〉
ㄱ. 주로 정부에 의해 공급된다.
ㄴ. 무임승차의 문제가 발생한다.
ㄷ. 비용을 지불한 사람만 소비할 수 있다.
ㄹ. 사회적 최적 수준에 비해 과다생산된다.

① ㄱ, ㄴ
② ㄱ, ㄷ
③ ㄴ, ㄷ
④ ㄴ, ㄹ
⑤ ㄷ, ㄹ

25. 최저임금제($\overline{W}$)로 인한 경제적 총잉여의 순감소(경제적 순손실)를 아래 노동시장 그래프에 바르게 표시한 것은?

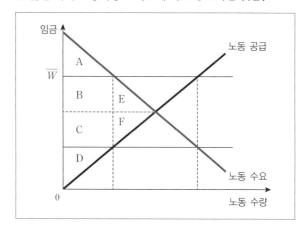

① E+F
② C+F
③ A+D
④ B+C
⑤ B+E

26. 리카도 대등정리에 관한 설명으로 가장 옳은 것은?

① 실업률과 인플레이션율 사이의 관계는 정비례한다.
② 국채 발행을 통해 조달된 조세 삭감은 소비에 영향을 미치지 않는다.
③ 소비이론 중 절대소득가설에 기초를 두고 있다.
④ 국채 발행이 증가하면 이자율이 하락한다.
⑤ 경기침체 시에는 조세 대신 국채 발행을 통한 확대재정정책이 더 효과적이다.

27. '유동성 함정'에 대한 설명 중 옳지 않은 것은 무엇인가?

① 케인스가 1930년대 미국의 대공황 시기를 사례로 들었다.
② 물가 상승에 대한 압력이 크게 나타난다.
③ 정부지출이 증가해도 이자율이 상승하지 않기 때문에 재정정책의 효과가 극대화된다.
④ 중앙은행이 통화량을 늘려도 이자율이 하락하지 않아 통화정책의 효과가 나타나지 않는 상태이다.
⑤ 화폐수요곡선은 수평선의 형태를 가진다.

28. 제시문에서 나타난 경제개념이 드러난 사례로 볼 수 있는 것을 〈보기〉에서 모두 고르면?

> 한경 씨는 정원에서 개를 키운다. 옆집의 경제 씨는 개 짖는 소리가 시끄러워 힘들어한다. 한경 씨는 경제 씨에게 불편을 줄 의도로 개를 키운 것은 아니지만 그렇게 되었다.

─〈보기〉─
ㄱ. 섬유공장에서 옷감을 염색하며 발생한 오염된 물이 하천으로 흘러가 주변 지역주민들이 불편을 겪고 있다.
ㄴ. A씨는 독감이 유행하자 종합병원에서 독감예방주사를 접종하였다.
ㄷ. OO시에 자동차를 타고 다니는 사람들이 많아지자 OO시 대기오염 정도가 심해져 호흡기 질환환자가 늘었다.
ㄹ. B씨는 지난달 C씨로부터 중고차를 샀는데 C씨가 이야기했던 것보다 중고차의 상태가 좋지 않아 속상해하고 있다.

① ㄱ, ㄴ
② ㄱ, ㄷ
③ ㄴ, ㄷ
④ ㄴ, ㄹ
⑤ ㄷ, ㄹ

29. 밑줄 친 ㉠~㉣을 바르게 설명한 것은?

> ㉠ 국제수지는 일정한 기간 동안 ㉡ 거주자와 비거주자 사이에 이뤄진 ㉢ 모든 경제적 거래를 ㉣ 체계적으로 분류·정리한 것이다.

① ㉠: 자본수지는 포함되지 않는다.
② ㉠: 저량(Stock)의 개념이다.
③ ㉡: 거주자와 비거주자는 국적을 기준으로 구분한다.
④ ㉢: 대가 없이 주고받는 거래는 포함하지 않는다.
⑤ ㉣: 동일한 거래가 장부에 정리될 때, 좌측과 우측에 '-'와 '+' 부호로 동시에 기록된다.

30. 갑국과 을국이 비교우위에 따라 무역을 하면 이후 해당 국가에 미칠 영향으로 옳은 것을 〈보기〉에서 모두 고르면?

─〈보기〉─
ㄱ. 외국 상품이 국내 시장을 왜곡한다.
ㄴ. 모든 산업의 근로자는 고용, 실업에서 영향을 받지 않는다.
ㄷ. 국내 독점 산업의 진입장벽이 제거되면서 국내 소비자 잉여가 증가한다.
ㄹ. 다양한 상품을 저렴한 가격에 구매할 수 있다.

① ㄱ, ㄴ
② ㄱ, ㄷ
③ ㄴ, ㄷ
④ ㄴ, ㄹ
⑤ ㄷ, ㄹ

〈 시사경제 · 경영 〉

31. 천연자원이 풍부한 국가가 자원 수출에 따른 외국자본 유입으로 일시적 호황을 누리지만, 제조업이 제대로 발달하지 못하면서 결국 경기침체에 빠지는 현상을 뜻하는 용어이다. 유가 상승으로 반짝 호황을 누리다 1960~1970년대 급랭한 나라의 실제 사례에서 유래한 이 용어는?

① 스웨덴병
② 그리스병
③ 네덜란드병
④ 뉴질랜드병
⑤ 아르헨티나병

32. 글로벌 금융위기를 극복하기 위해 선진국 중앙은행들이 제로금리와 양적완화와 같은 정책으로 시중에 막대한 유동성을 공급하면서 조달비용이 낮아진 자금을 일컫는 용어는?

① 이지머니
② 마진머니
③ 시드머니
④ 하드머니
⑤ 블랙머니

33. 주가가 일정한 폭 안에서 등락을 거듭할 때 흔히 증시가 '이것'에 갇혀 있다는 표현을 많이 쓴다. '이것'을 나타내는 말은 무엇인가?

① 우선권
② 박스권
③ 황소장
④ 골드크로스
⑤ 데드크로스

34. 이것은 기업의 비재무적 요소인 환경·사회·지배구조를 뜻하는 말이다. 이를 기준으로 투자 여부를 결정하는 투자자가 늘어나는 등 관심을 받고 있는 이것은?

① ESG
② ESI
③ ESS
④ ELB
⑤ ELS

35. 다음 지문에서 설명하는 (A)는 무엇인가?

(A)는 위법행위자에게 벌금을 부과해 이 자금으로 피해 투자자들을 돕는 구제 목적의 펀드를 일컫는다. 정부 당국이 자본시장에서 물의를 일으킨 금융사로부터 징수한 벌금을 국고에 귀속하지 않고 해당 자금을 기금 형태로 조성한 뒤, 자본시장에서 금융상품의 불완전판매나 사기 사건이 발생할 경우 피해자에게 기금으로 보상하는 구제 목적 펀드이다. 소액 다수 투자자가 피해를 입어도 현실적으로 소송을 제기하는 것이 어려운 점을 보완하는 데 활용할 수 있으며 금융사의 위법행위를 억제하는 효과를 낼 수 있다.

① 인컴펀드
② 그린펀드
③ 사모펀드
④ 페어펀드
⑤ 퀀텀펀드

36. 퀄컴이나 브로드컴과 같이 반도체 제조 공정 중 설계를 전문화한 회사를 무엇이라고 하는가?

① IDM
② 파운드리
③ 팹리스
④ 패키징
⑤ IP

37. '이것'은 민간자본을 통해 주거, 상업, 업무 등 다용도 융·복합 개발이 가능하도록 지정한 지역으로, 입지 규제 최소구역이라고도 불린다. '이것'의 대표적 사례로 싱가포르의 마리나 베이샌즈와 일본의 롯폰기 힐스가 있다. '이것'은 무엇인가?

① 레드존
② 블랙존
③ 블랙피트
④ 화이트존
⑤ 브이노믹스

38. 다음 지문을 읽고, 빈칸에 들어갈 동물 이름으로 옳은 것을 고르면?

강력한 경쟁자가 나타났을 때 기존 기업의 경쟁력이 오히려 높아지는 현상을 ( )효과라고 한다.

① 메기
② 문어
③ 황소
④ 백조
⑤ 코끼리

39. 아래 내용이 설명하는 것은 무엇인가?

> • 보유자산을 활용한 기업의 자산유동화 기법
> • 기계 및 설비, 토지 등을 금융회사나 다른 기업에 매각하고 이를 다시 빌리는 방법

① 그린스펀 풋
② 하우스 푸어
③ 세일 앤드 리스백
④ 세컨더리 보이콧
⑤ DCF법

40. 상법상 주주총회의 권한에 속하지 <u>않는</u> 것은?

① 이사보수 결정권
② 회사 임직원들에 대한 인사권
③ 다른 회사와의 합병 승인권
④ 주식매수 선택권 부여
⑤ 재무제표 승인권

41. 다음 중 기업이 경영전략을 수립할 때 고려할 요소가 <u>아닌</u> 것은?

① 기업 전략의 실행
② 외부환경의 분석
③ 경쟁사 전략에 대한 이해
④ SWOT 분석
⑤ 장기적인 비전을 설정

42. 동물을 이용한 각종 경제용어들이 있다. 이중 기준금리 인상을 주장하는 통화긴축론자를 비유하는 용어는?

① 매파
② 왝더독
③ 베어마켓
④ 블랙스완
⑤ 하얀 코끼리

43. 적자를 내는 회사도 성장 전망이 밝다면 증시 상장을 허용하는 이익 미실현기업 상장제도의 모델이 된 기업은?

① 테슬라
② 아람코
③ 알파벳
④ 알리바바
⑤ 삼성전자

44. 창업 초기 기업의 경우 대규모 투자를 위해 자금을 유치하는 경우 창업주의 지분 비율이 감소하게 된다. 이로 인해 경영권이 불안해질 수 있다. 따라서 최대 주주나 경영진이 실제 보유 지분보다 많은 의결권을 행사할 수 있도록 하는 제도를 무엇이라고 하는가?

① 의결권 신탁
② 섀도 보팅
③ 차등의결권
④ 집중투표제
⑤ 의결권 승수

45. 금융상품 A ~ C에 대한 옳은 설명을 〈보기〉에서 고른 것은? (단, A ~ C는 예금, 채권, 주식 중 하나이다.)

> 금융상품 A와 B는 수익 형태로 이자를 기대할 수 있다는 것을 기준으로는 구분할 수 없지만, 예금자 보호 제도의 적용을 받는다는 것을 기준으로는 구분할 수 있다. B와 C 는 수익 형태로 시세 차익을 기대할 수 있다는 것을 기준으로는 구분할 수 없지만, 수익 형태로 배당금을 기대할 수 있다는 것을 기준으로는 구분할 수 있다.

〈보기〉

ㄱ. 정기예금은 A에 해당한다.
ㄴ. B는 A와 C에 비해 안전성이 가장 높다.
ㄷ. C는 기업의 자금 조달을 목적으로 발행된다.
ㄹ. A는 채권, B는 예금, C는 주식이다.

① ㄱ, ㄴ
② ㄱ, ㄷ
③ ㄴ, ㄷ
④ ㄴ, ㄹ
⑤ ㄷ, ㄹ

46. 다음 뉴스를 통해 유추할 수 있는 경제적 현상은 무엇인가?

> • 앵커: 최근 아파트 가격을 잡기 위한 정부의 부동산 대책의 여파로 이들의 가격에도 영향을 미치고 있다고 합니다. 어떻게 된 것일까요? 박OO 기자의 보도입니다.
> • 박OO 기자: 정부의 부동산 대책이 아파트 규제에 집중되면서 이에 대한 수요가 다세대 · 연립주택 · 오피스텔 시장에 영향을 미치고 있습니다. 최근 이들의 가격 상승률이 아파트 가격 상승률을 압도하고 있습니다.

① 자산효과
② 분수효과
③ 풍선효과
④ 피구효과
⑤ 승수효과

47. 컴퓨터의 인공지능으로 이루어진 소프트웨어 알고리즘으로, 투자자의 성향과 경제지표 등을 분석해 맞춤형 자산 관리를 도와주는 자동화 서비스를 무엇이라고 부르는가?

① 코리보
② P2P 금융
③ 크라우드 펀딩
④ 프라이빗 뱅킹
⑤ 로보어드바이저

48. 신종 코로나바이러스 감염증(코로나19)과 같은 외부 요인에 의해 억눌렸던 소비가 한꺼번에 분출되는 현상을 무엇이라고 일컫는가?

① 동조 소비
② 유효 소비
③ 보복 소비
④ 핀볼효과
⑤ 베블런효과

49. SK하이닉스가 미국 인텔의 '이것' 사업 부문을 90억 달러(약 10조 원)에 인수한다. 전원이 꺼져도 데이터가 계속 저장되는 '이것'은?

① D램
② 5G
③ MICE
④ 바이오시밀러
⑤ 낸드플래시 메모리

50. 아래 글의 (A)에 들어갈 용어로 알맞은 것은?

> (A)는 세계적으로 지난 5년간 연 200% 고성장하며 '소유하지 않는 소비'를 이끌고 있다. 소비자들은 자동차와 명품 등 고가품에 대해서도 '소유'가 아니라 '경험'으로 돌아서고 있다. 대당 1억 원이 넘는 자동차 포르쉐는 미국에서 매달 220만 원을 내면 8가지 차종을 원하는 때마다 골라 탈 수 있는 '포르쉐 패스포트'를 작년 말 내놨다. 캐딜락과 BMW, 벤츠 등도 비슷한 서비스를 도입했다.

① 이중경제
② 블록경제
③ 지하경제
④ 저압경제
⑤ 구독경제

51. 한 기업의 신제품이 기존의 자사 주력 제품이 가졌던 시장 점유율이나 수익성, 판매량 등을 하락시키는 현상을 뜻하는 용어는 무엇인가?

① 서비스사이언스
② 카니발리제이션
③ 블루오션
④ 리스트럭처링
⑤ 니치마케팅

52. 건물, 기계 등 고정자산은 시간이 지나면 경제적 가치가 점점 떨어진다. 이때 가치 감소분의 회계 처리를 위해 사용하는 용어는 무엇인가?

① 손해율
② 부채비율
③ 적립금비율
④ 감가상각률
⑤ 유동성비율

53. 다음 신문기사를 읽고, (A), (B)에 들어갈 용어로 알맞은 것을 고르시오.

> 무형경제에선 규모의 경제가 온전히 작동할 수 있다. 특별히 소모되지 않는 소프트웨어나 플랫폼 자체이기 때문이다. 한계비용이 제로(0)이다. 보고서는 "당장 이익이 나지 않더라도 최대한 시장 점유율을 확대하면 결국 이익을 독식할 수 있다는 것"이라고 설명했다. 같은 제품을 사용하는 소비자가 늘수록 효용이 급격히 증가하는 것도 무형경제의 특징이다. 이른바 (A)효과이다. 예컨대 페이스북 사용자가 1억 4,000만 명에서 14억 명으로 10배 늘었을 때 기업 가치는 40억 달러에서 2,160억 달러로 50배 넘게 뛰었다. (B)효과도 주목할 만하다. 일정 규모의 사용자를 확보해도 경쟁사로 빠져나가면 소용이 없어서이다. 애플이 자체 생태계를 조성해 충성 고객을 확보한 게 (B)효과를 노린 사례이다.
>
> ○○경제신문, 2020. 10. 20.

	(A)	(B)
①	앵커링	톱니
②	앵커링	자물쇠
③	네트워크	톱니
④	네트워크	자물쇠
⑤	네트워크	펭귄

54. 다음 신문기사를 읽고, (A), (B)에 들어갈 용어로 알맞은 것을 고르시오.

> 정부가 5일 발표한 '한국형 재정준칙'은 국내총생산(GDP) 대비 (A)(60%)과 (B) 비율(-3%)을 함께 관리하는 것을 골자로 한다. 하지만 재정건전화 대책만 마련하면 재정준칙을 일시적으로 어겨도 되고 대규모 재해 및 경제위기 때는 재정준칙 적용을 면제하는 예외규정을 뒀다. 시행 시기도 현 정부 임기 이후인 2025년으로 미뤘다. 실효성이 없는 맹탕정책이라는 비판과 함께 현 정부의 확장재정에 면죄부를 주는 면피용 대책이라는 지적이 나오는 이유이다. … (중략) … 정부는 (B)를 기준으로 사용한 점 역시 논란거리이다. (B)는 중앙정부가 집행하는 모든 수입과 지출의 차이이다.
>
> ○○경제신문, 2020. 10. 6.

	(A)	(B)
①	조세부담률	관리재정수지
②	조세부담률	통합재정수지
③	국가채무비율	관리재정수지
④	국가채무비율	통합재정수지
⑤	국가채무비율	사회보장성기금수지

55. 다음 지문을 읽고, 밑줄 친 기관에 의해 보호받을 수 있는 금융상품을 〈보기〉에서 모두 고르면?

> 금융회사가 영업 정지나 파산 등으로 예금을 지급하지 못하게 될 경우, 예금자는 물론 전체 금융 제도의 안정성도 큰 타격을 입게 된다. 이러한 점을 고려하여 예금보험공사에서는 법에 따라 고객들의 금융상품을 보호하고 있다.

〈보기〉
ㄱ. 시중은행의 정기예금
ㄴ. 상호저축은행의 표지어음
ㄷ. 보험회사의 퇴직보험
ㄹ. 시중은행의 주택청약저축
ㅁ. 시중은행의 뮤추얼펀드

① ㄱ, ㄴ
② ㄱ, ㄴ, ㄷ
③ ㄱ, ㄷ, ㄹ
④ ㄱ, ㄴ, ㄷ, ㄹ
⑤ ㄱ, ㄷ, ㄹ, ㅁ

56. 국가와 국가, 또는 한 국가와 세계 경기가 비슷한 흐름을 보이지 않고 독자적인 움직임을 보이는 현상을 무엇이라고 하는가?

① 모멘텀
② 로그롤링
③ 레버리지
④ 퀀텀점프
⑤ 디커플링

57. 재무상황, 영업실적, 인수합병 소식 등과 같이 기업 주가에 영향을 줄 만한 사안을 정기적 또는 수시로 투자자에게 알리도록 의무화한 제도를 무엇이라고 하는가?

① 공시
② 공모
③ 증자
④ 공고
⑤ 외부감사

58. 아래 그림은 지난 9월 의류업체 타미힐피거가 자사 웹 사이트에서 패션모델과 인플루언서 등을 활용해 올가을 컬렉션을 소개한 방송을 한 것이다. 신종 코로나바이러스 감염증(코로나19)으로 인해 '이것'이 활발해지고 있다. 채팅으로 소비자와 소통하면서 상품을 소개하는 스트리밍 방송을 뜻하는 '이것'은?

① V-커머스
② 라이브 저널
③ 라이브 랩스
④ 바이럴 마케팅
⑤ 라이브 커머스

59. 다음 나열한 내용이 지칭하는 것은 무엇인가?

> • 주류 경제학의 철칙을 깸
> • 정부는 경기를 부양하기 위해 무한정 지출하고, 중앙은행은 국채 매입을 통해 무한정 유동성을 공급하지만 인플레이션을 걱정하지 않아도 됨
> • 통화정책을 재정정책의 하위 수단으로 여김
> • 화폐는 정부의 강제력에 기반하고 있음

① 화폐수량설(Quantity Theory of Money)
② 세이의 법칙(Say's Law)
③ 현대 화폐이론(Modern Monetary Theory)
④ 테일러 준칙(Taylor's Rule)
⑤ 유동성 선호설(Liquidity Preference Theory)

60. 다음 기사를 읽고, 빈칸이 지칭하는 기업명으로 적절한 것을 고르시오.

> 음원, 영상 웹툰 등 (　　　) 앱 장터에서 유통되는 디지털 콘텐츠 가격이 내년부터 줄줄이 오를 전망이다. (　　　) 이(가) 자사 앱 장터에서 판매되는 모든 콘텐츠에 수수료 30%를 강제하면서이다. 정부가 관련 법 위반 여부를 검토하겠다고 나섰지만 국내 법 적용 자체가 쉽지 않을 것이라는 분석이 나온다. … (중략) … 국내 스타트업업계에서는 수수료 비용 부담이 커지고, 상품 가격 상승으로 매출이 감소할 것으로 우려하고 있다. 그렇다고 (　　　)의 수수료 방침을 거부하기는 쉽지 않다. (　　　) 앱 장터의 국내 모바일 콘텐츠 시장에서 점유율이 압도적이기 때문이다. 한국 모바일산업연합회에 따르면, 지난해 국내 (　　　) 앱 장터에서 발생한 결제액은 5조 9,996억 원으로 시장 점유율이 63.4%에 달했다.
>
> ○○경제신문, 2020. 9. 30.

① 틱톡
② 구글
③ 아마존
④ 화웨이
⑤ 넷플릭스

〈 상황추론 · 판단 〉

61. 다음 글을 읽고, 밑줄 친 두 재화와 같은 관계가 아닌 재화의 짝은?

> 지금까지 사람들은 공항에 가려면 버스를 타야 했다. 이제 공항까지 가는 전철이 개통되자 사람들은 전철을 많이 이용하게 되었고 버스 손님이 크게 줄어들어 버스회사는 운영난에 처하게 되었다.

① 콜라와 사이다
② 주식과 채권
③ 피자와 햄버거
④ 빵과 버터
⑤ 홍차와 녹차

---

62. 다음은 A국의 가계신용(가계부채)에 대한 신문보도들이다. 이에 대한 추론이나 설명으로 옳은 것을 〈보기〉에서 모두 고르면?

> • 10월 이후 기준금리 인상될 듯
> • 가계부채 사상 첫 1,200조 원 돌파, 빚내서 집 마련한 가구 비상
> • 우리나라, 가계가처분소득 대비 개인부채 비율 190%로 육박
> • 가계대출 연체율이 0.27%에서 0.35%로 상승

〈보기〉

ㄱ. 가처분소득 전부를 빚 갚는 데 쓰면 부채를 모두 갚을 수 있다.
ㄴ. 변동금리 대출자의 이자 상환 부담이 증가할 것이다.
ㄷ. 신용카드나 할부 판매 이용액은 가계부채에 포함되지 않는다.
ㄹ. 금융회사의 건전성 악화가 우려된다.

① ㄱ, ㄴ
② ㄱ, ㄷ
③ ㄴ, ㄷ
④ ㄴ, ㄹ
⑤ ㄷ, ㄹ

---

63. 한국은 저출산과 고령화가 심화되고 있다. 이에 따른 사회 · 경제적 파급효과에 대한 설명으로 옳지 않은 것은?

① 연금 보험료를 부담하는 생산가능인구는 줄어들고 연금을 수급하는 고령층이 늘어나면서 관련 기금이 급격하게 고갈될 것으로 예상된다.
② 주택의 보유자들은 대체로 노령층인 반면 신규주택 수요자들은 젊은 세대들이다.
③ 숙련된 노령인구가 다수 존재하게 되어 장기적으로 노동력 구성에서 질적인 향상이 이루어져 노동력의 양적 감소는 경제에 큰 부담이 되지 않을 것이다.
④ 생산가능인구가 감소하게 되므로 노동력 확보에 어려움이 예상되고 경제의 생산 능력이 약화되는 부작용을 초래할 수 있다.
⑤ 저출산과 고령화가 심화되면 연령구조에서 노인 인구의 비중이 증가하고 유년 · 청년 인구의 비중이 감소한다.

TESAT

64. 다음 제시문에서 설명하는 내용과 관련 있는 것을 〈보기〉에서 모두 고르면?

> 주식회사 연상기업의 대표이사 달콩이는 회사의 이윤이 높아지기를 희망하고 있다. 연상기업의 기업문화는 사원 알콩이로 대표되는데, 알콩이는 아침에 출근하여 자신이 할 일만을 대충 끝낸 후, 신문과 인터넷을 통해 주말에 무엇을 할지 계획하며 일과를 보내는 것을 최고의 인생 목표로 삼고 있다. 대표이사인 달콩이는 이러한 기업문화를 청산하여 이윤 창출을 높이기 위해 기존의 임금체계를 바꿔 성과와 임금을 연계하는 방안과, 인터넷 사용시간 제한 및 직원 출입증 배부를 통한 출퇴근 업무시간 관리를 강화시키려는 '연상기업 혁신안'을 추진하려고 한다.

〈보기〉

ㄱ. 비대칭 정보
ㄴ. 숨은 특성
ㄷ. 숨은 행동
ㄹ. 주인-대리인 문제
ㅁ. 빛 좋은 개살구
ㅂ. 감시·감독의 문제

① ㄱ, ㄴ, ㄹ
② ㄱ, ㄷ, ㄹ
③ ㄷ, ㄹ, ㅂ
④ ㄱ, ㄷ, ㄹ, ㅂ
⑤ ㄴ, ㄷ, ㄹ, ㅂ

65. 다음 지문은 캐나다의 한 연구소가 캐나다의 소득 분배의 변화를 조사한 결과이다. 이 통계의 의미는 무엇인가?

> "1990년 소득 하위 20%에 속한 캐나다인 중 2009년 같은 그룹에 속한 사람은 13% 밖에 남아 있지 않았다."며, "나머지 87%는 19년간 소득이 늘어나 상위 그룹으로 움직였다."고 말했다.

① 기술 축적의 효과를 입증한 통계
② 가난의 세습을 입증한 통계
③ 통계수치는 아무런 의미가 없는 수치
④ 빈익빈 부익부를 입증하는 통계
⑤ 가난한 사람도 부자가 될 수 있다는 것을 입증하는 통계

66. 다음 신문기사를 읽고, 앞으로 유료방송 시장 점유율의 변화로 나타날 시장의 종류와 관련한 것을 〈보기〉에서 모두 고르시오.

> LG유플러스가 국내 4위 유료방송 사업자인 딜라이브를 인수하기 위해 협상하고 있다. 앞서 현대 HCN이 KT스카이라이프에 팔린 데 이어 유료방송 시장 재편이 급물살을 타고 있다. … (중략) … LG유플러스의 딜라이브 인수가 최종 확정되면 통신 3사 가운데 KT는 1위를 수성하고, 그 다음 자리를 놓고 SK와 치열하게 다투던 LG가 확실한 2위 업체로 올라서게 된다.

유료방송 시장 점유율
(단위: %, 자료: 과학기술정보통신부)

CMB 4.58
기타 4.89
SK 브로드밴드 24.17
KT 35.47
LG유플러스 24.91
딜라이브 5.98

○○경제신문, 2020. 10. 30.

〈보기〉

ㄱ. 카르텔
ㄴ. 내쉬균형
ㄷ. 엥겔곡선
ㄹ. 공유지의 비극

① ㄱ, ㄴ
② ㄱ, ㄷ
③ ㄴ, ㄷ
④ ㄴ, ㄹ
⑤ ㄷ, ㄹ

67. 미국의 기준금리 인상으로 한·미 간 기준금리가 역전되었다고 하자. 이로 인한 영향으로 옳지 **않은** 것은?

① 한국은행 또한 기준금리를 올려 대응할 필요가 있기 때문에 우리나라 부동산 시장의 위축을 불러올 가능성이 높다.
② 우리나라 기업의 수출 가격경쟁력이 증가할 것이다.
③ 우리나라에서 미국으로 자본이 유출될 것이다.
④ 기업의 달러화 표시 채무부담이 감소할 것이다.
⑤ 상대적으로 원화 가치가 낮아질 것이다.

68. 기업 A는 시계 회사로 한 달에 200개의 시계를 생산하여 판매하고 있다. 이 기업은 시계 생산 재료비로 매달 300만 원을 쓰고 있고, 근로자들에게 매월 100만 원의 임금을 지급하는데 근로자 1명의 월 평균 생산량은 40개라고 한다. 시계를 생산하는 데 들어가는 비용은 재료비와 인건비 밖에 없다고 한다면 이 기업이 손실을 보지 않기 위한 시계 한 개의 최소 가격은?

① 2만 원
② 3만 원
③ 4만 원
④ 5만 원
⑤ 10만 원

69. 달러 인덱스가 하락 추세일 때, 다음 중 옳지 않은 설명은?

① 미국의 경제상황이 침체에 빠지고 있음을 유추할 수 있다.
② 다른 조건이 일정하다면 국제 금 가격은 강세를 띨 것이다.
③ 미국 소재지의 수출기업들은 가격경쟁력이 약화될 가능성이 있다.
④ 미국에 투자한 투자자는 환차손을 볼 수 있다.
⑤ 미국의 수입 물가는 상승할 것이다.

70. 노동시장에 생산성이 높은 H와 생산성이 낮은 L 두 유형의 근로자가 존재한다. 노동시장에서 H와 L을 구별하지 못하는 기업은 대학 학위의 보유 여부를 노동자들의 생산성에 대한 신호로 활용한다. 기업은 대학 학위를 가지고 지원하는 근로자에게는 7,000만 원, 학위 없이 지원하는 근로자에게는 2,000만 원을 지급하고 있다. 학위를 취득하기 위해 H는 4,000만 원의 비용이 들며 L의 경우 6,000만 원이 들어간다. 이와 같은 상황에서 어떤 유형의 근로자가 학위를 취득하겠는가? 한편, 정부가 생산성이 낮은 근로자들을 돕기 위해 보조금을 지급하는 정책을 시행하여 L이 학위를 취득하는 데 드는 비용이 5,200만 원으로 낮아진다면 신호로서의 대학 학위는 잘 작동하겠는가?

① H, 작동한다.
② L, 작동한다.
③ H, 작동하지 않는다.
④ L과 H 모두, 작동한다.
⑤ L과 H 모두, 작동하지 않는다.

71. A기업은 선풍기를 생산하는 독점이다. 선풍기에 대한 소비자들의 지불용의는 〈보기〉와 같다고 한다. 이 기업이 이윤을 극대화하기 위해서는 4대의 선풍기만 판매해야 한다고 한다. 이 기업이 4개의 선풍기를 생산할 때 지출되는 한계비용은 얼마인가?

┌─〈보기〉─────────────────────┐

수요량	지불용의
1개	20,000원
2개	18,000원
3개	17,000원
4개	16,000원
5개	15,000원
6개	13,000원
7개	10,000원

└──────────────────────────┘

① 4,000원
② 13,000원
③ 16,000원
④ 64,000원
⑤ 72,000원

72. 다음 신문기사를 읽고, 유추할 수 있는 경제현상 및 추론으로 옳지 않은 것은?

> 한국 기업 5곳 가운데 1곳이 영업이익으로 이자도 못 내는 '좀비기업(한계기업)'으로 전락할 가능성이 있다는 분석이 나왔다. 침체된 실물 경제와 달리 부동산 가격은 과열 양상을 보이는 등 자산시장에 거품이 끼고 있다는 경고음도 커졌다. 한국은행은 24일 발표한 '2020년 9월 금융안정상황 보고서'에서 신종 코로나바이러스 감염증(코로나19) 여파로 한계기업 비중이 올해 21.4%까지 상승할 수 있다고 예상했다. … (중략) … 한계기업 부실이 금융회사로 옮겨갈 수 있다는 우려도 나온다. 한계기업의 차입금은 올해 말 175조 6,000억 원으로 작년 말보다 60조 1,000억 원가량 늘어날 전망이다. 은행이 한계기업에 빌려준 대출금을 제때 회수하지 못할 가능성이 상당한 만큼 은행의 건전성도 나빠질 가능성이 있다. 한은 관계자는 "내년 3월까지 연장된 정부의 금융지원 조치가 끝나면 은행 건전성 지표는 악화될 것"이라고 말했다.
>
> ○○경제신문, 2020. 9. 25.

① 고용이 줄어든다.
② 기업의 투자가 감소한다.
③ BSI지수가 하락할 것이다.
④ 은행의 BIS 비율은 상승할 것이다.
⑤ 가계의 가처분소득이 하락할 것이다.

73. 그림은 갑국의 취업자 수와 비경제활동인구의 연도별 변화를 나타낸다. 이에 대한 옳은 설명을 〈보기〉에서 고른 것은? (단, 생산가능인구는 변함없다.)

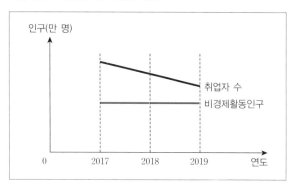

〈보기〉

ㄱ. 고용률은 증가하였다.
ㄴ. 취업률은 감소하였다.
ㄷ. 실업률은 증가하였다.
ㄹ. 경제활동인구는 2019년에 가장 많다.

① ㄱ, ㄴ
② ㄱ, ㄷ
③ ㄴ, ㄷ
④ ㄴ, ㄹ
⑤ ㄷ, ㄹ

74. 다음은 A국과 B국의 로렌츠곡선이다. 이에 대해 잘못 설명한 것은?

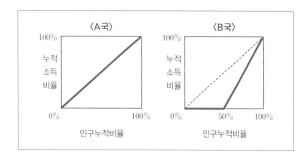

① A국은 B국에 비해 소득의 불평등이 크지 않다.
② B국의 경우 하위 50% 계층은 소득이 없다.
③ A국의 지니계수는 B국의 지니계수보다 높은 값을 가진다.
④ 이 자료만으로 A국과 B국의 노동소득분배율을 파악하기 어렵다.
⑤ A, B국 모두 지니계수가 0~1 사이 값을 가진다.

75. 다음은 특정 기간의 한국 외환보유액을 설명한 신문기사이다. 아래 밑줄 친 ㉠ ~ ㉤에 관한 설명 중 옳지 않은 것은?

> 4일 한국은행에 따르면 올 9월 말 한국의 ㉠외환보유액은 4,030억 달러로 한 달 전(4,011억 3,000만 달러)보다 18억 7,000만 달러 증가했다. 외환보유액 중 ㉡국채·정부기관채·㉢회사채·자산유동화증권 등 유가증권이 3,756억 3,000만 달러로 전월보다 27억 9,000만 달러 늘었다. 예치금은 171억 5,000만 달러로 9억 달러 감소했다. ㉣국제통화기금(IMF) ㉤특별인출권(SDR)도 35억 1,000만 달러를 기록해 2,000만 달러 줄었다. IMF에 대한 교환성 통화 인출권리인 IMF포지션은 19억 1,000만 달러, 금은 47억 9,000만 달러로 전월과 같은 수준이었다.

① 금은 ㉠에 포함되는 자산이다.
② 경상수지 흑자를 기록하면 ㉠이 증가할 가능성이 높다.
③ ㉠의 증가는 각 국가의 대외건전성을 강화시킨다.
④ 일반적으로 ㉡에 비해 ㉢의 금리가 낮다.
⑤ ㉣은 ㉤에 중국 위안화를 포함시켰다.

76. 갑국의 통계 자료에 대해 잘못 설명한 것을 고르면?

연도	2016년	2017년	2018년	2019년
명목 금리	5%	3.5%	1%	2%
명목임금 상승률	2%	6%	2.5%	3%
물가 상승률	2%	5%	1%	0%

① 물가지수가 가장 높은 시기는 2017년이다.
② 예금자들에게 가장 유리한 시기는 2016년이다.
③ 2018년도 물가지수와 2019년도의 물가지수는 같다.
④ 임금생활자에게 가장 유리한 시기는 2019년도이다.
⑤ 제시된 자료에서 화폐 구매력이 가장 큰 해는 2016년이다.

77. 다음 신문기사를 읽고, 원당 가격과 거래량의 변화로 옳은 것은? (다른 조건은 일정하다고 가정)

> 최근 원당 주요 수출국 곳곳에선 생산량이 급감했다. 원당의 원료인 사탕수수와 사탕무 작황이 나빠져서이다. 태국에선 가뭄으로 사탕수수 생산량이 크게 줄었다. ING은행에 따르면 올해 태국 설탕 생산량은 작년보다 약 40% 감소할 것으로 예상된다. 유럽연합(EU) 일대는 가뭄과 폭염에다 사탕무 바이러스까지 돌면서 원당 공급에 차질이 생겼다.
>
> ○○경제신문. 2020. 10. 8.

	가격	거래량
①	상승	하락
②	상승	상승
③	상승	변함없음
④	하락	하락
⑤	하락	상승

78. 다음은 경제 수업 자료의 일부이다. 이를 잘못 분석한 내용을 고르면?

> 〈무역이 발생하는 이유〉
>
> A국과 B국은 X재와 Y재를 생산한다. 두 나라에서 각 재화를 1단위씩 생산하는 데 드는 노동시간을 비교하면 다음과 같다.
>
> | 구분 | X재 | Y재 |
> |---|---|---|
> | A국 | 3시간 | 6시간 |
> | B국 | 5시간 | 7시간 |
>
> 두 나라 간에 생산요소의 이동은 없으며 상품 생산에 필요한 것은 오직 노동뿐이고 시간당 임금은 동일하다는 가정 하에 분석한다.

① A국이 X재와 Y재 생산 모두에서 절대우위를 가진다.
② A국과 B국이 교역하면 서로에게 이득이 될 수 있다.
③ A국과 B국의 X재 한 단위에 대한 기회비용은 각각 Y재 $\frac{1}{2}$단위, Y재 $\frac{5}{7}$단위이다.
④ Y재 한 단위에 대한 기회비용은 B국이 X재 $\frac{7}{5}$단위로 A국의 그것보다 작다.
⑤ A국은 Y재를, B국은 X재를 전문적으로 생산해서 교환하면 서로에게 이득이 된다.

79. 표는 각 국가 통화 가치의 미국 달러화에 대한 전년 대비 변동률을 나타낸 것이다. 이에 대한 추론으로 옳은 것은? (단, 환율 변동 외에 다른 조건은 고려하지 않는다.)

국가(통화)	통화 가치 변동률(%)
중국(위안)	+4.2%
일본(엔)	-6.7%

① 일본인의 미국 여행 경비 부담이 감소했을 것이다.
② 중국 기업의 달러화 표시 외채 상환 부담이 증가했을 것이다.
③ 미국으로 수출하는 중국 제품의 달러화 표시 가격이 하락했을 것이다.
④ 일본으로부터 원자재를 수입하는 미국 기업의 부담이 감소했을 것이다.
⑤ 중국으로 자녀를 유학 보낸 미국 학부모의 학비 부담이 감소했을 것이다.

80. 다음 지문은 윌리엄 번스타인의 『부의 탄생』이라는 책 내용의 일부이다. 저자가 말하고자 하는 바와 다른 주장을 고르면?

> 확고한 재산권 보호와 법치주의가 장인들의 혁신 본능을 자극했고, 과학적 합리주의가 그들에게 도구를 제공했으며, 자본시장이 그들의 놀라운 발명품을 개발하고 생산할 자본을 제공했다. 수송 수단의 발달은 성장과 부(M) 창출의 급류를 만들었다.

① 법치가 바로 선 국가는 구성원 간 신뢰가 구축되어 사회 발전에 긍정적이지.
② 사유재산권은 시장경제가 발달하기 위한 가장 기본적인 조건이지.
③ 인류는 항상 발전해 나아갔고, 앞으로 더욱 발전하여 세상은 더욱 풍족해질 거야.
④ 적기조례를 통해 증기자동차를 규제하였지만 자동차가 운송 수단이 되었듯이, 현재 드론을 규제하더라도 결국 새로운 운송 수단으로 발전할 거야.
⑤ 새로운 사업은 기존 사업자들의 영역을 침범하기 때문에 영국의 러다이트 운동을 참고해야 해.

국가공인 1호 경제이해력 검증시험

제61회 **TESAT** 문제지

성 명		수험번호						

- 문제지 표지에 성명과 수험번호를 적었는지 확인하십시오.
- 경제이론과 시사경제·경영은 문항당 3점, 4점이고 상황추론·판단은 문항당 5점입니다.
- 시험시간은 100분입니다.

〈 경 제 이 론 〉

1. 경제학자들은 '공짜 점심은 없다.'는 말을 자주한다. 모든 편익에는 비용이 따른다는 뜻이다. 다음 중 이 말에 해당하는 가장 적합한 사례는?

   ① 국가 간 교역은 항상 제로섬(Zero-sum)게임이며, 아무런 편익이 없다.
   ② 정부가 복지정책을 시행하더라도 채권을 발행하여 재정을 채울 수 있기 때문에 미래 세대의 부담은 전혀 증가하지 않는다.
   ③ 경기를 살리기 위해 중앙은행이 통화를 공급하면 자칫 물가가 오를 수 있다.
   ④ 복권에 당첨되었다.
   ⑤ 친구와 무료 시식코너에서 점심을 배부르게 먹었다.

2. 다음 자료에 대한 설명으로 옳지 <u>않은</u> 것은?

   ① 국민소득 3면 등가의 법칙을 나타낸다.
   ② (가)는 분배국민소득이다.
   ③ (나)는 기업이 재고를 보유하는 행위를 포함한다.
   ④ (다)에는 중간재가 포함된다.
   ⑤ (라)는 기업가가 위험을 무릅쓰고 경영을 한 대가이다.

3. 한국은행이 경기회복을 위해 확장적 통화정책을 쓰기로 했다. 다음 중 확장적 통화정책으로 인식할 수 있는 것은?

   ① M1을 80조 원에서 60조 원으로 축소
   ② 1.5%인 기준금리를 1.75%로 인상
   ③ 공개시장 운영을 통해 한국은행이 정부채권을 민간에 매도
   ④ 재할인율 인하
   ⑤ 지급준비율을 3.25%에서 3.5%로 인상

4. 수요의 가격탄력성에 대한 설명으로 옳지 <u>않은</u> 것은?

   ① 직각쌍곡선 수요곡선의 경우 수요의 가격탄력성이 언제나 1이 된다.
   ② 수요의 가격탄력성이 클수록 수요곡선의 모양은 평평해진다.
   ③ 수요의 가격탄력성이 1보다 큰 재화의 경우, 가격이 상승하면 그 재화에 대한 지출액이 증가한다.
   ④ 수요의 가격탄력성이 0보다 크고 1보다 작으면 비탄력적이라고 한다.
   ⑤ 가격 변화에 대해 수요량이 얼마나 민감하게 변하는지를 나타내는 지표이다.

5. 외환시장의 균형점을 a에서 b로 이동시키는 요인으로 적절한 것은? (단, 외환시장은 수요와 공급의 법칙을 따르며 수요 측 변화는 없다.)

   ① 해외 차관을 상환
   ② 해외 자동차의 수입 증가
   ③ 해외 기업들의 국내 투자 증가
   ④ 국내 자동차의 해외 수출 감소
   ⑤ 국내 학생들의 해외 유학 증가

6. 영국의 경제학자 토머스 맬서스는 인구 증가로 인해 인류는 총체적 빈곤 상태에 빠질 것이라고 예측했다. 하지만 이러한 예상은 잘못된 것으로 밝혀졌다. 맬서스가 간과한 것은 무엇인가?

① 기술의 진보
② 정부의 개입
③ 시장 실패
④ 인구의 자동 조절 기능
⑤ 인구 증가로 인한 노동력 증가

7. 풍작으로 쌀값이 폭락할 것으로 예상한 일부 농민들이 논을 갈아엎는 시위를 벌였다. 정부는 쌀값 안정을 위해 쌀 매입 지원정책을 확대했다. 이 정책이 초래하는 효과가 아닌 것은?

① 농민들이 쌀 품종 고급화에 적극 나선다.
② 쌀을 보관하고 관리하는 비용이 증가한다.
③ 납세자로부터 농민으로 소득재분배가 인위적으로 일어난다.
④ 쌀의 초과공급을 유도하여 쌀 수급의 불균형을 지속적으로 초래한다.
⑤ 높은 가격이 보장된 쌀을 생산하기 때문에 다른 농산물의 생산을 줄이게 된다.

8. 아래 데이터는 기업 A, B, C가 갑돌이와 을동이에게 판매하는 각각의 동일한 재화에 대한 재화의 단위당 가격과 한계비용을 나타낸다. 가격차별을 하고 있는 기업은 어떤 기업인가?

구분		갑돌이	을동이
기업 A	가격(원)	100	150
	한계비용(원)	100	150
기업 B	가격(원)	200	200
	한계비용(원)	100	100
기업 C	가격(원)	150	200
	한계비용(원)	100	100

① 기업 A
② 기업 C
③ 기업 A와 기업 B
④ 기업 A와 기업 C
⑤ 기업 B와 기업 C

9. 거시경제의 투자와 관련된 설명으로 옳지 않은 것은?

① 금융시장 불확실성 증가는 투자를 저해한다.
② 법인세 인하는 기업의 투자를 촉진시키는 효과가 있다.
③ 투자는 변동성이 심해 경기변동을 초래하는 중요한 요인으로 간주된다.
④ 토빈의 q가 1보다 작은 기업은 설비투자를 늘리게 된다.
⑤ 투자지출은 소비지출에 비해 상대적으로 GDP에서 차지하는 비중이 대체로 낮다.

10. 화폐는 사람들이 교환활동을 하는 과정에서 생겨난 자생적 질서의 결과이다. 〈보기〉 중에서 화폐의 출현이 경제에 끼친 영향으로 옳게 묶인 것은?

─〈보기〉─
ㄱ. 거래절차의 간소화
ㄴ. 교역의 감소
ㄷ. 분업의 촉진
ㄹ. 거래비용 상승에 따른 생산성 하락

① ㄱ, ㄴ
② ㄱ, ㄷ
③ ㄴ, ㄷ
④ ㄴ, ㄹ
⑤ ㄷ, ㄹ

11. 그림은 X재 시장을 나타낸다. D에서 D′, S에서 S′로의 변동 원인으로 옳은 것을 고르면? (단, X재는 정상재이다.)

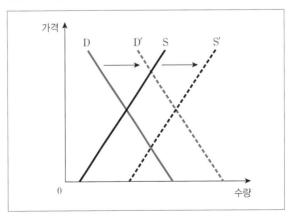

	D ─ D′	S ─ S′
①	X재 가격 상승	X재 가격 하락
②	X재 선호 증가	X재 생산비 상승
③	X재 선호 감소	X재 생산비 상승
④	X재 가격 상승 예상	X재 생산비 하락
⑤	X재 소비자들의 소득 증가	X재 가격 상승 예상

12. 애덤 스미스가 『국부론』에서 이야기한 '보이지 않는 손(Invisible Hands)'의 원리에 대한 설명으로 옳지 않은 것은?

① 시장을 통해 자원의 효율적 사용이 가능하다는 주장이다.
② 독점시장을 전제한다고 할 수 있다.
③ 사익을 추구하는 사람들 사이의 경쟁이 공익을 만들어낸다는 주장이다.
④ 애덤 스미스가 시장의 작동원리에 대해 설명한 표현이다.
⑤ '보이지 않는 손'은 시장에서 결정된 가격을 의미한다.

13. 2008년 글로벌 금융위기 이후 많은 국가들은 제로금리를 시행했다. 이 때문에 이 나라들이 유동성 함정에 빠지는 것이 아닌가 하는 우려가 생겼다. 유동성 함정에서 가장 발생하기 쉬운 상황은?

① 유동성이 풍부한 반면 채권투자 수익률이 낮으므로 은행 예금이 풍부해진다.
② 재정정책의 승수가 줄어들어 재정정책의 효과가 감소한다.
③ 제로금리의 실현이 지속되면 자금에 대한 수요가 감소한다.
④ 통화량을 늘려도 통화수요 증가로 흡수되어 통화정책의 효과가 사라진다.
⑤ 통화량이 늘어나므로 물가는 하락한다.

14. 다음 자료에 대한 설명으로 옳은 것은?

그림은 민간 부문의 경제 순환을 나타낸 것이다. A는 이윤 극대화를 추구하는 경제주체이다.

(가) 시장
A
B
→ 실물의 흐름
--→ 화폐의 흐름
ⓗ
(나) 시장

① A는 소비의 주체이다.
② B는 사회적 후생의 극대화를 추구한다.
③ (가) 시장에서 A는 수요자, B는 공급자이다.
④ (나) 시장에서는 생산요소가 거래된다.
⑤ 학생이 학용품을 구입하고 돈을 지불하는 것은 ⓗ에 해당한다.

15. 수요·공급의 법칙이 성립하는 완전경쟁시장에서 거래되는 세 개의 재화 A, B, C는 그림과 같은 관계에 있다. 각 재화의 공급 변화에 따른 영향으로 옳은 것을 〈보기〉에서 고르면?

B재 ◄ 교차탄력성 > 0 ► A재 ◄ 교차탄력성 < 0 ► C재

〈보기〉
ㄱ. A재 공급이 증가하면 B재 수요가 증가한다.
ㄴ. B재 공급이 증가하면 A재 가격이 증가한다.
ㄷ. B재 공급이 감소하면 C재 수요가 증가한다.
ㄹ. C재 공급이 감소하면 A재 가격이 하락한다.

① ㄱ, ㄴ
② ㄱ, ㄷ
③ ㄴ, ㄷ
④ ㄴ, ㄹ
⑤ ㄷ, ㄹ

16. 밑줄 친 (가)와 (나)에 대해 바르게 이야기한 친구를 〈보기〉에서 모두 고르면?

정부의 가격통제제도에는 가격을 시장의 균형가격보다 낮게 설정하여 그보다 높은 가격에 거래되지 못하도록 하는 (가) 와 시장의 균형가격보다 높게 가격을 설정하고 그보다 낮은 가격에 거래하지 못하도록 하는 (나) 가 있다.

〈보기〉
성준: (가)를 시행하면 공급량이 증가하게 돼.
미연: (나)를 시행하면 초과수요가 발생해.
준호: (가)를 시행하게 되면 암시장이 형성될 수 있어.
혜원: 주택임대료 규제는 (가)의 예이고, 최저임금제는 (나)의 예라고 할 수 있어.

① 성준, 미연
② 미연, 준호
③ 준호, 혜원
④ 성준, 미연, 준호
⑤ 미연, 준호, 혜원

17. 경제성장을 추구하는 정부 정책이 <u>아닌</u> 것은?

① 기술진보를 위하여 민간부문의 연구개발활동을 장려하는 정책을 시행한다.

② 안정적인 경제활동을 위하여 재산권에 대한 위협요소를 낮추는 정책을 실시한다.

③ 교육은 인적자본에 대한 투자이기 때문에 좋은 학교를 만들고 국민들이 학교 교육을 받도록 장려한다.

④ 다른 조건이 같다면 건강한 근로자들이 생산성이 높기 때문에 국민건강 증진을 위한 정책을 시행한다.

⑤ 해외 자본의 투자는 이익을 본국으로 회수해가므로 해외 자본의 유입을 제한하는 정책을 시행한다.

18. 실업에 대한 다음 설명 중 옳지 <u>않은</u> 것을 고르시오.

① 자연실업률을 벗어난 실업을 경기적 실업이라고 하며, 경기변동과 밀접한 관련이 있다.

② 마찰적 실업은 경제 내에 오랜 기간 지속되는 실업을 설명할 수 있다.

③ 구조적 실업은 노동공급이 노동수요를 초과하기 때문에 발생하며, 노동조합, 최저임금제, 효율성 임금 등이 대표적인 원인이다.

④ 경기침체로 인해 발생한 실업이 심각해지면 소비도 감소한다.

⑤ 정부가 일자리에 대한 정보를 제공함으로써 마찰적 실업을 줄일 수 있다.

19. 그림의 A, B는 서로 다른 시기의 X재 시장의 균형점을 나타낸다. A에서 B로의 이동 요인으로 옳은 것은? (단, A, B는 동일한 공급곡선상에 있으며, X재는 정상재이다)

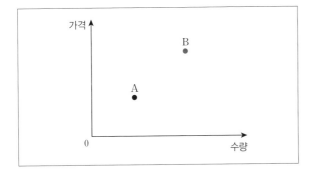

① X재 생산비 증가

② X재 소비자의 소득 감소

③ X재에 대한 소비자 기호 감소

④ X재와 대체관계에 있는 재화의 공급 증가

⑤ X재와 보완관계에 있는 재화의 가격 하락

20. 총노동 수요를 증가시키는 요인은 다양하게 존재한다. 아래 〈보기〉에서 증가 요인을 모두 고른 것은 무엇인가?

〈보기〉
ㄱ. 1인당 자본량의 증가
ㄴ. 가계의 선호도 변화
ㄷ. 새로운 기업 창업
ㄹ. 한계노동생산성 하락

① ㄱ, ㄷ

② ㄴ, ㄹ

③ ㄱ, ㄴ, ㄷ

④ ㄴ, ㄷ, ㄹ

⑤ ㄱ, ㄴ, ㄷ, ㄹ

21. 아래 자료를 통해 알 수 있는 갑국의 2019년도 경제성장률은?

〈갑국의 명목GDP와 GDP디플레이터〉

구분	명목GDP	GDP디플레이터
2018년	200억 달러	100
2019년	250억 달러	125

① 0%

② 2.5%

③ 5%

④ 7.5%

⑤ 10%

22. 갑국이 시행해야 할 적절한 경제 안정화 정책을 〈보기〉에서 고른 것은?

> 신종 코로나바이러스 감염증(코로나19)의 확산으로 세계 경기침체가 깊어지고 있다. 이에 갑국의 국내 소비와 투자가 크게 위축되었다. 이로 인해 갑국 정부와 중앙은행은 경기 활성화 정책을 추진하기로 하였다.

〈보기〉

ㄱ. 법인세 최고세율을 인상한다.
ㄴ. 정부 재정지출을 확대한다.
ㄷ. 중앙은행이 국공채를 매입한다.
ㄹ. 소득공제 범위를 축소한다.

① ㄱ, ㄴ
② ㄱ, ㄷ
③ ㄴ, ㄷ
④ ㄴ, ㄹ
⑤ ㄷ, ㄹ

23. (가)~(라)는 재화의 유형을 경합성과 배제성의 유무로 분류한 것이다. 이에 대한 설명이 옳지 <u>않은</u> 것은?

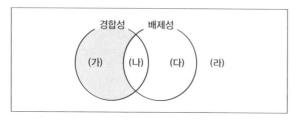

① '공유지의 비극'은 (가)보다 (라)에서 나타난다.
② 공책이나 과자와 같은 재화는 (나)에 해당한다.
③ 인터넷에서 구입한 음악 파일은 (다)에 해당한다.
④ 수학공식인 피타고라스 정리는 (라)에 해당한다.
⑤ (라)에 해당하는 특성은 시장 실패를 보여준다.

24. 아래 지문을 읽고 (A), (B)에 알맞은 답을 고르시오.

> 임금이 어느 수준 이상에 도달했을 때, 임금이 상승해도 노동 시간이 감소하게 되며 이때 노동공급곡선은 (A)한다. 이러한 현상은 노동의 소득효과가 대체효과(B) 것으로 설명할 수 있다.

	(A)	(B)
①	우상향	보다 큰
②	우상향	보다 작은
③	후방굴절	와 같은
④	후방굴절	보다 작은
⑤	후방굴절	보다 큰

25. 리카도의 비교우위론에 대한 다음 설명 중 옳지 <u>않은</u> 것을 고르시오.

① 비교우위론에 따르면 국가 간 무역은 생산요소의 상대 가격이 완전히 동일해질 때까지 계속 이루어진다.
② 비교우위론에 의하면 어떤 산업에 특화가 이루어지면서 국가 간 무역이 발생하게 된다.
③ 비교우위론에서는 비교우위의 원인이 되는 노동생산성 차이가 발생하는 원인을 설명할 수 없다.
④ 같은 재화를 다른 경제주체에 비해 더 적은 기회비용으로 생산할 수 있는 능력이 있으면 해당 재화 생산에 비교우위가 있다고 한다.
⑤ 비교우위에 따라 각각 상품에 특화하여 교환하면 경제주체들 모두가 분업 이전보다 더 많거나 같은 수준만큼 소비할 수 있다.

26. 그림은 외부효과가 발생한 X재 시장을 나타낸다. 이에 대한 옳은 분석을 〈보기〉에서 고른 것은?

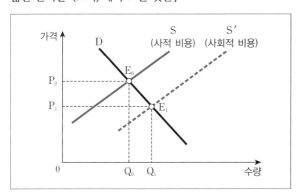

〈보기〉

ㄱ. 부정적인 외부효과가 발생하고 있다.
ㄴ. 시장 거래량이 사회적 최적거래량보다 적게 생산되고 있다.
ㄷ. 대표적인 사례로 독감예방접종에 따른 독감발병률 감소를 들 수 있다.
ㄹ. 정부는 X재 생산자에게 보조금을 주어 자원의 효율적 배분을 유도할 수 있다.

① ㄱ, ㄴ
② ㄱ, ㄷ
③ ㄴ, ㄷ
④ ㄴ, ㄹ
⑤ ㄷ, ㄹ

27. 그림은 시장의 유형을 분류한 것이다. (가)~(라)에 대한 설명이 옳은 것을 〈보기〉에서 고른 것은?

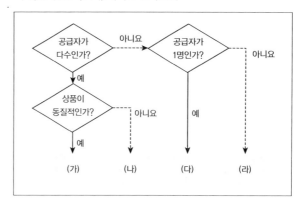

〈보기〉

ㄱ. (가)에서는 자원 배분이 효율적으로 이뤄진다.
ㄴ. (나)의 사례는 미용실, 음식점 등에서 찾아볼 수 있다.
ㄷ. (다)는 다른 기업의 진입이 불가능하다.
ㄹ. (라)는 기업의 경쟁이 심해 상호 의존성이 낮다.

① ㄱ, ㄷ
② ㄱ, ㄹ
③ ㄴ, ㄹ
④ ㄱ, ㄴ, ㄷ
⑤ ㄴ, ㄷ, ㄹ

28. 다음 제시문을 읽고 A사가 처한 상황을 가장 잘 설명한 것을 고르시오.

A사는 국내에서 유일하게 마스크를 공급하고 있다. 하지만 A사가 높은 이익을 가짐에 따라 여러 업체들이 시장 진입을 고려하고 있다. 그 결과 마스크를 생산하는 소수의 업체가 시장에 참가하게 되었다.

① A사의 생산라인으로부터 얻는 이익이 증가한다.
② A사 마스크의 수요 가격탄력성이 증가한다.
③ A사 마스크의 교차 가격탄력성이 감소한다.
④ A사 마스크의 수요 가격탄력성에는 변화가 없다.
⑤ A사 마스크의 소득탄력성이 증가한다.

29. 소규모 완전개방경제인 국가가 있다. 신용카드와 같은 대체 결제수단의 급격한 발전으로 화폐에 대한 수요가 감소하였다고 하자. 단기에 GDP에 미치는 효과로 옳은 것은?

① 고정환율제도인 경우에만 GDP가 증가한다.
② 고정환율제도인 경우에만 GDP가 감소한다.
③ 변동환율제도인 경우에만 GDP가 증가한다.
④ 변동환율제도인 경우에만 GDP가 감소한다.
⑤ 환율제도와 관계없이 GDP에 영향을 미치지 않는다.

30. 자료를 분석하여 작성한 아래 제시문 A~C에 들어갈 내용을 올바르게 나열한 것은? (단, 갑국의 경상수지는 상품수지와 서비스수지로만 구성된다고 가정한다.)

┌───┐
│   〈2019년 갑국의 경상수지〉   │
│ • 경상수지 적자 규모: 60억 달러   │
│   ○ 상품수지 (㉠) 규모: (㉡)   │
│   – 상품 수출 총액: 70억 달러   │
│   – 상품 수입 총액: 50억 달러   │
│   ○ 서비스수지 (㉢) 규모: (㉣)   │
│   – 서비스 수출 총액: 50억 달러   │
│   – 서비스 수입 총액: (㉤)   │
└───┘

┌───┐
│ 자료를 분석하면 ㉠은 [A], ㉢은 [B]임을 짐작할 │
│ 수 있고, ㉡, ㉣, ㉤에 들어갈 금액을 모두 합하면 [C] │
│ 달러임을 알 수 있다.   │
└───┘

	A	B	C
①	흑자	적자	180억
②	적자	적자	210억
③	흑자	적자	230억
④	적자	흑자	250억
⑤	흑자	적자	270억

〈 시사경제·경영 〉

31. 특정 이슈에 사회적 관심이 집중될 때 주식시장에서 상승세를 타는 종목을 가리키는 말은?

① 우량주
② 배당주
③ 황제주
④ 테마주
⑤ 우리사주

32. 증시에서 개인투자자를 비유하는 말이다. 최근 동학농민운동과 결합한 신조어를 탄생시키기도 한 이 단어는?

① 곰
② 백조
③ 개미
④ 비둘기
⑤ 독수리

33. 주식회사 등의 외부감사에 관한 법률에서 해당 회사의 재무제표를 작성할 책임을 누가 부담하는가?

① 대표이사와 회계담당 이사
② 금융감독원
③ 회계부서 책임자
④ 외부 공인회계사
⑤ 감사위원회

34. 기업이나 국가의 파산 위험을 사고팔 수 있도록 만든 파생금융상품은 무엇인가?

① 전환사채(CB)
② 자산유동화증권(ABS)
③ 신주인수권부사채(BW)
④ 신용부도스와프(CDS)
⑤ 파생결합펀드(DLF)

35. 아래 신문기사를 읽고, 괄호 안에 들어갈 기업명으로 적절한 것은 무엇인가?

> ( )이(가) 미국 상장기업으로는 최초로 시가총액 2조 달러(약 2,360조 원)를 돌파했다. 2018년 8월 시가총액 1조 달러를 찍은 지 약 2년 만이다. 월스트리트저널(WSJ) 등에 따르면 ( ) 주가는 이날 오전 뉴욕증시에서 장중 467.97달러까지 올랐다. 시가 총액 2조 달러가 되기 위한 주가는 467.77달러였다.
>
> ○○경제신문, 2020. 8. 20.

① 구글
② 애플
③ 아마존
④ 넷플릭스
⑤ 페이스북

36. 일반적으로 한 나라 산업의 토대가 되는 산업을 일컫는다. 자동차, 철강, 석유, 조선, 화학 등 생산부문의 중추적인 역할을 하며 국민경제의 발전을 좌우하는 역할을 하는 산업을 뜻하는 이 용어는 무엇인가?

① 사양산업
② 리스산업
③ 뿌리산업
④ 전방산업
⑤ 기간산업

37. 개인이 예비 창업자나 창업 초기 기업에 하는 투자로 자금 지원과 경영 자문 등으로 기업 가치를 올린 뒤 기업이 코스닥시장에 상장하거나 대기업에 인수합병(M&A)될 때 지분 매각 등으로 투자 이익을 회수하는 투자 형태를 무엇이라고 하는가?

① 집합투자
② 엔젤투자
③ 알파투자
④ 대체투자
⑤ ESG투자

38. 기업의 혁신성장을 이끌 세제개편 방안으로 가장 적절한 것은?

① 종업원이 사용자로부터 받거나 소속 대학 산학협력단으로부터 대학 교직원과 학생이 받는 직무발명보상금 비과세 한도를 300만 원에서 500만 원으로 확대
② 해외금융계좌 미신고 소명 요구대상에 개인뿐만 아니라 법인도 포함
③ 사회적 기업이 지출한 지정기부금 손금산입 한도를 10%에서 30%로 인상
④ 종합부동산세 과세표준 산정에 있어 공정시장가액 비율을 80%에서 연차적으로 90%로 인상
⑤ 납부불성실 가산세의 세율을 1일 0.03%에서 0.025%로 인하

39. ㉠ ~ ㉢은 신문기사에서 추출한 문장이다. 어떤 용어를 설명하고 있는가?

> ㉠ 한 번 만들어진 규제는 잘 없어지지 않는다.
> ㉡ 대학교재 두께는 갈수록 경쟁적으로 두꺼워지고, 책값은 점점 더 부담스러워진다.
> ㉢ 사람들은 소득이 증가할 때 소비를 늘리지만, 반대로 소득이 감소해도 소비를 쉽게 줄이지 않는다는 것이다.

① 톱니바퀴효과
② 쿠퍼효과
③ 밴드왜건효과
④ 기펜효과
⑤ 나비효과

40. 창업자나 투자자가 자금을 회수하기 위한 출구전략을 의미하는 용어는 무엇인가?

① 리볼빙
② 엑시트
③ 데스 밸리
④ 리니언시
⑤ 벤처캐피털

41. 다음과 같은 의미를 지닌 금융용어는?

> 차입자가 채무를 상환할 수 없는 경우 대부자에게 지급을 보증하기 위해 설정해둔 재산

① 보험
② 담보
③ 증권
④ 대출금
⑤ 순자산

42. 다음 신문기사의 괄호 안에 들어갈 적합한 용어는?

> 통계청의 〈가계금융복지조사〉에 따르면 최근 3년간 3040세대 가구의 부동산 보유액 증가율이 매년 두 자릿수를 기록하며 금융자산인 저축액의 증가율을 2배 이상 앞섰다. 이들 가구의 부동산 투자의 재원은 어디서 온 것일까? 통계청의 〈가계동향조사〉로부터 재원의 상당 부분이 금융부채로 충당됐음을 알 수 있다. 재무 건전성 지표가 지난해엔 116.8로 악화됐다. 재무 건전성 지표가 100을 상회하면 저축액으로 금융 부채를 전부 상환하지 못하는 상태를 의미한다. 여전히 (   )을(를) 기대하는 사람들이 많다는 뜻이다.

① 메기효과
② 캐시카우
③ 엥겔 법칙
④ 핀볼효과
⑤ 레버리지효과

43. 다음 자료에서 괄호 안에 공통적으로 들어갈 용어로 옳은 것은?

> 한국은행, (   ) '빅컷' 단행
>
> 한국은행이 3월 16일 임시 금융통화위원회를 열어 (   )를 연 0.75%로 0.5%포인트를 전격 인하했다. 이번 결정은 17일부터 적용된다. 한은의 이번 결정은 코로나19 대응을 위한 글로벌 중앙은행의 정책 공조 행렬에 동참하고 경기 둔화 우려를 잠재우기 위한 것으로 분석된다.

① 콜금리
② 기준금리
③ 연방기금금리
④ COFIX 금리
⑤ KORIBOR 금리

44. 모기업이 제품의 개발·생산·유통·판매·사후 관리에 이르는 전 과정에 관련된 업체를 계열사로 두는 방식은?

① 수직계열화
② 수평계열화
③ 주채무계열화
④ 관리대상계열화
⑤ 스펙트럼계열화

45. 아래 글이 의미하는 용어는?

> 민간의 동전 주조를 금지한 정부는 금화와 은화 발행을 독점했다. 정부는 민간에서 통용되는 금이나 은보다 순도를 낮춰 발행하고 나머지를 정부가 챙겼다.

① 시뇨리지
② 커버리지
③ 샹들리에효과
④ 케인스의 유효수요
⑤ 애덤 스미스의 역설

46. 금융당국이 국내 1만여 개 '이것'에 대한 전수조사에 나서 이슈가 되기도 했었다. 비공개로 소수 투자자에게 자금을 모아 투자하는 펀드인 이것은?

① 국부펀드
② 사모펀드
③ 공모펀드
④ 매칭펀드
⑤ 벤처펀드

47. 그림은 생애주기에 따른 소비와 소득곡선을 나타낸다. 이에 대한 옳은 설명을 〈보기〉에서 고른 것은? (단, 소득 = 소비 + 저축이다.)

* 단, A~C는 해당 부분의 면적을 의미한다.

〈보기〉

ㄱ. a점에서 소비 누적액이 가장 높다.
ㄴ. 소비와 달리 소득은 지속적으로 감소한다.
ㄷ. B는 저축에 해당한다.
ㄹ. A+C < B의 경우 안정적인 노후생활을 보낼 수 있다.

① ㄱ, ㄴ
② ㄱ, ㄷ
③ ㄴ, ㄷ
④ ㄴ, ㄹ
⑤ ㄷ, ㄹ

48. 이것은 은행과 비슷한 기능을 수행하지만 은행과 달리 엄격한 규제를 받지 않는 금융권을 통칭한다. 중국이 이것의 규모가 커지며 금융시스템의 안정성에 위협을 받을 수도 있다는 예측도 있었다. 이것을 뜻하는 용어는?

① 브리지론
② 리파이낸싱
③ 그림자금융
④ 메자닌금융
⑤ 구조화금융

49. 증권사에서 돈을 빌려 산 주식의 가치가 일정 수준 이하로 떨어지거나 외상으로 산 주식의 결제대금을 갚지 못하면, 고객의 의사와 관계없이 주식을 강제로 팔아버리는 것은?

① 반대매매
② 재정거래
③ 정리매매
④ 선물계약
⑤ 미수거래

50. 다음 나열하는 내용을 지칭하는 용어는 무엇인가?

• 금융데이터의 주인을 금융회사에서 개인으로 정의
• 개인은 흩어진 금융정보를 통합 관리 가능
• 기존 금융사는 플랫폼에 상품을 공급하는 하도급업체의 역할로 전락할 수 있음

① 챗봇
② 오픈API
③ 블록체인
④ 스트리밍
⑤ 마이데이터

51. 아래 글은 신문칼럼 내용 중 일부이다. 어떤 용어 설명과 가장 가까운가?

> 정부가 돈을 많이 풀면 그 돈을 먼저 획득한 사람은 돈의 가치대로 재화와 서비스를 구매할 수 있다. 반면에 그 돈을 늦게 획득한 사람은 돈의 가치대로 재화와 서비스를 구매할 수 없다. 시간이 흐름에 따라, 많이 풀린 돈의 가치가 떨어지고 물가가 상승하기 때문이다. 정부와 중앙은행이 통화량을 급격하게 늘려 인플레이션을 일으키면 이런 불평등이 발생한다.

① 마셜효과
② 피셔효과
③ 케인스효과
④ 캉티용효과
⑤ 버냉키효과

52. 이것은 '재무적으로 독립해 일찍 은퇴한다.'는 의미이다. 40대에 은퇴하기 위해 소비를 극단적으로 줄여 소득의 70~80%를 저축하는 2030세대를 지칭한다. 이들 2030세대는 글로벌 금융위기 등의 경제 위기를 겪으면서 저축 성향(소득 대비 저축 비율)이 어느 세대보다 높다. 이것은 무엇인가?

① 파이어족
② 딩크족
③ 프리터족
④ 오렌지족
⑤ 니트족

53. 소비자 물가상승률이 0%대로 낮아지면서 디플레이션(Deflation)의 발생 가능성에 대한 우려가 커지고 있다. 디플레이션에 대한 설명으로 적절한 것을 고르시오.

① 디플레이션이 발생하면 중앙은행은 팽창적 통화정책을 시행한다.
② 디플레이션이 발생하면 빚 상환 부담이 줄어들기 때문에 가계부채 문제가 부분적으로 해결될 수 있다.
③ 디플레이션이 예상되면 가계의 소비는 촉진되기 때문에 기업은 생산을 늘리게 되고 신규투자 및 고용이 증가하게 된다.
④ 디플레이션이 발생하면 실질이자율은 낮아진다.
⑤ 디플레이션은 주요 품목의 물가가 지속적으로 하락하는 현상을 가리킨다.

54. 다음 신문기사를 읽고, (A)에 들어갈 알맞은 용어를 고르면?

> 신종 코로나바이러스 감염증(코로나19) 사태로 대내외 불확실성이 커지면서 소비·투자를 줄이고 현금을 쌓는 (A)이(가) 늘고 있다는 분석이 나온다. (A)이(가) 속출하면서 경기 하강 속도가 빨라지고 침체의 골이 깊어질 수 있다는 우려의 목소리가 커지고 있다. … (중략) … 통장 잔액 대비 인출금 비율을 나타내는 은행의 요구불예금 회전율은 올해 5월 15.6회로 역대 최저를 기록했다. … (중략) … (A)의 등장은 코로나19로 대내외 불확실성이 커진 결과란 분석이 많다. 소비 및 투자 심리가 얼어붙으면서 가계와 기업이 현금을 장롱과 금고에 쌓아 놓고 있다는 설명이다.
> ○○경제신문, 2020. 7. 28.

① 긴축발작
② 신 파일러
③ 슈퍼세이버
④ 트리플 약세
⑤ 오퍼레이션 트위스트

55. 다음 신문기사를 읽고, (A)를 지칭하는 인물을 고르면?

> 독일의 증시 분석가인 홀거 즈세피츠에 따르면 일명 '(A) 지수'가 지난 9일 100%(세계 증시 기준)를 넘어섰다. 2018년 초 이후 약 30개월 만이다. (A) 지수는 가치 투자자인 (A) 버크셔 해서웨이 회장이 2001년 경제전문지 포천과의 인터뷰에서 "적정 주가 수준을 측정할 수 있는 최고의 척도"라고 강조하며 유명해졌다. (A) 지수는 국내총생산(GDP) 대비 시가총액 비율이다. (A) 지수가 100% 이상이면 거품이 낀 증시로 여긴다.
> ○○경제신문, 2020. 8. 14.

① 버핏
② 빅맥
③ 포드
④ 테슬라
⑤ 저커버그

56. 밑줄 친 '이 제도'에 의해 보호받는 상품을 〈보기〉에서 고른 것은?

> 금융기관이 영업 정지나 파산 등으로 고객이 맡긴 예금을 돌려주지 못하게 될 경우에 대비해 우리나라에서는 고객의 예금을 보호하는 <u>이 제도</u>를 갖추어 놓고 있다.

> ─〈보기〉─
> ㄱ. 주식   ㄴ. 회사채
> ㄷ. 은행 보통예금   ㄹ. 은행 정기적금

① ㄱ, ㄴ
② ㄱ, ㄷ
③ ㄴ, ㄷ
④ ㄴ, ㄹ
⑤ ㄷ, ㄹ

57. 아래 기사의 (   ) 안에 들어갈 가장 적절한 용어는 무엇인가?

> 초기 중소·벤처기업 전용 증권시장인 (   ) 시장에서 코스닥시장으로 소속을 옮기는 기업이 급증하고 있다. 올해 이전 상장 기업 수는 역대 최대에 이를 전망이다. … (중략) … 2013년 코스닥시장 상장 이전 단계에 있는 초기 중소기업의 자금 조달을 위해 (   ) 시장이 개설된 이후 이전 상장사 수가 기존 최대치를 뛰어넘을 것이 확실시되고 있다.

① 코스피
② 코맥스
③ 코커스
④ 코팩스
⑤ 코넥스

58. 국제결제은행(BIS)은 과거 연례보고서에서 중앙은행의 암호화폐 사용을 비판했다. 다음의 지문 (가)와 (나)에서 국제결제은행이 공통적으로 강조한 중앙은행의 기능 중 가장 옳은 것은?

> (가) 모든 화폐는 가치의 안정성과 거래량이 많아도 거래에 어려움이 없을 것이라는 신뢰가 필요하다. 하지만 기존 화폐와 달리 암호화폐는 모든 거래마다 암호화폐를 보유한 모든 이에게 거래 정보가 오가므로, 거래량이 기하급수적으로 늘어 서버가 감당하지 못할 수준에 이르면, 결국 거래는 지연되고 불편해진다.
> (나) 중앙은행의 경우 손해를 감수하면서까지 중앙 권력으로 화폐 가치를 유지하는데 반하여, 암호 화폐는 그렇지 않다. 일부 문제는 새로운 기술과 절차를 도입해 극복 가능하겠지만 대부분은 탈중앙화된 시스템이 가진 근본적인 결점이다.

① 최종대부자
② 고용의 증대
③ 국내총생산의 증대
④ 외환 관리 업무 수행
⑤ 통화 가치의 안정

59. 아래 글의 주제를 가장 적절히 표현한 사자성어를 고르시오.

> 정부는 2020년 세법 개정안 발표에서 소득세 최고 세율 상향으로 인해 세수가 9,000억 원가량 증가할 것으로 봤다. 하지만 이는 전체 소득 세수의 0.01%에 불과하다. 한 국책연구원 연구위원은 "10억 원 경계 구간의 고소득자들이 과세 회피를 위해 소득 조정을 하면 이 같은 효과도 내지 못할 것"이라고 지적했다. 이매뉴얼 사에즈 UC버클리 경제학과 교수는 고소득자의 세율을 3%포인트 높이면 과세 대상 소득이 최대 9%포인트까지 줄어들 수 있다는 연구 결과를 내놓기도 했다. 경제 전체의 생산량이 감소하고, 세수 역시 소득 감소분만큼 줄어들 가능성이 있다는 것이다. 10억 원 이상을 버는 극소수 소득층에 과도한 세율을 부과하는 것이 과세 형평상 옳지 않다는 지적도 나온다.

① 다다익선
② 유비무환
③ 과공비례
④ 과유불급
⑤ 고진감래

60. 표는 금융상품 A, B의 일반적인 특징을 비교한 것이다. 이에 대한 설명으로 옳은 것은? (단, A, B는 각각 주식 또는 채권 중 하나이다.)

질문	A	B
기업이 회사 소유권의 일부를 투자자에게 부여하는 증표인가?	예	아니요
(가)	아니요	예
(나)	예	예

① A는 기업의 입장에서 부채에 해당한다.
② A는 B와 달리 만기가 정해져 있다.
③ B를 보유한 사람은 확정 이자를 기대할 수 있다.
④ (가)에는 '시세 차익을 기대할 수 있는가?'가 들어갈 수 있다.
⑤ (나)에는 '배당 수익을 기대할 수 있는가?'가 들어갈 수 있다.

〈 상황추론 · 판단 〉

61. 그림은 A국의 경제 뉴스이다. 이에 대한 설명으로 옳은 것은?

중앙은행 총재는 ㉠ 경기과열에 대비하기 위한 ㉡ 경기 안정화 정책을 시행하겠다고 발표했습니다.

① ㉠의 상황에서는 물가상승률이 낮다.
② 정부는 ㉠에 대응하기 위해 정부지출을 늘릴 것이다.
③ ㉡의 일환으로 국공채를 매각할 수 있다.
④ 기준금리 인하는 ㉡의 하나로 볼 수 있다.
⑤ ㉡에 성공하면 실업률은 낮아지나 물가는 오를 우려가 있다.

62. 아래 자료를 통해 추론할 수 있는 X재 시장의 변화로 옳은 것은?

- 대체재인 Y재의 가격이 큰 폭으로 상승했다.
- 새로운 생산 기술의 적용으로 X재의 생산비용이 낮아졌다.

① 시장의 균형가격이 상승할 것이다.
② 시장의 균형거래량이 증가할 것이다.
③ 시장의 균형가격은 하락하고 균형거래량은 증가할 것이다.
④ 시장의 균형가격은 상승하고 균형거래량은 감소할 것이다.
⑤ 시장의 균형가격은 변화가 없고 균형거래량만 증가할 것이다.

63. A국의 중앙은행이 기준금리를 A국 역사상 가장 최저 금리로 내리기로 결정하였다고 하자. 이에 따른 경제적 현상을 추론한 것으로 적절한 것을 〈보기〉에서 고르면?

┌─〈보기〉─
ㄱ. 가계의 저축이 감소할 것이다.
ㄴ. 기업의 투자는 증가할 것이다.
ㄷ. 외국 자금이 국내로 유입될 것이다.

① ㄱ
② ㄱ, ㄴ
③ ㄱ, ㄷ
④ ㄴ, ㄷ
⑤ ㄱ, ㄴ, ㄷ

64. 다음 상황이 국내 경제에 미치는 영향으로 옳은 것은? (단, 제시된 내용 외에 다른 요인의 영향은 없다고 가정한다.)

최근 국제 유가 하락의 영향으로 국내 기름값이 계속 떨어지고 있다. 석유공사는 "미국에서 원유 재고가 늘어 국제 유가가 떨어지고 있다."며, "국내에서도 당분간 기름 하락세가 이어질 것"이라고 내다봤다.

① 스태그플레이션 발생
② 생산비용 감소로 기업 경영 개선
③ 가계의 수요 증가로 국내 물가 하락
④ 기업의 상품 판매 감소로 기업 경영 악화
⑤ 기업의 공급 감소로 실질 국민소득 감소

65. 사람들이 담배 소비를 줄이도록 할 때 정부가 택할 수 있는 유인책은 무엇인가?

① 금연 보조 도구에 대한 세금을 인상할 경우
② 금연캠페인에 대한 예산을 축소할 경우
③ 담배에 대한 세금을 인상하여 담배 가격을 상승시킬 경우
④ 암 연구개발에 대한 투자를 늘릴 경우
⑤ 폐질환 전문 병원에 보조금을 지급할 경우

66. 다음은 K국가가 M재화에 대해 관세를 부과한 그래프이다. 관세 부과로 인해 K국 정부가 얻게 되는 관세수입의 크기에 해당하는 것은? (단, P: 재화의 가격, Q: 재화의 수량, S: 국내 공급곡선, D: 국내 수요곡선, P_0: 관세 부과 전 국내 가격, P_1: 관세 부과 후 국내 가격)

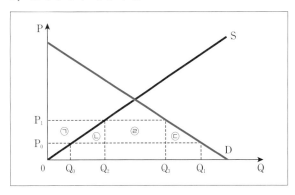

① ㉠
② ㉢
③ ㉣
④ ㉡ + ㉢
⑤ ㉡ + ㉣ + ㉢

67. 다음 A국 정부 정책으로 우려되는 결과를 〈보기〉에서 옳게 고른 것은?

A국 정부는 대부업체가 보유 중인 장기·소액 연체채권을 사들여 소각하는 방안을 내놓기로 했다. 서민·취약계층의 재기를 돕기 위해 '빚 탕감' 범위를 민간 금융회사로까지 확대하겠다는 계획이다. 빚 탕감 대상자가 사상 최대인 100만 명에 이를 수 있다는 관측이 나온다.

〈보기〉
ㄱ. 공유지의 비극 확대
ㄴ. 레몬시장 확대
ㄷ. 도덕적 해이 확산
ㄹ. 신용시장 위축

① ㄱ, ㄴ
② ㄱ, ㄷ
③ ㄴ, ㄷ
④ ㄴ, ㄹ
⑤ ㄷ, ㄹ

68. 정부부처는 다음과 같은 〈상황〉에서 10억 원의 예산을 경제학적 원리에 따라 지출하여 순편익(총편익 − 총비용)을 극대화하고자 한다. 〈보기〉에서 옳은 것을 모두 고르면?

〈상황〉

(1) 신규프로젝트인 A프로젝트의 총비용은 10억 원이며, 총편익은 25억 원이다.
(2) B프로젝트에는 이미 20억 원이 투자되었으며, 프로젝트를 완성하기 위해서는 추가적으로 10억 원의 예산이 필요하다. 더 이상 예산을 투입하지 않으면 10억 원의 금액을 회수할 수 있다. 프로젝트가 완성되면 30억 원의 총편익이 발생한다.
(3) 모든 비용과 편익은 현재가치로 환산된 액수이며, 다른 상황은 고려하지 않는다.

〈보기〉

ㄱ. 10억 원을 A프로젝트에 투자할 때의 기회비용은 15억 원이다.
ㄴ. 추가로 10억 원을 B프로젝트에 투자할 때의 기회비용은 25억 원이다.
ㄷ. B프로젝트의 매몰비용은 10억 원이다.
ㄹ. 정부부처는 B프로젝트에 예산 10억 원을 투자한다.

① ㄱ, ㄴ
② ㄱ, ㄷ
③ ㄴ, ㄷ
④ ㄴ, ㄹ
⑤ ㄷ, ㄹ

69. 다음은 갑국과 을국의 2017~2019년 사이의 지니계수 추이를 나타낸 것이다. 이에 대한 설명이나 추론으로 적절하지 않은 것은?

구분	2017년	2018년	2019년
갑국	0.35	0.37	0.40
을국	0.41	0.37	0.35

① 갑국과 을국의 지니계수는 1을 초과하는 값을 가질 수 없다.
② 갑국은 소득불평등도가 줄어드는 반면 을국은 소득불평등도가 늘어나고 있다.
③ 갑국의 지니계수 추이를 개선하려면 누진세제를 도입할 필요가 있다.
④ 을국의 로렌츠곡선은 45° 대각선에서 점차 가까워지는 모습일 것이다.
⑤ 두 국가 모두 누진세를 도입했을 경우 근로의욕이 저하되는 문제점이 나타날 수 있다.

70. 아래 ㉠ ~ ㉢ 상황으로 인해 나타날 수 있는 갑국의 경제현상에 대한 추론으로 옳은 것은?

㉠ 수출시장에서 경쟁 관계에 있는 을국은 자국 화폐의 평가절하 정책을 시행하기로 하였다.
㉡ 불안정한 갑국의 정치상황으로 인해 외국인 관광객과 유학생 수가 크게 줄었다.
㉢ 갑국은 안정적인 에너지 공급을 위해 병국 회사에 대규모의 해외 투자를 하기로 하였다.

① 물가가 하락하고 외채 상환 부담도 줄어들게 될 것이다.
② 물가가 상승하고 해외여행을 하려는 사람들의 경제적 부담은 줄어들게 될 것이다.
③ 해외 유학생 자녀를 둔 가정의 경제적 부담은 늘어나지만, 물가는 하락하게 될 것이다.
④ 외채 상환 부담과 해외여행을 하려는 사람들의 경제적 부담 모두 늘어나게 될 것이다.
⑤ 외채 상환 부담은 늘고 해외 유학생 자녀를 둔 가정의 경제적 부담은 줄어들게 될 것이다.

71. 다음 그래프는 금융시장의 기대수익과 위험 간의 관계를 나타낸다. A, B, C, D, E는 금융상품이다. 이와 관련한 설명 중 옳지 <u>않은</u> 것은?

① A, B, C, D, E가 일직선 위에 있는 상품이라면 우열을 가릴 수 없다.
② 하이 리스크, 하이 리턴이라는 투자 격언을 반영하고 있다.
③ 파생상품이나 주식형펀드는 E상품에 속한다고 볼 수 있다.
④ 수익성이 같다면 위험이 높은 금융상품을 선택해야 한다.
⑤ 이 그래프는 위험과 수익의 상충관계를 나타낸다.

72. 갑국의 임금증가율을 나타낸 아래 그래프를 보고 바르게 추론한 사람을 〈보기〉에서 모두 고르면?

〈보기〉

미연: ㉠을 기준연도로 했을 때 ㉡ 시점의 물가지수는 100보다 크다고 할 수 있어.
상훈: ㉡을 기준연도로 했을 때, ㉢ 시점의 물가지수는 100보다 작아.
호영: ㉡~㉣ 기간 중 물가지수가 가장 작은 시기는 ㉢이라고 할 수 있지.
성숙: ㉣~㉤ 시기의 기간 중 물가지수가 가장 작았던 해는 ㉣이라고 할 수 있어.

① 미연, 성숙
② 상훈, 호영
③ 미연, 상훈, 성숙
④ 상훈, 호영, 성숙
⑤ 미연, 상훈, 호영, 성숙

73. 아래 자료에 나타난 경제현상의 원인을 가장 올바르게 추론한 사람은?

갑국의 통계청에서 실시한 통계조사 결과, 생산가능인구와 고용률은 변화가 없음에도 불구하고 취업률은 큰 폭으로 상승한 것으로 나타났다.

① 미연: 경제호황으로 취업자 수가 크게 늘었기 때문이야.
② 호민: 경제불황으로 취업자 수가 크게 줄었기 때문이야.
③ 혜영: 인구 증가로 경제활동인구가 크게 늘었기 때문이야.
④ 철호: 구직 단념자의 증가로 비경제활동인구가 늘었기 때문이야.
⑤ 예은: 계속되는 저출산 현상으로 15세 이상 인구가 줄었기 때문이야.

74. 다음 그래프는 A국의 2018년 상반기 BSI(Business Survey Index)의 전망과 실적의 추세를 나타낸 것이다. 이 그래프에 대한 해석으로 가장 옳지 <u>않은</u> 것은?

① 6월 BSI 전망 수치는 전월 대비 하락하며 100선을 하회하고 있으며, 상반기에 두 번째로 낮은 수치이다.
② 5월 BSI 전망 수치는 100선을 상회하며 기대감을 보였지만, 5월 BSI 실적 수치는 부진한 것으로 나타났다.
③ BSI 실적 수치는 대체로 전망 수치 아래에 머물고 있다.
④ BSI 전망과 실적의 추이는 대체로 일치한다.
⑤ BSI는 경기 동향에 대해 소비자들의 판단·예측 등의 변화 추이를 관찰하여 지수화한 지표이다.

75. 다음 그래프는 원/달러 환율을 나타낸 것이다. 다음 진술 중 가장 적절한 것을 고르시오.

원/달러 환율(종가 기준)

① 외환위기 직전 우리나라의 환율제도하에서는 환율 변동이 없었다.
② 자유변동환율제도 시행 이후 원/달러 환율의 변동성은 안정화되었다.
③ 외환위기 발생 이후 환전하여 미국을 여행하려는 우리나라 사람들은 이익을 보았다.
④ 2006~2007년에는 낮은 환율로 인해 수출 물가와 수입 물가가 모두 높았다.
⑤ 2008~2009년 원/달러 환율의 상승은 미국 서브프라임 모기지 사태에 의해 영향을 받았다.

76. 아래 기사를 읽고, 기사의 내용과 관련 있는 경제개념을 〈보기〉에서 모두 고르면?

> 한때 프랑스 파리의 자랑거리였던 공용 전기차와 공용 자전거가 퇴출 위기에 몰렸다. 주인이 없는 자원을 함부로 쓰는 이용자들의 이기적 행태에다 효율적이지 못한 관리체계 등의 문제가 겹치면서 운영사 적자가 눈덩이처럼 불어났기 때문이다.

〈보기〉

ㄱ. 독점출현   ㄴ. 경합성
ㄷ. 범위의 경제   ㄹ. 공유자원의 비극
ㅁ. 비배제성

① ㄱ, ㄴ, ㄷ
② ㄴ, ㄷ, ㄹ
③ ㄷ, ㄹ, ㅁ
④ ㄱ, ㄷ, ㅁ
⑤ ㄴ, ㄹ, ㅁ

77. 어떤 이가 햄버거를 소비하려 한다. 이 사람의 첫 번째 햄버거에 대한 지불용의는 1만 원. 두 번째 햄버거에 대한 지불용의는 7,000원. 세 번째 햄버거에 대한 지불용의는 4,000원. 네 번째 햄버거에 대한 지불용의는 2,000원이다. 햄버거 하나의 가격이 3,000원이라고 할 때, 이 사람의 총소비자잉여는 얼마인가?

① 12,000원
② 14,000원
③ 16,000원
④ 18,000원
⑤ 20,000원

78. 다음 글을 읽고 필자의 주장과 가장 가까운 것을 고르면?

> 기업들이 힘든 경쟁을 피하는 방법은 시장에서 독점적 위치를 차지하는 것이다. 문제는 정부의 규제권한을 이용해 독점적 지위에 오르는 것이다. 택시업계의 로비를 받은 뉴욕시는 택시 면허를 1만 3,000대로 제한했다. 그 결과 기존 택시 운전자들은 돈을 더 벌었지만 뉴욕 시민들은 택시를 타기 위해 더 오래 기다려야 했다. 일반적으로 면허(免許)제도로 운영되는 시장은 이러한 현상이 빈번할 수 있다. 의사, 변호사 등도 그렇다.

① 독점은 규제해야 한다.
② 택시면허를 함부로 내주어서는 안 된다.
③ 각종 면허제도를 엄격하게 운영해야 한다.
④ 연구개발을 통해 경제성장률을 높여야 한다.
⑤ 정부 규제를 이용한 집단의 지대추구행위는 경제에 해를 끼칠 수 있다.

79. 저출산과 고령화가 심화되고 있다. 이에 따른 사회·경제적 파급 효과에 대한 설명으로 옳지 <u>않은</u> 것은?

① 주택 보유자들은 대체로 노령층인 반면 신규주택 수요자들은 젊은 세대들이다.
② 숙련된 노령인구가 다수 존재하게 되어 장기적으로 노동력 구성에서 질적인 향상이 이루어져 노동력의 양적 감소는 경제에 큰 부담이 되지 않을 것이다.
③ 저출산과 고령화가 심화되면 연령구조에서 노인인구의 비중이 증가하고 유년·청년인구의 비중이 감소한다.
④ 생산가능인구가 감소하게 되므로 노동력 확보에 어려움이 예상되고 경제의 생산 능력이 약화되는 부작용을 초래할 수 있다.
⑤ 연금 보험료를 부담하는 생산가능인구는 줄어들고 연금을 수급하는 고령층이 늘어나면서 관련 기금이 급격하게 고갈될 것으로 예상된다.

80. 아래 글은 애덤 스미스의 『국부론』 제2장에 나오는 대목이다. 아래 글을 <u>잘못</u> 이해한 사람은 누구인가?

> 본질적으로 자산의 축적은 분업에 선행되어야 하며, 사전에 자산이 많이 축적되면 될수록 그에 비례하여 노동이 더욱더 세분화될 수 있다. … (중략) … 자산 축적은 자연스럽게 노동 생산력을 증가시킨다. … (중략) … 자신의 저축을 안전성이 있는 곳에 투자하지 않는 사람이 있다면 그는 제정신이 아님에 틀림없다. … (중략) … 매년 저축되는 것은 매년 지출되는 것처럼 규칙적으로 소비되며 때로 거의 동시에 소비된다. 그러나 그것을 소비하는 사람들은 다른 부류의 사람들이다.

① A씨: 케인스의 '저축의 역설'은 애덤 스미스의 설명에서 성립하지 않는다.
② B씨: 로빈슨 크루소가 그물을 만들려면 그물을 만들 때까지 필요한 고기를 미리 잡아놔야 한다.
③ C씨: 자본 축적이 많은 나라일수록 잘 살고 반대인 나라가 못 사는 이유가 잘 드러나 있는 대목이다.
④ D씨: 저축은 투자되기보다 장롱 속으로 퇴출되는 것인만큼 장려되어선 안 된다.
⑤ E씨: 애덤 스미스는 경제성장의 원천이 저축임을 강조하고 있다.

내가 꿈을 이루면
나는 누군가의 꿈이 된다.

– 이도준

TESAT
TEST OF ECONOMIC SENSE AND THINKING

감독관 확인

성 명
* 왼쪽부터 차례로 마킹합니다.
* 이름이 다섯 자 이상인 경우 앞의 네 자만 기재합니다.
* 외국인은 영어로 기입하지 않아도 됩니다.

수험번호

⓪	⓪		⓪	⓪	⓪
①	①		①	①	①
②	②		②	②	②
③	③		③	③	③
④	④	—	④	④	④
⑤	⑤		⑤	⑤	⑤
⑥	⑥		⑥	⑥	⑥
⑦	⑦		⑦	⑦	⑦
⑧	⑧		⑧	⑧	⑧
⑨	⑨		⑨	⑨	⑨

주민등록번호

⓪	⓪		⓪	⓪	⓪	⓪	⓪
①	①		①	①	①	①	①
②	②		②	②	②	②	②
③	③		③	③	③	③	③
④	④	—	④	④	④	④	④
⑤	⑤		⑤	⑤	⑤	⑤	⑤
⑥	⑥		⑥	⑥	⑥	⑥	⑥
⑦	⑦		⑦	⑦	⑦	⑦	⑦
⑧	⑧		⑧	⑧	⑧	⑧	⑧
⑨	⑨		⑨	⑨	⑨	⑨	⑨

직 업

- ◯ 대학(원)생
- ◯ 회사원
- ◯ 취업준비생
- ◯ 자영업
- ◯ 군인
- ◯ 기타

전 공

- ◯ 경상계열
- ◯ 인문·사회계열
- ◯ 자연계열
- ◯ 공학계열
- ◯ 예체능계열
- ◯ 기타

학 력

- ◯ 대학재학(1, 2학년)
- ◯ 대학재학(3, 4학년)
- ◯ 대학졸업
- ◯ 대학원졸업
- ◯ 고등학교졸업
- ◯ 기타

성 명 (마킹란)

(자모 마킹표: ㄱ ㄴ ㄷ ㄹ ㅁ ㅂ ㅅ ㅇ ㅈ ㅊ ㅋ ㅌ ㅍ ㅎ ㅏ ㅑ ㅓ ㅕ ㅗ ㅛ ㅜ ㅠ ㅡ ㅣ ㅐ ㅒ ㅔ ㅖ ㅘ ㅙ ㅚ ㅝ ㅞ ㅟ ㅢ)

〈유의사항 및 부정행위 처리규정〉

- 정답은 반드시 컴퓨터용 사인펜을 사용하여 " ● "와 같이 까맣게 표기해야 합니다.
- 시험시간 관리의 책임은 전적으로 응시자 본인에게 있으며, 제한시간 준수하지 않을 경우 부정행위로 처리됩니다.
- 휴대폰 등 통신 촬영 장비를 소지할 경우 부정행위로 간주됩니다.
- 부정행위 적발 시, 당해 시험을 정지 및 무효 처리되며 2년간 시험에 응시할 수 없습니다.

국가공인 1호 경제이해력 검증시험

에듀윌 TESAT 기출문제

1	①	②	③	④	⑤
2	①	②	③	④	⑤
3	①	②	③	④	⑤
4	①	②	③	④	⑤
5	①	②	③	④	⑤
6	①	②	③	④	⑤
7	①	②	③	④	⑤
8	①	②	③	④	⑤
9	①	②	③	④	⑤
10	①	②	③	④	⑤
11	①	②	③	④	⑤
12	①	②	③	④	⑤
13	①	②	③	④	⑤
14	①	②	③	④	⑤
15	①	②	③	④	⑤
16	①	②	③	④	⑤

17	①	②	③	④	⑤
18	①	②	③	④	⑤
19	①	②	③	④	⑤
20	①	②	③	④	⑤
21	①	②	③	④	⑤
22	①	②	③	④	⑤
23	①	②	③	④	⑤
24	①	②	③	④	⑤
25	①	②	③	④	⑤
26	①	②	③	④	⑤
27	①	②	③	④	⑤
28	①	②	③	④	⑤
29	①	②	③	④	⑤
30	①	②	③	④	⑤
31	①	②	③	④	⑤
32	①	②	③	④	⑤

33	①	②	③	④	⑤
34	①	②	③	④	⑤
35	①	②	③	④	⑤
36	①	②	③	④	⑤
37	①	②	③	④	⑤
38	①	②	③	④	⑤
39	①	②	③	④	⑤
40	①	②	③	④	⑤
41	①	②	③	④	⑤
42	①	②	③	④	⑤
43	①	②	③	④	⑤
44	①	②	③	④	⑤
45	①	②	③	④	⑤
46	①	②	③	④	⑤
47	①	②	③	④	⑤
48	①	②	③	④	⑤

49	①	②	③	④	⑤
50	①	②	③	④	⑤
51	①	②	③	④	⑤
52	①	②	③	④	⑤
53	①	②	③	④	⑤
54	①	②	③	④	⑤
55	①	②	③	④	⑤
56	①	②	③	④	⑤
57	①	②	③	④	⑤
58	①	②	③	④	⑤
59	①	②	③	④	⑤
60	①	②	③	④	⑤
61	①	②	③	④	⑤
62	①	②	③	④	⑤
63	①	②	③	④	⑤
64	①	②	③	④	⑤

65	①	②	③	④	⑤
66	①	②	③	④	⑤
67	①	②	③	④	⑤
68	①	②	③	④	⑤
69	①	②	③	④	⑤
70	①	②	③	④	⑤
71	①	②	③	④	⑤
72	①	②	③	④	⑤
73	①	②	③	④	⑤
74	①	②	③	④	⑤
75	①	②	③	④	⑤
76	①	②	③	④	⑤
77	①	②	③	④	⑤
78	①	②	③	④	⑤
79	①	②	③	④	⑤
80	①	②	③	④	⑤

TESAT

TEST OF ECONOMIC SENSE AND THINKING

수 험 번 호

주 민 등 록 번 호

성 명

* 왼쪽부터 차례로 마킹합니다.
* 이름이 다섯 자 이상인 경우 앞의 네 자만 기재합니다.
* 외국인은 영력하지 않아도 됩니다.

직 업

○ 대학(원)생
○ 회사원
○ 취업준비생
○ 자영업
○ 군인
○ 기타
○ 고등학생(고등학생의 경우 전공 학력 표시 안 함)

전 공

○ 경상계열
○ 인문 · 사회계열
○ 자연계열
○ 공학계열
○ 대학계열
○ 예체능계열
○ 기타

학 력

○ 대학재학(1, 2학년)
○ 대학재학(3, 4학년)
○ 대학졸업
○ 대학원졸업
○ 고등학교졸업
○ 기타

〈유의사항 및 부정행위 처리규정〉

* 정답은 반드시 컴퓨터용 사인펜을 사용하여 "●"와 같이 까맣게 표기해야 합니다.

* 시험시간 관리의 책임은 전적으로 응시자 본인에게 있으며, 제한시간을 준수하지 않을 경우 부정행위로 처리됩니다.

* 휴대폰 등 통신 촬영 장비를 소지할 경우 부정행위로 간주합니다.

* 부정행위 적발 시, 당해 시험은 무효처리 되며 2년간 시험 및 무료 처리되며 2년간 시험에 응시할 수 없습니다.

*서약내용을 반드시 확인하고 서명하십시오.

본인은 유의사항 및 부정행위 처리규정을 확인하였으며, 이를 어겼을 경우 어떠한 불이익도 감수할 것을 서약합니다.

20 ___ 년 ___ 월 ___ 일

응시자: _____ (서명)

서 약

국가공인 1호 경제이해력 검증시험
에듀윌 TESAT 기출문제

1	①	②	③	④	⑤
2	①	②	③	④	⑤
3	①	②	③	④	⑤
4	①	②	③	④	⑤
5	①	②	③	④	⑤
6	①	②	③	④	⑤
7	①	②	③	④	⑤
8	①	②	③	④	⑤
9	①	②	③	④	⑤
10	①	②	③	④	⑤
11	①	②	③	④	⑤
12	①	②	③	④	⑤
13	①	②	③	④	⑤
14	①	②	③	④	⑤
15	①	②	③	④	⑤
16	①	②	③	④	⑤

17	①	②	③	④	⑤
18	①	②	③	④	⑤
19	①	②	③	④	⑤
20	①	②	③	④	⑤
21	①	②	③	④	⑤
22	①	②	③	④	⑤
23	①	②	③	④	⑤
24	①	②	③	④	⑤
25	①	②	③	④	⑤
26	①	②	③	④	⑤
27	①	②	③	④	⑤
28	①	②	③	④	⑤
29	①	②	③	④	⑤
30	①	②	③	④	⑤
31	①	②	③	④	⑤
32	①	②	③	④	⑤

33	①	②	③	④	⑤
34	①	②	③	④	⑤
35	①	②	③	④	⑤
36	①	②	③	④	⑤
37	①	②	③	④	⑤
38	①	②	③	④	⑤
39	①	②	③	④	⑤
40	①	②	③	④	⑤
41	①	②	③	④	⑤
42	①	②	③	④	⑤
43	①	②	③	④	⑤
44	①	②	③	④	⑤
45	①	②	③	④	⑤
46	①	②	③	④	⑤
47	①	②	③	④	⑤
48	①	②	③	④	⑤

49	①	②	③	④	⑤
50	①	②	③	④	⑤
51	①	②	③	④	⑤
52	①	②	③	④	⑤
53	①	②	③	④	⑤
54	①	②	③	④	⑤
55	①	②	③	④	⑤
56	①	②	③	④	⑤
57	①	②	③	④	⑤
58	①	②	③	④	⑤
59	①	②	③	④	⑤
60	①	②	③	④	⑤
61	①	②	③	④	⑤
62	①	②	③	④	⑤
63	①	②	③	④	⑤
64	①	②	③	④	⑤

65	①	②	③	④	⑤
66	①	②	③	④	⑤
67	①	②	③	④	⑤
68	①	②	③	④	⑤
69	①	②	③	④	⑤
70	①	②	③	④	⑤
71	①	②	③	④	⑤
72	①	②	③	④	⑤
73	①	②	③	④	⑤
74	①	②	③	④	⑤
75	①	②	③	④	⑤
76	①	②	③	④	⑤
77	①	②	③	④	⑤
78	①	②	③	④	⑤
79	①	②	③	④	⑤
80	①	②	③	④	⑤

TESAT
TEST OF ECONOMIC SENSE AND THINKING

성 명

* 왼쪽부터 차례로 마킹합니다.
* 이름이 다섯 자 이상인 경우 앞의 네 자만 기재합니다.
* 외국인은 입력하지 않아도 됩니다.

수험번호

주민등록번호

직업

○ 대학(원)생
○ 회사원
○ 취업준비생
○ 자영업
○ 군인
○ 기타

○ 경상계열
○ 인문 · 사회계열
○ 자연계열
○ 공학계열
○ 예체능계열
○ 기타

전공

학력

○ 대학재학(1, 2학년)
○ 대학재학(3, 4학년)
○ 대학졸업
○ 대학원졸업
○ 대학원졸업
○ 고등학교졸업
○ 기타

감독관 확인

〈유의사항 및 부정행위 처리규정〉

· 정답은 반드시 컴퓨터용 사인펜을 사용하여 " ● " 와 같이 까맣게 표 기해야 합니다.

· 시험시간 관리의 책임은 전적으로 응시자 본인에게 있으며, 제한시 간을 준수하지 않은 경우 부정행 위로 처리됩니다.

· 휴대폰 등 통신 촬영 장비를 소지 할 경우 부정행위로 간주합니다.

· 부정행위 적발 시, 당해 시험은 정지 및 무효 처리되며 2년간 시험 에 응시할 수 없습니다.

* 서약내용을 반드시 확인하고 서명하십시오.

본인은 유의사항 및 부정행위 처리규정을 확인하였으며, 이를 어겼을 경우 어떠한 불이익도 감수할 것을 서약합니다.

고등학생(고등학생의 경우 전공 학력 표시 안 함)

20____년 ____월 ____일

응시자:_____(서명)

서 약

* 서약내용을 반드시 확인하고 서명하십시오.

국가공인 1호 경제이해력 검증시험
에듀윌 TESAT 기출문제

No.	Options
1	① ② ③ ④ ⑤
2	① ② ③ ④ ⑤
3	① ② ③ ④ ⑤
4	① ② ③ ④ ⑤
5	① ② ③ ④ ⑤
6	① ② ③ ④ ⑤
7	① ② ③ ④ ⑤
8	① ② ③ ④ ⑤
9	① ② ③ ④ ⑤
10	① ② ③ ④ ⑤
11	① ② ③ ④ ⑤
12	① ② ③ ④ ⑤
13	① ② ③ ④ ⑤
14	① ② ③ ④ ⑤
15	① ② ③ ④ ⑤
16	① ② ③ ④ ⑤
17	① ② ③ ④ ⑤
18	① ② ③ ④ ⑤
19	① ② ③ ④ ⑤
20	① ② ③ ④ ⑤
21	① ② ③ ④ ⑤
22	① ② ③ ④ ⑤
23	① ② ③ ④ ⑤
24	① ② ③ ④ ⑤
25	① ② ③ ④ ⑤
26	① ② ③ ④ ⑤
27	① ② ③ ④ ⑤
28	① ② ③ ④ ⑤
29	① ② ③ ④ ⑤
30	① ② ③ ④ ⑤
31	① ② ③ ④ ⑤
32	① ② ③ ④ ⑤
33	① ② ③ ④ ⑤
34	① ② ③ ④ ⑤
35	① ② ③ ④ ⑤
36	① ② ③ ④ ⑤
37	① ② ③ ④ ⑤
38	① ② ③ ④ ⑤
39	① ② ③ ④ ⑤
40	① ② ③ ④ ⑤
41	① ② ③ ④ ⑤
42	① ② ③ ④ ⑤
43	① ② ③ ④ ⑤
44	① ② ③ ④ ⑤
45	① ② ③ ④ ⑤
46	① ② ③ ④ ⑤
47	① ② ③ ④ ⑤
48	① ② ③ ④ ⑤
49	① ② ③ ④ ⑤
50	① ② ③ ④ ⑤
51	① ② ③ ④ ⑤
52	① ② ③ ④ ⑤
53	① ② ③ ④ ⑤
54	① ② ③ ④ ⑤
55	① ② ③ ④ ⑤
56	① ② ③ ④ ⑤
57	① ② ③ ④ ⑤
58	① ② ③ ④ ⑤
59	① ② ③ ④ ⑤
60	① ② ③ ④ ⑤
61	① ② ③ ④ ⑤
62	① ② ③ ④ ⑤
63	① ② ③ ④ ⑤
64	① ② ③ ④ ⑤
65	① ② ③ ④ ⑤
66	① ② ③ ④ ⑤
67	① ② ③ ④ ⑤
68	① ② ③ ④ ⑤
69	① ② ③ ④ ⑤
70	① ② ③ ④ ⑤
71	① ② ③ ④ ⑤
72	① ② ③ ④ ⑤
73	① ② ③ ④ ⑤
74	① ② ③ ④ ⑤
75	① ② ③ ④ ⑤
76	① ② ③ ④ ⑤
77	① ② ③ ④ ⑤
78	① ② ③ ④ ⑤
79	① ② ③ ④ ⑤
80	① ② ③ ④ ⑤

TESAT
TEST OF ECONOMIC SENSE AND THINKING

성명
- 한글
- 한자

외국인은 영어로

수험번호

주민등록번호

직업
- ○ 대학(원)생
- ○ 회사원
- ○ 취업준비생
- ○ 자영업
- ○ 군인
- ○ 기타
- ○ 경상계열
- ○ 인문·사회계열
- ○ 자연계열
- ○ 공학계열
- ○ 예체능계열
- ○ 기타
- ○ 고등학생(고등학생의 경우 전공 학력 표시 안 함)

전공
- ○ 경상계열
- ○ 인문·사회계열
- ○ 자연계열
- ○ 공학계열
- ○ 예체능계열
- ○ 기타

학력
- ○ 대학재학(1, 2학년)
- ○ 대학재학(3, 4학년)
- ○ 대학졸업
- ○ 대학원졸업
- ○ 대학원졸업
- ○ 고등학교졸업
- ○ 기타

TESAT
TEST OF ECONOMIC SENSE AND THINKING

성명

한글	
한자	

외국인은 영어로

감독관 확인

성 명

* 왼쪽부터 차례로 마킹합니다.
* 이름이 다섯 자 이상인 경우 앞의 네 자만 기재합니다.
* 외국인은 입력하지 않아도 됩니다.

수 험 번 호

주 민 등 록 번 호

직 업

- ○ 대학(원)생
- ○ 회사원
- ○ 취업준비생
- ○ 자영업
- ○ 공무원
- ○ 군인
- ○ 기타
- ○ 고등학생(고등학생의 경우 전공 학력 표시 안 함)

전 공

- ○ 경상계열
- ○ 인문·사회계열
- ○ 자연계열
- ○ 공학계열
- ○ 예체능계열
- ○ 기타

학 력

- ○ 대학재학(1, 2학년)
- ○ 대학재학(3, 4학년)
- ○ 대학졸업
- ○ 대학원졸업
- ○ 고등학교졸업
- ○ 기타

〈유의사항 및 부정행위 처리규정〉

· 정답은 반드시 컴퓨터용 사인펜을 사용하여 "●"와 같이 까맣게 표기해야 합니다.

· 시험시간 관리의 책임은 전적으로 응시자 본인에게 있으며, 제한시간 경과 후 답을 작성할 경우 부정행위로 처리됩니다.

· 휴대폰 등 통신 장비를 소지할 경우 부정행위로 간주합니다.

· 부정행위 적발 시, 당해 시험은 정지 및 무효 처리되며 2년간 시험 응시할 수 없습니다.

* 서약내용을 반드시 확인하고 서명하십시오.

본인은 유의사항 및 부정행위 처리규정을 확인하였으며, 이를 어겼을 경우 이에 대한 불이익도 감수할 것을 서약합니다.

20 ___ 년 ___ 월 ___ 일

응시자: _____ (서명)

서 약

	①	②	③	④	⑤
1	①	②	③	④	⑤
2	①	②	③	④	⑤
3	①	②	③	④	⑤
4	①	②	③	④	⑤
5	①	②	③	④	⑤
6	①	②	③	④	⑤
7	①	②	③	④	⑤
8	①	②	③	④	⑤
9	①	②	③	④	⑤
10	①	②	③	④	⑤
11	①	②	③	④	⑤
12	①	②	③	④	⑤
13	①	②	③	④	⑤
14	①	②	③	④	⑤
15	①	②	③	④	⑤
16	①	②	③	④	⑤

	①	②	③	④	⑤
17	①	②	③	④	⑤
18	①	②	③	④	⑤
19	①	②	③	④	⑤
20	①	②	③	④	⑤
21	①	②	③	④	⑤
22	①	②	③	④	⑤
23	①	②	③	④	⑤
24	①	②	③	④	⑤
25	①	②	③	④	⑤
26	①	②	③	④	⑤
27	①	②	③	④	⑤
28	①	②	③	④	⑤
29	①	②	③	④	⑤
30	①	②	③	④	⑤
31	①	②	③	④	⑤
32	①	②	③	④	⑤

	①	②	③	④	⑤
33	①	②	③	④	⑤
34	①	②	③	④	⑤
35	①	②	③	④	⑤
36	①	②	③	④	⑤
37	①	②	③	④	⑤
38	①	②	③	④	⑤
39	①	②	③	④	⑤
40	①	②	③	④	⑤
41	①	②	③	④	⑤
42	①	②	③	④	⑤
43	①	②	③	④	⑤
44	①	②	③	④	⑤
45	①	②	③	④	⑤
46	①	②	③	④	⑤
47	①	②	③	④	⑤
48	①	②	③	④	⑤

	①	②	③	④	⑤
49	①	②	③	④	⑤
50	①	②	③	④	⑤
51	①	②	③	④	⑤
52	①	②	③	④	⑤
53	①	②	③	④	⑤
54	①	②	③	④	⑤
55	①	②	③	④	⑤
56	①	②	③	④	⑤
57	①	②	③	④	⑤
58	①	②	③	④	⑤
59	①	②	③	④	⑤
60	①	②	③	④	⑤
61	①	②	③	④	⑤
62	①	②	③	④	⑤
63	①	②	③	④	⑤
64	①	②	③	④	⑤

	①	②	③	④	⑤
65	①	②	③	④	⑤
66	①	②	③	④	⑤
67	①	②	③	④	⑤
68	①	②	③	④	⑤
69	①	②	③	④	⑤
70	①	②	③	④	⑤
71	①	②	③	④	⑤
72	①	②	③	④	⑤
73	①	②	③	④	⑤
74	①	②	③	④	⑤
75	①	②	③	④	⑤
76	①	②	③	④	⑤
77	①	②	③	④	⑤
78	①	②	③	④	⑤
79	①	②	③	④	⑤
80	①	②	③	④	⑤

TESAT
TEST OF ECONOMIC SENSE AND THINKING

성명	한글	
	한자	
	영문	외국인은 영어로

감독관 확인인

수험번호

⑩	⑩	⑩	⑩	—	⑩	⑩	⑩	⑩	⑩	⑩	⑩
①	①	①	①		①	①	①	①	①	①	①
②	②	②	②		②	②	②	②	②	②	②
③	③	③	③		③	③	③	③	③	③	③
④	④	④	④		④	④	④	④	④	④	④
⑤	⑤	⑤	⑤		⑤	⑤	⑤	⑤	⑤	⑤	⑤
⑥	⑥	⑥	⑥		⑥	⑥	⑥	⑥	⑥	⑥	⑥
⑦	⑦	⑦	⑦		⑦	⑦	⑦	⑦	⑦	⑦	⑦
⑧	⑧	⑧	⑧		⑧	⑧	⑧	⑧	⑧	⑧	⑧
⑨	⑨	⑨	⑨		⑨	⑨	⑨	⑨	⑨	⑨	⑨

주민등록번호

							—						
⑩	⑩	⑩	⑩	⑩	⑩		⑩	⑩	⑩	⑩	⑩	⑩	⑩
①	①	①	①	①	①		①	①	①	①	①	①	①
②	②	②	②	②	②		②	②	②	②	②	②	②
③	③	③	③	③	③		③	③	③	③	③	③	③
④	④	④	④	④	④		④	④	④	④	④	④	④
⑤	⑤	⑤	⑤	⑤	⑤		⑤	⑤	⑤	⑤	⑤	⑤	⑤
⑥	⑥	⑥	⑥	⑥	⑥		⑥	⑥	⑥	⑥	⑥	⑥	⑥
⑦	⑦	⑦	⑦	⑦	⑦		⑦	⑦	⑦	⑦	⑦	⑦	⑦
⑧	⑧	⑧	⑧	⑧	⑧		⑧	⑧	⑧	⑧	⑧	⑧	⑧
⑨	⑨	⑨	⑨	⑨	⑨		⑨	⑨	⑨	⑨	⑨	⑨	⑨

직업

- ○ 대학(원)생
- ○ 회사원
- ○ 취업준비생
- ○ 자영업
- ○ 군인
- ○ 기타
- ○ 고등학생(고등학생의 경우 전공 학력 표시 안 함)

전공

- ○ 경상계열
- ○ 인문·사회계열
- ○ 자연계열
- ○ 공학계열
- ○ 예체능계열
- ○ 기타

학력

- ○ 대학재학(1, 2학년)
- ○ 대학재학(3, 4학년)
- ○ 대학졸업
- ○ 대학원졸업
- ○ 대학원졸업
- ○ 고등학교졸업
- ○ 기타

성명
* 왼쪽부터 차례로 마킹합니다.
* 이름이 다섯 자 이상인 경우 앞의 네 자만 기재합니다.
* 외국인은 입력하지 않아도 됩니다.

㉠	㉡	㉢	㉣	㉤	㉥	㉦	㉧	㉨	㉩

(성명 마킹표 - 한글 자모 기재란)

국가공인 1호 경제이해력 검증시험
에듀윌 TESAT 기출문제

1	①	②	③	④	⑤
2	①	②	③	④	⑤
3	①	②	③	④	⑤
4	①	②	③	④	⑤
5	①	②	③	④	⑤
6	①	②	③	④	⑤
7	①	②	③	④	⑤
8	①	②	③	④	⑤
9	①	②	③	④	⑤
10	①	②	③	④	⑤
11	①	②	③	④	⑤
12	①	②	③	④	⑤
13	①	②	③	④	⑤
14	①	②	③	④	⑤
15	①	②	③	④	⑤
16	①	②	③	④	⑤

17	①	②	③	④	⑤
18	①	②	③	④	⑤
19	①	②	③	④	⑤
20	①	②	③	④	⑤
21	①	②	③	④	⑤
22	①	②	③	④	⑤
23	①	②	③	④	⑤
24	①	②	③	④	⑤
25	①	②	③	④	⑤
26	①	②	③	④	⑤
27	①	②	③	④	⑤
28	①	②	③	④	⑤
29	①	②	③	④	⑤
30	①	②	③	④	⑤
31	①	②	③	④	⑤
32	①	②	③	④	⑤

33	①	②	③	④	⑤
34	①	②	③	④	⑤
35	①	②	③	④	⑤
36	①	②	③	④	⑤
37	①	②	③	④	⑤
38	①	②	③	④	⑤
39	①	②	③	④	⑤
40	①	②	③	④	⑤
41	①	②	③	④	⑤
42	①	②	③	④	⑤
43	①	②	③	④	⑤
44	①	②	③	④	⑤
45	①	②	③	④	⑤
46	①	②	③	④	⑤
47	①	②	③	④	⑤
48	①	②	③	④	⑤

49	①	②	③	④	⑤
50	①	②	③	④	⑤
51	①	②	③	④	⑤
52	①	②	③	④	⑤
53	①	②	③	④	⑤
54	①	②	③	④	⑤
55	①	②	③	④	⑤
56	①	②	③	④	⑤
57	①	②	③	④	⑤
58	①	②	③	④	⑤
59	①	②	③	④	⑤
60	①	②	③	④	⑤
61	①	②	③	④	⑤
62	①	②	③	④	⑤
63	①	②	③	④	⑤
64	①	②	③	④	⑤

65	①	②	③	④	⑤
66	①	②	③	④	⑤
67	①	②	③	④	⑤
68	①	②	③	④	⑤
69	①	②	③	④	⑤
70	①	②	③	④	⑤
71	①	②	③	④	⑤
72	①	②	③	④	⑤
73	①	②	③	④	⑤
74	①	②	③	④	⑤
75	①	②	③	④	⑤
76	①	②	③	④	⑤
77	①	②	③	④	⑤
78	①	②	③	④	⑤
79	①	②	③	④	⑤
80	①	②	③	④	⑤

성명 (학글 / 한자)

외국인은 영어로

감독관 확인

수 험 번 호

주 민 등 록 번 호

성 명

* 왼쪽부터 차례로 마킹합니다.
* 이름이 다섯 자 이상인 경우 앞의 네 자만 기재합니다.
* 외국인은 입력하지 않아도 됩니다.

직 업
- ○ 대학(원)생
- ○ 회사원
- ○ 취업준비생
- ○ 자영업
- ○ 군인
- ○ 기타
- ○ 고등학생(고등학생의 경우 전공 학력 표시 안 함)

전 공
- ○ 경상계열
- ○ 인문 · 사회계열
- ○ 자연계열
- ○ 공학계열
- ○ 예체능계열
- ○ 기타

학 력
- ○ 대학재학(1, 2학년)
- ○ 대학재학(3, 4학년)
- ○ 대학졸업
- ○ 대학원졸업
- ○ 고등학교졸업
- ○ 기타

* 서약내용을 반드시 확인하고 서명하십시오.

본인은 유의사항 및 부정행위 처리규정을 확인하였으며, 이를 어겼을 경우 어떠한 불이익도 감수할 것을 서약합니다.

20 ____ 년 ____ 월 ____ 일

응시자: _____ (서명)

서 약

문항	선택지		문항	선택지		문항	선택지		문항	선택지		문항	선택지
1	① ② ③ ④ ⑤		17	① ② ③ ④ ⑤		33	① ② ③ ④ ⑤		49	① ② ③ ④ ⑤		65	① ② ③ ④ ⑤
2	① ② ③ ④ ⑤		18	① ② ③ ④ ⑤		34	① ② ③ ④ ⑤		50	① ② ③ ④ ⑤		66	① ② ③ ④ ⑤
3	① ② ③ ④ ⑤		19	① ② ③ ④ ⑤		35	① ② ③ ④ ⑤		51	① ② ③ ④ ⑤		67	① ② ③ ④ ⑤
4	① ② ③ ④ ⑤		20	① ② ③ ④ ⑤		36	① ② ③ ④ ⑤		52	① ② ③ ④ ⑤		68	① ② ③ ④ ⑤
5	① ② ③ ④ ⑤		21	① ② ③ ④ ⑤		37	① ② ③ ④ ⑤		53	① ② ③ ④ ⑤		69	① ② ③ ④ ⑤
6	① ② ③ ④ ⑤		22	① ② ③ ④ ⑤		38	① ② ③ ④ ⑤		54	① ② ③ ④ ⑤		70	① ② ③ ④ ⑤
7	① ② ③ ④ ⑤		23	① ② ③ ④ ⑤		39	① ② ③ ④ ⑤		55	① ② ③ ④ ⑤		71	① ② ③ ④ ⑤
8	① ② ③ ④ ⑤		24	① ② ③ ④ ⑤		40	① ② ③ ④ ⑤		56	① ② ③ ④ ⑤		72	① ② ③ ④ ⑤
9	① ② ③ ④ ⑤		25	① ② ③ ④ ⑤		41	① ② ③ ④ ⑤		57	① ② ③ ④ ⑤		73	① ② ③ ④ ⑤
10	① ② ③ ④ ⑤		26	① ② ③ ④ ⑤		42	① ② ③ ④ ⑤		58	① ② ③ ④ ⑤		74	① ② ③ ④ ⑤
11	① ② ③ ④ ⑤		27	① ② ③ ④ ⑤		43	① ② ③ ④ ⑤		59	① ② ③ ④ ⑤		75	① ② ③ ④ ⑤
12	① ② ③ ④ ⑤		28	① ② ③ ④ ⑤		44	① ② ③ ④ ⑤		60	① ② ③ ④ ⑤		76	① ② ③ ④ ⑤
13	① ② ③ ④ ⑤		29	① ② ③ ④ ⑤		45	① ② ③ ④ ⑤		61	① ② ③ ④ ⑤		77	① ② ③ ④ ⑤
14	① ② ③ ④ ⑤		30	① ② ③ ④ ⑤		46	① ② ③ ④ ⑤		62	① ② ③ ④ ⑤		78	① ② ③ ④ ⑤
15	① ② ③ ④ ⑤		31	① ② ③ ④ ⑤		47	① ② ③ ④ ⑤		63	① ② ③ ④ ⑤		79	① ② ③ ④ ⑤
16	① ② ③ ④ ⑤		32	① ② ③ ④ ⑤		48	① ② ③ ④ ⑤		64	① ② ③ ④ ⑤		80	① ② ③ ④ ⑤

성명

한글	
한자	

외국인은 영어로

감독관 확인

수험번호

주민등록번호

0 0 0	0 0 0 0
1 1 1	1 1 1 1
2 2 2	2 2 2 2
3 3 3	3 3 3 3
4 4 4	4 4 4 4
5 5 5	5 5 5 5
6 6 6	6 6 6 6
7 7 7	7 7 7 7
8 8 8	8 8 8 8
9 9 9	9 9 9 9

직업

- ○ 대학(원)생
- ○ 회사원
- ○ 취업준비생
- ○ 자영업
- ○ 군인
- ○ 기타

전공

- ○ 경상계열
- ○ 인문·사회계열
- ○ 자연계열
- ○ 공학계열
- ○ 예체능계열
- ○ 기타

학력

- ○ 대학재학(1, 2학년)
- ○ 대학재학(3, 4학년)
- ○ 대학졸업
- ○ 대학원졸업
- ○ 고등학교졸업
- ○ 기타

성명

* 왼쪽부터 차례로 마킹합니다.
* 이름이 다섯 자 이상인 경우 앞의 네 자만 기재합니다.
* 외국인은 영어로 작성해도 됩니다.

* 서약내용을 반드시 확인하고 서명하십시오.

본인은 유의사항 및 부정행위 처리규정을 확인하였으며, 이를 어겼을 경우 어떠한 불이익도 감수할 것을 서약합니다.

20 ___ 년 ___ 월 ___ 일   응시자: _____ (서명)

서약

국가공인 1등 경제이해력 검증시험
에듀윌 TESAT 기출문제

1	① ② ③ ④ ⑤
2	① ② ③ ④ ⑤
3	① ② ③ ④ ⑤
4	① ② ③ ④ ⑤
5	① ② ③ ④ ⑤
6	① ② ③ ④ ⑤
7	① ② ③ ④ ⑤
8	① ② ③ ④ ⑤
9	① ② ③ ④ ⑤
10	① ② ③ ④ ⑤
11	① ② ③ ④ ⑤
12	① ② ③ ④ ⑤
13	① ② ③ ④ ⑤
14	① ② ③ ④ ⑤
15	① ② ③ ④ ⑤
16	① ② ③ ④ ⑤

17	① ② ③ ④ ⑤
18	① ② ③ ④ ⑤
19	① ② ③ ④ ⑤
20	① ② ③ ④ ⑤
21	① ② ③ ④ ⑤
22	① ② ③ ④ ⑤
23	① ② ③ ④ ⑤
24	① ② ③ ④ ⑤
25	① ② ③ ④ ⑤
26	① ② ③ ④ ⑤
27	① ② ③ ④ ⑤
28	① ② ③ ④ ⑤
29	① ② ③ ④ ⑤
30	① ② ③ ④ ⑤
31	① ② ③ ④ ⑤
32	① ② ③ ④ ⑤

33	① ② ③ ④ ⑤
34	① ② ③ ④ ⑤
35	① ② ③ ④ ⑤
36	① ② ③ ④ ⑤
37	① ② ③ ④ ⑤
38	① ② ③ ④ ⑤
39	① ② ③ ④ ⑤
40	① ② ③ ④ ⑤
41	① ② ③ ④ ⑤
42	① ② ③ ④ ⑤
43	① ② ③ ④ ⑤
44	① ② ③ ④ ⑤
45	① ② ③ ④ ⑤
46	① ② ③ ④ ⑤
47	① ② ③ ④ ⑤
48	① ② ③ ④ ⑤

49	① ② ③ ④ ⑤
50	① ② ③ ④ ⑤
51	① ② ③ ④ ⑤
52	① ② ③ ④ ⑤
53	① ② ③ ④ ⑤
54	① ② ③ ④ ⑤
55	① ② ③ ④ ⑤
56	① ② ③ ④ ⑤
57	① ② ③ ④ ⑤
58	① ② ③ ④ ⑤
59	① ② ③ ④ ⑤
60	① ② ③ ④ ⑤
61	① ② ③ ④ ⑤
62	① ② ③ ④ ⑤
63	① ② ③ ④ ⑤
64	① ② ③ ④ ⑤

65	① ② ③ ④ ⑤
66	① ② ③ ④ ⑤
67	① ② ③ ④ ⑤
68	① ② ③ ④ ⑤
69	① ② ③ ④ ⑤
70	① ② ③ ④ ⑤
71	① ② ③ ④ ⑤
72	① ② ③ ④ ⑤
73	① ② ③ ④ ⑤
74	① ② ③ ④ ⑤
75	① ② ③ ④ ⑤
76	① ② ③ ④ ⑤
77	① ② ③ ④ ⑤
78	① ② ③ ④ ⑤
79	① ② ③ ④ ⑤
80	① ② ③ ④ ⑤

eduwill

2024 에듀윌 TESAT 8회분 기출문제집

발 행 일	2024년 5월 20일 초판
편 저 자	조시현, 고병규
펴 낸 이	양형남
개 발	정상욱, 조희진
펴 낸 곳	(주)에듀윌
등 록 번 호	제25100–2002–000052호
주 소	08378 서울특별시 구로구 디지털로34길 55
	코오롱싸이언스밸리 2차 3층

www.eduwill.net

대표전화 1600-6700

여러분의 작은 소리
에듀윌은 크게 듣겠습니다.

본 교재에 대한 여러분의 목소리를 들려주세요.
공부하시면서 어려웠던 점, 궁금한 점.
칭찬하고 싶은 점, 개선할 점, 어떤 것이라도 좋습니다.

에듀윌은 여러분께서 나누어 주신 의견을
통해 끊임없이 발전하고 있습니다.

에듀윌 도서몰 book.eduwill.net
- 부가학습자료 및 정오표: 에듀윌 도서몰 → 도서자료실
- 교재 문의: 에듀윌 도서몰 → 문의하기 → 교재(내용, 출간) / 주문 및 배송

에듀윌 한경TESAT
5년 연속 1위

금융·경제분야 필수 스펙 한경TESAT!
1위 에듀윌에서 시작해야 할 이유가 충분합니다

78개월, 690회
베스트셀러 1위 달성

합격생이 말하는 단기 고득점의 1등 공신!
제대로 만든 교재라면 합격이 빨라집니다

에듀윌 TESAT 한권끝장

에듀윌 TESAT 영역별 600제
(기출문제 208제 포함)

에듀윌 TESAT 8회분 기출문제집
(+해설특강)

2024 최신판

에듀윌 TESAT
8회분 기출문제집
+해설특강

정답 및 해설

2024 최신판

에듀윌 TESAT
8회분 기출문제집
+해설특강

2024 최신판

에듀윌 TESAT
8회분 기출문제집
+해설특강

정답 및 해설

정답 및 해설

경제이론

1	④	2	①	3	④	4	④	5	⑤
6	①	7	②	8	③	9	④	10	⑤
11	②	12	③	13	①	14	①	15	③
16	②	17	⑤	18	①	19	⑤	20	⑤
21	④	22	②	23	②	24	③	25	③
26	④	27	⑤	28	①	29	④	30	③

시사경제 · 경영

31	①	32	④	33	④	34	①	35	②
36	②	37	②	38	①	39	⑤	40	②
41	⑤	42	⑤	43	②	44	④	45	②
46	⑤	47	③	48	⑤	49	③	50	①
51	②	52	③	53	③	54	②	55	③
56	④	57	④	58	①	59	④	60	①

상황추론 · 판단

61	③	62	①	63	②	64	⑤	65	①
66	③	67	①	68	⑤	69	⑤	70	③
71	④	72	①	73	⑤	74	③	75	④
76	②	77	④	78	②	79		80	②

경제이론

1. 정답 ④

| **해설** | 기회비용이란 어떤 선택을 함에 따라 포기해야 하는 여러 다른 대안 중 가장 가치가 큰 것을 말한다.

2. 정답 ①

| **해설** | 법정지급준비율을 올리면 통화승수가 감소하고 통화량이 감소한다.

| **오답피하기** | ②⑤ 부족한 지급준비금을 마련하기 위해 콜거래 시장에서 자금을 차입할 것이고 이 과정에서 콜금리는 상승 압력을 받는다.
③ 은행이 보유해야 하는 금액이 늘어나므로 신용창출 여력이 줄어든다.
④ 부족한 지급준비금을 채우기 위해 중앙은행으로부터 차입을 늘린다.

통화정책의 수단

긴축	확장
기준금리 ↑	기준금리 ↓
지급준비율 ↑	지급준비율 ↓
재할인율 ↑	재할인율 ↓
통화안정 증권 매각	통화안정 증권 매입

3. 정답 ④

| **해설** | 기업이 생산한 상품에 조세를 부과하면, 공급곡선이 조세 부과분만큼 왼쪽으로 이동하여 가격은 상승하고 거래량은 감소한다. 이때 조세 부담의 비율과 후생 손실의 크기는 탄력성에 따라 달라진다. 공급의 가격탄력성이 클수록 공급자의 세금 부담이 적고, 수요의 가격탄력성이 클수록 공급자는 세금을 더 많이 부담한다.

조세 부과의 효과

4. 정답 ④

| **해설** | 해외 자본의 유입은 국내 자본을 늘릴 수 있으므로 장기적 경제성장의 원인이 될 수 있다.

| **오답피하기** | ① 연구개발 활동의 장려는 기술을 발전시킨다.
② 재산권에 대한 위협요소를 낮추면 안정적인 경제활동이 따른다.
③ 교육은 인적자본을 늘리는 원인이 된다.
⑤ 국민건강증진은 노동의 질을 향상시켜 인적자본을 늘린다.

장기적 경제성장

5. 정답 ⑤

| 해설 | 수요의 가격탄력성이 다른 자국과 외국에서 가격을 다르게 책정하고 있으므로 가격차별을 실시하고 있다.

| 오답피하기 | ① 락인(Lock-in)효과(잠금효과): 기술 자체는 비효율적일지라도 전환 비용이 커서 계속해서 사용되는 현상을 말한다.
② 네트워크효과: 독립적인 개인의 재화나 서비스에 대한 수요가 그 재화나 서비스를 사용하는 사람의 수에 영향을 받는 것을 말한다. 소비자의 수가 증가할수록 재화나 서비스의 수요가 증가하였다면 양(+)의 네트워크효과가 있다고 말한다.
③ 범위의 경제: 다양한 품목을 생산했을 때 생산의 시너지가 나는 현상을 말한다.
④ 파레토 효율: 어떤 분배 상태에서 다른 분배 상태로 이동할 때 파레토 개선이 불가능할 상태를 말한다.

6. 정답 ①

| 해설 | ㄱ. 미국 기업이 한국에서 자동차를 생산했으므로 한국의 GDP에 포함된다.
ㄴ. 미국인이 한국에 체류하면서 근무했으므로 한국의 GDP에 포함된다.

| 오답피하기 | ㄷ. 한국 기업이 미국에서 반도체를 생산했으므로 미국의 GDP에 포함된다.
ㄹ. 한국인이 미국에 체류하면서 근무했으므로 미국의 GDP에 포함된다.

7. 정답 ②

| 해설 | 경기 변동은 거시경제학의 연구 분야이다.

8. 정답 ③

| 해설 | 저축의 증가는 소비를 감소시켜 총수요곡선을 좌측으로 이동시킨다.

관련 개념 짚어보기

저축의 역설(절약의 역설)

구성의 오류(Fallacy of Composition) 또는 합성의 오류의 대표적 예이다. 구성의 오류는 부분이 지니고 있는 속성이 전체에는 나타나지 않는 경우를 말한다. 개개인에게 절약과 저축은 미덕이지만 모두가 저축을 할 경우 소비가 위축되어 경기가 침체되기 때문이다.

9. 정답 ④

| 해설 | 공공재는 비용을 지불하지 않아도 이용할 수 있기 때문에 시장에서 생산되지 않거나 과소공급된다.

| 오답피하기 | ① A는 C와 달리 배제성이 있으므로 가격을 지불해야 소비할 수 있다.
② B는 경합성은 없으나 배제성이 있는 재화로, 막히지 않는 유료도로, 케이블 TV 등이 이에 해당한다.
③ C는 배제성이 없으나 경합성이 있는 재화이다. 공공 목초지는 배제성이 없으나 경합성은 있어 고갈되기 쉽다. 이를 공유지의 비극이라고 한다.
⑤ D는 배제성이 없으므로 무임승차 문제가 발생할 수 있다.

관련 개념 짚어보기

재화의 구분

구분		경합성	
		있음	없음
배제성	있음	• 사적재 • 아이스크림 • 옷	• 클럽재 • 케이블 TV • 유료 고속도로
	없음	• 공유자원 • 환경 • 바닷속의 물고기 • 공유지의 비극	• 공공재 • 국방서비스

10. 정답 ⑤

| 해설 | 화폐의 중립성이 성립하면 명목변수의 변화가 소비자들의 구매 결정에 큰 영향을 미치지 않는다.

| 오답피하기 | ①②③④ 통화량의 변화가 소비자들의 구매 결정에 영향을 준 경우이다.

관련 개념 짚어보기

화폐의 중립성

장기에는 통화량이 증가하더라도 실질GDP, 실질이자율 등 실질변수에는 영향을 미치지 못한다는 고전학파의 주장을 말한다.

11. 정답 ②

| 해설 | 공유지의 비극은 부정적 외부성이 나타난 현상이다. 외부성을 내부화하는 방식에는 국유화, 공동관리, 소유권 부여 등이 있다. 이 중 시장경제 측면에서의 방식은 코즈의 정리에 따른 재산권을 부여하는 방식이다.

| 오답피하기 | ① 횡재세(Windfall Tax): 초과이윤세라고도 하며, 통상적인 기준 이상의 이익을 얻은 법인이나 자연인에 대하여 그 초과분에 보통소득세나 법인세 외에 추가적으로 징수하는 세금이다.
④ 리니언시(Leniency): 관용, 관대, 자비를 의미하며, 자진 신고자 감면제라고도 한다. 담합 행위를 한 기업들이 자백을 유도하도록 만든 제도로, 자진 신고 시 과징금을 감면해주는 제도이다.

관련 개념 짚어보기

공유지의 비극

공유지는 집단 전체에게 이익을 주지만, 각 개인이 자신의 이익을 과도하게 추구할 경우 고갈되는 자원이다. 공유지는 공급이 무제한이 아니므로 보충할 수 있는 양보다 많이 사용되면 부족해지거나 사용 자체가 불가능해질 수 있다. 이를 공유지의 비극이라고 한다.

코즈의 정리(Coase's Theorem)

거래비용과 재산권(Property Right)의 개념으로 정부의 개입 없이 외부효과(Externality)를 해결할 수 있음을 밝혀낸 이론이다. Ronald H. Coase는 거래비용이 낮은 상태에서 적절한 재산권만 부여되어 있다면 시장 거래에 의해 외부성의 문제가 해결됨을 주장하였다. 탄소배출권 거래시장은 코즈의 정리가 국제적으로 사용되는 사례로 볼 수 있다.

12. 정답 ③

| 해설 | 가격 수용자는 완전경쟁시장과 관련이 있다.

| 오답피하기 | ①②④⑤ 독점적 경쟁시장의 기업들은 상표, 품질, 디자인 등에서 차별화된 상품을 생산하므로 어느 정도의 시장 지배력을 가진다. 이들은 가급적 가격경쟁은 하지 않으며, 광고, 판매 조건 등의 비가격경쟁이 치열하게 나타난다. 진입과 퇴출이 자유로우므로 장기에 초과이윤은 발생하지 않는다.

13. 정답 ①

| 해설 | 물가안정목표제는 한국은행이 채택하고 있는 통화정책 운영체제로서 통화량 등의 중간목표를 두지 않고 정책의 최종 목표인 물가상승률 자체를 목표로 설정하고 중기적 시계(3년)에서 이를 달성하려 하는 통화정책 운영방식이다.

| 오답피하기 | ③ 운용목표변수는 콜금리이다.
④ 단기가 아니라 중기적 목표(3년)를 지향한다.
⑤ 한국은행은 한국은행법 제6조 제1항에 의거해 정부와 협의하여 물가안정목표를 설정하고 있다.

14. 정답 ①

| 해설 | ·A: 경제구조의 변화로 인해 노동수요 구조가 변화함에 따라 발생하는 실업을 구조적 실업이라고 한다. 구조적 실업은 비자발적 실업에 해당한다.
·B: 노동시장에서 노동자와 일자리의 연결이 즉각적으로 이루어지지 못하기 때문에 발생하는 실업을 마찰적 실업이라고 한다. 마찰적 실업은 자발적 실업에 해당한다.

| 오답피하기 | ③ 경기 변동 과정에서 발생하는 실업을 경기적 실업이라고 한다. 건설 경기에 따라 일용직 노동자의 고용이 변하는 현상을 예로 들 수 있다.

15. 정답 ③

| 해설 | 소비자잉여란 지불할 용의가 있는 최대 금액과 실제 지불한 금액의 차이를 말한다.
어떤 이의 지불용의와 소비자잉여를 나타내면 다음과 같다.

피자	1판	2판	3판	4판
지불용의	10,000원	7,000원	4,000원	2,000원
피자 가격	5,000원	5,000원	5,000원	5,000원
소비자잉여	5,000원	2,000원	소비하지 않음	소비하지 않음

이 사람의 총 소비자잉여는 7,000원(= 5,000원 + 2,000원)이다.

16. 정답 ②

| 해설 | 피셔효과에 따르면 '명목이자율 = 인플레이션율 + 실질이자율'이다.

구분	명목이자율	인플레이션율	실질이자율
①	3	4	-1
②	1	0	1
③	2	5	-3
④	1	3	-2
⑤	0	2	-2

실물 투자에 영향을 주는 것은 실질이자율이다. 따라서 실질이자율이 가장 높은 ②번의 경우가 실물 투자에 가장 좋지 않은 조합이다.

17. 정답 ⑤

| 해설 | ㄷ. X재 1개와 Y재 2개를 구입할 때의 총만족감은 540으로 가장 크므로 이는 합리적 선택이다.
ㄹ. 갑의 용돈이 6달러로 감소한다면 X재 1개와 Y재 1개를 구입할 때의 총만족감은 380으로 가장 크므로 이는 합리적 선택이다.

| 오답피하기 | ㄱ. X재만 구입할 때의 총만족감은 450, Y재만 구입할 때의 총만족감은 480이다.
ㄴ. X재 1개를 추가 소비함에 따라 얻는 만족감은 체감한다.

18. 정답 ①

| 해설 | 도덕적 해이란 정보 비대칭 상황에서 정보를 적게 가진 자가 행동을 감추고 이기적인 행위를 하는 현상을 말한다. 보험 가입 후 운전에 주의를 기울이지 않게 된 것을 예로 들 수 있다.

| 오답피하기 | ② 플라시보효과: 질병 자체에 영향이 없는 위약을 마치 유효한 성분이 있는 것처럼 위장하여 환자에게 투여하였을 때 병세가 호전되는 현상을 말한다.
③ 분수효과: 낙수효과에 대비되는 개념으로, 중산층 또는 저소득층의 세금을 줄여주거나 복지를 늘려주면 이들의 소비지출이 늘어나 경제가 활성화되고 궁극적으로는 고소득층의 소득 역시 늘어날 수 있다는 이론이다.
④ 테일러 준칙: 미국 경제학자인 존 테일러(John Taylor)가 제안한 금리준칙으로, 실제 물가상승률과 목표 물가상승률과의 차이인 인플레이션갭과 실제 경제성장률과 잠재 경제성장률의 차이인 GDP갭에 가중치를 부여해 적정 정책금리(준칙금리)를 산출하는 것을 말한다.
⑤ 피터팬 증후군: 육체적으로는 이미 성숙해 어른이 됐지만 여전히 어린이로 남아 있기를 바라는 심리를 말한다. 경제학에서는 중소기업이 중견기업으로 성장할 때 중소기업으로서 받았던 여러 가지 정부의 지원이나 혜택을 받지 못하게 될까 봐 중견기업으로 탈바꿈하는 것을 꺼리는 현상을 말한다.

19. 정답 ⑤

| 해설 | 기업이 재화 생산에 필요한 모든 시장거래를 기업 내에 내부화하는 것이 가장 효율적인 것은 아니다. 아웃소싱의 경우처럼 내부화하지 않는 것이 효율적인 경우가 존재한다.

20. 정답 ⑤

| 해설 | 필립스곡선이 (가)일 때 중앙은행이 통화량을 늘리면, 단기적으로 곡선은 왼쪽으로 이동한다.

관련 개념 짚어보기

필립스곡선

필립스곡선은 물가상승률과 실업률 간의 상충관계를 나타낸다.

21. 정답 ④

| 해설 | 경제활동참가율은 생산가능인구 중 경제활동인구가 차지하는 비율이다. 즉, 경제활동참가율은 (경제활동인구/생산가능인구)×100으로 구할 수 있다.
A국의 경제활동참가율은 (3,000명/4,000명)×100 = 75%이다.

22. 정답 ②

| 해설 | 초과공급이 존재하면 가격이 하락하면서 시장이 균형상태에 수렴하게 된다.

23. 정답 ②

| 해설 | 솔로우 성장모형에서 GDP의 성장률은 자본과 노동, 기술을 고려하여 결정된다.
1인당 산출량과 1인당 자본의 성장률이 기술진보율과 같아지는 상태는 경제성장 과정이 아니라 균제 상태에서이다.

관련 개념 짚어보기

솔로우 성장모형

경제성장의 요인을 지속적인 기술진보로 설명하는 신고전학파의 대표적인 경제성장이론으로, 기술진보를 모형 내에서 설명하지 못하고 외부적으로 주어진 것으로 가정하였기 때문에 외생적 성장모형이라고도 한다.

24. 정답 ③

| 해설 | 가격상한이 없을 때의 소비자잉여는 A + B + E, 생산자잉여는 C + D + F이다. 가격상한제가 설정되면 소비자잉여는 A + B + C, 생산자잉여는 D가 된다. 따라서 E + F가 자중손실이 된다.

25. 정답 ③

| 해설 | 내국인의 해외여행 수요 증가는 달러화의 수요 증가 요인으로 환율 상승 요인이다.

| 오답피하기 | ① 한국은행의 기준금리 인상은 달러화의 공급 증가 요인이다.
④ 정부의 외환시장 개입으로 달러 매도는 달러화의 공급 증가 요인이다.
⑤ 외국인 주식투자 자금의 국내 유입 증가는 달러화의 공급 증가 요인이다.

26. 정답 ④

| 해설 | 경제문제가 발생하는 가장 근본적인 이유는 자원의 희소성 때문이다. 자원의 희소성은 인간의 무한한 욕망에 비해 자원이 유한하다는 것을 의미한다.

27. 정답 ⑤

| 해설 | 총공급이 총수요보다 많으므로 (라)에 해당하는 경제 정책은 확장적 총수요 정책이다.
정부의 재정 흑자규모 확대는 긴축적 재정 정책에 해당한다.

28. 정답 ①

| 해설 | 제시문은 비교우위를 통한 자유무역의 이익을 설명하고 있다.

| 오답피하기 | ② 매몰비용: 이미 지출이 이루어져 다시 회수가 불가능한 비용을 말한다.
③ 2080법칙: 파레토 법칙이라고도 하며, 상위 20%가 전체의 80%를 차지하는 것을 말한다.
④ 피셔효과: 명목금리가 실질금리와 기대인플레이션율의 합과 같다는 미국의 경제학자 어빙 피셔가 발표한 이론이다.
⑤ 코즈의 정리(Coase's Theorem): 거래비용과 재산권(Property Right)의 개념으로 정부의 개입 없이 외부효과(Externality)를 해결할 수 있음을 밝혀낸 이론이다. Coase는 거래비용이 낮은 상태에서 적절한 재산권만 부여되어 있다면 시장 거래에 의해 외부성의 문제가 해결됨을 주장하였다.

29. 정답 ②

| 해설 | Y = C + I + G + X − M에서 해외 직구 수입 증가는 M을 증가시키므로 이는 총수요 감소 요인이다.

| 오답피하기 | ① 기업의 투자 증가는 I를 증가시킨다.
③ 정부의 재정지출 증가는 G를 증가시킨다.
④ 가계의 소비지출 증가는 C를 증가시킨다.
⑤ 중앙은행의 기준금리 인하는 통화량을 증가시켜 총수요를 증가시키는 요인이 된다.

30. 정답 ③

| 해설 | (가) 구간에서 가격이 상승할 때 수요량이 증가하므로 절대값을 기준으로 소득효과가 대체효과보다 크다.

| 오답피하기 | ① (가) 구간에서는 가격이 상승할 때 수요량(Q)이 늘어나므로 수요의 법칙이 성립하지 않는다.
② (가) 구간에서 가격이 상승할 때 대체효과에 따른 수요량의 변화는 음수(-)이다.
④ (나) 구간에서 가격이 상승할 때 대체효과에 따른 수요량의 변화는 음수(-)이다.
⑤ (나) 구간에서 가격이 상승할 때 수요량이 감소하므로 절대값을 기준으로 대체효과가 소득효과보다 크다.

시사경제 · 경영

31. 정답 ①

| 해설 | 페트로 달러는 미국 달러화로 표시된 원유 수출 금액을 말한다. 석유는 오직 달러화로만 거래되기 때문에 이런 표현을 사용하게 되었다.

관련 개념 짚어보기

플라자 합의

1985년 9월 22일 미국, 영국, 프랑스, 서독, 일본의 5개국 재무장관, 중앙은행총재가 뉴욕 플라자호텔에 모여 미 달러를 일본 엔과 독일 마르크에 대해 절하하기로 한 합의이다. 레이건 행정부의 쌍둥이 적자(재정 적자 + 경상수지 적자)가 합의의 배경이다.

32. 정답 ④

| 해설 | 랠리는 주가가 하강기에서 상승기로 접어드는 현상을 말하는데, 산타랠리는 연말 소비가 증가하여 기업의 실적이 상승해 크리스마스 전후로 발생하는 랠리를 말한다. 어닝쇼크와 반대로 시장의 예상보다 영업 실적이 높은 경우에는 어닝서프라이즈(Earning Surprise)라고 한다.

33. 정답 ④

| 오답피하기 | ① 엥겔계수: 가계의 총지출액에서 식료품비가 차지하는 비율이다. 가계의 소득과 상관없이 반드시 일정 금액을 식료품비로 지출해야 하므로 저소득 가구일수록 엥겔지수는 상승하는 경향을 보인다.
② CDS(Credit Default Swap, 신용부도스왑 또는 신용파산스왑): 채무불이행에 대한 보험 역할을 하는 파생상품이다. 채무자로부터 채권을 구입한 채권자는 채무자의 채무불이행이라는 위험을 부담한다. 채권자는 이 위험을 회피하기 위해 CDS판매자(주로 대형 금융기관)로부터 CDS프리미엄을 주고 CDS를 구매한다. 채무자가 채무불이행을 하는 경우 CDS구매자(채권자)는 CDS판매자로부터 원금을 보장받을 수 있고, 채무가 잘 이행되는 경우에는 CDS판매자가 CDS프리미엄만큼의 이익을 얻는 구조이다. 채무자의 채무불이행 확률이 높을수록 CDS프리미엄은 상승한다.
③ 국민부담률: 국가가 가입을 의무화하거나 재정에서 지급을 보장하는 각종 공적 사회보험에 대한 보험료 등을 조세수입에 더하여 경상GDP 대비 비율을 산출한 것이다.
⑤ 재할인율: 통화정책의 수단으로 중앙은행과 시중 은행 사이의 이자율을 말한다.

34. 정답 ①

| 해설 | 황금주는 단 한 주만 가지고 있더라도 주주총회 결의사항에 대해 거부권을 행사할 수 있는 권리가 부여된 특별주식을 말한다. 차등의결권과 함께 대표적인 경영권 방어수단으로 꼽힌다. 1980년대 유럽 국가들이 전략적으로 중요한 공기업을 민영화하면서 외국자본으로부터 경영권을 보호하고 기업이 공익성을 유지할 수 있도록 하기 위해 도입한 제도이다.

| 오답피하기 | ② 자사주: 주식을 발행한 회사가 보유하는 자기 회사의 주식으로, 의결권이 없다.
③ 가치주: 기업의 실적이나 자산 가치에 비해 가격이 저평가되어 있는 주식을 말한다.
④ 테마주: 회사의 영업 실적과는 무관하게 특정 이슈나 루머에 의해 가격이 급등하는 주식을 말한다.
⑤ 우선주: 보통주에 비해 이익의 배당이나 잔여 자산 분배에 우선권이 있는 주식을 말한다. 보통주와 달리 의결권이 없는 것이 특징이다.

35. 정답 ②

| 해설 | CES(Consumer Electronics Show, 세계가전전시회)는 미국소비자기술협회(CTA)가 주관하여 매년 열리는 세계 최대 규모의 가전제품 박람회이다.

| 오답피하기 | ① IFA(Internationale Funkausstellung): 베를린에서 매년 열리는 세계 최대 전자 · 가전기기 박람회이다.
③ GMO(Genetically Modified Organism): 유전자변형생물을 말한다.
④ FTA(Free Trade Agreement, 자유무역협정): 협정을 체결한 국가 간에 상품이나 서비스 교역에 대한 관세 및 무역장벽을 철폐함으로써 무역특혜를 부여하는 협정을 말한다.
⑤ MVC(Model-View-Controller): 주로 사용자 인터페이스를 구현하기 위한 소프트웨어 아키텍처 패턴이다.

36. 정답 ②

| 해설 | 님비(NIMBY)는 'Not in My Backyard'의 줄임말로, 공공의 이익을 위해서는 필수적인 시설이지만 자신의 주거지에는 도움이 되지 않는, 또는 피해를 끼치는 폐기물처리장과 같은 시설이 자신의 지역에 들어서는 것을 반대하는 행동이다.

| 오답피하기 | ① 팡(FAANG): 미국의 빅테크 기업인 Facebook(현 META), APPLE, AMAZON, NETFLIX, GOOGLE의 앞글자를 따서 만든 용어이다.
③ 딩크(DINK): 'Double Income, No Kids'의 줄임말로, 결혼은 하지만 자녀를 가지지 않는 맞벌이 부부를 말한다.
④ 빅(BBIG): 2020년부터 주식 투자자의 주목을 받은 증시 테마로 배터리, 바이오, 인터넷, 게임 4가지 업종을 통칭하는 용어이다.
⑤ 욜로(YOLO): 'You Only Live Once'의 줄임말로, 미래보다는 현재의 행복을 즐기라는 말로 21세기 초 유행한 삶의 방식이다.

37. 정답 ②

| 해설 | 서학개미는 유럽, 미국 등 해외 주식에 직접 투자하는 개인 투자자를 이르는 말이다.

| 오답피하기 | ① 핫머니: 국제금융시장을 이동하는 단기적인 투기자금을 말한다. 자금 이동이 일시에 대량으로 이루어진다는 것이 특징이다.
③ MSCI(Morgan Stanley Capital International World Index): 모건 스탠리에서 23개의 선진국 증시의 1,646개 종목을 선택하여 산출한 지수이다.
④ 테마섹: 싱가포르의 국부펀드이다.
⑤ 대주거래: 증권사에 주식을 빌려 공매도하는 방식이다.

38. 정답 ①

| 해설 | 파킨슨 법칙은 공적 조직의 비효율성을 표현하는 법칙으로, 영국의 행정학자 파킨슨(Cyril Northcote Parkinson)이 1957년에 주창하였다. 공적 조직의 권한을 확대하기 위해 공무원의 수는 업무량과 관계없이 계속해서 늘어난다는 내용이다.

| 오답피하기 | ② 플래시백: 이야기의 진행 중에 과거의 회상 장면을 삽입하는 기법을 말한다.
③ 피터의 원리: 로렌스 피터 교수가 1969년 발표한 경영 이론이다. 조직에서 승진은 현재 직무 수행 능력에 근거하여 이루어지기 때문에 끝까지 승진했을 경우 자신 능력의 한계에 다다르게 되어 조직은 무능한 사람들로 가득 차게 된다는 이론이다.
④ 필리버스터: 다수당의 법안 처리를 막기 위해 장시간 의회에서 연설하는 행위를 말한다.
⑤ 파랑새 증후군: 가까운 현실에 만족하지 못하고 비현실적인 계획이나 이상에서 만족을 찾는 현상을 말한다.

39. 정답 ⑤

| 해설 | 시뇨리지는 화폐 발행 권한을 갖고 있는 중앙은행 또는 국가가 화폐를 발행함으로써 얻게 되는 주조차익을 말한다.

| 오답피하기 | ① 듀레이션: 채권의 가중 평균 회수기간을 말한다.
② 캐시카우: BCG 매트릭스에서 사용되는 용어로, 안정적인 현금 흐름을 창출해내는 사업 부문을 말한다.
③ 스프레드(Spread): 기준금리와 실제 거래에서 적용한 금리 간의 차이를 말하며, 가산금리라고도 한다. 신용도가 떨어지면 스프레드가 커지게 된다. 또한 선물 시장에서 조건(보통 만기 조건)이 다른 선물가격 간의 차이를 스프레드라고 한다.

40. 정답 ③

| 해설 | 오커스, 쿼드, 칩4는 공통적으로 중국을 견제하기 위해 미국을 중심으로 뭉친 결사체이다.
• 오커스(AUKUS): Astralia United Kingdom United States의 약자로, 호주(A), 영국(UK), 미국(US) 세 국가가 2021년 9월 15일 공식 출범한 군사적 삼각동맹을 말한다.
• 쿼드(Quad): 4자 안보 대화 또는 4개국 안보 회담(Quadrilateral Security Dialogue)으로, 미국, 인도, 일본, 호주 등 4개국이 참여하고 있는 비공식 안보회의체이다.
• 칩4(CHIP4, 칩포 동맹): 미국의 주도에 의해 결성을 추진 중인 미국, 대만, 한국, 일본 4개국의 반도체 동맹을 말한다.

41. 정답 ⑤

| 해설 | 카타르 월드컵의 우승팀이며 수도가 부에노스아이레스인 국가는 아르헨티나이다.

42. 정답 ⑤

| 해설 | 카니발리제이션(Cannibalization)은 자사의 기존 제품이 있는 시장에 새로운 제품을 내놓을 경우 새로운 제품이 기존 제품의 시장 점유율을 잠식하는 현상으로, 자기시장잠식이라고도 한다.

| 오답피하기 | ① 레드오션: 이미 잘 알려져 있어서 경쟁이 매우 치열한 특정 산업 내의 기존 시장을 말한다.
② 서비스사이언스: 서비스 분야의 발전을 위한 과학적 방법론과 기술에 대한 연구가 이루어지는 학문 분야이다.
③ 리스트럭처링: 기업의 효율성을 높이기 위해 기업이 운영방식, 재무구조, 조직구조, 지배구조 등을 조정하는 행동을 말한다.
④ 넛지(Nudge): '팔꿈치로 살짝 찌르다.'라는 뜻으로 어떤 일을 강요하기보다는 스스로 자연스럽게 행동을 변화하도록 하는 유연한 개입을 말한다.

43. 정답 ②

| 해설 | 미국의 3대 주가지수는 다우존스, S&P500, 나스닥 지수이다.

| 오답피하기 | ㄴ. 항셍 지수는 홍콩의 주가지수이다.
ㄷ. 닛케이225 지수는 일본의 주가지수이다.
ㅂ. FTSE100은 영국의 주가지수이다.

44. 정답 ④

| 해설 | 예비타당성 조사와 비용·편익 분석을 하는 이유는 과도한 예산의 낭비를 막기 위함이다.

관련 개념 짚어보기

예비타당성 조사제도

대규모 개발 사업에 대해 우선순위, 적정 투자시기, 재원 조달방법 등 타당성을 검증함으로써 대형 신규 사업에 신중하게 착수하여 재정투자의 효율성을 높이기 위한 제도이다. 타당성 조사가 주로 기술적 타당성을 검토하는 반면, 예비타당성 조사는 경제적 타당성을 주된 조사대상으로 삼는다. 조사기관도 타당성 조사의 경우 사업부처가 담당하는 반면, 예비타당성 조사는 기획재정부(국가연구개발사업은 과학기술정보통신부)가 담당한다. 예비타당성 조사제도는 1999년에 도입되었으며, 총사업비가 500억 원 이상이고 국가의 재정지원 규모가 300억 원 이상인 신규 사업으로 건설공사가 포함된 사업, 정보화 사업(국가정보화 기본법 제15조 제1항) 및 국가연구개발사업(과학기술기본법 제11조) 등 대규모사업에 대한 예산편성 및 기금운용계획을 수립하기 위하여 실시한다.

45. 정답 ⑤

| 해설 | 요구불예금은 주식에 비해 안전성이 높다. 따라서 A는 주식, B는 요구불예금이다.
일반적으로 주식은 요구불예금보다 높은 수익률을 기대할 수 있다.

| 오답피하기 | ① 주식은 요구불예금에 비해 수익성이 높고, 유동성이 낮다. 따라서 (가)에는 수익성이 들어갈 수 있다.
② 주식은 예금자 보호의 대상이 아니다.
③ 요구불예금은 주식과 달리 배당금을 기대할 수 없다.
④ 위험을 선호하는 투자자는 요구불예금보다 주식을 선호한다.

46. 정답 ⑤

| 해설 | 리세션(Recession)은 경기후퇴로, 경기후퇴는 일반적으로 지출이 광범위하게 감소할 때 발생한다. 이는 금융 위기, 대외 무역 충격, 부정적인 공급 충격, 버블 붕괴, 대규모 재해와 같은 다양한 사건에 의해 촉발된다.

47. 정답 ②

| 해설 | 기업사냥꾼들은 경영권을 위협할 만큼의 주식을 매집한 후 대주주에게 편지를 보내 주식을 매수하도록 유도하는데, 이때 보내는 편지를 그린메일이라고 한다. 초록색인 달러화를 요구하는 편지라는 것에서 그린메일이라는 이름이 붙여졌다.

| 오답피하기 | ① 그린워싱: 기업 경영에 있어 친환경을 표방하지만 실제로는 그렇지 않은 현상을 말한다.
③ 그린백: 미국의 달러를 부르는 말이다.
④ 그린북: 표지가 녹색이라서 붙여진 이름으로, 미국의 연방준비제도가 발표하는 베이지북과 유사한 역할을 맡는다. 국내외 최근 경기흐름을 조사하여 기획재정부에서 발표한다.
⑤ 그린택소노미: 환경을 뜻하는 녹색(Green)과 분류학을 의미하는 택소노미(Taxonomy)의 결합어로, 녹색산업 분류체계를 말한다. 2020년 EU가 정한 6가지 환경 목표는 기후변동 완화, 기후변동 적응, 물·해양자원 관리, 순환경제, 오염방지, 생태계 보전이다.

48. 정답 ⑤

| 해설 | 2023년의 시간당 최저임금은 9,620원이다. 2024년의 최저임금은 9,860원이다.

49. 정답 ③

| 해설 | 갈라파고스 증후군은 대륙에서 동떨어진 갈라파고스 제도처럼 세계적 흐름에서 벗어나 독자적인 표준만을 고집함으로써 경쟁에서 뒤처지는 현상을 말한다.

| 오답피하기 | ② 스톡홀름 증후군: 인질이 오히려 자신을 붙잡은 범죄자에게 사랑 또는 연민을 느끼게 되는 비합리적 현상을 말한다.
④ 스탕달 증후군: 훌륭한 예술작품을 보았을 때 나타나는 정신분열현상으로, 소설가 스탕달의 이름에서 유래하였다.
⑤ 아이젠멩거 증후군: 혈관 질환이 발병할 시 나타나는 증후군의 일종이다.

50. 정답 ①

| 해설 | 투자세액 공제율을 올리는 이유는 기업의 투자를 촉진하기 위해서이다.

51. 정답 ②

| 해설 | 탄소국경조정제도와 인플레이션 감축법은 무역에 있어 거래비용을 증가시켜 국가 간 자유무역을 저해시키는 무역 장벽으로 작동한다. 탄소국경조정제도는 타국에 대한 관세를, 인플레이션 감축법은 자국 에너지 기업에 대한 보조금을 내용으로 하고 있다.
• 탄소국경세: EU와 미국이 주도하여 추진하고 있는 관세 방안으로 자국보다 이산화탄소 배출량이 많은 국가로부터 재화를 수입할 경우 해당 재화에 부과한다.
• 인플레이션 감축법(Inflation Reduction Act): 2022년 8월 16일 제정된 법으로, 조 바이든 미국 대통령의 역점 사업인 '더 나은 재건', 이른바 BBB 법안을 축소·수정한 법안이다. 인플레이션 감축 법안에는 재생에너지 설비 및 기술 투자비에 대해 일정 비율을 세액공제해 주는 투자세액공제(ITC, Investment Tax Credit) 혜택 기간을 10년 연장하고, 적용 세율을 30%로 상향하는 등의 내용이 담겨 있다.

52. 정답 ③

| 해설 | ISA(Individual Savings Account)는 개인종합자산관리계좌로, 예·적금, 펀드, 주식 등 다양한 금융상품에 투자하면 200만 원까지 비과세 혜택을 주는 상품이다.

| 오답피하기 | ① DLS(Derivative Linked Securities): 원리는 ELS와 유사하지만, 그 기초자산이 이자율, 환율, 실물자산 등인 상품을 말한다.
② ETF(Exchanged Traded Fund): 코스피 200과 같은 특정 지수의 움직임을 추종하도록 만든 인덱스 펀드로, 주식시장에서 거래가 가능하다.
④ IRP(Individual Retirement Pension): 개인형 퇴직연금이라고 한다. 근로자가 직장을 옮기거나 퇴직하면서 받은 퇴직급여를 자신 명의의 계좌에 적립해 활용할 수 있게 한 퇴직연금 제도로, 2012년 근로자퇴직급여 보장법에 따라 도입되었다.
⑤ MMF(Money Market Fund): 고객의 일시적인 여유 자금을 국공채, 어음 등에 운용하고 동 운용에서 발생하는 수익을 배당하는 대표적인 단기금융상품이다.

53. 정답 ③

| 해설 | 금융허브란 다양한 금융기관과 제도적 지원을 바탕으로 세계 금융에서 중심 역할을 하는 지역이나 도시를 말한다.

| 오답피하기 | ① 레몬마켓: 정보의 비대칭성 속에서 거래가 이루어져 질 좋은 제품이 공급되지 않고 불량품만 공급되는 시장을 일컫는 말이다.
② 역외시장: 뉴욕, 런던, 도쿄, 홍콩, 싱가포르 등과 같이 해외에 위치하여 국내 시장과는 다른 규제를 받는 시장을 말한다. 일반적으로 국내보다 더 자유로운 자금의 운용이나 조달이 가능하다.
④ 라이베리아: 아프리카 중서부 대서양 연안에 있는 공화국으로, 조세피난처로 유명한 곳이다.
⑤ 월스트리트: 미국 금융 거래의 중심지이다.

54. 정답 ③

| 해설 | 리디노미네이션은 한 나라에서 통용되는 화폐에 대해 실질가치의 변화를 주지 않고 액면가를 동일한 비율로 낮추는 것을 말한다. 경제 발전에 따른 물가 상승에 따라 화폐로 표현하는 숫자가 커지게 되면서 생기는 불편함을 해소하기 위한 목적으로 시행한다. 시행 시 지하경제 양성화, 자국 통화 가치 상승, 내수경기 부양 효과를 기대할 수 있지만, 물가가 상승하고 화폐 교환에 따른 간접비용이 많아진다. 한국에서는 1953년 2월 6·25전쟁으로 물가가 가파르게 오르자 100원을 1환으로 바꾸는 제1차 리디노미네이션을 진행했고, 1962년 6월 지하경제 양성화를 목적으로 10환을 지금의 1원으로 낮추는 제2차 리디노미네이션을 진행한 적이 있다.

| 오답피하기 | ① 디커플링(Decoupling): 국가 간 경기나 주가가 상관관계를 가진 움직임에서 벗어나는 현상을 말한다.
② 뱅크런(Bank Run): 은행의 대규모 예금인출사태를 가리키는 말이다. 금융시장 상황이 불안하거나 은행의 경영 및 건전성 등에 문제가 발생하면 예금자들은 은행에 맡긴 돈을 보장받을 수 없을 것이라는 불안감에 저축한 돈을 인출하게 되고 은행은 지급할 수 있는 자금이 부족하게 되어 패닉 상태에 빠질 수 있다. 예금보험공사는 뱅크런과 이로 인한 금융 불안정을 방지하기 위해 예금자보호법에 의해 5,000만 원까지의 예금을 보호해주고 있다.
⑤ 오퍼레이션 트위스트: 장기 금리의 하락을 유도하는 중앙은행의 공개시장조작 정책을 말한다. 장기 국채를 매수하고 단기 국채를 파는 방식으로 이루어진다.

55. 정답 ③

| 해설 | 공매도는 보유하고 있지 않은 주식을 매도하는 것을 말한다. 투자자가 주식을 보유하지 않은 상태에서 주가 하락을 예상하고 주식을 빌려 먼저 매도한 후, 주가가 하락하면 시장에서 주식을 매입하여 되갚은 후 차익을 얻는 투자를 말한다. 주가가 하락할 경우에는 수익을 얻지만, 예상과 달리 주가가 상승할 경우에는 손실을 보게 된다. 공매도는 주식을 사전에 차입하였는지 여부에 따라 무차입공매도(Naked Short Selling)와 차입공매도(Covered Short Selling)로 구분된다. 우리나라 주식시장에서 무차입 공매도는 허용되지 않지만 차입공매도는 가능하다.

| 오답피하기 | ① 추격매수: 주가가 상승하고 있는 종목을 따라 매수하는 것이다.
② 공매수: 공매도의 반대 개념으로, 주권 인수 의사 없이 행사하는 매수 주문을 의미한다. 현실에서는 주가 상승이 예상될 경우 가지고 있는 현금보다 더 많은 주식을 사려고 할 때 증권회사로부터 차입하거나 레버리지를 일으키는 방식으로 이루어진다.
④ 손절매(Loss Cut): 현재 주가가 본인의 매입 단가보다 낮지만 앞으로의 주가 하락을 예상하여 손실을 감수하고 매도하는 행위이다.

56. 정답 ④

| 해설 | (A)는 불황형 흑자이다. 불황형 흑자란 경기 불황기에 수출보다 수입이 더 크게 감소하여 무역수지 흑자가 발생하거나 무역수지 흑자 규모가 커지는 현상을 말한다.

57. 정답 ④

| 해설 | 프로크루스테스의 침대는 그리스 로마 신화의 인물인 프로크루스테스의 강도 일화에서 유래하였다. 프로크루스테스는 나그네를 유인하여 자신의 침대보다 키가 크면 자르고, 미치지 못하면 늘리는 방식으로 범죄를 저질렀는데, 이에 자신의 기준을 남에게 강요하는 상황을 부르는 말로 사용하게 되었다.

| 오답피하기 | ⑤ 제논의 역설: 시위를 떠난 화살은 과녁에 도달하지 못한다는 역설을 말한다.

58. 정답 ①

| 해설 | 노동자들에게 더 많은 것을 주면 경제 붕괴가 온다고 주장하는 부분에서 포퓰리즘을 경계하는 입장을 파악할 수 있다.

| 오답피하기 | ② 토빈의 q: 기대이윤을 설비자금 조달비용으로 나눈 값이다. q가 1보다 작으면 자산을 효율적으로 운용하지 못한 것이 되고(주식 가치는 저평가), 1보다 크면 자산을 효율적으로 운용한 것으로 (설비)투자 매력이 생긴다고 본다.
③ PAY-GO(페이고): 'Pay as you go'의 약어로, '번 만큼 쓴다.'는 뜻이다. 국가가 정부지출을 증가시키는 법안을 낼 때 재원 확보 방안을 함께 제출해야 하는 제도를 말한다.
④ 조세피난처: 기업의 발생소득에 대하여 조세를 부과하지 아니하거나 법인의 부담세액이 당해 실제 발생소득의 15% 이하인 국가 또는 지역을 말한다.

관련 개념 짚어보기

토빈의 q

$$q ≒ \frac{기업의\ 시장가치(시가총액)}{기업\ 실물자본의\ 대체비용(순자산가치)}$$

q가 1보다 작으면 자산을 효율적으로 운용하지 못한 것이 되고(주식 가치는 저평가), q가 1보다 크면 자산을 효율적으로 운용한 것으로 (설비)투자 매력이 생긴다고 본다.

---

59. 정답 ④

| 해설 | 중진국 덫(Middle Income Trap) 또는 중진국 함정은 세계은행이 『2006 아시아경제발전보고서』에서 사용한 용어로, 저소득국가가 중간소득국가(Middle Income Country)에 올라서는 단계에서 성장 동력을 상실하여 다음 단계로 도약하지 못하고 있는 현상을 말한다.

60. 정답 ①

| 해설 | 일론 머스크는 테슬라의 최고경영자이며 2022년에 트위터를 인수했다.

| 오답피하기 | ③④⑤ 마크 저커버그는 페이스북의 설립자이며, 2021년에 메타로 사명을 바꾸었다.

상황추론 · 판단

61. 정답 ③

| 해설 | 물가안정목표제는 한국은행이 채택하고 있는 통화정책 운영체제로서 통화량 등의 중간목표를 두지 않고 정책의 최종 목표인 물가상승률 자체를 목표로 설정하고 중기적 시계(3년)에서 이를 달성하려 하는 통화정책 운영방식이다. 한국은행은 한국은행법 제6조 제1항에 의거해 정부와 협의하여 물가안정목표를 설정하고 있다. 공개시장 조작은 한국은행이 금융시장에서 금융기관을 상대로 국채 등 증권을 사고팔아 시중에 유통되는 화폐의 양이나 금리 수준에 영향을 미치려는 가장 대표적인 통화정책 수단으로, 채권을 매입하면 통화량은 늘어나고 이자율은 하락하게 된다.

62. 정답 ①

| 해설 | 기업가 정신은 Risk Taking의 가치를 말하는 것으로 위험을 무릅쓰고 새로운 가치를 창출하려는 정신을 말한다.
ㄱㄴ. 기업가 정신 지수의 순위를 올리기 위한 정책으로 스타트업 지원 강화, 규모별 기업규제 완화 등을 통한 기업 활동의 장려가 적절하다.

| 오답피하기 | ㄷㄹ. 규제 일몰 연장, 수입품 보복관세 부과는 자유로운 기업 활동에 방해가 되는 정책들이다.

63. 정답 ②

| 해설 | • 가영: 외국인의 국내 주식시장에 대한 투자가 늘어나면 외환의 공급이 늘어난다.
• 나영: 외환의 공급곡선이 우측으로 이동하므로 환율은 하락 압력을 받는다.
• 라영: 환율이 지나치게 하락하는 것을 방지하기 위해 중앙은행은 외환시장에 개입하여 달러화를 매입하게 된다.

| 오답피하기 | • 다영: 환율이 하락하면 수입은 늘고 수출은 줄어 무역수지는 일반적으로 적자를 기록하게 된다.
• 마영: 중앙은행이 외환시장에서 달러화를 매입하면 시중 통화량은 늘어난다.

64. 정답 ⑤

| 해설 | 도덕적 해이의 해결방안에는 감시와 인센티브가 있다. 선별과 신호발송은 역선택의 해결방안이다.

| 오답피하기 | ① 이자보상비율이 3년 연속 1 미만인 기업을 좀비기업, 한계기업이라고 한다.
② 한계기업에 대한 지원이 늘어나면, 필요한 기업이 지원을 받지 못해 흑자 도산하는 경우가 나타날 수 있다.
③ 좀비기업의 파산이 늘어나면 기업활동이 위축되어 투자(I)에 부정적인 영향을 준다.
④ 좀비기업의 도덕적해이가 발생하면, 정부의 지원을 믿고 위험한 투자를 하는 등 방만한 경영을 할 수 있다.

정보 비대칭

역선택	• 감추어진 특성 • 예시: 레몬시장 • 해결방안: 선별, 신호발송
도덕적 해이	• 감추어진 행동 • 예시: 주인 – 대리인 문제 • 해결방안: 감시, 인센티브

좀비기업(한계기업)

이자보상비율이 3년 연속 1 미만인 기업을 말한다. 이자보상비율이 1 미만이면 영업에서 창출한 이익으로 이자비용도 지불할 수 없으므로 잠재적인 부실기업으로 보는 것이다.

$$이자보상비율(배) = \frac{영업이익}{이자비용}$$

65. 정답 ①

| 해설 | 감자의 생산이 줄었으므로 공급곡선이 왼쪽으로 이동한다. 따라서 균형가격은 상승하고 균형거래량은 감소한다.

공급곡선의 좌측 이동

66. 정답 ③

| 해설 | 수지의 이윤극대화 생산량은 4개이다. 이때의 매출은 72,000원, 비용은 174,000원이므로 102,000원의 적자가 발생한다.

| 오답피하기 | ① 수지가 머그잔을 5개 생산할 경우 총가변비용은 75,000원이므로 평균가변비용은 15,000원이다.
② 수지는 한계수입이 한계비용을 초과하는 한 단기적으로 생산을 계속할 것이다.
④ 수지가 머그잔을 1개 생산할 경우 수지의 한계비용은 11,000원으로 총가변비용과 같다.
⑤ 머그잔 생산량이 늘어날수록 한계비용이 증가하므로 평균가변비용은 증가한다.

67. 정답 ①

| 해설 | 세계 전기차 시장의 선도기업이 신차의 가격을 인하하며 고가 전략을 포기하였으므로 치킨게임이 펼쳐지고 있다.

관련 개념 짚어보기

치킨게임(Chicken Game)

게임이론에서 나오는 두 플레이어의 극단적 갈등 모델로, 한쪽이 포기하면 다른 쪽이 이득을 보지만, 포기하는 겁쟁이(chicken)가 나오지 않을 경우 양쪽 모두 파멸적인 결과를 맞게 된다.

68. 정답 ⑤

| 해설 | 2021년 이후 한국의 채무비율 증감 전망과 순위를 비교하여 봤을 때 미국과 영국에 비해 높은 것을 확인할 수 있다. 이를 통해 한국은 국가재정 건전성이 잘 관리되어 있지 않을 것임을 파악할 수 있다.

69. 정답 ⑤

| 해설 | B국의 경우 2020년의 지니계수는 0.40, 2021년의 지니계수는 0.45로 불평등 수준이 악화되었다.

| 오답피하기 | ① 2020년에 A국의 지니계수는 0.48, B국의 지니계수는 0.40이므로 A국이 B국보다 소득불평등 수준이 높다.
② 소득분배가 평등할수록 로렌츠곡선은 대각선에 가까워진다. 2021년에 B국의 지니계수는 A국보다 높으므로 이를 로렌츠곡선으로 표시하면 45° 대각선에서 멀어진다.
③ 지니계수가 작아지는 것은 소득불평등도가 개선되고 있음을 의미한다.
④ A국의 지니계수는 작아지고 있다. 지니계수가 작아지는 것은 소득불평등도가 개선되고 있는 것이므로 이를 통해 A국이 소득불평등을 완화하기 위한 복지정책을 펼쳤을 것으로 보인다.

관련 개념 짚어보기

- **로렌츠곡선**: 모집단 내 소득 또는 부의 분포를 그래프로 나타낸 것으로, 45° 대각선에서 멀어질수록 불평등함을 의미한다.
- **지니계수**: 사회의 소득불평등 정도를 나타내는 지표로, 로렌츠곡선에서 45° 대각선 아래의 삼각형 대비 대각선과 로렌츠곡선 사이의 면적이 차지하는 비율을 나타낸다. 지니계수는 0에서 1 사이의 값을 갖는다.

70. 정답 ③

| 해설 | 헝가리에 투자한 한국 기업은 글로벌 최저한세가 시행되면, 한국에 차액인 6%(= 15% − 9%)의 세금을 납부해야 한다.

71. 정답 ④

| 해설 | 2021년에 생산된 100대의 차는 재고(I)로 계상되어 GDP에 포함된다. 한 대당 2,000만 원의 가치가 있으므로 2021년의 GDP는 20억 원 증가한다. 2022년에 팔리면 소비(C)로 GDP에 포함되고 동시에 재고(I)의 감소로 계상된다. 따라서 2022년에 GDP에 계상되는 실제 금액은 0이므로 2022년의 GDP에 영향을 미치지 않는다.

72. 정답 ①

| 해설 | ㄱ. 공물은 국가에 납부하는 것이므로 지금의 국세에 해당한다.
ㄴ. 인증서를 발급받은 상인은 배타적 공급권을 확보한 공급자에 해당하므로 독과점 사례로 볼 수 있다.

| 오답피하기 | ㄷ. 소수의 상인은 일종의 독과점 공급자를 의미한다. 소수의 상인이 사라지면 경쟁을 통해 생산물 거래가격은 낮아질 것이다.
ㄹ. 인증서를 받은 상인은 독과점시장에서의 공급자의 모습으로 볼 수 있다.

73. 정답 ⑤

| 해설 | ㄷ. 원자재인 X재의 공급이 크게 줄었으므로 Y재 시장에서 공급곡선은 왼쪽으로 이동한다. 이에 따라 소비자잉여는 감소할 것이다.
ㄹ. Y재 수요의 가격탄력성이 탄력적이라면, 소비자 총지출액은 감소할 것이다.

| 오답피하기 | ㄱ. 가격은 상승할 것이다.
ㄴ. 거래량은 감소할 것이다.

74. 정답 ③

| 해설 | 추가 자본이 있어야만 고용주는 더 좋은 기계를 제공하거나 노동자들을 좀 더 알맞게 배치할 수 있다라는 제시문의 내용을 통해 다영의 견해가 잘못되었음을 알 수 있다.

75. 정답 ④

| 해설 | A는 계획경제체제, B는 시장경제체제이다.
시장경제체제는 계획경제체제에 비해 시장에서의 경제적 유인을 강조한다.

| 오답피하기 | ① 시장경제체제에 대한 설명이다.
② 모든 경제체제에서는 희소성에 의한 경제문제가 발생한다.
③⑤ 계획경제체제에 대한 설명이다.

76. 정답 ②

| 해설 | 2022년에 65세 이상 인구 비율이 17.1%이므로 초고령 사회에 진입하지 않았다. 초고령 사회는 65세 이상 인구 비율이 20%가 넘어야 한다.

| 오답피하기 | ① 데드크로스는 주가를 예측하는 기술적 분석의 지표 중 하나로, 주가의 단기 이동평균선이 중장기 이동평균선을 위에서 아래로 뚫고 내려가는 상황을 말한다. 일반적으로 그래프에서 단기에 회복하지 못할 하락이 나오는 것을 지칭한다.
③ 1인 가구의 비중이 늘고 있으므로 편의점, E-커머스 시장 점유율은 더 커질 것이다.
④ 1인 가구의 비중이 늘고 있으므로 원룸과 같은 오피스텔 시장의 수요곡선은 우측으로 이동할 것이다.

77. 정답 ④

| 해설 | A는 low risk, low return이다. 예금자 보호가 적용되는 예금이나 적금이 이에 해당한다.

| 오답피하기 | ① 기대수익을 올리려면 위험을 감수해야 한다. 따라서 위험과 수익을 동시에 충족할 수 없으므로 상충관계가 있다고 볼 수 있다.
② 수익성이 같다면 낮은 위험을 선택해야 한다. 이를 지배원리라고 한다.
③ 투자위험과 기대수익 간의 관계는 low risk, low return과 high risk, high return을 반영하고 있다.
⑤ 같은 직선 위의 상품이라면 위험에 상응하는 수익의 정도가 비례적으로 같으므로 우열을 가릴 수 없다.

78. 정답 ②

| 해설 | 실제 실업률이 완전고용실업률(자연실업률)보다 낮아야 경기가 과열되어 있다고 볼 수 있다.

| 오답피하기 | ① 볼커는 물가안정을 위한 강력한 통화 긴축을 주장하였는데, 이를 '볼커 모멘텀'이라고 한다.
③ 물가안정에 목표를 두어 통화량을 줄이는 입장의 정책위원들은 매파라고 한다.
④ 중앙은행이 경기를 부양하려면 기준금리 인하, 국공채 매입 등의 확장적 통화정책을 실시한다.
⑤ 단기에 물가안정과 경기부양의 상충관계를 설명한 것이 필립스곡선이다.

관련 개념 짚어보기

자연실업률(완전고용실업률)

1968년 프리드먼(M. Friedman)이 처음 제시한 개념으로, 경제의 균형상태에서 노동시장의 구조적·마찰적 요인에 의해 결정되는 실업률을 말한다. 즉, 마찰적 실업과 구조적 실업만이 존재할 경우의 실업률을 뜻한다. 잠재GDP 수준에서의 실업률, 인플레이션이 안정적으로 유지될 수 있는 가장 낮은 수준의 실업률로 정의하기도 한다.

79. 정답 ④

| 해설 | 선행종합지수가 하락하고 있으므로 CSI, BSI는 하락하고, 총수요곡선은 왼쪽으로 이동할 것이다.

관련 개념 짚어보기

- **BSI(Business Survey Index, 기업경기실사지수):** 기업가들의 경기전망을 살펴볼 수 있는 척도이다. OECD의 공식 기준을 바탕으로 부정/보통/긍정의 답변을 조사하고, 이 비중을 기준으로 지수를 도출한다. 100보다 높으면 기업가들은 경기를 긍정적으로 전망하고 있음을 의미한다.

$$BSI = \frac{긍정적\ 응답업체\ 수 - 부정적\ 응답업체\ 수}{전체\ 응답업체\ 수} \times 100 + 100$$

- **CSI(Consumer Survey Index, 소비자동향지수):** 소비자들의 경기전망을 살펴볼 수 있는 지표로, 소비자동향조사에서 도출한 지수를 활용하여 계산한다. 100보다 높으면 소비자들은 경기를 긍정적으로 전망하고 있음을 의미한다.

80. 정답 ②

| 해설 | 한정된 국내 시장보다 세계를 겨냥해 수출주도형 중화학공업 육성 정책을 폈다는 내용을 통해 내수를 중심으로 한 경제모델을 선택하지 않았음을 알 수 있다.

정답 및 해설

경제이론

1	②	2	①	3	②	4	②	5	⑤
6	④	7	③	8	③	9	②	10	②
11	①	12	③	13	②	14	④	15	⑤
16	③	17	④	18	②	19	①	20	④
21	③	22	④	23	①	24	⑤	25	②
26	⑤	27	④	28	①	29	①	30	②

시사경제 · 경영

31	①	32	②	33	②	34	③	35	⑤
36	①	37	⑤	38	②	39	④	40	⑤
41	③	42	③	43	②	44	①	45	⑤
46	①	47	①	48	②	49	②	50	⑤
51	①	52	①	53	③	54	④	55	⑤
56	②	57	③	58	④	59	④	60	⑤

상황추론 · 판단

61	①	62	②	63	①	64	③	65	①
66	⑤	67	④	68	④	69	②	70	⑤
71	②	72	④	73	①	74	④	75	⑤
76	③	77	②	78	③	79	⑤	80	③

경제이론

1. 정답 ②

| 해설 | 기회비용은 하나의 대안을 선택함으로써 포기하게 되는 대안들 중 가장 가치가 큰 것을 말한다.
입장료는 영화 관람을 중간에 중단해도 다시 되돌릴 수 없는 비용이므로 매몰비용이다.

2. 정답 ①

| 해설 | GDP는 소비, 투자, 정부지출, 순수출로 구성된다.
수출이 증가하면 순수출이 증가하므로 GDP는 증가한다.

| 오답피하기 | ② 전업주부의 가사노동은 시장 밖에서 이루어지는 노동이므로 GDP에 포함되지 않는다.
③ 기준연도에서는 실질GDP와 명목GDP가 일치한다.
④ GDP는 해당 국가의 영토 내에서 생산한 가치만을 측정하며, 해외에서 생산한 가치는 GDP에 포함하지 않는다.
⑤ 다음 연도에 판매된 재화는 소비(C)에 해당하지만 투자(I)에서 제외되므로 다음 연도의 GDP에 영향을 주지 않는다.

3. 정답 ②

| 해설 | 정부 실패란 시장에서 정부의 개입이 의도와 다르게 작용하거나 시장의 비효율성이 커지는 현상이다.
한계생산물체감의 법칙은 생산량이 증가할수록 생산요소의 투입에 따른 수확이 체감하는 법칙으로, 이는 정부 실패와 관련이 없다.

관련 개념 짚어보기

시장 실패와 정부 실패의 원인

시장 실패	정부 실패
• 불완전경쟁 • 정보 비대칭 • 공공재 • 외부성	• 정보의 부족 • 철의 삼각 • 지나친 규제

4. 정답 ②

| 해설 | 통화량이 증가하여 화폐 가치가 하락하는 인플레이션 상황에서는 현금의 가치가 떨어지므로 실물자산을 보유하는 것이 유리하다.

관련 개념 짚어보기

메뉴비용

인플레이션 발생 시 제품이나 서비스의 가격을 재조정해야 하는 데서 오는 불필요한 비용을 말한다.

5. 정답 ⑤

| 해설 | 도덕적 해이는 계약이 이루어진 후 정보의 비대칭이 존재하는 상황에서 정보를 가진 개인이 바람직하지 않은 행동을 하는 현상이다.
사고를 낼 확률이 높은 사람이 보험에 가입하는 사례는 정보의 비대칭이 존재하는 상황에서 정보를 가지지 못한 측이 바람직하지 못한 상대와 불리한 거래를 할 가능성이 높은 역선택의 사례이다.

관련 개념 짚어보기

정보 비대칭

역선택	• 감추어진 특성 • 예시: 레몬시장 • 해결방안: 선별, 신호발송
도덕적 해이	• 감추어진 행동 • 예시: 주인 – 대리인 문제 • 해결방안: 감시, 인센티브

6. 정답 ④

| 해설 | 공개시장운영(Open Market Operation)을 통해 국공채를 매입하면 통화량이 증가한다. 통화량이 증가하면 이자율이 낮아지므로 부채가 증가할 수 있다.

| 오답피하기 | ① 테이퍼링은 경기부양을 위해 실시했던 양적완화 정책을 점진적으로 축소해 나가는 정책으로, 양적완화 축소라고도 한다.
② 기준금리를 인상하면 통화량이 감소하고 이자율이 상승하여 부채를 줄이게 된다.

관련 개념 짚어보기

디레버리징(Deleveraging)
부채를 축소하는 것을 말한다.

---

7. 정답 ③

| 해설 | 생산자에게 정부가 보조금을 지급하면 공급이 증가하므로 가격이 하락하고 거래량이 증가한다.

8. 정답 ③

| 해설 | 음식점에서 음식에 대한 수요의 가격탄력성이 비탄력적이므로 가격을 인상해도 수요량이 많이 감소하지 않아 음식점의 수입이 증가하였다.

| 오답피하기 | ① 음식 맛이 좋아지면 음식의 수요곡선은 우측으로 이동한다.
② 소득의 증가는 수요 증가 요인이다.
④ 인구의 증가는 수요 증가 요인이다.
⑤ 주변에 있는 식당들의 음식 가격 인상은 대체재의 가격 인상에 해당한다. 대체재의 가격 상승은 수요 증가 요인이다.

9. 정답 ②

| 해설 | 케인스는 정부 개입 옹호론의 대표주자로, 재정정책의 승수효과를 바탕으로 정부지출을 통해 국민소득을 효과적으로 증가시킬 수 있음을 주장했다.
ㄱ. 케인스학파는 경기변동의 원인으로 총공급이 아니라 총수요의 변화를 주장했다.
ㄷ. 케인스학파는 가격의 경직성을 이유로 들어 시장의 단기적인 불균형을 설명했다.

| 오답피하기 | ㄴ. 케인스학파는 재정정책이 더 효과적임을 주장했다. 통화정책을 주장한 것은 프리드먼을 비롯한 통화주의학파이다.
ㄹ. 케인스학파는 정부 개입의 목적을 안정화로 보고 경기변동의 진폭을 작게 할 수 있음을 주장했다.

10. 정답 ⑤

| 해설 | A는 주식, B는 요구불예금이다. 주식은 요구불예금에 비해 높은 수익성, 낮은 안전성, 낮은 유동성을 특징으로 한다.
일반적으로 요구불예금의 수익률은 주식보다 낮다.

| 오답피하기 | ① 요구불예금은 주식에 비해 유동성이 높고, 주식은 요구불예금에 비해 수익성이 높다.
②④ 요구불예금은 예금자 보호를 받을 수 있고, 주식은 예금자 보호를 받을 수 없다.
③ 주식은 요구불예금과 달리 배당금을 기대할 수 있다.

11. 정답 ①

| 해설 | 철이 구리보다 훨씬 더 많이 매장되어 있음에도 불구하고 철의 가격이 구리의 가격보다 더 비싼 이유는 철 한 단위를 추가로 소비할 때 느끼는 한계효용이 구리 한 단위를 추가로 소비할 때 느끼는 한계효용보다 크기 때문이다. 이 경우 철에 대한 수요는 구리에 대한 수요보다 크다.

| 오답피하기 | ② 철은 구리보다 더 희소한 자원이다.
③ 철은 구리보다 훨씬 더 많이 매장되어 있으므로 희귀한 자원이 아니다. 철은 구리보다 더 희소한 자원이다.

12. 정답 ③

| 해설 | 새로운 일자리를 탐색하거나 이직을 하는 과정에서 일시적으로 발생하는 실업은 마찰적 실업 또는 탐색적 실업이다. 마찰적 실업은 자발적 실업으로, 이는 경기변동 과정에서 발생하는 경기적 실업이나 특정 산업의 침체 등으로 발생하는 구조적 실업과는 구분된다.
최저임금제와 노동조합으로 발생하는 실업은 비자발적 실업이다.

| 오답피하기 | ① 일을 하고 싶어 하는 사람들이 모두 고용되는 완전고용 상태에서도 이직을 위한 자발적 실업은 존재한다.
④ 구직과 관련된 정보망의 확충은 새로운 일자리를 탐색하는 과정의 시간을 줄여 마찰적 실업자를 줄일 수 있다.
⑤ 실업보험급여 지급의 확대가 과도하게 이루어질 경우 일부 노동자들이 더 오랜 시간 동안 실업급여를 수령하고 일자리 탐색에 소홀해질 우려가 있다.

13. 정답 ②

| 해설 | 지니계수는 사회의 소득불평등 정도를 나타내는 지표로, 로렌츠곡선 그래프에서 45° 대각선 아래의 삼각형 대비 대각선과 로렌츠곡선 사이의 면적이 차지하는 비율을 나타낸다.
지니계수가 낮아진 것은 로렌츠곡선과 45° 대각선 사이의 면적이 줄어들었음을 의미한다.

| 오답피하기 | ① 지니계수와 파레토 효율은 관련이 없다.
③⑤ 올해의 국민소득이 감소한 것만으로는 분배 상황을 알 수 없다.
④ 노동소득분배율은 국민소득에서 노동소득이 차지하는 비율을 말한다. 지니계수가 낮아진 현상은 분배가 개선된 것이므로 노동소득분배율은 균등해졌을 가능성이 높다.

관련 개념 짚어보기

• 로렌츠곡선: 모집단 내 소득 또는 부의 분포를 그래프로 나타낸 것으로, 45° 대각선에서 멀어질수록 불평등함을 의미한다.
• 지니계수: 사회의 소득불평등 정도를 나타내는 지표로, 로렌츠곡선에서 45° 대각선 아래의 삼각형 대비 대각선과 로렌츠곡선 사이의 면적이 차지하는 비율을 나타낸다. 지니계수는 0에서 1 사이의 값을 갖는다.

---

14. 정답 ④

| 해설 | 고정환율제에서는 정부가 재정지출을 늘려도 환율이 변하지 않으므로 수출이 크게 변동하지 않는다.

15. 정답 ⑤

| 해설 | 무역상대국 인플레이션의 높은 변동성은 경제적 불안정성을 초래할 수 있으므로 국제무역에 부정적인 영향을 준다.

| 오답피하기 | ① 유가가 하락하면 수송비용이 감소하므로 국제무역을 증가시킬 수 있다.
② 글로벌(국제) 가치사슬(GVC)은 다른 국가에서 수행되는 활동과 작업으로 기업의 생산이 여러 국가에 걸쳐 세분화되는 현상을 말한다. 국제가치사슬이 강화되면 각 국가는 상대국의 부품이나 서비스에 의존하게 되며, 이로 인해 국제무역이 활발하게 이루어진다.
③ 핀테크는 금융(Finance)과 기술(Technology)의 합성어로, 주로 대면으로 이루어지던 구 금융체계에 기술을 결합하여 보다 효율적이고 이용자에게 편리하도록 만든 금융서비스를 말한다. 핀테크 기술이 발달하면 국제결제 시스템이 향상되며 글로벌 송금시스템이 개선되어 국제무역을 증가시킬 수 있다.
④ 관세와 수입쿼터 철폐는 자유무역을 증가시킬 것이다.

16. 정답 ③

| 해설 | 부가가치세(VAT, Value Added Tax)는 소비재와 용역에 대한 세금으로, 10% 세율의 단일비례세 구조이다.

| 오답피하기 | ② 부가가치세는 국가가 징수하는 국세이다.
④ 부가가치세는 소비재와 용역의 소비에 대해 과세한다.
⑤ 부가가치세는 세금 납부 의무자와 실제 부담자가 일치하지 않는 간접세에 해당한다.

17. 정답 ④

| 해설 | 피구세는 외부불경제를 교정하기 위해 부과하는 세금이다. 정부는 피구세를 통해 균형거래량을 q1으로 이동시킬 수 있다.

| 오답피하기 | ① 시장에서 균형거래량은 q2에서 결정된다.
② 외부불경제 상황을 해결하는 방안은 정부 개입. 시장을 통한 내부화, 시장유인을 이용한 방법 등으로 다양하다.
③ a는 과다생산의 사회적 후생의 감소분을 나타낸다.
⑤ 사회적 한계비용(SMC)이 사적 한계비용(PMC)보다 큰 외부불경제를 나타낸다.

18. 정답 ③

| 해설 | 정보의 비대칭. 불완전한 경쟁. 공공재, 외부성과 같은 요인으로 인해 시장은 완전하고 공평한 분배를 실현하지 못한다.

19. 정답 ①

| 해설 | Fed의 기준금리 인상은 달러화의 가치를 상승시킨다.

20. 정답 ④

| 해설 | 이자율이 10%일 때 1년 후 1,000원을 현재가치로 나타내면, $\frac{1,000}{1.1}$원 (약 909원)이다.

| 관련 개념 짚어보기 |

이자율과 현재가치의 관계는 수학적으로 역(−)의 관계이다.

21. 정답 ③

| 해설 | 모든 생산요소의 투입을 두 배 늘렸을 때 산출량이 두 배를 초과하여 늘어나는 것은 규모에 대한 수익 체증이다.

| 오답피하기 | ① 래퍼곡선은 미국의 경제학자 래퍼가 제시한 세율과 세수의 관계를 보여주는 곡선이다. 세율이 인상됨에 따라 세수는 지속적으로 증가하는 것이 아니라 증가하다가 감소하는 모습을 보인다.
② 규모에 대한 수익체감에 대한 설명이다.
④⑤ 고정요소의 투입 증가만으로는 판단할 수 없다.

| 관련 개념 짚어보기 |

래퍼곡선

22. 정답 ④

| 해설 | 필립스곡선은 필립스가 개발한 이론을 보여주는 그래프로, 인플레이션과 실업률 간의 역(−)의 관계를 나타낸다.

| 오답피하기 | ①③ 단기 필립스곡선은 우하향하며, 장기 필립스곡선은 실업률이 자연실업률로 고정되어 수직선이 된다.
② 필립스곡선에서 자연실업률은 원점과 선 사이의 거리이므로 자연실업률이 증가하면 필립스곡선은 우측으로 이동한다.
⑤ 스태그플레이션은 물가상승과 경기침체가 동시에 나타나는 현상이다. 1970년대 스태그플레이션으로 인해 실업률과 물가상승률 간의 상충관계가 불분명해졌다.

| 관련 개념 짚어보기 |

필립스곡선

물가상승률과 실업률 간의 상충관계를 나타낸다.

23. 정답 ①

| 해설 | 1급 가격차별(완전가격차별)이란 기업이 각각의 소비자에 대해 그들이 지불할 수 있는 최대 가격까지 가격을 설정하여 모든 소비자로부터 가능한 한 많은 이익을 얻으려는 전략을 말한다.
소비자잉여를 모두 이윤으로 가져가므로 소비자잉여는 0이다.

| 오답피하기 | ② 독점기업의 수요곡선은 시장의 수요곡선이자 한계수입곡선이다.
③ 소비자들은 지불용의가 있는 만큼 지불하므로 모든 소비자들은 다른 가격을 지불한다.
④ 수요곡선과 한계비용이 일치할 때까지 생산하므로 완전경쟁시장과 동일한 수량이 공급된다.
⑤ 일반적인 독점시장에서는 독점으로 인한 비효율이(자중손실이) 존재하지만, 1급 가격차별이 시행되는 독점시장에서는 거래량이 증가하므로 사회적 후생이 더 크다.

24. 정답 ⑤

| 해설 | 보호무역 수단에 해당하는 것은 관세, 수입할당제, 수출보조금이다.
ㄷ. 관세는 국내에 수입되는 외국 상품에 부과되어 자국 내 산업 보호를 위해 활용된다.
ㄹ. 수입할당제는 특정 상품이나 서비스의 수입량을 정부가 제한하는 제도로, 특정 산업을 보호하거나 국내 시장을 안정화하기 위해 활용된다.
ㅁ. 수출보조금은 정부가 국내 기업이나 산업체에게 수출 활동을 지원하기 위해 지급하는 금전적 지원이나 혜택을 말한다. 수출보조금을 통해 국내 기업의 수출을 촉진하고 보호한다.

| 오답피하기 | ㄱ. WTO는 세계 무역 분쟁 조정, 관세 인하 요구, 반덤핑 규제 등 자유무역과 관련하여 법적 권한과 구속력을 행사하는 국제기구이다.
ㄴ. 범위의 경제는 여러 품목의 재화를 생산할 때 시너지가 발생하는 것을 말한다.

25. 정답 ②

| 해설 | 사적재는 경합성과 배제성이 모두 있는 재화이다. 공공재는 경합성과 배제성이 모두 없는 재화이다.

| 오답피하기 | ① 막히지 않는 도로는 경합성이 없다. 유료도로의 여부를 알 수 없으므로 배제성은 판단할 수 없다.
③ 비배제성은 대가를 지불하지 않아도 사용할 수 있는 성질이다.
④ 무임승차는 재화가 배제성이 없어 나타나는 현상이다.
⑤ 공유지의 비극은 경합성이 있는 재화가 배제성이 없어 나타난다.

관련 개념 짚어보기

재화의 구분

구분		경합성	
		있음	없음
배제성	있음	• 사적재 • 아이스크림 • 옷	• 클럽재 • 케이블 TV • 유료 고속도로
	없음	• 공유자원 • 환경 • 바닷속 물고기 • 공유지의 비극	• 공공재 • 국방서비스

26. 정답 ⑤

| 해설 | 루카스 비판(Lucas Critique)은 정부의 정책 수립과 집행에 있어 전통적인 예측모형은 경제주체의 기대를 합리적으로 반영하지 않아 정확한 정책의 효과를 기대하기 힘들다는 주장이다.
⑤는 적응적 기대이론에 대한 설명이다. 루카스는 경제주체들이 현재 이용 가능한 모든 정보를 사용하여 통계적으로 정확한 방식으로 미래에 대한 기대를 형성한다고 하는 합리적 기대이론을 주장했다.

27. 정답 ④

| 해설 | (가)는 완전경쟁시장, (나)는 독점적경쟁시장, (다)는 독점시장, (라)는 과점시장이다.
ㄴ. 가격수용자(Price Taker)는 완전경쟁시장에서 시장의 가격을 받아들일 수밖에 없는 공급자들을 말한다.
ㄹ. 과점시장에서는 상대방의 전략을 고려하여 의사결정을 하므로 기업 간 상호 의존성이 높다.

| 오답피하기 | ㄱ. 완전경쟁시장에서는 P＝MC이므로 자원 배분이 효율적으로 이루어진다.
ㄷ. 독점시장에는 수도, 철도와 같이 초기 고정비가 매우 높은 산업이 포함되어 자연독점을 이룬다.

28. 정답 ①

| 해설 | X재의 핵심 부품 가격 하락은 X재의 공급 증가 요인이다. X재의 공급이 증가하면 X재의 공급곡선은 우측으로 이동하므로 X재의 가격은 하락한다.
ㄱ. Y재가 X재의 대체재라면, X재의 가격 하락으로 인해 Y재의 수요가 감소하므로 Y재의 가격은 하락하고 Y재의 거래량은 감소한다. 따라서 Y재의 매출은 감소한다.
ㄴ. Y재가 X재의 대체재라면, X재의 가격 하락으로 인해 Y재의 수요가 감소하므로 Y재의 가격은 하락하고 Y재의 거래량은 감소한다. 따라서 Y재 시장에서 총잉여는 감소한다.

| 오답피하기 | ㄷ, ㄹ. Y재가 X재의 보완재라면, X재의 가격 하락으로 인해 Y재의 수요가 증가하므로 Y재의 가격은 상승하고 Y재의 거래량은 증가한다. 따라서 Y재 시장에서 공급량은 증가하고, 생산자잉여는 증가한다.

관련 개념 짚어보기

29. 정답 ①

| 해설 | 순수출에 의해 외환보유액은 500억 달러(= 3,000억 달러 − 2,500억 달러) 증가하였고, 금융·자본계정에 의해 100억 달러(= 800억 달러 − 700억 달러) 증가하였으므로 총 600억 달러 증가하였다.

관련 개념 짚어보기

국제수지표의 구성

	상품수지
경상수지	서비스수지
	본원소득수지
	이전소득수지
자본수지	
금융계정	
오차 및 누락	

30. 정답 ⑤

| 해설 | 임금경직성이란 노동의 수요 부족이나 공급 초과가 발생한 상황에서도 임금이 신속하게 조정되지 않는 성질을 말한다.
ㄱ. 노동자의 임금이 근로계약 기간 동안 고정되어 있다면 계약기간 중 물가가 상승해도 명목임금이 고정되어 있어 임금경직성이 나타난다.
ㄴ. 최저임금제가 시행되면 시장의 균형임금 수준이 변동하여도 시장의 균형임금이 최저임금보다 낮다면 임금은 최저임금에 고정되어 있으므로 임금경직성이 나타난다.
ㄷ. 근로자의 임금은 근로자의 생산성에 따라 결정된다고 설명하는 전통적인 임금이론에 대해, 효율성 임금 이론은 이를 정반대로 설명한다. 즉, 근로자의 임금이 높으면 이직률이 줄어들어 생산성 유지는 물론 직장을 잃지 않으려고 열심히 일할 것이므로 자연히 생산성이 올라간다는 것이다. 이에 따라 경우 시장 임금보다 높은 임금이 유지될 것이므로 임금경직성이 발생할 수 있다.

관련 개념 짚어보기

효율성 임금 이론

근로자의 임금의 크기가 생산성을 결정하는 요인이 된다는 이론이다.

시사경제·경영

31. 정답 ①

| 해설 | 핌피(PIMFY)는 'Please In My Frontyard'의 줄임말로, 금전적 이익을 기대할 수 있는 시설의 유치를 위해 노력하는 행위를 말한다.

| 오답피하기 | ② 넛지(Nudge)는 '팔꿈치로 살짝 찌르다.'라는 뜻으로, 어떤 일을 강요하기보다는 스스로 자연스럽게 행동을 변화하도록 하는 유연한 개입을 말한다.
③ 베이크 아웃(Bake Out)은 새로 지어진 집에 입주했을 때 새집증후군을 예방하기 위해 집 온도를 높인 후 환기하는 행위를 반복하는 것을 말한다.
④ 병목현상은 병의 목과 유사한 현상이 일어남을 의미하는데, 병의 목 부분의 지름이 몸통 부분에 비해 좁아 물이 천천히 쏟아지는 것처럼 어떠한 하나의 제약조건으로 전체의 성능이 저하되는 현상을 말한다.
⑤ 지렛대효과란 투자액의 일부를 자기자본이 아닌 부채로 조달함으로써 자산의 가격 변동률보다 훨씬 더 높은 투자수익률을 발생시키는 것을 말한다.

관련 개념 짚어보기

님비(NIMBY)

'Not In My Backyard'의 줄임말로, 공공의 이익을 위해서는 필수적인 시설이지만 자신의 주거지에는 도움이 되지 않는, 또는 피해를 끼치는 폐기물 처리장과 같은 시설이 자신의 지역에 들어서는 것을 반대하는 행동을 말한다.

32. 정답 ②

| 해설 | 포워드 가이던스(Forward Guidance)는 중앙은행이나 정책 기관이 향후 통화정책이나 경제정책 방향에 대한 정보를 시장 참여자들에게 제공하는 것을 말한다.

| 오답피하기 | ① 린치핀(Linchpin)은 무언가를 단단히 고정시키는 중요한 부분이나 인물을 가리키는 말로, 조직에서 핵심적인 역할을 수행하는 사람을 말한다.
③ 베이시스(Basis)는 파생상품 시장에서 주식, 원자재, 화폐 등의 기초자산에 대한 선물 시장가격과 현물 시장가격 간의 차이를 말한다.
④ 프레너미(Frenemy)는 친구(Friend)와 적(Enemy)의 합성어로, 협력관계와 경쟁관계 모두에 있는 사람을 말한다.
⑤ 오퍼레이션 트위스트는 장기 금리의 하락을 유도하는 중앙은행의 공개시장조작 정책으로, 장기 국채를 매수하고 단기 국채를 파는 방식으로 이루어진다.

33. 정답 ②

| 해설 | • 그레이 스타트업(Grey Startup)은 빠른 기술 발전에 비해 느린 제도의 특성으로 생긴 회색 지대에서 서비스를 제공하는 기업을 말한다.
• 회색 코뿔소(Grey Rhino)는 2013년 세계정책연구소 대표이사인 미셸 부커가 2013년 1월 다보스포럼에서 처음 발표한 개념으로, 지속적인 경고가 나와서 충분히 예상할 수 있는데도 쉽게 간과하는 위험 요인을 말한다.

34. 정답 ③

| 해설 | 가격제한폭이란 주식시장에서 주가의 급변으로 인한 혼란을 막기 위해 설정해 둔 개별 주식의 가격 변동 상한폭을 말한다. 우리나라에서 가격제한폭은 30%이다. 어제 종가가 1만 원이었던 주식이 오늘 마감 시간에 하락하여 될 수 있는 최소 주가는 7,000원이다.

35. 정답 ⑤

| 해설 | 기업이 지속해서 수익이 비용보다 작은 순손실을 발생시키는 경우 자본잠식이 발생할 수 있다.

| 오답피하기 | ① 기업공개(IPO)는 비상장회사가 상장 절차 등을 밟아 주식을 외부 투자자들에게 공매하는 행위를 말한다.
② 무상증자는 자본잉여금을 재원으로 주주에게 대가를 받지 아니하고 신주를 발행하여 교부하는 것을 말한다.
③ 공직자윤리법에 의해 공직자는 재임 중 이해충돌을 방지하기 위하여 자신의 재산 관리를 제3자에게 맡겨야 하는데, 이를 백지신탁이라고 한다.
④ 출자전환은 기업이 자금을 조달하기 위해 발행한 채권이나 우선주와 같은 증권을 나중에 주식으로 전환할 수 있는 권리를 가지는 것을 말한다.

36. 정답 ①

| 해설 | 벤 버냉키는 2006년부터 2014년까지 미국 중앙은행(Fed)의 의장을 지냈으며, 저서 『행동할 용기』에 세계 금융위기 당시의 상황을 서술하였다.

| 오답피하기 | ② 재닛 옐런은 2014년부터 2018년까지 미국 중앙은행(Fed)의 의장을 지냈으며 2021년부터 현재까지 미국의 재무부 장관이다.
③ 폴 볼커는 1979년부터 1987년까지 미국 중앙은행(Fed)의 의장을 지냈으며, 1970년대와 1980년대의 인플레이션을 안정화하였다.
④ 앨런 그린스펀은 1987년부터 2006년까지 미국 중앙은행(Fed)의 의장을 지냈으며 그의 임기 동안 검은 월요일, 닷컴 버블 붕괴가 발생하였다.
⑤ 매리너 에클스는 1934년부터 1948년까지 미국 중앙은행(Fed)의 의장을 지낸 인물이다.

37. 정답 ⑤

| 해설 | 액면분할은 액면가가 높은 주식을 분할하여 액면가를 낮추는 것을 말한다. 액면가를 5,000원에서 100원으로 $\frac{1}{50}$ 낮추면 주식의 1주당 가치는 $\frac{1}{50}$만큼 낮아진다.

| 오답피하기 | ① 주식 1주를 50주로 분할하면 주식 수는 50배 늘어난다.
②④ 액면분할로 인한 기업의 가치에는 변화가 없다.
③ 주식가격이 액면분할비율에 따라 낮아지면 소액주주들의 접근이 쉬워져 주식 거래량은 증가할 것이다.

38. 정답 ④

| 해설 | 입지 규제 최소구역이라고도 불리는 화이트존은 민간 자본을 활용하여 주거나 상업, 업무 지구를 조성할 수 있게끔 지정한 지역으로, 쇠퇴한 도심의 공간을 개발하기 위한 목적 등으로 지정된다.

39. 정답 ④

| 해설 | 민스키 모멘트는 채무상환능력 악화와 자산가치 급락, 금융위기의 시작 등으로 과도한 부채 주도의 경기호황이 끝나고 채무자들이 건실한 자산마저 팔기 시작하는 시기를 말한다.

| 오답피하기 | ① 숏커버링은 공매도(Short)한 주식을 되갚기 위해(Covering) 시장에서 주식을 매입하는 것을 말한다.
② 피터팬 증후군은 신체적으로는 이미 성숙하고 성장했음에도 아이로 남고 싶은 심리를 말한다. 경제학에서는 중소기업이 중견기업으로 성장할 때 중소기업일 때 받은 각종 정부 지원이나 혜택을 받지 못할 것을 두려워하여 중견기업으로의 변신을 꺼리는 현상을 말한다.
③ 서킷브레이커는 주식시장의 급격한 하락을 막기 위한 장치로 종합주가지수가 전일 대비 10% 하락한 상황이 1분 이상 이어지면 발동한다. 발동 시 모든 주식거래가 20분간 중단되고 10분 동안 접수한 호가를 단일가로 처리한 뒤 매매가 재개된다.
⑤ 번아웃 증후군은 현대 사회에서 소진증후군을 일컫는 신조어로, 한 가지 일에만 몰두한 사람이 극심한 육체적, 정신적 피로로 인해 무기력, 자기혐오, 직업 거부 등에 빠지는 증상을 말한다.

관련 개념 짚어보기

40. 정답 ⑤

| 해설 | 의견거절: 감사를 하는 데 필요한 충분한 정보를 제공받지 못해 감사 자체가 불가능한 경우 또는 기업의 존속가능성에 심각한 의문이 들 정도의 정보를 발견한 경우

| 오답피하기 | ① 적정의견: 기업이 회계기준에 따라 사업보고서를 공정히 작성한 경우
② 한정의견: 특정 감사 사항(주로 재무제표에 큰 영향을 미치지 않는)에 대해 합당한 증거를 제공받지 못한 경우
③ 부적정의견: 기업이 회계기준을 위배하여 사업보고서를 작성한 경우
④ 부실의견: 존재하지 않는 의견이다.

41. 정답 ③

| 해설 | 국민부담률은 각종 사회보장부담금과 조세수입의 합이 국내총생산에서 차지하는 비율을 말한다.

| 오답피하기 | ① 조세부담률은 국민총소득(GNI)의 국민계정에서 조세수입이 차지하는 비중을 말한다. 이는 국민 전체의 조세부담 정도를 나타내는 지표로, 조세의 누진도와 국가의 조세징수능력에 의해 결정된다.
② 재정부담률은 정부의 재정 지출규모가 국민총생산에서 차지하는 비율을 말한다.
④ 사회보장부담률은 분모를 국민소득, 분자를 의료보험이나 연금의 보험료 등 각종 사회보장기여금의 합으로 하여 산출한다.
⑤ 금융비용부담률은 지급이자와 같은 금융비용이 매출액에서 차지하는 비중을 말한다.

42. 정답 ③

| **해설** | 동전주는 지폐의 최소 단위(1,000원)보다 낮은 주식을 말한다.

| **오답피하기** | ① 우선주는 보통주에 비해 이익의 배당이나 잔여 자산 분배에 우선권이 있는 주식을 말한다. 보통주와 달리 의결권이 없는 것이 특징이다.
② 가치주는 기업의 실적이나 자산 가치에 비해 가격이 저평가되어 있는 주식이다.
④ 황제주는 보통 1주당 100만 원이 넘는 주식을 말한다.
⑤ 자사주는 주식을 발행한 회사가 보유하는 자기 회사의 주식으로, 의결권이 없다.

43. 정답 ②

| **해설** | ㄱ. WTI(Western Texas Intermediate)는 3대 석유 중 황 성분이 가장 적으며 미국 밖으로 수출되는 경우가 드물다.
ㄹ. 브렌트유는 북해에서 생산되는 석유로, 전 세계로 이동이 편리하다는 특징이 있다.
ㅁ. 두바이유는 3대 원유 중 황 성분이 가장 많으며 대한민국이 주로 수입하는 원유이다.

| **오답피하기** | ㄴ. ISM 제조업지수는 300개 이상의 제조기업 구매관리자를 대상으로 한 설문조사를 바탕으로 미국의 경제활동을 월별로 보여주는 지표로, 미국 경제상황을 보여주는 핵심 지표로 꼽히며, 구매관리자지수(PMI)라고도 한다.
ㄷ. BDI(Baltic Dry Index)는 영국 런던에 있는 발틱해운거래소(Baltic Exchange)가 발표하는 신뢰성 있는 운임 지수이다.

44. 정답 ①

| **해설** | 카타르는 2022년 월드컵을 개최했으며, 천연가스 매장량이 세계 3위에 달한다.

45. 정답 ⑤

| **해설** | 그림자 금융은 글로벌 금융시스템 전반에 걸쳐 신용 창출을 촉진하지만 규제감독의 대상이 아닌 비은행 금융기관의 활동을 말한다.

| **오답피하기** | ① 브리지론(Bridge Loan)은 주로 부동산시장에서의 단기 대출을 의미하는데, 초기의 낮은 신용도로 인해 제1금융권으로부터 자금을 차입할 수 없는 시행사가 제2금융권으로부터 차입한 부채를 말한다.
② 메자닌은 건물의 층과 층 사이의 중간층 공간을 뜻하는 건축 용어로, 금융에서는 안전 자산과 위험 자산의 중간 위험에 속하는 자산에 투자하는 특성을 나타내는 용어로 쓰인다.
③ 마이크로 파이낸스는 신용이나 담보의 문제로 은행과 같은 일반 금융회사에서 대출받기 어려운 사회적 취약계층을 대상으로 무담보 소액대출과 금융서비스를 제공하는 활동이다.
④ 리파이낸싱은 이미 보유한 부채를 상환하기 위해 다른 자금을 조달하는 행위를 말한다.

46. 정답 ①

| **해설** | Fed의 기준금리를 인상하는 정도에 따라 0.5%p는 빅스텝, 0.75%p는 자이언트 스텝이라고 부른다.

47. 정답 ①

| **해설** | GDP는 국내총생산(Gross Domestic Product)의 약어로, 특정 국가 내에서 생산된 총 재화와 서비스의 시장가치를 측정하는 주요한 경제지표이다. 일정 기간 동안의 GDP의 변화율을 통해 실질경제성장률을 계산한다.

| **오답피하기** | ③ PPP는 구매력 평가환율(Purchasing Power Parity)의 약어로, 구매력 평가설은 양국 통화의 구매력에 의해 환율이 결정된다는 이론으로 스웨덴의 경제학자인 카셀에 의해 제시되었다. 이는 일물일가의 법칙을 국제시장에 적용한 이론으로, 경상수지의 관점에서 균형환율을 설명하기 때문에 국가 간 무역장벽이 없고, 국가 간 상품 운송비용이 없는 것을 가정한다.
④ PPI는 생산자 물가지수(Producer Price Index)의 약어로, 생산자가 판매하는 제품의 가격 수준을 측정하는 물가지수이다. 국내에서 생산되어 국내에 출하되는 모든 재화의 서비스 요금의 변화를 측정한다.
⑤ GRI(Global Reporting Initiative)는 지속가능 보고서에 대한 가이드라인을 제시하는 국제기구이다.

48. 정답 ②

| **해설** | 차등의결권제도는 기업의 정관에 따라 주식마다 의결권을 차등적으로 부여하는 제도를 말한다. 포이즌 필(Poison Pill)은 적대적 M&A 위기에 놓인 기업이 대규모 유상증자, 임금 인상, 황금낙하산 등을 통해 기업매수자에게 엄청난 비용이 들게끔 하여 인수 포기를 유도하는 적대적 M&A 방어전략이다. 황금낙하산은 적대적 M&A(합병)의 대표적인 방어 수단으로, 최고경영자가 사임하면 거액의 퇴직금이나 주식매수권이 부여되게 하는 제도이다.

관련 개념 짚어보기

M&A 전략

공격 전략	방어 전략
• 곰의 포옹	• 경영진 매수
• 공개매수	• 백기사, 백지주
• 그린메일	• 포이즌 필(독약조항)
• 토요일 밤의 기습	• 크라운주얼 처분
• LBO	• 팩맨 디펜스
	• 황금낙하산
	• 황금주

49. 정답 ②

| **해설** | 국제통화기금(International Monetary Fund)은 1944년 체결된 브레턴우즈협정에 따라 1945년 12월에 설립된 국제금융기구로, 회원국은 국제수지가 악화될 때 외화를 지급받을 수 있는 권리인 특별인출권(Special Drawing Rights)을 갖는다.

| **오답피하기** | • NFT: 대체불가능토큰(Non-Fungible Token)의 약어로, 블록체인 기술을 활용하여 고유성을 가지게 된 디지털 자산을 말한다. NFT 기술을 통해 실물이 아닌 디지털 자산의 고유성, 저작권, 소유권을 증명하는 일이 용이해졌다.
• MMF: 단기금융펀드(Money Market Fund)의 약어로, 높은 금리의 단기금융상품에 투자하는 금융상품이다.

50. 정답 ⑤

| **해설** | 데드 캣 바운스(Dead Cat Bounce)는 주식시장이나 금융시장에서 사용되는 용어로, 급락한 주식 가격이나 시장 지수가 일시적으로 반등하는 현상을 말한다.

| **오답피하기** | ① 불마켓(Bull Market)은 장기적으로 주가가 상승하는 상승장을 말한다.
② 캐시 카우(Cash Cow)는 BCG 매트릭스에서 사용되는 용어로, 안정적인 현금 흐름을 창출해내는 사업 부문을 말한다.
③ 데드크로스(Deadcross)는 주가를 예측하는 기술적 분석의 지표 중 하나로, 주가의 단기 이동평균선이 중장기 이동평균선을 위에서 아래로 뚫고 내려가는 상황을 말한다.
④ 더블딥(Double Dip)은 경기침체 후 잠시 회복세를 보였으나 다시 불황에 빠지는 현상을 말한다. 이는 W자 형태로 나타난다.

51. 정답 ③

| **해설** | LCC는 제주항공, 진에어와 같은 저가 항공사를 말한다. 대형 항공사의 경우 저가 항공사를 추가로 인수함으로써 차별화 전략을 시도하기도 한다.

| **오답피하기** | ① LBO(Leveraged-Buy Out)란 특정 기업을 인수하기에는 자금이 부족한 기업이 매수 대상인 기업의 자산을 담보로 금융기관으로부터 자금을 차입하여 기업을 인수하는 M&A 전략을 말한다.
② LTV는 주택담보비율로서 주택가격을 담보가치로 가정하였을 때 그에 대한 대출 비율을 말한다.
④ CDO는 부채담보부채권으로 고위험 대출채권이나 회사채 등을 묶어 리스크를 감소시킨 뒤 유동화한 금융상품이다.
⑤ CMA는 단기금융상품으로 자금을 국공채나 어음 등에 투자하여 수익을 고객에게 나누어준다.

52. 정답 ①

| **해설** | 온디맨드 경제란 플랫폼과 기술력을 가진 회사가 수요자의 요구에 적극적으로 대응하여 서비스와 제품을 제공하는 것으로, 우버와 에어비앤비가 대표적이다.

| **오답피하기** | ② 퍼스트 펭귄은 위험하고 무모한 일을 처음으로 도전하여 다른 사람들에게까지 그 일에 대한 동기를 부여하는 사람을 말한다.
③ 스필오버효과는 한 국가에서 발생한 관련이 없어 보이는 사건이 다른 국가의 경제에 영향을 미치는 것을 말한다.
④ 티핑 포인트란 '갑자기 뒤집히는 점'이란 뜻으로, 토머스 셰링의 '티핑이론'과 맬컴 글래드웰의 저서 『티핑 포인트』에서 소개된 용어이다. 때로는 엄청난 변화가 작은 일들에서 시작될 수 있고 대단히 급속하게 발생할 수 있는데, 그 엄청난 변화가 급속하게 발생하기 시작하는 지점을 말한다.
⑤ 팝콘 브레인은 뇌가 시각적 혹은 감정적으로 강렬한 자극에 노출되어 그것에 익숙해진 상태를 말한다.

53. 정답 ③

| **해설** | 2021년 개정으로 현재 법정 최고금리는 연 20%이다. 최고 금리는 대부업법 시행령에서 규정하고 있다.

54. 정답 ④

| **해설** | 영국은 소득세 기본세율 인하를 시도하고자 했으나, 통화가치 하락 및 여론의 반발로 감세안을 철회한 바 있다.

55. 정답 ⑤

| **해설** | 트리핀 딜레마는 기축통화 발행국 입장에서 발생하는 딜레마를 말한다. 기축통화 발행국은 기축통화의 유동성을 유지하기 위해 경상수지 적자를 지속해야 하는데, 이는 기축통화에 대한 신뢰도 하락을 가져와 딜레마가 발생한다.

| **오답피하기** | ① 사이드카란 주가의 등락 폭이 갑자기 커질 경우 시장에 미치는 영향을 완화하기 위해 주식 매매를 일시정지시키는 제도를 말한다. 코스피200 선물 가격이 전일 종가 대비 5% 이상 상승 또는 하락한 상태가 1분 이상 지속될 경우 발동된다. 사이드카가 발동되면 5분간 매매가 중지된다.
② 아비트리지는 차익거래를 뜻하며, 시장에 따라 동일한 상품의 가격이 다를 때 한 시장에서 구매한 상품을 다른 시장에서 판매하여 이득을 취하는 거래를 말한다.
③ 스미스의 역설은 가치의 역설, 다이아몬드의 역설이라고도 한다. 인간의 생존에 더 필수적인 재화는 다이아몬드보다 물이지만, 실제 가격은 다이아몬드가 훨씬 비싸다. 이처럼 시장에서의 교환가치는 재화 또는 서비스의 사용가치와 일치하지 않는데, 이를 스미스의 역설이라고 한다.
④ 하이퍼 로컬은 좁은 범위의 특정 지역이란 의미로 '동네'와 비슷한 개념이다.

56. 정답 ②

| **해설** | '계란을 한 바구니에 담지 말라.'라는 말로 대표되는 분산투자는 리스크 축소를 위해 시행된다.

| **오답피하기** | ① '같은 값이면 다홍치마'는 이왕 같은 값이면 품질이 더 좋은 것을 고른다는 속담이다.
③ '무릎에서 사서 어깨에 팔아라.'는 낮은 가격에 주식이나 금융상품에 매수해 높은 가격에 팔라는 말이다. 발 끝에 사서 머리에 파는 것이 아니므로 수익을 극대화하는 매매보다는 어느 정도의 안전성을 추구하는 매매가 바람직하다는 것을 말한다.
④ '인플레이션은 언제나 화폐적 현상이다.'라고 주장한 경제학자는 밀턴 프리드먼으로, 인플레이션이 실질 생산량에 영향을 미치지 않음을 주장했다.
⑤ '사하라 사막의 관리를 정부에 맡기면, 5년 안에 모래가 떨어진다.'는 밀턴 프리드먼이 한 말로, 정부 개입에 대한 반대를 함축하는 말이다.

57. 정답 ④

| **해설** | 유니콘 기업이라는 단어는 크게 성공하는 스타트업이 유니콘처럼 보기 힘들다는 의미에서 생겨났다. 보통 기업 가치가 10억 달러를 넘어가는 스타트업을 유니콘이라고 한다.

| **오답피하기** | ① 데스밸리는 벤처기업이 창업 후 초기 단계에서 어려움을 겪는 기간을 표현한 용어이다. 창업 후 새로운 제품이나 서비스가 수익을 창출하기까지의 사업화 과정에서 벤처기업은 수익은 없는데 많은 비용을 지출해야 한다. 결국 비용 지출은 초기 투자금에 의존할 수밖에 없는데, 많은 벤처기업들이 이 기간을 넘기지 못하고 자금이 마른다. 과거 미 서부개척시대에 많은 개척민들이 데스밸리를 넘지 못하고 죽어나간 것에서 유래한 용어이다.
② ESG란 환경, 사회, 지배구조의 앞글자를 딴 단어로, ESG 경영은 지속가능성의 관점에서 친환경, 사회적 책임, 지배구조의 투명성을 추구하는 방식을 말한다.
③ 마이데이터는 2020년 8월부터 시행된 데이터 3법을 통해 도입된 제도이다. 단순히 개인에게 데이터의 관리 권한을 부여하는 것이 아니라 이를 적극적으로 활용하게끔 하는 과정을 의미한다. 허가받은 금융사에서는 사용자의 동의를 얻어 마이데이터를 활용하여 자산의 분석 및 통합관리 서비스를 제공하는 중이다.
⑤ 승자의 저주란 경쟁에서는 이겼으나 이기기 위해 과도한 비용을 지불하여 오히려 위험에 빠지거나 커다란 후유증을 겪는 상황을 말한다. 일반적으로 M&A 경쟁 입찰에서 인수 대상 기업의 예상 가치를 초과한 금액을 지불한 경우 또는 인수 후 모기업의 재무 상태가 악화되는 경우가 승자의 저주에 빠진 예이다.

58. 정답 ④

| **해설** | 조각투자란 부동산, 예술 작품, 명품 등 개인이 구매하기 힘든 재화를 지분을 쪼개어 여러 사람이 공동 투자하는 행위를 말한다.

| **오답피하기** | ① 퀀트투자는 수학과 통계 지식을 바탕으로 투자 법칙을 수립하고 프로그램화하여 투자를 진행하는 것을 말한다.
② 재고투자는 재고자산의 총액을 늘리는 방식으로 행하는 투자이다.
③ 선행투자는 기존의 계획 혹은 통상적인 투자 시기보다 더 앞당겨 시행하는 투자를 말한다.

59. 정답 ④

| **해설** | 파킨슨 법칙은 업무량에 관계없이 공무원의 숫자가 늘어남을 말한다.

| **오답피하기** | ① 로그롤링이란 국회의원들이 자기의 이익이 걸린 법안을 통과시키기 위해 투표를 거래하는 행위를 말한다.
② 오쿤의 법칙이란 미국의 경제학자 오쿤이 경제성장률의 변화와 실업률의 변화 사이에는 부(−)의 상관관계가 있음을 밝힌 법칙을 말한다.
③ 이카루스의 역설은 사람이나 기업이 성공하게끔 만들어 준 요인을 변화나 개혁의 과정 없이 절대적으로 신뢰하면 결국 실패로 돌아가게 되는 현상을 말한다.
⑤ 게리맨더링은 특정 정당에게 유리하도록 선거구를 비정상적으로 분할하는 것을 말한다.

60. 정답 ③

| **해설** | 매스티지는 비교적 값이 저렴하면서도 감성적 만족을 얻을 수 있는 고급품을 소비하는 경향으로, '명품의 대중화 현상'이라고도 한다.

| **오답피하기** | ① 메세나란 예체능 분야에 이루어지는 기업의 후원을 말한다.
② 트윈슈머란 쌍둥이처럼 유사한 소비패턴을 지닌 소비자를 말한다.
④ 체리피커는 전체에서 가장 의미 있는 부분, 자신에게 가장 큰 효용을 가져다주는 특정 부분만 취하고 나머지를 버리거나 다른 이에게 떠넘기는 사람을 말한다.
⑤ 앰부시마케팅이란 어떠한 이벤트의 정식 스폰서가 아니면서도 정식 스폰서인 척을 해 마케팅 효과를 누리는 행위를 말한다.

상 황 추 론 · 판 단

61. 정답 ①

| **해설** | 물이 미세먼지를 배출하는 데 효과적이라는 연구결과는 생수의 수요 증가 요인이고, 지하 암반층으로부터 물을 끌어올려 가공하는 새로운 기술의 개발은 생수의 공급 증가 요인이다. 수요와 공급이 모두 증가하면 수요곡선과 공급곡선이 모두 오른쪽으로 이동하므로 균형거래량은 증가하고, 균형가격의 변화는 알 수 없다.

관련 개념 짚어보기

수요와 공급의 증가

62. 정답 ②

| **해설** | ㉠은 수요견인 인플레이션, ㉡은 비용인상 인플레이션에 해당한다.
ㄱ. 수요견인 인플레이션 상황에서 긴축재정을 펼치면, 총수요곡선이 왼쪽으로 이동하므로 실업률은 높아질 수 있다.
ㄷ. 비용인상 인플레이션의 원인으로 국제 원자재 가격 상승과 같은 공급충격을 들 수 있다.

| **오답피하기** | ㄴ. 수요견인 인플레이션 상황에서 정부지출을 늘리면, 물가는 더욱 상승할 것이다.
ㄹ. 비용인상 인플레이션 상황에서 통화량을 늘리면, 총수요곡선이 우측으로 이동하여 경기는 회복되지만 물가는 더욱 상승할 것이다.

63. 정답 ①

| 해설 | 국제 유가가 하락했는데도 원화 기준으로 기업이 더 많은 원유 구입비를 사용한 이유는 원유의 수요의 가격탄력성이 커서 더 많은 원유를 구입했거나, 달러화 대비 원화 가치의 하락으로 원유를 사기 위해 더 많은 원화를 소비했기 때문이다.

64. 정답 ③

| 해설 | 실질GNI = GDP + 해외 순수취 요소소득 + 교역 조건 변화로 인한 실질 무역손익이다.
2021년에 1인당 GNI가 크게 증가하였으므로 국외 순수취 요소소득은 증가했을 것이다.

| 오답피하기 | ① 경제성장률이 4.1% 증가했으므로 실질GDP는 증가했을 것이다.
② 원화 가치의 상승은 교역 조건 변화로 인한 실질 무역이익에 긍정적 영향을 준다.
④ 국민 경제 규모가 늘어났다는 것은 경제가 성장함을 의미한다.
⑤ 경제성장률보다 GNI 증가율이 높으므로 인구증가율은 국민총소득 증가율보다 낮을 것이다.

65. 정답 ①

| 해설 | 학원, 미용실 등은 독점적 경쟁시장에 해당한다.
ㄱ. 독점적 경쟁시장에서는 어느 정도의 제품 차별화가 가능하다.
ㄴ. 독점적 경쟁시장의 공급자는 비가격경쟁을 한다.

| 오답피하기 | ㄷ. 역선택은 정보 비대칭으로 인해 나타난다.
ㄹ. 가격수용자는 완전경쟁시장의 공급사이다.

66. 정답 ⑤

| 해설 | 콘텐츠 제공업자는 망사용료를 부과하는 것에 반대할 것이다.

관련 개념 짚어보기

망 중립성(Network Neutrality)
유·무선 통신 사업자가 인터넷 사업자에게 어떤 차별도 하지 않고 모든 콘텐츠를 평등하게 대우해야 한다는 원칙을 말한다.

67. 정답 ④

| 해설 | 소비자가 이질적인 유보가격을 가져야 기업은 가격차별에 유리할 것이다.

| 오답피하기 | ① 멤버십 가입자 증가는 충성고객의 증가를 의미한다.
② 높은 시장 진입 비용은 새로운 기업의 진입을 막아 기존 기업이 독과점을 형성하기에 유리하다.
③ 개별 수요에 대한 정보 증가는 기업들이 상이한 가격정책을 펴는 데 유리하다.
⑤ 판매자의 정보 우위를 전제로 한 소비자와 판매자 간 정보 비대칭성은 기업에게 유리하게 작용할 것이다.

68. 정답 ④

| 해설 | GNI = GNP + ㈀이므로, 9,300억 달러 = 9,000억 달러 + ㈀에서 ㈀은 300억 달러이다.
GNI = GDP + 해외 순수취 요소소득 + 교역 조건 변화로 인한 실질 무역손익이다.
9,300억 달러 = 7,000억 달러 + (3,500억 달러 – ㈁) + ㈀
9,300억 달러 = 7,000억 달러 + (3,500억 달러 – ㈁) + 300억 달러
따라서 ㈁은 1,500억 달러이므로, ㈀과 ㈁의 합은 1,800억(300억 + 1,500억) 달러이다.

69. 정답 ②

| 해설 | 중앙은행이 채권 발행을 늘리면 통화량은 감소하고, 국내 이자율은 상승한다. 이는 총수요곡선을 왼쪽으로 이동시키고 소비와 투자를 감소시킨다.

70. 정답 ⑤

| 해설 | 한국은행이 기준금리를 인상하면 코픽스 금리는 상승할 것이다.

| 오답피하기 | ① 기준금리를 인상하면 시중금리가 상승하므로 대출받은 경제주체의 이자 부담은 증가할 것이다.
② 경제상황이 악화되고 있으므로 경기선행지수는 지속적으로 하락할 가능성이 높다.
③ 가계·기업·정부 부채가 증가하고 있으므로 인구 증가가 없으면 국민 한 사람당 갚아야 할 정부 부채는 점점 늘어날 것이다.
④ 부채가 증가한 가계는 기준금리 인상에 다른 이자 부담이 증가할 것이므로 가처분 소득은 감소할 것이다.

관련 개념 짚어보기

COFIX
은행연합회가 국내 8개 은행(농협, 신한, 우리, 한국 스탠다드차타드, KEB하나, 중소기업, 국민, 한국 씨티)로부터 자금조달에 관련된 정보를 제공받아 산출하는 자금조달비용지수이다. 콜금리를 대체하여 2010년 2월에 도입된 새로운 대출 기준금리이다.

71. 정답 ②

| 해설 | A안과 B안에 대한 기대효용은 다음과 같다.

구분	A안	B안
확률	(1/2, 0, 0, 1/2)	(1/4, 1/4, 1/4, 1/4)
보수	(100, 80, 30, 0)	(100, 80, 30, 0)
기대효용	(50, 0, 0, 0)	(25, 20, 7.5, 0)

따라서 A안의 기대효용은 50, B안의 기대효용은 52.5이다.

72. 정답 ④

| 해설 | 신용등급을 안정적에서 낮추었으므로 (가)는 '부정적'이 된다. '막대한 정부의 (나)와 국가부채 급증'이라는 내용에서 (나)는 '재정적자'임을 추론할 수 있다. 신용등급 전망이 하락하였으므로 국채의 이자율은 상승할 것이다. 따라서 (다)의 국채 수익률은 '상승'한다.

73. 정답 ①

| 해설 | 수출 호조로 무역수지 적자 폭 축소, 수입 원자재 가격 상승에 따른 소비자 물가 상승을 통해 환율이 상승했음을 알 수 있다.
내국인의 해외 투자 증가는 외환의 수요 증가 요인이고, 외국인 관광객의 국내여행 감소는 외환의 공급 감소 요인이다.

| 오답피하기 | 외국인의 국내 투자 증가는 외환의 공급 증가 요인이다.
내국인의 해외 여행 감소는 외환의 수요 감소 요인이다.

74. 정답 ④

| 해설 | ⊙과 ©은 경기 상승 국면이고, ©과 @은 경기 하락 국면이다.
ㄴ. ©과 같은 경기 하락 국면에서는 수요가 하락한다.
ㄹ. @과 같은 경기 하락 국면에서는 생산과 고용이 감소한다.

| 오답피하기 | ㄱ. ⊙과 같은 경기 상승 국면에서는 소득이 증가한다.
ㄷ. ©과 같은 경기 상승 국면에서는 투자가 증가하고 물가가 상승한다.

75. 정답 ⑤

| 해설 | 택시업계의 반대와 규제로 타다가 시장에서 퇴출된 사건은 영국의 적기조례법과 관련이 있다.
ㄷ. 철의 삼각: 정책분야별로 특정 이익집단, 관료조직, 의회의 관련 상임위원회가 상호 간의 이해관계를 유지·보전하기 위해 견고한 동맹관계를 형성하고 있는 현상을 말한다.
ㄹ. 붉은 깃발법(적기조례): 1865년 자동차의 등장으로 피해를 볼 수 있는 마차를 보호하기 위해 제정된 세계 최초의 교통법이다. 이 법은 당시 증기자동차의 출현으로 일자리를 잃게 된 마차 업자들의 항의가 들끓자 제정된 법안으로 자동차에 붉은 깃발을 든 기수 등 3명이 타도록 하고 자동차 최고속도를 말보다 느리게 규제했다. 이 법은 1896년까지 약 30년간 유지되면서 영국에서 소비자들의 자동차 구매 욕구를 감소시키는 주원인이 됐다. 산업혁명의 발상지였던 영국은 자동차를 가장 먼저 만들고도 자동차 산업이 크게 위축돼 주도권을 독일, 미국, 프랑스에 내주고 말았다. 붉은 깃발법은 기존 산업 보호를 위해 새로운 산업 모델을 규제로 억누르면 경제 전체의 역효과가 나타날 수 있다는 교훈을 준다.

| 오답피하기 | ㄱ. 코즈의 정리(Coase's Theorem): 거래비용과 재산권(Property Right)의 개념으로 정부의 개입 없이 외부효과(Externality)를 해결할 수 있음을 밝혀낸 이론이다.
ㄴ. 쿠즈네츠 파동: 미국의 경제학자 쿠즈네츠의 이름을 딴 이론으로 약 20년의 주기를 갖는 실질국민소득의 성장률 순환이다.

76. 정답 ③

| 해설 | 가격에 따른 매출액을 나타내면 다음과 같다.

가격	소비자	매출액
9	(가)	9
7	(가), (라)	14
5	(가), (라), (다)	15
2	(가), (라), (다), (마)	8
0	(가), (라), (다), (마), (나)	0

한계비용과 고정비용이 0이므로 매출액의 크기는 이윤의 크기와 같다. 이윤 극대화 결과 이동통신사 A는 가격을 5로 설정할 것이다.

77. 정답 ②

| 해설 | 현재 수요량과 공급량이 1,500개로 일치하는 600원이 균형가격이다.
균형가격보다 높은 가격인 1,000원을 유지하려면 최저가격제를 실시해야 한다. 1,000원에서 공급량이 수요량에 비해 1,100개 초과되므로 이를 유지하기 위해서는 1,000원 × 1,100개 = 110만 원의 금액이 필요하다.

78. 정답 ③

| 해설 | 한국의 세계국제지수에 관찰대상국으로 이름을 올린 것은 한국의 국제신용도가 상승했음을 의미한다.
CDS 프리미엄의 상승은 국제신용도가 하락한 경우 나타난다.

| 오답피하기 | ① 한국의 국제 신용등급이 상승하면 국고채 금리는 하락할 것이다.
②④⑤ 한국의 국제 신용등급이 상승하면 국채의 신용등급이 상승하므로 외국인의 한국 채권 투자는 증가할 것이다. 이 과정에서 외환이 유입되어 원화 환율은 하락할 것이다.

관련 개념 짚어보기

CDS(Credit Default Swap, 신용부도스왑, 신용파산스왑)

채무불이행에 대한 보험 역할을 하는 파생상품이다. 채무자로부터 채권을 구입한 채권자는 채무자의 채무불이행이라는 위험을 부담한다. 채권자는 이 위험을 회피하기 위해 CDS 판매자(주로 대형 금융기관)로부터 CDS 프리미엄을 주고 CDS를 구매한다. 채무자가 채무불이행을 하는 경우 CDS 구매자(=채권자)는 CDS 판매자로부터 원금을 보장받을 수 있고, 채무가 잘 이행되는 경우에는 CDS 판매자가 CDS 프리미엄만큼의 이익을 얻는 구조이다. 채무자의 채무불이행 확률이 높을수록 CDS 프리미엄은 상승한다.

79. 정답 ⑤

| 해설 | 출발 기한이 얼마 안 남은 상황에서 고가 항공권을 판매하는 이유는 대체재가 적어 수요의 가격탄력성이 낮기 때문이다.

| 오답피하기 | ① 항공권 가격의 구성요소를 말하면서 항공권의 가격을 비용, 즉 원가의 측면에서 정의하고 있다.
② 항공권 가격이 시장의 수요와 공급에 결정되므로 성수기에는 수요가 많아 가격이 비싸다.
③ '좌석이 100개이면 가격이 100개이다.'는 말은 완전가격차별(1급 가격차별)을 연상시킨다.
④ 가격이 싼 좌석일수록 부가 서비스 혜택이 작다는 것은 모든 것에는 대가가 따른다는 것을 의미하므로 '공짜 점심은 없다.'라는 문구와 관련이 있다.

80. 정답 ③

| 해설 | 남해회사의 주식은 적정 가치에 비해 매우 고평가되어 있어 위험도가 매우 높은 투자 상품이었다.

| 오답피하기 | ④ FOMO는 Fear Of Missing Out의 줄임말로, 남에게 잊혀지거나 뒤처지는 것을 두려워하는 현상을 말한다.

경제이론

1	①	2	③	3	④	4	①	5	②
6	④	7	⑤	8	②	9	①	10	①
11	⑤	12	②	13	②	14	④	15	①
16	④	17	④	18	④	19	⑤	20	⑤
21	②	22	③	23	⑤	24	③	25	②
26	③	27	③	28	①	29	③	30	⑤

시사경제 · 경영

31	⑤	32	④	33	③	34	③	35	①
36	③	37	②	38	②	39	④	40	④
41	⑤	42	⑤	43	②	44	①	45	③
46	①	47	①	48	②	49	④	50	④
51	⑤	52	①	53	⑤	54	⑤	55	②
56	②	57	①	58	②	59	③	60	④

상황추론 · 판단

61	②	62	⑤	63	②	64	⑤	65	①
66	②	67	①	68	①	69	④	70	⑤
71	①	72	②	73	③	74	⑤	75	④
76	④	77	③	78	③	79	④	80	③

경제이론

1. 정답 ①

| 해설 | 경제학에서 말하는 자원의 희소성은 인간의 무한한 욕망에 비해 자원이 유한하다는 것을 의미한다.

2. 정답 ③

| 해설 | 유선방송에서 최신 영화를 보기 위해 지불한 2,000원은 서비스의 대가로 올해의 GDP에 포함된다.

| 오답피하기 | ① 살던 집을 매각한 대금은 올해의 GDP에 포함되지 않는다. 신규 건축은 올해의 GDP에 포함된다.
② 주식 매매대금은 GDP에 포함되지 않는다.
④ 가정주부의 가사 노동은 GDP에 포함되지 않는다.
⑤ 지난해에 생산된 쌀값은 지난해의 GDP에 포함되었으므로 올해의 GDP에 포함되지 않는다.

3. 정답 ④

| 해설 | 보완재 관계에 있는 상품의 단위당 생산성이 하락하면, 보완재 관계에 있는 상품의 가격이 상승한다. 즉, 보완재 관계에 있는 상품의 단위당 생산성 하락은 수요 감소 요인이다. 수요가 감소하면 수요곡선은 좌측으로 이동한다.

| 오답피하기 | ① 대체재 관계에 있는 상품의 공급이 감소하면 대체재 관계에 있는 상품의 가격이 상승한다. 즉, 대체재 공급 감소는 수요 증가 요인이다.
② 소비자 수 증가는 수요 증가 요인이다.
③ 미래 가격 상승 예상은 수요 증가 요인이다.
⑤ 재화에 대한 소비자의 선호도 증가는 수요 증가 요인이다.

관련 개념 짚어보기

수요곡선의 좌측 이동

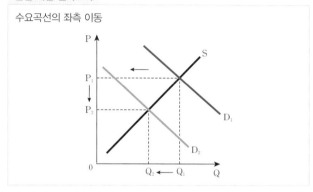

4. 정답 ①

| 해설 | 수요견인 인플레이션의 경우 총수요의 증가로 인해 발생하며, 공급견인 인플레이션의 경우 총공급의 감소로 인해 발생한다.
정부지출의 증가는 총수요 증가 요인으로 이는 수요 견인 인플레이션을 야기한다.

| 오답피하기 | ② 국제 원자재 가격 급등은 총공급 감소 요인이다.
③ 기업에 대한 환경규제는 총공급 감소 요인이다.
④ 자연재해는 생산성 감소로 인한 공급 측면 인플레이션을 야기한다.
⑤ 임금 상승은 총공급 감소 요인이다.

관련 개념 짚어보기

인플레이션의 원인

5. 정답 ②

| 해설 | 소비자잉여란 지불할 용의가 있는 최대 금액과 실제 지불한 금액의 차이를 말한다.

6. 정답 ④

| 해설 | 중앙은행이 화폐공급을 증가시키면 시중 이자율이 하락하고, 이는 투자의 증가로 연결된다. 투자의 증가는 총수요 증가 요인으로 이는 국민소득을 증가시킨다.

7. 정답 ⑤

| 해설 | 완전경쟁시장에서 거래되는 재화에 세금을 부과하면 자중손실이 발생하여 사회적 총잉여가 감소한다.

| 오답피하기 | ① 소득세율이 지나치게 높으면 근로의욕을 감소시키고, 법인세율이 지나치게 높으면 기업의 이윤을 감소시켜 기업의 투자활동을 감소시킬 수 있으므로 세금 수입은 지속적으로 늘어난다고 볼 수 없다.
② 공급자에게 물품세를 부과하면 공급곡선이 좌측으로 이동한다.
③ 소비자의 가격탄력성이 무한대라면 수요곡선은 수평선 형태를 띤다. 이때 세금이 부과되면 생산자잉여만 감소하므로 공급자가 세금을 모두 부담한다.
④ 세금의 실제 부담 주체는 전가와 귀착 때문에 부과 대상보다는 탄력성과 밀접한 관련이 있다.

관련 개념 짚어보기

조세의 전가와 귀착

래퍼곡선

8. 정답 ②

| 해설 | 금리가 인상되면 채권금리 및 할인율이 상승하여 채권의 현재가격이 하락한다. 이자율과 채권가격은 역(−)의 관계이다.

| 오답피하기 | ① 금리 인상은 통화량 감소 및 총수요 감소를 일으키므로 이는 주식시장에서 악재 요인이다.
④⑤ 금리 인하 시기에는 예금 수익률이 감소하므로 주식 또는 채권시장이 유망하다.

9. 정답 ①

| 해설 | ㉠과 ㉢은 경기 상승 국면이고, ㉡과 ㉣은 경기 하락 국면이다.
ㄱ. ㉠과 같은 경기 상승 국면에서는 생산이 증가한다.
ㄴ. ㉡과 같은 경기 하락 국면에서는 수요가 하락한다.

| 오답피하기 | ㄷ. ㉢과 같은 경기 상승 국면에서는 투자가 증가하고 물가가 상승한다.
ㄹ. ㉣과 같은 경기 하락 국면에서는 기업의 이윤이 감소하고 고용 상황이 악화된다.

10. 정답 ①

| 해설 | ㉠에는 정보를 가지지 못한 사람이 잘못된 선택을 할 위험이 있는 상황을 일컫는 '역선택'이 들어갈 수 있다. 역선택의 해결방안에는 정보를 가지고 있는 사람이 적극적으로 정보를 알리는 신호발송과, 정보를 가지지 못한 측에서 상대의 특성을 파악하려고 하는 선별이 있다.

| 오답피하기 | • 도덕적 해이는 주인과 대리인의 상황에서 대리인이 정보의 비대칭을 이용하여 자신의 이익을 위한 행동을 취하는 현상을 말한다.
• 스티그마란 어떤 사람이 실수나 불가피한 상황으로 인해 사회적 일탈행위를 한 번 저지르고 이로 인해 나쁜 사람으로 낙인이 찍히면 그 사람에 대한 부정적 인식이 형성되어 쉽게 사라지지 않는 현상을 말한다.
• 유인 설계란 도적적 해이 현상을 방지하기 위해 성과에 기반한 보상체계를 제공하는 것을 말한다.

11. 정답 ⑤

| 해설 | (가)는 분배국민소득, (나)는 투자, (라)는 이윤이다.

| 오답피하기 | ① 국민소득 3면 등가의 원칙은 국민소득(GDP)이 측정 관점에 따라 지출국민소득, 생산국민소득, 분배국민소득으로 나뉘지만 사후로 측정된 이 3가지 국민소득은 언제나 같음을 의미한다.
③ 투자는 건축투자, 설비투자, 재고투자로 나뉜다. 기업이 재고를 보유하는 행위는 재고투자로, 이는 GDP에 집계된다.
④ 생산국민소득은 최종재의 가치만으로 구성되므로 중간재의 가치는 포함되지 않는다.

12. 정답 ②

| 해설 | 한계대체율이 체감하는 형태의 무차별곡선은 다음과 같다.

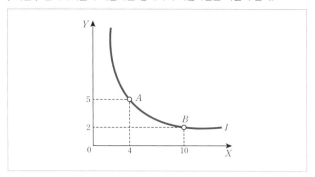

무차별곡선은 원점에 대해 볼록한 형태를 띤다. 그림에서 점 A는 (X재 4개, Y재 5개)로 9개, 점 B는 (X재 10개, Y재 2개)로 12개의 재화로 구성되어 있다. 점 A와 점 B의 총효용 수준은 같은데, 점 A가 더 적은 재화의 수로 구성되어 있으므로 극단적 상품조합보다는 골고루 들어간 상품조합을 더 선호함을 알 수 있다.

13. 정답 ②

| 해설 | 케인스가 주장한 '절약의 역설'은 구성의 오류의 예로, 이는 개개인에게 절약은 미덕이지만 모두가 절약하면 소비가 위축되어 경기가 침체됨을 의미한다.
절약의 역설은 현재의 경기침체에 더 초점을 맞추고 있으므로 경제의 장기적인 관점에서는 유효한 현상이 아니다.

> **관련 개념 짚어보기**
>
> **구성의 오류**
>
> 부분이 지니고 있는 속성이 전체에는 나타나지 않는 경우를 말한다.

14. 정답 ④

| 해설 | 수요의 가격탄력성이 완전탄력적이면 수요곡선은 수평선 형태를 띤다. 이때 공급자에게 세금이 부과되면 공급곡선이 왼쪽으로 이동한다. 따라서 공급자에게 부과된 세금은 공급자가 모두 부담하게 된다.

| 오답피하기 | ① 수요곡선이 수평선 형태를 보이므로 공급이 증가하더라도 가격은 하락하지 않는다.
② 수요곡선은 수평선이다.
③ 공급이 감소하면 거래량은 감소한다.
⑤ 소비자에게 세금 부과 시 생산자잉여가 감소한다.

> **관련 개념 짚어보기**
>
> **수요의 가격탄력성이 완전탄력적인 경우**
>
>

15. 정답 ①

| 해설 | 무역으로 인한 재화의 가격 하락은 소비자에게 이익을 가져다 주지만 생산자에게는 손실을 가져다 줄 수 있다.

| 오답피하기 | ② 비교우위 이론에 따르면 절대우위가 없더라도 비교우위가 있는 상품을 특화하는 방식으로 무역이 가능하다.
④ 국내 독과점 문제는 해외 무역을 통한 공급망 다각화로 해결이 가능하다.

16. 정답 ④

| 해설 | 밴드왜건효과는 자신의 주관 없이 대중적인 유행을 따라 이루어지는 소비 현상을 말한다.

| 오답피하기 | ① 기저효과란 경제지표 증가율을 해석할 때 기준시점과 비교시점의 상대적인 위치에 따라 경제상황에 대한 평가가 실제보다 위축되거나 부풀려지는 등의 왜곡이 일어나는 것을 말한다.
② 파레토 법칙은 20대 80의 원칙으로, 상위 20%가 전체 부의 80%를 소유하고 있는 것을 일컫는다.
③ 파랑새 증후군은 현재의 상황에 큰 관심을 가지지 않은 채 낙천적인 상황만 꿈꾸는 상태를 말한다.
⑤ 피터팬 증후군은 육체적으로는 이미 성숙해 어른이 됐지만 여전히 어린 이로 남아 있기를 바라는 심리를 의미한다.

17. 정답 ④

| 해설 | 단기적으로 실업과 인플레이션 사이에는 부(−)의 관계가 있다. 이는 필립스곡선을 통해 확인되었다.

| 오답피하기 | ① 단기 필립스곡선보다 장기 필립스곡선이 가파르다.
② 자연실업률의 증가는 필립스곡선을 오른쪽으로 이동시킨다.
③ 장기 필립스곡선은 수직선 형태이다.
⑤ 스태그플레이션으로 물가상승률과 실업률이 동시에 오르자 실업률과 물가상승률 간의 상관관계를 분석한 필립스곡선은 설득력이 떨어지게 되었다.

> **관련 개념 짚어보기**
>
> **필립스곡선**
>
> 필립스곡선은 물가상승률과 실업률 간의 상충관계를 나타낸다.
>
>

18. 정답 ④

| 해설 | A기업은 철판을 생산하면서 부정적 외부성을 발생시키고 있다. 부정적 외부성은 사회적 비용보다 사적 비용이 적으므로 과다생산된다. 이를 해결하기 위해 정부가 직접적인 규제를 하거나 한계 사회적 비용과 한계 사적 비용의 차이만큼 세금을 부과하는 방법(피구세)이 있으며, 탄소배출권 도입과 같이 코즈의 정리에 기반하여 시장 내부에서 해결하는 방법 등이 있다.

| 오답피하기 | ① 거래비용이 존재하므로 코즈의 정리와 같이 시장에 맡기는 방식은 제대로 작동하지 않을 수 있다.
⑤ 긍정적인 외부효과가 발생할 경우 한계 사회적 편익과 한계 사적 편익의 차이만큼 보조금을 지급하는 방식으로 해결이 가능하다.

부정적 외부성

한계 사회적 비용과 한계 사적 비용의 차이가 부정적 외부성의 크기이다.

19. 정답 ⑤

| 해설 | 생산물시장에서 재화와 서비스를 구매하는 경제주체는 가계이다. 따라서 (가)는 가계, (나)는 기업이다.
ㄷ. 가계는 생산요소시장에 노동을 제공한 대가로 임금을 받는다. 따라서 임금은 ㉠에 해당한다.
ㄹ. 기업은 생산물시장에서 재화와 서비스를 팔아 판매수입을 얻는다. 따라서 기업의 판매수입은 ㉢에 해당한다.

| 오답피하기 | ㄱ. 가계는 소비의 주체이다. 공공재 생산은 정부가 담당한다.
ㄴ. 기업은 이윤극대화를 추구한다.

20. 정답 ⑤

| 해설 | 제시된 실업은 직업을 바꾸는 과정에서 발생하는 마찰적 실업이다. 산업구조 개편 등 경제구조의 변화로 인해 발생하는 실업은 구조적 실업이다.

| 오답피하기 | ① 마찰적 실업과 탐색적 실업은 자발적 실업으로 완전고용 상태에서도 발생하는 자연발생적 실업이다.
③ 일자리 정보 확충은 직업탐색 기간을 단축시켜줄 수 있으므로 마찰적 실업을 줄일 수 있다.
④ 실업보험급여는 실업 상태를 지속시킬 수 있으므로 마찰적 실업을 늘릴 가능성이 있다.

21. 정답 ②

| 해설 | 외자 도입에 따른 이자 지급은 소득계정에 기록된다. 소득계정에는 이자나 배당이 기록된다.

국제수지표의 구성

	상품수지
경상수지	서비스수지
	본원소득수지
	이전소득수지
자본수지	
금융계정	
오차 및 누락	

22. 정답 ③

| 해설 | (가)는 다수의 공급자가 동일한 상품을 판매하는 완전경쟁시장이고, (나)는 다수의 공급자가 차별적인 상품을 판매하는 독점적 경쟁시장이며, (다)는 단 하나의 공급자만 존재하는 독점시장이고, (라)는 소수의 공급자가 존재하는 과점시장이다.
우월전략균형, 즉 게임이론으로 설명할 수 있는 시장은 과점시장이다.

23. 정답 ⑤

| 해설 | 정부가 경기진작을 위해 소득세를 감면하고 정부 부채를 증가시키는 것은 확장적 재정정책에 해당한다.
소비자들이 정부 부채의 증가를 미래에 조세 증가로 이어질 것으로 예상한다면 현재의 소비를 줄이고 저축을 증가시켜 재정정책의 효과를 상쇄할 것이다.

| 오답피하기 | ① 한계소비성향이 높아지면 재정승수가 높아져 재정정책의 효과가 커진다.
② 정부 부채의 증가가 이자율 상승을 초래하지 않으면 구축효과의 우려가 없어지므로 재정정책의 효과가 커진다.
③ 소비자들이 먼 미래를 생각하지 않고 현재를 중심으로 소비한다면 소비(C)가 증가할 것이다.
④ 신용제약에 놓여 있는 소비자들이 소득세 감면으로 더 많은 유동성을 확보하게 된다면 소비(C)를 늘릴 것이다.

24. 정답 ③

| 해설 | 미국인의 주식 투자자금이 국내에 유입되면 달러화 공급이 증가하므로 환율이 하락한다.

| 오답피하기 | ① 환율이 상승하면 원화 가치가 하락하므로 한국 정부의 대외 부채 부담이 늘어난다.
② 환율이 하락하면 한국 상품의 달러화 표시 가격이 상승하므로 수출 가격 경쟁력이 악화된다.
④ 환율이 하락하면 원화 가치가 상승하므로 미국 유학생을 둔 부모의 학비 송금 부담이 감소한다.
⑤ 환율 상승은 달러화 대비 원화 가치의 하락을 의미한다.

25. 정답 ②

| 해설 | A는 시장경제체제, B는 계획경제체제이다.
시장경제체제는 보이지 않는 손, 특히 가격에 의한 자원 분배를 중시한다.

| 오답피하기 | ① 모든 경제체제에서 희소성에 의한 경제문제가 발생한다.
③ 계획경제체제에 대한 설명이다.
④ 시장경제체제에서 경제적 유인을 강조한다.
⑤ 계획경제체제는 효율성보다 형평성을 더 강조한다.

관련 개념 짚어보기

시장경제체제 vs. 계획경제체제

시장경제체제	개인의 합리성을 전제로 사유재산권을 인정하고 가격기구에 의해 희소한 자원이 분배되는 경제시스템
계획경제체제	정부의 명령과 계획에 의해 희소한 자원이 분배되는 경제시스템

26. 정답 ③

| 해설 | 중앙은행은 통화정책을 관장하는 기관으로 경기침체 시 확장적 통화정책을 시행한다.
지급준비율을 낮추는 정책은 중앙은행의 확장적 통화정책에 해당한다.

| 오답피하기 | ① 소득세율 조정은 재정정책에 해당한다.
② 기업의 연구개발 장려는 투자(I)에 영향을 미치므로 재정정책에 해당한다고 볼 수 있다.
④ 기준금리를 높이는 것은 긴축적 통화정책에 해당한다.
⑤ 통화안정증권을 발행하여 통화량을 줄이는 정책은 중앙은행의 통화정책으로, 이는 주로 경기과열 시에 시행된다.

관련 개념 짚어보기

통화정책의 수단

긴축	확장
기준금리 ↑	기준금리 ↓
지급준비율 ↑	지급준비율 ↓
재할인율 ↑	재할인율 ↓
통화안정 증권 매각	통화안정 증권 매입

27. 정답 ③

| 해설 | 정상재는 소득이 증가할 때 소비가 증가하는 재화를 말하고, 열등재는 소득이 증가할 때 소비가 감소하는 재화를 말한다.
소득이 적을 때에는 중고차를 구입하지만 소득이 증가하였을 때 신차를 구입하는 것으로 보아 중고차는 열등재, 신차는 정상재로 볼 수 있다.

| 오답피하기 | ① 재화는 시장에서 거래되는 것을 말하고, 비재화는 시장에서 거래되지 않는 것을 말한다.
② 공유재는 바닷속 물고기와 같이 경합성은 있으나 배제성이 없는 재화를 말하고, 공공재는 국방서비스와 같이 경합성과 배제성이 모두 없는 재화를 말한다.
④ 매몰비용은 이미 지출이 이루어져 회수가 불가능한 비용을 말한다. 기회비용은 선택하지 않은 것의 가장 큰 경제적 가치로, 명시적 비용과 암묵적 비용을 포함한 개념이다.
⑤ 명시적 비용은 특정 행위를 할 때 실제로 지출한 비용을 말하고, 암묵적 비용은 특정 행위를 할 때 선택하지 않은 행위 중 가장 큰 가치를 가진 대안의 잠재적 가치를 말한다.

28. 정답 ①

| 해설 | ㄱ. 외환보유액이 적으면 경제위기가 올 수 있다. 따라서 외환보유액은 국가 신용도와 밀접한 상관관계가 있다.
ㄴ. 충분한 외환보유액은 국가 신용도를 상승시키며 외국 자본 조달 비용을 낮추고 외국인 투자를 촉진시킨다.

| 오답피하기 | ㄷ. 한국은행은 본원통화로 외환을 구매하여 외환보유액을 상승시키므로 외환보유액 증가는 국내 통화 증가로 이어진다.
ㄹ. 위안화, 유로화는 외환보유액에 포함된다.

29. 정답 ③

| 해설 | ㄴ. 가격차별 대상이 되는 집단 간에 상호 재판매가 불가능해야 가격차별이 성공적으로 이루어질 수 있다.
ㄷ. 분리된 시장에서 수요의 가격탄력성이 같으면 똑같은 가격으로 판매해야 이윤이 극대화되므로 가격차별의 의미가 퇴색된다.

| 오답피하기 | ㄱ. 많은 판매자와 낮은 진입장벽은 가격경쟁을 발생시켜 가격차별을 시행하기 어렵게 만든다.
ㄹ. 시장분리비용이 시장분리에 따른 이윤증가분보다 크면 가격차별 시행 시 손해가 발생한다.

30. 정답 ⑤

| 해설 | 정부가 공급자에게 단위당 $P_0 \sim P_1$의 세금을 부과하면 공급곡선이 좌측으로 이동하여 균형가격은 P_0와 P_2 사이에서 결정된다.

| 오답피하기 | ① 정부가 최고가격을 P_1으로 설정하면 공급량은 Q_1, 수요량은 Q_2가 되므로 $Q_1 \sim Q_2$만큼의 초과수요가 발생한다.
② 정부가 최저가격을 P_2로 설정하면 공급량은 Q_2 수요량은 Q_1이 되므로 $Q_1 \sim Q_2$만큼의 초과공급이 발생한다.
③ 정부가 최고가격을 P_1으로 설정하면 P_2 가격에 구매 의사를 가진 수요자가 암시장에서 P_2 가격에 재화를 구매할 것이다.
④ $P_1 \sim P_2$만큼 공급자에게 조세를 감면하든 수요자에게 소비 보조금을 지급하든 균형거래량은 Q_2로 같다.

시 사 경 제 · 경 영

31. 정답 ⑤

| 해설 | 법정최고금리를 인하하자 저신용자가 불법 사금융시장으로 밀려나는 현상은 풍선효과로 설명할 수 있다. 풍선효과는 풍선의 한 부분을 누르면 다른 부분이 부풀어 오르는 것처럼 특정 분야에 대한 정책 또는 규제가 다른 분야의 문제를 불러오는 현상을 말한다. 특정 지역의 집값을 규제하면 비규제지역에서 집에 대한 수요가 몰려 집값이 오르는 현상이 대표적이다.

| 오답피하기 | ① 낙수효과는 많은 부를 가진 사람들이 더 많은 부를 얻고 더 많은 소비를 행할 때 가난한 사람들도 긍정적인 효과를 경험하는 현상을 말한다.
② 롤링효과란 채권 잔존 기간이 짧아질수록 수익률 감소가 일어나 채권가격의 상승이 발생하는 현상을 말한다.
③ 분수효과는 낙수효과에 대비되는 개념으로, 중산층 또는 저소득층의 세금을 줄여주거나 복지를 늘려주면 이들의 소비 지출이 늘어나 경제가 활성화되고 궁극적으로는 고소득층의 소득 역시 늘어날 수 있다는 이론이다.

32. 정답 ④

| 해설 | '계란을 한 바구니에 담지 마라.'라는 말이 있듯이 분산투자는 리스크 축소를 위해 시행된다.

| 오답피하기 | ① 복리효과는 이자에 또 이자가 붙는 복리 방식이 시간이 지날수록 눈덩이처럼 자산을 키우는 현상을 말한다.
② 나비효과는 하나의 작은 사건이 연쇄적으로 영향을 미쳐 나중에 예상하지 못한 엄청난 결과를 일으킬 수 있다는 것을 말한다. '브라질 나비의 작은 날갯짓이 텍사스에 태풍을 몰고 올 수 있다.'라는 말로 표현된다.
③ 지렛대효과란 투자액의 일부를 자기자본이 아닌 부채로 조달함으로써 자산의 가격변동률보다 훨씬 더 높은 투자수익률을 발생시키는 것을 말한다.
⑤ 고위험 고수익은 하이리스크 하이리턴이라고도 하며, 높은 수익을 추구하는 행위에는 높은 위험이 따른다는 것을 의미한다.

33. 정답 ③

| 해설 | 인플레이션 감축법은 조 바이든 정부가 추진하는 법으로, 기후변화와 의료보험 확대 등의 내용을 담고 있다. 법안 내용 중 미국에서 제조된 전기차에만 보조금을 주는 내용이 포함되어 있어 큰 논란이 되었다.

| 오답피하기 | ① 도드 – 프랭크 법은 2008년에 발생한 금융위기 이후 발의된 법으로, 파생상품 거래의 투명성을 높이는 데 기여하였다.
④ 스무트 – 홀리 관세법은 미국이 자국 산업 보호 명분으로 2만여 종의 수입품에 평균 60%의 세율을 부과한 법안이다.
⑤ 우루과이라운드는 관세 및 무역에 관한 일반 협정(GATT)의 문제점을 해결하고 해당 협정을 새로운 다자간 무역 협정으로 발전시키기 위해 1993년에 타결된 무역협상이다.

34. 정답 ③

| 해설 | BSI(기업경기실사지수), CSI(소비자동향지수), PMI(구매관리자지수)는 모두 100을 기준으로 그 이상이면 경기확장, 그 이하면 경기수축으로 판단한다.

35. 정답 ①

| 해설 | 코픽스(COFIX)는 은행의 자금조달비용을 반영하여 주택담보대출금리 등의 기준이 되는 대출 금리를 말한다.

| 오답피하기 | ② 코스닥은 코스피에 비해 벤처기업이나 중소기업이 많이 상장되어 있는 주식시장이다.
③ 코스피는 한국을 대표하는 주가지수로, 코스닥에 비해 핵심 대기업들이 상장되어 있는 주식시장이다.
④ 코리보는 은행 간에 돈을 빌릴 때 적용하는 호가금리를 말한다.
⑤ 코넥스는 중소, 벤처기업과 같이 규모가 큰 기업에 비해 주식 발행을 통한 자금 조달에 어려움을 겪는 기업들을 위한 중소기업 전용 증권시장이다.

36. 정답 ③

| 해설 | 노인복지제도, 특히 국민연금은 65세 이후로 수령이 가능하다.

37. 정답 ②

| 해설 | 전환사채는 사채의 형태로 발행되었지만 후에 회사의 주식으로 교환할 수 있는 권리가 부여된 채권이다.

| 오답피하기 | ① 만기가 없는 채권을 영구채라고 한다.
③ 할인채는 이자가 없는 대신 채권 가격이 액면금액보다 낮은 채권을 말한다.
④ 듀레이션은 채권의 만기, 수익률 등을 보고 채권의 이자율 위험을 측정한 것이다.
⑤ 커버드콜은 주식 매수와 콜옵션 매도를 동시에 진행하여 옵션 프리미엄을 얻는 행위를 말한다.

38. 정답 ②

| 해설 | 국부펀드(Sovereign Wealth Fund)는 주로 투자수익을 목적으로 다양한 종류의 국내외 자산에 투자 · 운용하는 국가보유투자기금을 말한다. 한국의 국민연금, 사우디의 사우디 아람코가 대표적이다.

| 오답피하기 | ① 헤지펀드는 개인을 대상으로 모집한 자금을 고수익 또는 위험 회피 등을 목적으로 국제증권시장이나 국제외환시장에 투자하는 사적 투자조합 또는 투자계약을 말한다.
③ 벌처펀드는 부실기업에 전문적인 투자를 하는 펀드를 말하며, 해당 기업을 인수하고 부동산 매각이나 구조조정을 시행하여 수익을 창출한다.
④ 퀀트펀드는 계량 분석을 기반으로 기계적 학습 및 코딩을 통해 프로그램 매매를 하는 펀드를 말한다. AI의 개발과 머신러닝의 등장으로 수익성과 안정성이 더욱 증대되고 있다.
⑤ 매칭펀드란 공동자금출자를 의미하며, 흔히 컨소시엄 형태로 여러 기업이 공동출자하는 경우를 지칭한다.

39. 정답 ④

| 해설 | 기간산업은 한 나라의 경제를 지탱하는 핵심 산업을 말한다. 우리나라의 자동차. 반도체. 조선 산업을 예로 들 수 있다.

| 오답피하기 | ① 리스산업은 자동차와 같은 물건을 대여하고 일정 기간 동안 그 대가를 분할하여 지급받는 리스 형태의 사업을 말한다.
② 사양산업은 경제와 기술의 발전으로 인해 자연스럽게 쇠퇴해가는 산업을 말한다. 우리나라의 경우 섬유 산업을 예로 들 수 있다.
③ 한계산업은 변화에 적응하지 못하여 어려움을 겪는 산업을 일컫는다. FTA 확대 시행으로 어려움을 겪는 농식품 산업을 예로 들 수 있다.
⑤ 후방산업은 특정 회사를 기준으로 최종 소비자보다 원재료 공급 쪽에 가까운 산업을 의미한다.

40. 정답 ④

| 해설 | • 그레이 스완: 이미 알려진 악재이지만 적당한 해결책이 없어 위험 요인이 계속 존재하는 상태를 말한다.
• 그레이 라이노(회색 코뿔소): 갑자기 발생한 것이 아니라 계속해서 경고음을 내면서 빠르게 다가오는 위험이지만 대처하기 어려운 위험 요인을 말한다.

관련 개념 짚어보기

블랙 스완	발생할 가능성이 현저히 적은 일이 발생하는 현상을 말한다.
화이트 스완	이미 알려진 상태이고 충분히 예방할 수 있는 악재이지만 적절한 대응을 하지 못해 발생한 현상을 말한다.

41. 정답 ⑤

| 해설 | 공매도란 보유하고 있지 않은 주식을 매도하는 것을 말한다. 투자자가 주식을 보유하지 않은 상태에서 주가 하락을 예상하고 주식을 빌려 먼저 매도한 후. 주가가 하락하면 시장에서 주식을 매입하여 되갚은 후 차익을 얻는 투자를 말한다.

| 오답피하기 | ① 유상감자란 회사가 주식의 수를 줄여 자본을 감소시킬 때 발생한 금액을 주주에게 환급하는 것을 말한다.
② 로스컷이란 손절매를 뜻하는 용어로. 손해를 감수하고 주식이나 상품을 매도하는 행위를 지칭한다.
③ 무상증자는 자본잉여금을 재원으로 주주에게 대가를 받지 아니하고 신주를 발행하여 교부하는 것을 말한다. 자본잉여금이 자본금으로 바뀌므로 자본금은 증가하지만 자본 총량은 변하지 않는다.
④ 숏커버링은 공매도(Short)한 주식을 되갚기 위해(Covering) 시장에서 주식을 매입하는 것을 말한다.

42. 정답 ⑤

| 해설 | 디폴트 옵션은 연금 가입자가 특별한 지시를 하지 않는 경우 운용사가 사전에 지정된 방법으로 투자 상품을 자동으로 선정·운용하는 제도이다.

| 오답피하기 | ① 순환출자란 그룹 계열사들끼리 돌려가며 출자를 하여 자본을 늘리는 것을 말한다.
② 골드뱅킹은 금과 관련된 상품을 은행에서 사고파는 제도를 말한다.
③ 대체투자는 종래의 주식. 채권. 현금의 범주 중 하나에 속하지 않는 금융자산에 투자하는 행위이다. 사모펀드나 벤처캐피털. 헤지펀드. 부동산 등은 모두 대체투자의 예이다.
④ 플래시백은 과거의 사건으로 거슬러 올라가는 영화. 이야기 또는 연극의 짧은 부분이다. 현실에 특정한 단서를 통해 그것과 관련된 기억을 회상하는 행위를 말한다.

43. 정답 ②

| 해설 | 조회공시는 투자자 보호를 달성하고자 기업 주가에 영향을 미칠 수 있지만 사실이 확인되지 않는 보도. 풍문에 대해 해당 기업이 직접 답변하도록 하는 제도이다.

| 오답피하기 | ① 기업공개란 비상장회사가 상장 절차 등을 밟아 주식을 외부 투자자들에게 공매하는 행위를 말한다.
③ 내부감사란 회사 내의 구성원이 행하는 회계감사이다. 이를 통해 리스크 관리. 기업의 내부 통제. 기업 지배구조 및 회계 과정의 효율성을 평가한다. 내부감사는 외부감사에 앞서 회사의 결함을 발견하고 수정할 수 있는 부분을 경영진 및 이사회에 제공한다.
④ 외부감사는 내부자가 아닌 독립적인 외부인. 외부기관으로부터 받는 회계감사이다. 감사 주체는 감사 결과에 따라 적정. 부적정. 한정. 의견거절 등의 결과를 제공한다.
⑤ 수요예측이란 공모주 청약 전에 기관이 청약 주관사에 희망하는 매입 수량과 가격을 통보하는 것을 말한다.

44. 정답 ①

| 해설 | 통화스왑이란 두 당사자가 대출의 원금과 한 통화의 이자를 다른 통화의 원리금으로 교환하는 합의로. 주로 안정적인 외화보유액을 유지하기 위해 시행하는 계약이다.

| 오답피하기 | ② 베이시스는 선물계약과 현물지수와의 가격 차이를 말한다.
③ 헤징은 주식과 같은 현물가격의 하락에 의한 손실을 막기 위해 선물을 매도하는 행위이다.
④ 인덱스는 코스피나 다우존스와 같은 시장지수를 지칭한다.
⑤ 스프레드란 기준금리와 실제 거래에서 적용한 금리 간의 차이를 말하며. 가산금리라고도 한다. 일반적으로 신용도가 떨어지면 스프레드가 커지게 된다. 또한 선물 시장에서 조건(보통 만기 조건)과 다른 선물가격 간의 차이를 스프레드라고 한다.

45. 정답 ③

| 해설 | '차가운 머리. 뜨거운 가슴'을 이야기한 경제학자는 알프레드 마샬로 신고전학파의 창시자이자 현대 미시경제이론을 정립한 학자이다. '인플레이션은 언제나 화폐적 현상이다.'라고 주장한 경제학자는 밀턴 프리드먼이다. 프리드먼은 정부의 재정정책을 반대했다는 점에서 케인스와 대비되지만. 통화주의의 대표주자로 시카고학파를 이끌었다. 그는 정책 당국의 재량적 통화정책을 경계하며 명확한 준칙에 따른 통화정책의 필요성을 강조하였다.

46. 정답 ①

| 해설 | 톱니효과는 소비수준이 한 번 높아지면 다시 낮아지기 힘들어지는 현상을 설명하는 용어로, 소비의 비가역성이라고도 한다.

| 오답피하기 | ② 승수효과란 정부지출 등 정부정책변수의 변화율에 비해 국민소득의 변화율이 더욱 크게 나타나는 현상을 말한다.
③ 피구효과는 물가가 하락하면 화폐의 구매력이 증가하여 실질부(Real Wealth)가 증가하는 효과를 말한다. 부의 효과, 실질잔고 효과와 같은 의미이다.
④ 스놉효과란 어떤 제품이 대중화되면 남들과 다르다는 것을 증명하기 위해 해당 제품을 더 이상 구매하지 않는 소비 현상을 일컫는 말이다.
⑤ 핀볼효과는 제임스 버크의 저서 『핀볼효과(The Pinball Effect)』에서 '우연적 사건의 연쇄가 세상을 움직인다.'라는 뜻으로 처음 등장한 용어이다. 이는 경제성장률, 유동성, 금리, 투자심리 등이 복합적으로 작용하여 자산 가격을 크게 오르게 하는 것을 가리킨다.

47. 정답 ①

| 해설 | 치킨게임은 게임이론에서 나오는 두 플레이어의 극단적 갈등 모델이다. 한쪽이 포기하면 다른 쪽이 이득을 보지만, 포기하는 겁쟁이(Chicken)가 나오지 않을 경우 양쪽 모두 파멸적인 결과를 맞게 된다.

| 오답피하기 | ② 바벨전략은 중간 정도의 위험을 가진 투자상품을 배제한 채 큰 안전성을 가진 상품과 높은 위험성을 가진 상품으로만 포트폴리오를 구성하는 전략이다.
④ 상쇄전략은 투자자가 자신의 포지션을 공개하고 공개한 포지션과 정반대의 포지션을 취하는 것이다.
⑤ 룰렛게임은 37개의 칸으로 나누어진 룰렛을 돌려 공이 어디로 들어갈지 맞히는 게임이다.

48. 정답 ③

| 해설 | 로보어드바이저란 사전에 프로그램된 알고리즘을 통해 투자와 매매 및 자산배분 서비스를 제공하는 행위 또는 그 프로그램을 말한다.

| 오답피하기 | ① 빅블러(Big Blur)는 산업 간 경계가 애매해지는 현상을 말한다.
② 메타버스는 가상현실 또는 증강현실을 포함하는 상위 개념으로, 현실 세계가 아닌 가상공간에서 현실과 같이 사회, 경제 활동을 할 수 있는 세계를 말한다.
④ 블록체인이란 탈중앙화 방식으로 정보를 기록하는 시스템으로 정보의 변경이나 해킹이 매우 힘든 특징이 있다.
⑤ 텔레매틱스란 자동차 등의 운송장비 안에서 무선통신과 GPS의 결합을 통해 금융서비스, 위치서비스, 오락 등을 이용할 수 있게 만드는 기술을 말한다.

49. 정답 ④

| 해설 | 공정거래법에 따르면 1개의 사업자 시장 점유율이 50% 이상이거나 3개 이하의 사업자의 시장 점유율 합이 75% 이상이면 해당 사업자를 시장지배적 사업자로 규정한다.

50. 정답 ④

| 해설 | 패리티는 다른 통화와의 비율을 말한다.

| 오답피하기 | ② 황금률은 타인에게 기대하는 행위를 본인이 먼저 실천하라는 의미를 지닌 도덕 철학 원칙이다.
③ 녹아웃은 한계수익률을 말한다. 기초자산이 녹아웃 가격에 도달하면 수익률이 확정된다.
⑤ 트리핀 혹은 트리핀 딜레마는 기축통화 발행국은 기축통화의 국제 유동성을 유지하기 위해 국제수지(경상수지) 적자를 지속해야 하는데, 이는 기축통화에 대한 신뢰도 하락으로 연결될 수밖에 없다는 상충관계를 의미한다.

51. 정답 ⑤

| 해설 | 아람코는 사우디아라비아의 국부펀드를 지칭한다.

52. 정답 ①

| 해설 | 발생주의 회계는 수익의 인식을 재화(재고) 또는 서비스를 구매자에게 인도한 시점에, 비용의 인식은 재화 또는 서비스를 소비한 시점에 하는 것을 말한다.

| 오답피하기 | ② 현금주의 회계는 현금 수취 또는 지출 시점에 수익과 비용을 인식하는 회계 방식이다.
④ 총액주의 회계는 순액주의와 대비되는 개념으로, 수익과 비용을 상계하지 않고 각각 총액으로 재무제표에 기재하는 방식을 말한다.
⑤ 권리의무 확정주의는 실현주의라고도 하는데, 실제 금전의 수수 여부에 상관없이 금전을 수취할 권리와 지급할 의무가 확정되는 시점에 손익을 인식하는 기준을 말한다.

53. 정답 ⑤

| 해설 | 수직계열화는 대기업이 원재료 조달, 제조, 유통, 판매에 관련된 기업들을 계열사화하여 공급사슬을 통제하에 두는 것을 말한다. 비용을 절감하고 효율성을 높일 수 있는 장점이 있지만, 통합에 큰 자본 투자가 필요하고 제품이 경쟁력을 잃거나 불황에 빠질 경우 계열사 전체가 연쇄적으로 위기에 빠질 수 있다는 단점이 있다.

| 오답피하기 | ① 관리대상계열은 재무구조개선 약정 체결대상은 아니지만 그에 준하는 기업들을 선정하여 신규사업 진출이나 해외투자를 조건부로 규제하는 제도이다.
② 라이선스생산은 다른 업체에게 설계도나 제조과정 및 노하우를 전수받아 대리 생산하는 생산 방식이다.
③ 수평계열화는 사업적으로 관계가 적은 기업들을 계열사화하는 것으로, 이는 위험을 분산할 수 있다는 장점이 있다.
④ 주채무계열은 부채 감당이 힘든 사업채에 대해 주채권은행으로 하여금 채무를 통합하여 관리하게 하는 제도이다.

54. 정답 ⑤

| 해설 | 금과 미국 달러화, 미국 국채는 위험이 적은 안전자산으로 분류되어 불황기에 인기가 많다. 하지만 이러한 투자상품들은 주식과 달리 배당 수익을 제공하지 않는다.

55. 정답 ②

| 해설 | 오버슈팅은 재화 또는 금융자산의 가격이 급격히 폭등 또는 폭락하였다가 다시 균형가격으로 되돌아가는 현상을 말한다.

| 오답피하기 | ① 어닝쇼크는 시장에서 예상한 것보다 기업이 저조한 실적을 발표하여 주가에 영향을 미치는 현상을 일컫는 용어이다. 시장의 예상치보다 영업실적이 저조한 경우 주가 하락으로 이어지는 경우가 일반적이다.
③ 턴어라운드란 전환점을 의미하며, 국가가 경기침체 국면에서 경기호황 국면으로 전환되는 시점을 말한다.
④ 크로스오버는 장르를 넘나드는 교류현상을 말하는데, 은행과 보험사가 다른 금융채널을 활용하여 상품을 판매하는 것을 예로 들 수 있다.
⑤ 오너어닝은 기업가치를 판단하는 지표로서 순이익과 같은 현재적 자금흐름에서 투자비용과 같은 자본적 지출을 빼서 구한다.

56. 정답 ②

| 해설 | RBC(Risk-Based Capital)는 보험회사의 재무건전성을 나타내는 지표이다. 이 지표를 통해 보험사의 지급능력을 가늠할 수 있다.

| 오답피하기 | ① EVA(Economic Value Added)는 주주의 관점에서 기업의 가치를 파악하기 위한 지표로, 세후영업이익에서 자본비용을 차감하여 구한다.
③ ROE(Return On Equity)는 기업의 수익성을 나타내는 지표의 하나로서, 주주가 출자한 자본에 대한 이익의 창출 정도를 나타낸다.
④ LBO(Leveraged Buyout)는 특정 기업을 인수하기에는 자금이 부족한 기업이 매수 대상인 기업의 자산을 담보로 금융기관으로부터 자금을 차입하여 기업을 인수하는 M&A 전략을 말한다. 적은 자기자본으로 기업을 인수할 수 있다는 장점이 있지만, 사모펀드 등의 고위험 투기 전략으로 활용되면서 비판의 목소리 또한 존재한다.
⑤ CMA(Cash Management Account)는 단기금융상품으로 자금을 국공채나 어음 등에 투자해서 수익을 고객에게 나누어준다.

57. 정답 ①

| 해설 | 리쇼어링(Reshoring)은 인건비, 생산비 절감 등을 이유로 해외로 생산시설을 옮긴 기업들이 다시 자국으로 돌아오는 현상을 말한다.

| 오답피하기 | ② 리텐더(Retender)는 선물 또는 선물 계약으로 인한 인도를 목적으로 하는 상품 또는 자산의 소유권을 매각하거나 양도하는 것을 말한다.
③ 리커버리(Recovery)는 위기인 기업이나 산업을 살리기 위해 정부나 금융기관이 자금을 지원해주는 행위를 말한다.
④ 리세션(Recession)은 경기침체를 의미하며, R의 공포라고도 한다.
⑤ 리타이어먼트(Retirement)는 은퇴, 퇴직을 말한다.

58. 정답 ②

| 해설 | 캔자스시티 연방은행은 매년 주요국 중앙은행 총재들을 초대하여 심포지엄을 개최하는데, 이를 잭슨홀 미팅이라고 한다.

| 오답피하기 | ① 타운홀 미팅은 지역 주민과 해당 지역 국회의원이나 지역 의원이 만나 입법에 대한 토론을 하는 것을 말한다.
③ 킥오프 미팅이란 프로젝트를 시작할 때 진행하는 첫 미팅을 말하며, 이때 프로젝트의 목표나 기한 등을 정한다.
④ 오픈 컨퍼런스는 특정한 주제 아래 시민들의 자발적 참여로 열리는 컨퍼런스이다.
⑤ 선밸리 컨퍼런스란 비공개 국제 비즈니스 회의로, 투자회사 앨런앤컴퍼니가 개최하며, 미디어나 IT업계에서 큰 영향력을 발휘하는 인물들만 초대한다.

59. 정답 ③

| 해설 | NICE, 피치, 무디스, 한국기업평가, S&P는 모두 신용평가사로, 국가나 기업의 신용을 평가하는 기관이다.
골드만삭스는 투자은행이다.

60. 정답 ④

| 해설 | 님비현상은 'Not In My Backyard'의 줄임말로, 공공의 이익을 위해서는 필수적인 시설이지만 자신의 주거지에는 도움이 되지 않는, 또는 피해를 끼치는 폐기물처리장과 같은 시설이 자신의 지역에 들어서는 것을 반대하는 행동이다.

| 오답피하기 | ① 병목현상은 병의 목과 유사한 현상이 일어남을 의미하는데, 병의 목 부분의 지름이 몸통 부분에 비해 좁아 물이 천천히 쏟아지는 것처럼 어떠한 하나의 제약조건으로 전체의 성능이 저하되는 현상을 말한다.
② 설단현상은 어떤 내용을 기억하려 할 때 방해하는 요인이나 장애가 있어 해당 내용을 정확하게 기억해내지 못하는 상태를 말한다.
③ 적목현상은 사진을 찍을 때 사람 눈의 모세혈관이 빛을 받아 눈이 빨갛게 보이는 현상을 말한다.
⑤ 공동현상은 유체 내에 속도 변화가 생겨 이로 인한 압력 변화가 발생하여 공간들이 생기는 현상을 말한다.

상 황 추 론 · 판 단

61. 정답 ②

| 해설 | 코로나19로 인해 반도체 공장이 중단되면 반도체 시장에서 공급 감소가 나타난다. 공급이 감소하면 가격은 상승하고 거래량은 감소한다.

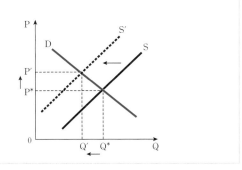

공급의 감소

62. 정답 ⑤

| 해설 | 2022년 9월에 작성된 제시된 신문기사는 미국 중앙은행(연준)이 고물가에 대응하기 위해 기준금리를 높이는 정책을 펼쳤는데, 그 결과 투자 자금이 미국으로 몰려 달러화 가치가 상승했다고 보도하고 있다. 이를 통해 2022년 1월에는 주요국 통화와 비교했을 때 달러화 가치가 낮았음을 알 수 있다.

| 오답피하기 | ① 기준금리 인상으로 1월에 비해 9월에 달러화 가치가 높다.
② 달러화 가치 상승은 외국 통화의 가치 하락으로 이어져 수입 물가의 하락을 가져와 미국 인플레이션 억제에 도움이 된다.
③ 유럽과 중국의 불황은 유로화와 위안화의 가치를 하락시켜 달러화 가치 상승을 견인한다.
④ 달러 인덱스가 상승하면 달러화 대비 원화 환율은 상승한다.

관련 개념 짚어보기

달러 인덱스(USDX)

유로(유럽), 엔(일본), 파운드(영국), 캐나다 달러, 스웨덴 크로나, 스위스 프랑 등 경제 규모가 크고 통화가치가 안정적인 6개국 통화에 대한 미국 달러화의 평균적인 가치를 보여주는 지표이다. 지수 산출을 위한 6개국 통화의 비중은 경제 규모에 따라 결정된다. 1973년 3월을 기준점인 100으로 하여 미 연방준비제도 이사회(FRB)가 작성·발표한다. 달러 인덱스가 상승하면 미 달러화 가치가 오른다는 것을 의미한다. 특정 시점의 달러 인덱스가 80이라면 주요국 통화 대비 미 달러화 가치가 1973년 3월 대비 20%가량 떨어졌다는 것을 의미한다.

63. 정답 ②

| 해설 | 제시된 신문기사는 공적연금의 재무 개선이 불가능한 상황에서 지속적으로 정부 재원이 투입되어야 하는 상태임을 보여준다. 계속되는 연금적자에 재정투입이 늘어나는 것은 '밑 빠진 독에 물 붓기'와 같은 상황이다.

| 오답피하기 | ① '티끌 모아 태산'은 작은 것도 모으면 큰 것으로 불어난다는 속담이다.
③ '같은 값이면 다홍치마'는 이왕 같은 값이면 품질이 더 좋은 것을 고른다는 속담이다.
④ '우물에 가 숭늉 찾는다.'는 순서를 무시하고 행위를 보채는 사람을 의미한다.
⑤ '바늘 도둑이 소도둑 된다.'는 사람이 가벼운 죄도 계속 저지르다 보면 언젠가 중죄를 지게 된다는 속담이다.

64. 정답 ⑤

| 해설 | 인텔은 CPU 산업에 모든 기업 역량을 쏟아부어 다른 기업들이 만들어 내지 못하는 수준의 CPU를 만들어 90%가 넘는 시장 점유율을 기록하였다.

| 오답피하기 | ① 인텔은 CPU 시장에서 높은 점유율을 차지하기 위해 카르텔을 활용하지 않았다.
② 인텔은 가격차별이 아닌 더 높은 질의 제품을 생산하여 시장을 독점하였다.
③ 인텔은 시장지배력을 행사하지 않았다.
④ 인텔은 높은 수준의 제품을 만들어 소비자들에게 혜택을 주었다.

65. 정답 ①

| 해설 | A국의 실업률은 {400/(1,200 + 400)}×100으로 25%이다.

| 오답피하기 | ② A국가의 고용률은 {1,200/(1,200 + 400 + 400)}×100으로 60%이다.
③ A국가의 경제활동참가율은 {(1,200 + 400)/(1,200 + 400 + 400)}×100으로 80%이다.
④ 직업군인은 생산가능인구에 포함된다.
⑤ 일주일에 1시간 이상 일하여 보수를 받는 경우 취업자에 포함된다. 주당 10시간 이상 아르바이트를 하는 대학생은 취업자에 포함된다

관련 개념 짚어보기

- 실업률(%) $= \dfrac{\text{실업자}}{\text{경제활동인구}} \times 100$

- 고용률(%) $= \dfrac{\text{취업자}}{\text{생산가능인구}} \times 100$

- 경제활동참가율(%) $= \dfrac{\text{경제활동인구}}{\text{생산가능인구}} \times 100$

  $= \dfrac{\text{취업자} + \text{실업자}}{\text{생산가능인구}} \times 100$

66. 정답 ②

| **해설** | 통신요금, 국민연금, 건강보험과 같은 비금융 정보의 경우 본인이 신청해야만 신용점수에 반영된다.

| **오답피하기** | ① 과도한 대출은 신용점수에 악영향을 끼친다.
③ 신용점수가 높으면 높은 신용 상태를 의미하고, 신용점수가 낮으면 낮은 신용 상태를 의미한다.
④ 연체 기간이 길어질수록 신용점수에 악영향을 끼친다.
⑤ 감당하기 어려운 빚은 신용회복위원회의 도움을 받을 수 있다.

67. 정답 ①

| **해설** | 제시문은 과점 기업들이 시장 지배력을 이용하여 초과이윤을 추구하려는 행위를 보여준다.
ㄱ, ㄴ, ㄷ. 과점시장에서의 기업들의 선택에 대한 이론인 게임이론, 과점 기업들의 배타적 연합인 카르텔, 담합을 규제하려는 공정위의 제도인 리니언시가 A국 시멘트시장이 속한 시장 형태와 관련이 있다.

| **오답피하기** | ㄹ. 공유지는 무제한 공급이 불가하므로 과도한 사용으로 인해 가치가 감소할 수 있으며, 보충할 수 있는 양보다 많이 사용하면 부족해지거나 사용 자체가 불가능해질 수 있다. 이를 공유지의 비극이라고 한다.
ㅁ. 가격수용자는 완전경쟁시장에서 개별 사업체들의 행위가 가격에 영향을 주지 못하므로 가격을 그대로 받아들여야 하는 행태를 말한다.

관련 개념 짚어보기

리니언시(Leniency)

관용, 관대, 자비를 의미하고, 자진 신고자 감면제라고도 한다. 담합 행위를 한 기업들의 자백을 유도하도록 만든 제도로, 자진 신고 시 과징금을 감면해주는 제도를 말한다. 경제학적으로 리니언시는 과점기업들의 카르텔(담합)을 죄수의 딜레마 상황으로 몰고가 서로를 배신하게 만드는 데 의의가 있다.

68. 정답 ①

| **해설** | 제시된 그림은 총수요가 증가를 나타낸다.
정부지출 증가, 기업투자 증가, 기준금리 인하는 총수요 증가 요인이다. 총수요가 증가하면 물가가 상승하므로 이는 채무자에게 유리하게 작용한다.

| **오답피하기** | ②③④⑤ 인플레이션이 발생하면 채권자, 임금 근로자, 연금 생활자는 불리해지고 실물자산 보유자, 채무자는 유리해진다.

관련 개념 짚어보기

총수요의 증가

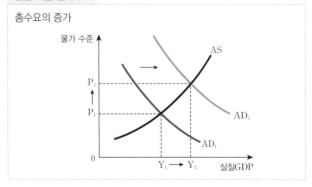

69. 정답 ④

| **해설** | 지대추구행위는 경제주체가 경제적 지대를 얻기 위해 정치적 로비 등의 수단을 통해 공급을 제한하는 행위이다. 이는 새로운 부를 창출하지 않으면서 다른 사회 구성원의 부를 이전시키는 행위라는 점에서 일반적인 이윤추구행위와 다르며, 사회 전체 후생을 감소시킬 수 있다.
지대추구 행위는 소비자잉여를 감소시키고 생산자잉여를 증가시킨다.

| **오답피하기** | ① 지대추구행위는 이익집단이 주로 입법기관의 위원, 관료를 섭외해 철의 삼각을 구성하여 이루어진다.
② 지대추구행위는 정부가 입법이나 정책을 통해 시장에 개입하지만 효율성 저하 및 사회적 손실을 발생시키므로 정부 실패로 볼 수 있다.
③ 지대추구행위의 예시인 적기조례법은 비효율적인 자원 배분을 야기한다.
⑤ 이익집단들이 정책 결정을 통해 자신들의 이익을 추구하는 것이 지대추구행위이다.

70. 정답 ⑤

| **해설** | 양적긴축 혹은 테이퍼링은 긴축적 통화정책을 사용하여 통화량을 줄여 물가안정을 추구하는 정책이다.
양적긴축에 해당하는 정책에는 기준금리 인상, 국공채 매각, 지급준비율 인상 등이 있다.

| **오답피하기** | ① 미국이 긴축적 통화정책을 사용하면 달러화의 통화량이 줄어 달러화의 가치 상승 및 달러 인덱스 상승이 나타난다.
② 필립스곡선에 따르면 실업률과 물가상승률은 음(-)의 상관관계에 있다. 양적긴축은 물가안정을 목표로 시행되며 이때 일정 수준의 실업률 상승은 중앙은행이 용인할 것이다.
③ 양적긴축은 물가안정을 목표로 한다.
④ 기준금리 인상은 양적긴축에 해당하는 정책이다

71. 정답 ①

| **해설** | 정부가 카드 가맹점 수수료 인하 정책을 펼치게 된다면 누군가가 그 정책의 비용을 부담해야 할 것이다.
A국 정부의 정책으로 인해 소비자의 카드 혜택 감소가 정책의 비용이 될 전망이다. 이는 '세상에 공짜 점심은 없다.'의 상황으로 볼 수 있다.

| **오답피하기** | ② '가을 부채는 시세가 없다.'는 가을에 부채 값이 의미가 없듯이 해당 시기에 필요가 없는 물건은 가치가 하락함을 의미한다.
④ '장기적으로 우리는 모두 죽는다.'는 케인스의 말로, 경기침체 시 시장의 자율 조정 기능을 기대하기 어려움을 의미한다.
⑤ '오얏나무 아래에서 갓을 고쳐 쓰지 마라.'는 오해될 만한 행동을 하지 말 것을 의미한다.

72. 정답 ②

| **해설** | 시장에서 효율성이 완전하게 충족되지 못하고 문제가 생기는 것을 시장 실패라고 한다. 흔히 시장 실패를 교정하기 위해 정부가 개입하는데 정부 개입이 더 심각한 비효율을 초래하는 것을 정부 실패라고 한다.
시장 실패의 예로는 공공재, 불공정 경쟁, 비대칭 정보, 외부경제 등이 있고, 정부 실패에는 관료제 의사결정, 정보 부족 등이 있다.

73. 정답 ③

| 해설 | X재의 관세를 인상하면 X재의 가격 인상. 자중손실 발생. X재의 수입 감소. X재의 국내 생산량 증가 등이 나타난다.

| 오답피하기 | ① 관세의 인상으로 X재의 가격은 상승한다.
② 관세의 인상으로 갑국의 X재 수입량은 감소한다.
④ 관세의 인상으로 갑국의 X재 수요량은 감소한다.
⑤ 관세의 인상으로 갑국의 X재에 대한 관세 수입은 증가한다.

관련 개념 짚어보기

관세 부과의 효과

74. 정답 ⑤

| 해설 | 제시된 그림은 모딜리아니의 생애주기가설의 모형이다.
소득은 포물선의 형태를 그리기 때문에 a점에서 소득과 소비의 차이인 저축액이 가장 많다. 따라서 B는 저축에 해당하며. B의 면적이 A+C보다 클 때 안정적인 노후 생활이 가능하다.

75. 정답 ④

| 해설 | 중앙은행이 공개시장조작을 통해 국공채를 매각하는 것은 양적긴축의 정책에 해당한다.
양적긴축(테이퍼링)은 총수요를 감소시켜 총수요곡선을 왼쪽으로 이동시킨다. 이에 따라 균형국민소득은 감소하고 물가 수준은 하락한다.

관련 개념 짚어보기

통화정책의 수단

긴축	확장
기준금리 ↑	기준금리 ↓
지급준비율 ↑	지급준비율 ↓
재할인율 ↑	재할인율 ↓
통화안정 증권 매각	통화안정 증권 매입

76. 정답 ④

| 해설 | 2010년 이후 물가 상승이나 실업률 상승이 나타나지 않았다.

| 오답피하기 | ① 최근에는 물가상승률의 급격한 상승이 고통지수를 높이고 있다.
② 금리를 인상하면 물가상승률이 낮아지고 실업률이 높아질 수 있다.
③ 재정지출을 확대하면 총수요가 증가하며 총수요곡선이 오른쪽으로 이동한다. 이에 따라 물가가 상승하고 실업률이 낮아진다.
⑤ 우크라이나 전쟁에 따른 곡물 가격 상승은 총공급 감소 요인으로 총공급곡선이 왼쪽으로 이동한다. 이에 따라 물가가 상승하고 실업률이 높아진다.

관련 개념 짚어보기

경제고통지수

국민들이 피부로 느끼는 경제적 삶의 어려움을 계량화해서 수치로 나타낸 것으로, 물가상승률과 실업률을 합한 다음 소득증가율이나 국내총생산 증가율을 빼서 수치로 나타낸다.

77. 정답 ③

| 해설 | 제시문은 공공선택이론의 내용으로, 국민과 정치인을 주인 – 대리인으로 해석하여 정치에서 나타나는 정보 비대칭 현상을 설명하고 있다. 이에 따르면 정부와 정치인은 공익을 위해 노력하는 개인들이 아닌 자신들의 효용을 극대화하려는 시장 참여자일 뿐이다.

78. 정답 ③

| 해설 | A국보다 B국의 소득이 더 불평등하게 배분되어 있다. 따라서 B국이 누진세를 도입하여 소득재분배를 위해 힘써야 할 것이다.

| 오답피하기 | ① A국은 완전평등 상태로 지니계수가 0이다.
② B국의 지니계수는 0.5로, A국보다 높다.
④ B국의 로렌츠곡선에서 하위 50%까지의 누적 소득이 0이므로 하위 50%의 소득은 0이다.
⑤ A국의 소득분배가 B국의 소득분배보다 더 균등하다.

79. 정답 ④

| 해설 | 밑줄 친 대출은 전세자금 대출로 소득 조건, 재직 상태 등의 요건을 확인하지만 담보를 요구하지 않는다. 이는 은행의 입장에서 실물자산을 담보로 진행되는 대출보다 위험성이 크다.

| 오답피하기 | ① 전세자금대출은 신용 대출이다.
② 담보대출보다 일반적으로 위험성이 높으므로 이자율도 높다.
③ 채무불이행 시 신용등급에 부정적 영향을 준다.
⑤ 급여소득의 상승은 은행 입장에서 위험이 줄어드는 상황이므로 금리가 낮아질 가능성이 있다.

80. 정답 ③

| 해설 | 제시문의 '결국 세월이 갈수록 식량은 점점 싸진다.'의 내용을 통해 기술 발전에 힘입어 밀 가격이 하락하였음을 알 수 있다.

제74회 특별 TESAT 문제지
정답 및 해설

경제이론

1	④	2	①	3	⑤	4	②	5	⑤
6	④	7	②	8	①	9	⑤	10	③
11	①	12	②	13	④	14	①	15	②
16	④	17	③	18	④	19	③	20	③
21	⑤	22	③	23	④	24	①	25	①
26	⑤	27	③	28	②	29	⑤	30	②

시사경제 · 경영

31	⑤	32	④	33	①	34	④	35	⑤
36	⑤	37	③	38	②	39	②	40	②
41	②	42	④	43	②	44	①	45	④
46	⑤	47	③	48	⑤	49	①	50	③
51	①	52	③	53	③	54	①	55	⑤
56	④	57	②	58	④	59	②	60	⑤

상황추론 · 판단

61	②	62	②	63	④	64	③	65	①
66	⑤	67	③	68	①	69	③	70	⑤
71	②	72	⑤	73	①	74	①	75	③
76	②	77	④	78	③	79	④	80	④

경제이론

1. 정답 ④

| 해설 | 단기적으로 실업과 인플레이션 사이에는 부(−)의 상관관계가 있다. 이는 필립스곡선을 통해 확인할 수 있다.

| 오답피하기 | ② 교환의 이익에 대한 설명이다.
③ 일반적으로 한 나라의 생활 수준은 그 나라의 생산 능력(GDP)에 달려 있다.
⑤ 기회비용에 대한 설명이다.

관련 개념 짚어보기

필립스곡선

필립스곡선은 물가상승률과 실업률 간의 상충관계를 나타낸다.

2. 정답 ①

| 해설 | 시장경제 측면에서 공유지의 비극을 해소하기 위한 적절한 방법은 코즈의 정리(Coase's Theorem)에 의한 재산권(소유권)의 부여이다.

관련 개념 짚어보기

코즈의 정리

코즈의 정리는 Ronald H. Coase가 거래비용이 낮은 상태에서 적절한 재산권만 부여된다면 정부의 개입 없이 시장 거래에 의해 외부성의 문제가 해결될 수 있음을 밝혀낸 이론이다.

3. 정답 ⑤

| 해설 | 중앙은행이 화폐공급을 증가시키면 시중 이자율이 하락하고, 이는 투자의 증가로 연결된다(투자는 이자율의 감소함수). 투자의 증가는 총수요를 늘려 국민소득을 증가시킨다.

4. 정답 ②

| 해설 | 총고용량과 물가 수준 등 국민경제 전반에 관심을 갖는 경제학은 거시경제학이다.
미시경제학은 가계, 기업 등 개별 경제주체의 경제행위에 관심을 갖는다.

5. 정답 ⑤

| 해설 | 지대추구(Rent Seeking)란 이익집단이 자신의 경제적 이익을 증대시키기 위해 정부의 개입이나 중재를 얻어 다른 사회 구성원으로부터 부의 이전을 꾀하는 경우를 말한다. 자신의 이익을 위한 로비, 약탈, 방어 등과 같이 비생산적인 활동에 경쟁적으로 자원을 지나치게 소비하는 현상으로, 사회 전체적으로도 비생산적인 활동이다. 지대추구가 정경유착과 결탁할 경우 정부 실패의 요인이 될 수 있다.

6. 정답 ④

| 해설 | ㄴ. 비교우위에 따라 무역을 하면 수입이 증가하여 국내 소비자잉여가 증가한다.
ㄹ. 수입으로 인해 소비자는 다양한 상품을 무역 전보다 저렴한 가격에 구할 수 있다.

| 오답피하기 | ㄱ. 외국 상품이 국내 시장을 점령한다고 볼 수 없다.
ㄷ. 수출하는 국가의 공급자는 고용이 증가할 것이며, 수입하는 국가의 공급자는 실업이 증가할 것이다.

7. 정답 ②

| 해설 | 높은 인플레이션은 물가와 화폐 가치를 예측하기 어렵게 하여 기업의 이윤을 정확히 측정하는 데 어려움을 준다.

| 오답피하기 | ①③ 인플레이션 발생 시 화폐 가치가 하락하므로 고정된 연금 소득을 받는 사람은 불리해지고, 실물자산 보유자가 현금자산 보유자보다 유리해진다.
④ 인플레이션 발생 시 제품이나 서비스의 가격을 재조정해야 하는 데에서 오는 불필요한 비용을 메뉴비용이라고 한다. 인플레이션은 메뉴비용을 발생시킨다.
⑤ 예상하지 못한 인플레이션이 발생하면 채무의 실질 가치가 하락하므로 채권자는 불리해지고, 채무자는 유리해진다.

8. 정답 ①

| 해설 | A는 계획경제체제, B는 시장경제체제이다.
시장경제체제는 인간의 합리성을 전제하므로 경제적 유인을 강조한다.

9. 정답 ⑤

| 해설 | 합리적 기대에서도 예상하지 못한 통화팽창은 이를 알아차리기 전까지 단기적으로 실업률에 영향을 미칠 수 있다.

10. 정답 ③

| 해설 | OTT에서 최신 영화를 보기 위해 지불한 1만 원은 서비스의 대가로 GDP에 포함된다.

| 오답피하기 | ① 주식 매매대금은 GDP에 포함되지 않는다.
② 살던 아파트를 매각한 대금은 GDP에 포함되지 않는다.
④ 가정주부의 가사 노동가치는 GDP에 포함되지 않는다.
⑤ 지난해에 생산된 쌀값은 지난해의 GDP에 포함되고, 올해 GDP에는 포함되지 않는다.

11. 정답 ①

| 해설 | 부가가치세는 납세자와 담세자가 일치하지 않으므로 간접세이다.

| 오답피하기 | ② 누진적 소득세 제도는 대표적인 자동 안정화 장치이다.
③ 우리나라는 국세의 비중이 지방세에 비해 더 크다.
④ 세율이 일정하다면 수요와 공급이 탄력적일수록 균형거래량이 더 많이 감소하므로 경제적 순손실이 커진다.
⑤ 세율이 지나치게 높을 경우 경제가 침체되어 전체 세수는 오히려 감소할 수 있다. 이는 래퍼곡선의 주장을 따른다.

12. 정답 ②

| 해설 | 소비자잉여란 지불할 용의가 있는 최대 금액과 실제 지불한 금액의 차이를 말한다.
이 사람의 지불용의와 소비자잉여를 나타내면 다음과 같다.

햄버거 소비	첫 번째	두 번째	세 번째	네 번째
지불용의	10,000원	8,000원	6,000원	3,000원
햄버거 가격(개당)	5,000원	5,000원	5,000원	5,000원
소비자잉여	5,000원	3,000원	1,000원	소비하지 않음

이 사람의 총 소비자잉여는 9,000원(5,000원 + 3,000원 + 1,000원)이다.

13. 정답 ④

| 해설 | 미국의 기준금리 인상은 달러화의 가치를 상승시킨다.
달러화의 가치가 상승할 경우 미국 상품의 수출 가격경쟁력은 낮아질 것이다.

14. 정답 ①

| 해설 | ㄱ ㄴ. A는 경합성과 배제성이 모두 없는 재화이므로 순수 공공재이다. 공공재는 배제성이 없기 때문에 무임승차의 문제가 발생할 수 있다.

| 오답피하기 | ㄷ. 공공재는 무임승차의 문제 때문에 시장에 맡겨두면 생산되지 않거나 과소생산될 가능성이 높다.
ㄹ. 공공재는 경합성이 없으므로 한 개인이 소비한다고 해서 다른 개인이 소비를 못하는 것은 아니다.

관련 개념 짚어보기

재화의 구분

구분		경합성	
		있음	없음
배제성	있음	• 사적재 • 아이스크림 • 옷	• 클럽재 • 케이블 TV • 유료 고속도로
	없음	• 공유자원 • 환경 • 바닷속의 물고기 • 공유지의 비극	• 공공재 • 국방서비스

15. 정답 ②

| 해설 | 공급곡선은 완전비탄력적, 수요곡선은 완전탄력적이므로 정부가 종량세를 부과하면 완전비탄력적인 생산자가 조세를 전부 부담하게 된다.

16. 정답 ④

| 해설 | 총공급 감소의 요인으로는 원자재 가격 상승 등이 있다. 원자재 가격이 상승하면 기업의 생산비용이 증가하여 생산 및 고용이 감소하므로 총공급은 감소한다. 총공급곡선이 왼쪽으로 이동하는 공급충격이 발생하면 물가가 상승하고 실질GDP는 감소하는 스태그플레이션이 발생하게 된다.

| 오답피하기 | ①③⑤ 정부지출, 수출, 소비의 증가는 총수요 증가 요인이다.
② 기술 개발은 총공급 증가 요인이다.

관련 개념 짚어보기

총공급의 감소

17. 정답 ③

| 해설 | 완전경쟁시장은 다수의 소비자와 생산자가 시장 내에 존재하여 모든 기업이 동질적인 재화를 생산하고, 소비자와 생산자 모두 가격 영향력을 행사할 수 없는 가격수용자(Price Taker)임을 가정한다. 또한 경제주체들이 가격 등 시장에 관한 완전한 정보를 보유하고 있으며, 미래에 대한 불확실성은 없는 것으로 가정한다. 완전경쟁시장 내의 모든 기업은 진입과 퇴출이 자유로워 장기에는 '0'의 경제적 이윤만 얻을 수 있다.

| 오답피하기 | ① 완전경쟁시장을 제외한 모든 시장은 생산자가 제품의 가격에 영향을 미칠 수 있는 가격설정자의 역할을 한다.
② 기업이 생산하는 제품이 조금씩 다른 시장은 독점적 경쟁시장이다.
④ 소수의 생산자 및 다수의 소비자가 존재하는 시장은 독점점시장에 가깝다.
⑤ 진입장벽이 있어 생산자들이 시장에 자유롭게 진입할 수 없는 시장은 독과점시장이다.

18. 정답 ④

| 해설 | 교역 후 소비자잉여는 A로, 교역 전에 비해 감소한다.

| 오답피하기 | ① 국내 소비량은 Q_1이지만 (Q_3-Q_1)만큼 수출할 수 있다.
②⑤ 교역 전 사회적잉여는 $(A+B+C)$이고, 교역 후 사회적잉여는 $(A+B+C+D)$이다. 즉, 교역으로 인해 사회적잉여는 D만큼 증가한다.
③ 공급곡선과 국제가격이 만나는 점이 자전거의 공급량이 되므로 국제가격 밑, 공급곡선 위의 면적이 생산자잉여가 된다. 따라서 교역 후의 생산자잉여는 $(B+C+D)$가 된다.

19. 정답 ③

| 해설 | 수요와 공급이 증가하면 균형거래량은 증가하고 균형가격은 불분명하다.

관련 개념 짚어보기

수요와 공급의 증가

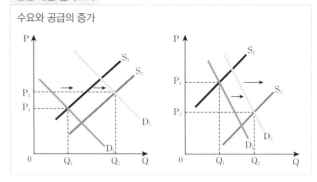

20. 정답 ③

| 해설 | 항상소득가설(Permanent Income Hypothesis)은 미국 경제학자 밀턴 프리드먼이 제창한 소비함수이론으로, 소득은 정기적이고 확실한 항상소득과 임시적 수입인 변동소득(일시소득)으로 구분되는데 항상소득만이 소비를 결정한다는 이론이다.
직장에서 승진하여 월급이 오르는 것은 정기적인 소득인 항상소득의 변동으로, 이는 소비에 영향을 준다.

| 오답피하기 | ①④⑤ 임시소득의 증가에 해당한다.
② 임시소득의 감소에 해당된다.

21. 정답 ⑤

| 해설 | 정부가 경기진작을 위해 소득세를 감면하고 정부 부채를 증가시키는 것은 확장적 재정정책에 해당한다.
소비자들이 정부 부채의 증가를 미래에 조세 증가로 메울 것으로 기대한다면, 현실의 소비를 줄이고 저축을 증가시켜 재정정책의 효과가 상쇄될 것이다.

| 오답피하기 | ① 한계소비성향이 높으면 재정승수가 높아져 재정정책의 효과가 커진다.
② 정부 부채의 증가가 이자율 상승을 초래하지 않으면 구축효과의 우려가 없어지므로 재정정책의 효과가 커진다.
③ 소비자들이 현재를 중심으로 소비활동을 한다면 소비가 증가할 것이다.
④ 신용제약에 놓여 있는 소비자들이 소득세 감면으로 더 많은 유동성을 확보하게 된다면 소비를 늘릴 것이다.

22. 정답 ③

| 해설 | 중앙은행이 외환시장에 개입해 달러화를 매각하면 시중의 통화량이 감소한다.

| 오답피하기 | ①②④⑤ 통화량이 증가하는 경우이다.

23. 정답 ④

| 해설 | 대출 한도 내에서 언제든 대출금을 인출할 수 있는 것은 마이너스 통장이다.

| 오답피하기 | ① 요구불 예금은 일반적으로 이자율이 낮으므로 목돈을 일정 기간 넣어두기에는 적합하지 않다.

24. 정답 ①

| 해설 | 갑국이 P₁ 수준에서 최저가격제를 실시하면 X재의 시장 거래량은 Q₂가 된다.

| 오답피하기 | ② 최고가격제는 균형가격보다 낮은 가격에서 설정되어야 효력을 갖는다. 갑국이 P₁ 수준에서 최고가격제를 실시하면, 이는 균형가격보다 높기 때문에 최고가격제의 효력은 발생하지 않는다. 따라서 X재의 시장 거래량은 기존의 균형인 Q₀이다.
③ 갑국이 P₂ 수준에서 최고가격제를 실시하면 X재의 시장 거래량은 Q₂가 된다.
④ 최저가격제는 균형가격보다 높은 가격에서 설정되어야 효력을 갖는다. 갑국이 P₂ 수준에서 최저가격제를 실시하면, 이는 균형가격보다 낮기 때문에 최저가격제의 효력은 발생하지 않는다. 따라서 X재의 시장 거래량은 기존의 균형인 Q₀이다.
⑤ 갑국이 P₂ 수준에서 최고가격제를 실시하면 X재의 시장가격은 P₂가 된다.

25. 정답 ①

| 해설 | 중앙은행은 독립적인 통화정책의 시행보다 환율 수준 유지에 그 역할이 국한되므로, 고정환율제도에서는 통화정책의 자주성을 확보하기 어렵다.

| 오답피하기 | ③ 변동환율제도는 외환의 수요와 공급에 의해 환율이 변하는 제도이다. 변동환율제도 내에서는 국제수지 불균형이 환율 변동으로 조정된다.

26. 정답 ⑤

| 해설 | A기업의 철판 생산으로 환경이 오염되는 것은 부정적 외부성이 발생하고 있는 상황이다. 이를 막기 위해서는 철판의 공급을 줄여야 한다. 따라서 정부는 한계 사회적비용과 한계 사적비용의 차이에 해당하는 만큼의 세금을 부과해야 한다.

27. 정답 ③

| 해설 | ㄴ. 경제학자 파레토는 다른 경제주체의 후생을 감소시키지 않고 어떤 경제주체의 후생을 증대시키는 것이 전체의 후생이 증가하는 것이라고 했다. 파레토 효율을 만족할 때 사회적잉여는 극대화된다.
ㄷ. 파레토 효율을 만족할 때 사회적잉여는 극대화되며, 열 명 중 한 명이 자원을 독점하고 있더라도 파레토 분배를 위해 그 한 명의 후생을 감소시켜야 한다면 파레토 최적이 될 수 있다.

| 오답피하기 | ㄱ. 파레토 효율이 형평성을 극대화하는 것은 아니다.
ㄹ. 파레토 효율성은 다른 경제주체의 후생을 감소시키지 않고는 어떤 경제주체의 후생을 증대시킬 수 없는 상태를 말한다.

28. 정답 ②

| 해설 | 경기침체로 발생하는 실업은 경기적 실업이다. 자연실업률은 마찰적 실업과 구조적 실업으로 구성된다.

29. 정답 ⑤

| 해설 | 가격차별은 독점시장에서 나타나며, 완전경쟁시장에서는 사례를 찾아볼 수 없다.

30. 정답 ②

| 해설 | 채권의 가격은 채권의 금리(수익률)와 역(-)의 관계이므로 채권의 가격이 오르면 채권의 금리는 하락한다.

시사경제 · 경영

31. 정답 ⑤

| 해설 | 스테이블 코인은 코인의 가치가 법정 화폐의 가치에 대응하도록 설정되어 가격 변동성이 낮은 암호화폐를 말한다.

| 오답피하기 | ① 다크코인: 거래 관련 정보가 드러나지 않도록 설계된 암호화폐를 말한다.

32. 정답 ④

| 해설 | 엔데믹(Endemic)은 끝(End)과 팬데믹(Pandemic)의 합성어로, 이제는 풍토병으로 굳어진 감염병을 일컫는 말이다.

| 오답피하기 | ① 팬데믹(Pandemic): 공식적으로는 WHO(세계보건기구)에서 발표하는 감염병의 최고 등급을 의미하는데, 전세계적 전염병 유행 사태를 이른다.
② 에피데믹(Epidemic): WHO(세계보건기구)에서 발표하는 감염병 최고 단계인 팬데믹의 전 단계에 해당하는 용어이다.
③ 인포데믹(Infodemic): 실제와 다른 루머가 전염병과 같이 급속히 퍼져 혼란을 초래하는 사태를 말한다.

33. 정답 ①

| 해설 | D의 공포는 디플레이션(Deflation)과 공포의 합성어로, 경기침체와 물가 하락이 동시에 발생하는 현상을 말한다.

| 오답피하기 | ② 펀더멘털(Fundamental): 원래는 '근본적인'을 의미하는 단어로, 경제학에서는 국가의 경제상태를 나타내는 지표(경제성장률, 물가상승률 등)를 가리키는 용어로 사용된다.
③ 블랙아웃(Blackout): 대규모 정전사태를 말한다. 주로 전력 부족으로 인해 발생하는데, 여름철 냉방으로 인해 전기 사용이 급증할 때 그 위험성이 커진다.
④ J-Curve효과(J-Curve Effect): 환율 상승이 즉각적으로 경상수지 흑자를 불러오는 것이 아니라, J자의 형태로 그 효과가 처음에는 반대로 나타났다가 점진적으로 반영되는 현상을 말한다.
⑤ 하이퍼인플레이션(Hyper Inflation): 단기간에 물가가 엄청나게 급등하는 현상을 말한다. 세계대전 후의 독일, 아프리카 짐바브웨, 최근 베네수엘라 등이 하이퍼인플레이션을 겪었다.

관련 개념 짚어보기

J-Curve(J커브)

34. 정답 ④

| 해설 | MVNO(Mobile Virtual Network Operator, 가상 이동통신망 사업자)는 자체 이동통신망은 없지만, 타 이동통신망 사업자로부터 네트워크를 빌려 고객에게 서비스를 제공하는 사업자를 말한다. 우리나라에서는 소위 알뜰폰이라고 불린다.

| 오답피하기 | ① NFC(Near Field Communication): 단거리(10cm 이하)에서 데이터를 무선으로 주고 받는 통신 기술을 말한다.
② RCEP(Regional Comprehensive Economic Partnership, 역내포괄적경제동반자협정): 한중일 3개국, ASEAN 10개국, 호주, 뉴질랜드 총 15개국이 맺은 협정으로 관세 철폐 및 자유무역을 추구한다.
③ ISBN(International Standard Book Number): 세계적으로 통용되는 표준도서 번호이다.
⑤ 핀테크(Fintech): 금융(Finance)과 기술(Technology)의 합성어로, 주로 대면으로 이루어지던 구 금융체계에 기술을 결합하여 더 효율적이고 편리하도록 만든 금융서비스를 말한다. 대표적인 예로는 카카오뱅크, 토스뱅크가 있다.

35. 정답 ⑤

| 해설 | 모빌리티(Mobility)는 특정 기술을 활용하여 사람의 이동을 편리하게 돕는 서비스 또는 교통수단을 말한다.

| 오답피하기 | ① 플랫폼(비즈니스): 소비자에게 서비스 또는 재화를 제공하는 전통적 공급자의 역할에서 벗어나 생산자 그룹과 소비자 그룹을 연결하는 비즈니스 형태를 말한다. 영상 크리에이터와 시청자를 연결하는 유튜브가 대표적인 플랫폼 비즈니스이다.
② 클라우드(Cloud): 데이터와 소프트웨어를 하드웨어가 아닌 인터넷, 정확하게는 그와 연결된 서비스 제공자의 중앙컴퓨터에 저장하는 기술을 말한다.
③ 유비쿼터스(Ubiquitous): 소프트웨어 공학 및 컴퓨터 과학의 개념으로 언제 어디서나 컴퓨팅할 수 있도록 만들어진 정보통신 환경이다.
④ 메타버스(Metaverse): 가상현실 또는 증강현실을 포함하는 상위 개념으로, 현실 세계가 아닌 가상공간에서 현실과 같이 사회, 경제활동을 할 수 있는 세계를 말한다.

36. 정답 ⑤

| 해설 | ㄷ. BIS(Bank of International Settlement, 국제결제은행) 비율: 국제결제은행인 BIS가 만든 은행의 위험자산 대비 자기자본비율을 말한다. 바젤위원회가 가장 최근에 권고한 바젤Ⅲ에서 은행이 유지해야 할 최저 수준의 BIS 비율은 8%이다. BIS 비율은 자기자본에서 위험가중자산을 나눈 값에 100을 곱하여 구한다.
ㄹ. NCR(Net Capital Ratio) 비율: 은행의 건전성 지표인 BIS 비율과 유사한 역할을 하는 지표로, 주로 증권사의 재무건전성을 평가할 때 이용된다.

| 오답피하기 | ㄱ. ROA(Return On Asset, 총자산이익률) 비율: 기업의 수익성을 나타내는 지표로, 총자산에 대한 이익의 창출 정도를 나타낸다.
ㄴ. EBITDA(Earnings Before Interest, Taxes, Depreciation and Amortization) 비율: 영업 현금흐름을 구하기 위해 영업활동과 관련 없는 비용인 이자비용과 현금유출이 없는 비용인 감가상각비를 차감하기 전의 영업이익을 말한다. 기업의 실제가치를 평가하고 수익창출능력을 비교하는 데 활용된다.

관련 개념 짚어보기

$$BIS\ 자기자본비율(\%) = \frac{자기자본}{위험가중자산} \times 100 \geq 8(\%)$$

37. 정답 ③

| 해설 | 예대마진은 은행의 대출금리(수익)에서 예금금리(비용)를 뺀 금액을 말한다. 예대마진이 클수록 은행의 수익성이 높음을 의미한다.

| 오답피하기 | ① 지급준비율: 고객의 예금 중 금융회사가 중앙은행에 필수적으로 예치해야 하는 비율을 말한다. 본래 금융회사의 재무건전성과 예금 안정성을 위해 도입되었으나, 현재는 중앙은행의 통화정책 중 하나로 활용된다. 지급준비율을 인하(인상)하면 시중 통화량이 증가(감소)한다.
② 감가상각: 고정자산의 가치를 감소시키고 해당 액수를 비용으로 계상하는 회계 절차를 말한다.
④ 순이자마진: 금융기관을 수익성을 나타내는 지표로. 예대업무. 투자 등에서 창출된 수익에서 조달비용을 제외한 금액을 운용자산 총액으로 나누어 구한다.
⑤ 레버리지비율: 기업의 타인자본 의존도를 측정하기 위해 사용되는 지표로, 부채비율이라고도 한다. 부채총액을 자본총액으로 나누어 구한다.

38. 정답 ②

| 해설 | 양적긴축은 양적완화의 반대 개념으로, 경기과열을 방지하기 위해 시행되는 정책이다. 주로 중앙은행이 매입한 채권의 만기가 도래했을 때 해당 금액을 재투자하지 않고, 보유 채권을 매각하는 방식으로 이루어진다.

| 오답피하기 | ① 코넥스(KONEX, Korea New Exchange): 중소·벤처기업의 경우 규모가 큰 기업에 비해 주식 발행을 통한 자금 조달에 어려움을 겪는다. 이를 해결하기 위해 2013년 7월 1일부터 중소기업 전용 증권시장인 코넥스가 개장되었다. 코넥스는 코스피나 코스닥에 비해 진입 방식이 다양하고 충족 요건이 적다.
③ 데드크로스: 주가를 예측하는 기술적 분석의 지표 중 하나로, 주가의 단기 이동평균선이 중장기 이동평균선을 아래로 뚫고 내려가는 상황을 말한다. 단기 이동평균선이 중장기 이동평균선을 위로 뚫고 올라가는 골든크로스의 반대 개념이다.
⑤ 오퍼레이션 트위스트: 장기 금리의 하락을 유도하는 중앙은행의 공개시장조작 정책을 말한다. 장기 국채를 매수하고 단기 국채를 파는 방식으로 이루어진다.

39. 정답 ②

| 해설 | 특별인출권(SDR, Special Drawing Rights)은 1969년 국제통화기금(IMF)에 의해 만들어진 권리로, 국제통화기금의 회원국이 국제수지가 악화될 때 외화를 지급받을 수 있는 권리이다. 현재는 달러화. 유로화. 파운드화. 엔화. 위안화으로 구성되어 있다.
2016년 추가된 통화는 위안화이다.

| 오답피하기 | ④ 표준 바스켓 방식은 특별인출권의 가치를 나타내기 위해 고안된 방식이다. 달러화, 유로화, 위안화, 엔화, 파운드화의 가치를 가중평균하여 산출된다.

40. 정답 ③

| 해설 | IPEF(Indian-Pacific Economic Framework, 인도-태평양 경제 프레임워크)는 미국의 조 바이든 대통령이 2021년 처음 제안한 경제협력체로, 표면적으로는 단순한 경제동맹처럼 보이지만 미국의 대중국 견제를 위한 주요 전략의 일환으로 분석된다.

| 오답피하기 | ① WTO(World Trade Organization, 세계무역기구): 세계 무역 분쟁 조정. 관세 인하 요구. 반덤핑규제 등 무역과 관련해 법적 권한과 구속력을 행사하는 국제기구이다.
② APEC(Asia-Pacific Economic Cooperation, 아시아태평양경제협력체): 환태평양 지역의 국가들이 모여 1989년 결성된 국제기구로, 자유무역 달성을 목표로 한다.
④ CPTPP(Comprehensive and Progressive Agreement for Trans-Pacific Partnership, 포괄적·점진적 환태평양경제동반자협정): 환태평양 지역에 속한 국가들의 자유무역협정이다.
⑤ NAFTA(North American Free Trade Agreement, 북미자유무역협정): 1992년 미국. 캐나다. 멕시코 간에 체결된 자유무역협정으로, 1994년 1월 발효됐다. 협정국 간에 무관세 또는 낮은 관세를 적용함으로써 경제적 협력 관계를 구축한다.

41. 정답 ②

| 해설 | 한국은행은 2022년 5월 기준금리를 1.5%(A)에서 1.75%(B)로 0.25%포인트 인상했다. 2024년 5월 기준 현재 기준금리는 3.5%이다.

42. 정답 ④

| 해설 | 취업유발계수는 10억 원만큼 특정 재화를 생산할 때 직간접적으로 창출되는 취업자 수를 말한다.

| 오답피하기 | ③ 노동분배율: 노동의 대가(임금)가 국민소득에서 차지하는 비율을 말한다.

관련 개념 짚어보기

- 실업률(%) = $\dfrac{\text{실업자}}{\text{경제활동인구}} \times 100$

- 고용률(%) = $\dfrac{\text{취업자}}{\text{생산가능인구}} \times 100$

- 경제활동참가율(%) = $\dfrac{\text{경제활동인구}}{\text{생산가능인구}} \times 100$

  $= \dfrac{\text{취업자} + \text{실업자}}{\text{생산가능인구}} \times 100$

43. 정답 ②

| 해설 | 반도체의 생산과정에서 팹리스로 불리는 설계 전문업체에서 설계 디자인을 위탁받아 제조에 초점을 맞춘 회사를 파운드리(Foundry)라고 한다. 대만의 TSMC는 세계 1위 파운드리 업체이다.

44. 정답 ①

| 해설 | 그린북은 국내외 최근 경기흐름을 조사하여 기획재정부에서 발표하는 경제동향 관련 보고서이다. 표지가 녹색이라서 붙여진 이름으로, 미국의 연방준비제도가 발표하는 베이지북과 유사한 역할을 맡는다.

45. 정답 ④

| 해설 | 크립토 윈터(Crypto Winter)는 가상자산의 가격이 전반적으로 떨어지고 시장이 얼어붙는 침체기를 말한다.

| 오답피하기 | ① 더블딥(Double Dip): 경기침체 후 잠시 회복세를 보였으나 다시 불황에 빠지는 현상을 말한다. W자 형태로 나타난다.
② 산타랠리: 랠리는 주가가 하강기에서 상승기로 접어드는 현상을 말하는데, 산타랠리는 연말 소비가 증가하여 기업의 실적이 상승해 크리스마스 전후로 발생하는 랠리를 말한다.
③ 서킷 브레이커(Circuit Breaker): 주식시장의 급격한 하락을 막기 위한 장치로, 종합주가지수가 전일 대비 10% 하락한 상황이 1분 이상 이어지면 발동한다. 발동 시 모든 주식거래가 20분간 중단되고 10분 동안 접수한 호가를 단일가로 처리한 뒤 매매가 재개된다.
⑤ 퍼펙트 스톰(Perfect Storm): 개별적으로 보았을 때에는 위력이 없는 사건들이 모여, 동시에 발생하면서 심각한 결과를 초래하는 경제현상을 말한다.

46. 정답 ⑤

| 해설 | 통화정책에 있어 매파는 인플레이션율을 높이지 않기 위해 금리인상을 주장하고, 비둘기파는 실업률 감소와 경제성장률 상승을 위해 금리인하를 주장한다.
최종 대부자 기능은 경제위기가 발생했을 때 막대한 양의 유동성을 공급하여 경기침체를 막는 것을 말한다. 이는 매파보다 비둘기파와 관련이 있다.

| 오답피하기 | ② 테이퍼링: 경기부양을 위해 실시했던 양적완화정책을 점진적으로 축소해 나가는 것으로, 양적완화 축소라고도 한다.

47. 정답 ③

| 해설 | 골디락스는 물가 상승 압력 없이 경제가 지속적으로 성장하는 상태를 말한다. 거시경제학의 목표인 성장과 안정을 동시에 누리는 상태이다. 영국의 동화 골디락스와 곰 세 마리에서 유래되었다.

| 오답피하기 | ① 독트린: 본래는 종교 용어이지만 현재는 특정 국가의 정부가 향후 외교 정책의 방향성을 공표하는 정치적 행위를 말한다.
② 스핀닥터: 국민 여론을 수렴하여 구체적인 정책을 수립하거나 특정 정책을 국민에게 설득하는 역할을 맡는 정부 소속 전문가를 말한다.
④ 블루오션: 레드오션의 반의어로, 대중적으로 알려지지 않고 경쟁자가 적어 시장침투력이 큰 유망 시장을 말한다.
⑤ 스트라이샌드(효과): 미국의 유명 배우인 바브라 스트라이샌드의 이름에서 유래되었으며, 정보를 은폐하려는 행위가 오히려 큰 관심을 부르는 현상을 말한다.

48. 정답 ①

| 해설 | 빅테크(BigTech)는 회사의 규모가 큰 IT기업을 말한다. 미국의 FAANG[Facebook(現 META), APPLE, AMAZON, NETFLIX, GOOGLE], 한국의 네이버, 카카오가 대표적인 예이다.

| 오답피하기 | ② 텐 배거(Ten Bagger): 10루타를 의미하는 용어로, 10배 이상의 수익률을 가져다준 주식 종목을 말한다.
③ 실리콘밸리: 미국 캘리포니아 주에 위치한 공업단지를 말한다. 미국의 IT기업 및 벤처기업 대부분이 집중된 지역으로 컴퓨터 회로의 주요 재료인 실리콘으로부터 이름이 유래했다.
④ 사이드카: 주가의 등락 폭이 갑자기 커질 경우 시장에 미치는 영향을 완화하고자 주식 매매를 일시 정지시키는 제도이다. 코스피200 선물 가격이 전일 종가 대비 5%(코스닥 선물의 경우에는 6%) 이상 상승 또는 하락한 상태가 1분 이상 지속될 경우 발동된다. 사이드카가 발동되면 향후 5분간 프로그램 매매 호가의 효력이 정지된다.
⑤ 로스리더(Loss Leader): 의도적으로 원가보다 싸게 팔아 다른 상품의 판매를 유도하는 미끼상품을 말한다.

49. 정답 ①

| 해설 | 리쇼어링(Re-shoring)은 인건비, 생산비 절감 등을 이유로 해외로 생산시설을 옮긴 기업들이 다시 자국으로 돌아오는 현상을 말한다.
니어쇼어링(Near-shoring)은 리쇼어링이 어려울 경우 생산시설을 인접 국가로 이동하는 현상을 말한다.

| 오답피하기 | ② 홈소싱(Home Sourcing): 고객 응대를 맡는 콜센터 업무를 회사 사무실이 아닌 집에서 처리하는 행위를 말한다.
③ 오픈소싱(Open Sourcing): 재화 생산에 필요한 부품을 하나의 납품업체가 아니라 여러 업체로부터 구입하는 전략을 말한다.
④ 오프쇼어링(Off-shoring): 리쇼어링의 반의어로. 비용의 절감을 위해 국내 기업이 아닌 외국 기업에 외주를 맡기는 현상을 말한다.
⑤ 트러스트쇼어링(Trust-shoring): 신뢰할 수 있는 지역 또는 국가에 생산시설을 구축하는 행위를 말한다.

50. 정답 ③

| 해설 | 발생주의회계는 수익의 인식은 재화(재고) 또는 서비스를 구매자에게 인도한 시점에, 비용의 인식은 재화 또는 서비스를 소비한 시점에 하는 것을 말한다. 따라서 현금 수취 또는 지출 시점에 수익과 비용을 인식하는 현금주의회계와는 큰 차이가 있으며, 오늘날 기업회계는 대부분 발생주의를 기반으로 한다.

| 오답피하기 | ① 현금주의: 현금을 수취하였을 때 수익(매출)으로 인식하고 현금을 지출하였을 때 비용으로 인식하는 회계처리제도이다. 발생주의회계와 달리 재화나 용역의 인수·인도의 시점은 중요하지 않고 현금의 수취와 지급 시점만이 기준이 된다. 현금수입액의 합계에서 현금지출액의 합계를 차감하여 당기의 순이익을 계산하는 방법으로, 이 제도하에서는 수익과 비용을 대응시키지 못한다는 단점이 있다. 소기업이나 의사·회계사·변호사 등과 같은 직종에 사용된다.
② 총액주의: 순액주의와 대비되는 개념으로, 수익과 비용을 상계하지 않고 각각 총액으로 재무제표에 기재하는 방식을 말한다.
④⑤ 권리의무 확정주의(실현주의): 실제 금전의 수수여부에 상관없이 금전을 수취할 권리와 지급할 의무가 확정되는 시점에 손익을 인식하는 기준을 말한다.

51. 정답 ①

| **해설** | 기업이 발행 주식을 액면분할할 경우 유통되는 주식 수는 증가하지만, 기업가치 및 자본금에는 변화가 없다.

| **오답피하기** | ④⑤ 액면분할 이후 주식 액면가가 낮아지기 때문에 이전에는 투자할 수 없었던 소액투자자의 수요가 증가하고, 액면분할을 한 회사의 주식 거래가 활성화될 수 있다.

관련 개념 짚어보기

액면병합과 액면분할

구분	액면병합	액면분할
의미	액면가가 낮은 주식을 합쳐 액면가를 높임	액면가가 높은 주식을 분할해 액면가를 낮춤
효과	주식의 액면가가 높아짐	유동성 확보 및 신주 발행이 용이해짐
공통점	해당 기업의 가치와 자본금은 변화 없음	

52. 정답 ③

| **해설** | 펭귄효과는 타인의 소비 행위에 영향을 받아 다른 사람이 물건을 구매하면 따라서 사게 되는 현상을 말한다. 천적에 대한 공포로 바닷물에 쉽게 뛰어들지 못하는 펭귄은 한 마리가 먼저 뛰어들면 나머지도 따라 뛰어드는데, 이런 모습으로부터 유래한 이름이다.

53. 정답 ③

| **해설** | (A) 황제주: 보통 1주당 100만 원이 넘는 주식을 말한다.
(B) 동전주: 지폐의 최소 단위(1,000원)보다 주가가 낮은 주식을 말한다.

| **오답피하기** | • 우선주: 보통주에 비해 이익의 배당이나 잔여 자산 분배에 우선권이 있는 주식을 말한다. 보통주와 달리 의결권이 없는 것이 특징이다.
• 가치주: 기업의 실적이나 자산 가치에 비해 가격이 저평가된 주식을 말한다.

54. 정답 ①

| **해설** | 조각투자는 부동산, 예술 작품, 명품 등 개인이 구매하기 힘든 재화의 지분을 쪼개어 여러 사람이 공동 투자하는 행위를 말한다.

| **오답피하기** | ② 퀀트투자: 수학과 통계 지식을 바탕으로 투자법칙을 수립하고 프로그램화하여 투자를 진행하는 방식을 말한다.
③ 엔젤투자: 아이디어와 기술력은 있으나 자금이 부족한 예비창업자, 창업 초기단계(Early Stage) 기업에 투자 및 경영 자문을 진행해 성장시킨 후 투자 이익을 회수하는 투자 방식을 말한다.
④ 유발투자: 정부의 직접적 투자와 같은 독립투자와 달리 국민소득과 유효수요의 변화로 인해 발생하는 투자를 말한다.
⑤ 임팩트투자: 수익창출만이 목적이 아니라 사회적으로도 긍정적인 영향을 행사하고자 하는 투자 방식을 말한다.

55. 정답 ⑤

| **해설** | 감사를 하는 데 있어 필요한 정보를 충분히 제공받지 못해 감사가 불가능하거나, 또는 기업의 존립에 의문이 들 정도로 중대한 결함이 발견된 심각한 경우를 의견거절이라고 한다.

관련 개념 짚어보기

감사의견 정리

• **적정**: 기업이 회계기준에 따라 사업보고서를 공정히 작성한 경우
• **부적정**: 기업이 회계기준을 위배하여 사업보고서를 작성한 경우
• **한정**: 특정 감사 사항(주로 재무제표에 큰 영향을 미치지 않는)에 대해 합당한 증거를 제공받지 못한 경우
• **의견거절**: 감사를 하는 데 필요한 충분한 정보를 제공받지 못해 감사 자체가 불가능한 경우 또는 기업의 존속가능성에 심각한 의문이 들 정도의 정보를 발견한 경우

56. 정답 ④

| **해설** | 주식회사의 이해관계자에는 주주, 채권자, 정부, 근로자 등이 포함된다. 하지만 이익 분배 주체는 주주로 보는 경우가 일반적이다.

| **오답피하기** | ① 다른 회사 형태에 비해 주식 발행을 통해 자금을 쉽게 조달할 수 있다.
③ 주주와 같은 출자자는 자신의 인수가액(출자금액)을 한도로 출자의무를 부담하는 유한책임을 진다.

57. 정답 ②

| **해설** | 경상수지와 재정수지 적자가 동시에 발생하는 현상을 쌍둥이 적자라고 한다.

| **오답피하기** | ③ 트리핀의 딜레마(Triffin's Dilemma): 기축통화 발행국은 기축통화의 국제 유동성을 유지하기 위해 국제수지(경상수지) 적자를 지속해야 하는데, 이는 기축통화에 대한 신뢰도 하락으로 연결될 수밖에 없다는 상충관계를 말한다.

58. 정답 ④

| **해설** | • BSI(Business Survey Index, 기업경기실사지수): 기업가들의 경기전망을 살펴볼 수 있는 척도이다. OECD의 공식 기준으로 부정/보통/긍정의 답변을 조사하고, 이 비중을 바탕으로 지수를 도출한다. 0부터 200까지의 값을 갖는데, 100보다 높으면 기업가들은 경기를 긍정적으로 전망하고 있음을 의미한다.
• CSI(Consumer Survey Index, 소비자심리지수): 소비자들의 경기전망을 살펴볼 수 있는 지표로, 소비자동향조사에서 도출한 지수를 활용하여 계산한다. 0부터 200까지의 값을 갖는데, 100보다 높으면 소비자들은 경기를 긍정적으로 전망하고 있음을 의미한다.
• ESI(Economic Sentiment Index, 경제심리지수): 경기 연관성을 고려하여 BSI와 CSI를 가중평균하여 산출하는 지수이다. 0부터 200까지의 값을 갖는데, 100보다 높으면 경기 전망이 낙관적, 낮으면 비관적임을 의미한다.

59. 정답 ②

| 해설 | (A)는 공정거래위원회이다. 공정거래위원회는 독점 및 과점으로 인한 경쟁 저해 방지, 불공정거래 규제 등의 역할을 담당한다.

ㄱ. 공정거래위원회는 기업결합 심사를 통해 기업결합을 승인 또는 거부하는데, 기업결합으로 인해 시장지배력이 과도하게 강화될 경우 결합을 거부한다.

ㄷ. 리니언시(Leniency)는 관용, 관대, 자비를 의미하는 말로, 자진 신고자 감면제라고도 한다. 담합행위를 한 기업들이 자백을 유도하도록 만든 제도로, 자진 신고 시 과징금을 감면해주는 제도를 말한다. 경제학적으로 리니언시는 과점기업들의 카르텔(담합)을 죄수의 딜레마 상황으로 몰고 가 서로를 배신하게 만든다는 의미가 있다. 공정거래위원회가 독점 및 과점에 대한 방지책으로 운영 중인 제도 중 하나이다.

| 오답피하기 | ㄴ. 빅맥지수: 영국 경제지인 이코노미스트에서 1986년부터 매해 1월과 7월에 발표하는 지수이다. 맥도날드의 주력 제품인 빅맥은 나라를 불문하고 쉽게 구매할 수 있으므로 각 국가별 빅맥 가격을 활용해 물가 및 환율을 쉽게 비교할 수 있다. 구매력평가설과 일물일가 법칙에 기반을 두고 있다.

ㄹ. 오버슈팅: 재화 또는 금융자산의 가격이 급격히 폭등 또는 폭락하였다가 다시 균형가격으로 되돌아가는 현상을 말한다.

60. 정답 ⑤

| 해설 | ㄷ. 코즈의 정리(Coase's Theorem)는 거래비용과 재산권(Property Right)의 개념으로 정부의 개입 없이 외부효과(Externality)를 해결할 수 있음을 밝혀낸 이론이다. Ronald H. Coase는 거래비용이 낮은 상태에서 적절한 재산권만 부여된다면, 시장 거래에 의해 외부성의 문제가 해결됨을 주장하였다. 탄소배출권 거래시장은 코즈의 정리의 대표적인 예이다.

ㄹ. 탄소 크레딧은 탄소배출권의 다른 이름이다.

| 오답피하기 | ㄱ. 규제 일몰제: 규제에 존속기한을 설정함으로써 일정 기간이 지나면 규제가 자동적으로 폐기되도록 하는 제도이다.

ㄴ. 오일러의 정리: 스위스의 수학자 오일러가 증명한 정리로, 탄소거래와 관련이 없다.

상황추론 · 판단

61. 정답 ②

| 해설 | ㄱ. 시장경제체제에서 가격은 자원을 적재적소에 배분하는 기능을 수행한다.

ㄷ. 경제적 자유와 사유재산권 보장은 밀접한 관계가 있으며, 경제적 자유의 핵심 근간은 사유재산권 보장이다.

| 오답피하기 | ㄴ. 경제적 자유를 통해 추구할 수 있는 것은 효율성이다.

ㄹ. 경쟁이 생산자들 간에 이루어지면 가격이 하락하고 자원 배분이 효율적으로 이루어진다.

62. 정답 ②

| 해설 | ㉠이 수요량이므로 ㉢은 180보다 작고, ㉡이 공급량이므로 ㉣은 210보다 크다. 따라서 ㉣에서 ㉢을 뺀 값은 양(+)의 값이다.

63. 정답 ④

| 해설 | 제시된 상황은 금리역전이라고 부르는 상황이다. 미국의 기준금리가 한국보다 높은 경우, 한국에 투자한 미국 투자자의 투자 이익이 감소해 달러화가 미국으로 다시 유출될 가능성이 높다. 이를 캐리트레이드 청산이라고 부른다.

| 오답피하기 | ①③ 금리가 높은 미국으로 외국인 자금이 이동하면 달러화가 희소해지므로 원/달러 환율은 상승하게 된다. 환율 상승으로 인해 한국 수출기업들의 수출 가격 경쟁력은 높아질 것이다.

64. 정답 ③

| 해설 | '너무 많이 먹어도 문제, 너무 적게 먹어도 문제죠. 어느 쪽으로든 정도의 지나침이 과하면 안 됩니다'라는 내용을 통해 과유불급의 경제임을 유추할 수 있다.

| 오답피하기 | ① 괄목상대: 타인의 학식이나 재주가 놀랄만큼 늘었음을 이르는 말이다.

② 우공이산: 어떤 일이든 끊임 없이 노력하면 반드시 이루어짐을 이르는 말이다.

④ 군계일학: 많은 사람 가운데서 뛰어난 인물을 이르는 말이다.

⑤ 유비무환: 미리 준비가 되어 있으면 걱정할 것이 없음을 이르는 말이다.

65. 정답 ①

| 해설 | A재와 B재는 각각 소비할 때보다 함께 소비할 때 만족감이 더 크므로 A재와 B재는 보완재 관계에 있다.

정부가 A재 생산에 보조금을 지급하면 A재의 공급이 증가하여 A재의 균형가격은 하락한다.

| 오답피하기 | ② A재의 공급이 증가하므로 A재의 균형거래량은 증가한다.

③ A재의 가격이 하락하므로 보완재인 B재의 수요는 증가하여 B재의 매출액은 증가한다.

④ 보완재인 B재의 수요가 증가하여 B재의 균형가격은 상승한다.

⑤ 보완재인 B재의 수요가 증가하여 B재의 균형거래량은 증가한다.

관련 개념 짚어보기

〈A재〉
정부가 생산에 보조금 지급

〈B재〉
보완재 가격 하락으로 인한 수요 증가

66. 정답 ⑤

| **해설** | 피셔효과에 따르면 명목이자율 = 실질이자율 + 인플레이션율(물가상승률)이다.
연도별 물가상승률과 이자율을 나타내면 다음과 같다.

구분	2019년	2020년	2021년
실질이자율(%)	2	−2	1
물가상승률(%)	3	3	1
명목이자율(%)	5	1	2

2020년의 실질이자율은 −2%로, 2021년의 실질이자율인 1%보다 낮다.

| **오답피하기** | ① 2020년 대비 2021년에 실질이자율은 −2%에서 1%로 상승하였다.
② 2020년의 물가 수준은 2019년에 비해 3% 상승하였다.
③ 2020년의 실질이자율은 −2%이므로 음(−)의 값이다.
④ 2021년의 실질이자율은 1%이므로 양(+)의 값이다.

67. 정답 ⑤

| **해설** | 연구결과의 내용은 과거에 소득 하위 20%에 속했던 사람들의 87%가 상위 그룹으로 이동한 것이다. 이는 가난한 사람도 부자가 될 수 있다는 것을 입증하는 통계라고 할 수 있다.

68. 정답 ①

| **해설** | 경제활동참가율은 생산가능인구 중 경제활동인구가 차지하는 비율이다.

- 경제활동참가율(%) = $\dfrac{경제활동인구}{생산가능인구} \times 100$

  = $\dfrac{2,400만 명 + 600만 명}{2,400만 명 + 600만 명 + 1,000만 명} \times 100 = 75\%$

실업률은 경제활동인구 중 실업자가 차지하는 비율이다.

- 실업률(%) = $\dfrac{실업자 수}{경제활동인구} \times 100$

  = $\dfrac{600만 명}{2,400만 명 + 600만 명} \times 100 = 20\%$

69. 정답 ③

| **해설** | 정부의 사법행정에 대한 불신이 만연하면 상업 자본이나 제조업 자본이 크게 성장하기 어렵다는 주장은 북한 사람들이 번 돈을 은행에 저축하지 않고 집안에 숨겨두는 점과 일맥상통한다.

| **오답피하기** | ① 사적자유의 원칙에 따라 개인은 자유롭게 계약을 맺을 자유가 있다. 국가가 모든 계약 조항을 꼼꼼하게 검토해야 하는 것은 과도한 개입이다.
② 제시문은 정부의 공공부채와 관련이 없다.
④ 국가가 시장 참여자가 예측하기 힘들 정도로 법을 자주 바꾼다면 국가에 대한 신뢰가 형성되기 힘들다.
⑤ 국가가 임대 기간과 임대료를 동일하게 규제하는 것은 결과적 평등을 지향하는 것으로, 과도한 시장 개입이 된다.

70. 정답 ⑤

| **해설** | 기준금리 인하로 시중의 유동성이 풍부해지면 소비자의 소비활동은 증가한다.

| **오답피하기** | ① 대출 금리 하락 요인이다.
② 인플레이션의 발생 요인이다.
③ 시중의 통화량은 증가한다.
④ 기업의 투자 심리는 살아날 것이다.

71. 정답 ②

| **해설** | 법인세 및 기업의 조세부담율이 높아지면 국내 총수요(AD)곡선은 왼쪽으로 이동할 것이다.

72. 정답 ⑤

| **해설** | 조세부담의 형평성이 개선되었고, 물가안정에 도움이 되었다는 내용을 통해 (A)에는 직접세 징수와 관련된 내용이 들어갈 수 있음을 추론할 수 있다.

| **오답피하기** | ① 할당관세제도: 특정 물품의 수입이 정부가 정한 일정 수량에 이를 때까지는 저율의 관세가 부과되나, 일정량을 초과하면 그 이후에는 고율의 관세가 부과되는 제도이다. 이때 부과되는 고율 또는 저율의 관세를 할당관세라고 한다.
③ 예비타당성조사: 대규모 개발사업에 대해 우선순위, 적정 투자시기, 재원 조달방법 등 타당성을 검증함으로써 대형 신규 사업에 신중하게 착수하여 재정투자의 효율성을 높이기 위한 제도이다. 타당성조사가 주로 기술적 타당성을 검토하는 반면, 예비타당성조사는 경제적 타당성을 주된 조사대상으로 삼는다.

73. 정답 ①

| **해설** | ㄱ ㄴ. OPEC는 중동의 산유국이 주축인 석유수출국기구를 말한다. 이와 관련된 용어는 페트로 달러와 석유파동이다. 페트로 달러란 전 세계의 주요 산유국들이 원유 및 관련 상품을 수출해서 벌어들이는 돈을 말하는데, 오일달러, 오일머니 등으로도 불린다. 1970년대 초 OPEC의 담합으로 석유파동이 있었으며, 한국은 중동지역 개발에 건설 기술자 등을 보낸 바 있다.

| **오답피하기** | ㄷ. 플라자 합의는 1985년 9월 22일 미국, 영국, 프랑스, 서독, 일본의 5개국 재무장관, 중앙은행총재가 뉴욕 플라자호텔에 모여 미 달러를 일본 엔화와 독일 마르크화에 대해 절하하기로 한 합의이다.
ㄹ. OPEC은 독점적 경쟁시장이 아니라 일종의 독과점시장이다.

관련 개념 짚어보기

OPEC+
석유수출기구(OPEC)에 속하지 않았던 러시아를 비롯한 산유국과 기존 OPEC 회원국이 함께 결성한 협의체이다. 현재 국제 유가에 큰 영향력을 행사한다.

74. 정답 ①

| 해설 | ㄱㄴ. A국 정부는 빚 탕감 정책을 민간회사로까지 확대하여 시행하려고 한다. 이 경우 채무자가 빚을 갚지 않으려는 도덕적 해이가 발생할 수 있고, 채권자와 금융기관 입장에서는 대부(貸付)를 꺼려 신용시장이 위축될 가능성이 존재한다.

| 오답피하기 | ㄷ. 스놉효과: 어떤 제품이 대중화되면 남들과 다르다는 것을 증명하기 위해 해당 제품을 더 이상 구매하지 않는 소비현상을 일컫는 말로, 잘난 체하는 속물을 의미하는 스놉(Snob)이라는 단어에서 유래됐다. 고급 의류나 가구, 희소가치 있는 미술품 등에서 스놉효과가 빈번하게 나타난다. 까마귀가 몰리면 백로가 까마귀 떼를 멀리하는 것 같다고 해서 '백로효과'라고 부르기도 한다.
ㄹ. 스미스의 역설: 가치의 역설, 물과 다이아몬드의 역설이라고도 한다. 인간의 생존에 더 필수적인 재화는 다이아몬드보다 물이지만 실제 가격은 다이아몬드가 훨씬 비싸다. 이처럼 시장에서의 교환가치는 재화 또는 서비스의 사용가치와 일치하지 않는데, 이를 스미스의 역설이라고 한다.

75. 정답 ③

| 해설 | E₁에서 E₂로의 이동은 총수요 증가에 의한 것이다. 따라서 확장적 재정정책이나 확장적 통화정책의 시행으로 총수요가 증가했을 것이다. 총수요 증가로 인해 인플레이션이 발생하여 고정급을 받는 임금 근로자는 불리해졌을 것이다.

| 오답피하기 | ① 인플레이션은 연금생활자에게 유리하게 작용하지 않는다.
② 인플레이션은 실물자산 보유자에게 유리하다.
④ 기업 투자 감소는 총수요 감소 원인이다.
⑤ 인플레이션은 채권자에게 불리하다.

76. 정답 ②

| 해설 | 2055년에는 아예 고갈될 것으로 예상하고 있으므로 2040년부터 국민연금 적립금이 모두 고갈될 것이라는 내용은 옳지 않다. 2040년은 국민연금 재정수지가 적자로 전환되는 해이다.

77. 정답 ④

| 해설 | 국산 한약재를 원하는 구매자는 한약재에 국산 한약재의 가치인 1천만 원을 지불할 의향이 있을 것이다. 다만, 원산지 식별 능력이 없는 상태에서는 평균적인 가치의 기댓값인 600만 원 이상을 지불하려 하지 않을 것이다.

78. 정답 ③

| 해설 | 지니계수가 커질수록 소득불평등도가 악화됨을 알 수 있다. B국의 지니계수는 2019년이 0.40, 2020년이 0.45로, 2020년에 지니계수가 더 커졌다. 이는 소득불평등 수준이 악화되었음을 의미한다.

| 오답피하기 | ② 로렌츠곡선이 대각선에서 멀어질수록, 지니계수가 클수록 소득이 불평등함을 의미한다. 2020년의 지니계수는 A국이 0.42, B국이 0.45로, B국이 A국보다 크다. 즉, B국이 A국보다 로렌츠곡선이 대각선에 멀어진 상태임을 알 수 있다.
④ 지니계수가 작아지는 것은 소득불평등도가 개선되고 있음을 의미한다. 2021년에 B국의 지니계수는 2020년보다 작아졌으므로 소득분배가 개선되었다고 볼 수 있다.
⑤ A국의 지니계수가 매년 작아지고 있으므로, 이는 소득불평등도가 개선되고 있음을 의미한다. 따라서 복지정책을 펼쳤을 것임을 추론할 수 있다.

관련 개념 짚어보기

로렌츠곡선

79. 정답 ④

| 해설 | (A)는 준칙에 입각한 통화정책, (B)는 준칙을 벗어난 재량에 입각한 통화정책을 설명한다.
케인스학파는 재량에 입각한 정책을 펴는 것이 바람직하다는 입장이다.

80. 정답 ④

| 해설 | 신문기사는 조선 후기 흥선대원군의 잘못된 당백전 발행으로 화폐의 가치가 폭락하는 하이퍼인플레이션이 발생한 상황을 보여준다.
그레셤의 법칙은 악화가 양화를 구축하는 상황으로 우리나라에서 현재 사용되는 화폐에는 발생할 여지가 없다.

관련 개념 짚어보기

그레셤의 법칙

'악화가 양화를 구축한다.'라는 말로 알려져 있다. 가치가 낮은 것이 가치가 높은 것을 몰아냄을 말한다. 예를 들어 귀금속으로서는 가치가 다른 금화와 은화가 동일한 화폐 가치로 통용되면, 사람들은 가치가 낮은 은화(악화)만 사용하고, 가치가 높은 금화(양화)는 소장해두기 때문에 금화는 유통되지 않고 사라진다(구축).

제74회 TESAT 문제지
정답 및 해설

경제이론

1	⑤	2	②	3	④	4	③	5	④
6	②	7	①	8	①	9	③	10	④
11	②	12	①	13	⑤	14	③	15	④
16	④	17	③	18	⑤	19	④	20	①
21	②	22	⑤	23	②	24	①	25	③
26	②	27	⑤	28	⑤	29	③	30	①

시사경제 · 경영

31	②	32	③	33	③	34	①	35	④
36	③	37	①	38	③	39	⑤	40	②
41	④	42	⑤	43	④	44	①	45	①
46	④	47	②	48	③	49	⑤	50	①
51	⑤	52	④	53	③	54	②	55	⑤
56	③	57	②	58	⑤	59	④	60	⑤

상황추론 · 판단

61	④	62	⑤	63	③	64	④	65	①
66	②	67	④	68	③	69	③	70	②
71	②	72	①	73	⑤	74	①	75	③
76	①	77	⑤	78	④	79	②	80	②

경제이론

1. 정답 ⑤

| 해설 | 시장경제는 효율성을 목표로 하기 때문에 공평한 소득분배를 담보하는 것은 아니다.

2. 정답 ②

| 해설 | ㄱ ㄷ ㄹ. 인구 고령화, 경쟁국과 무역 분쟁, 연구개발 관련 세액공제 감소는 경제성장의 속도를 늦추는 요인이 될 수 있다.

| 오답피하기 | ㄴ ㅁ. 외국으로부터의 활발한 기술 도입, 신산업 관련 규제 완화는 경제성장의 촉진 요인이다.

3. 정답 ④

| 해설 | 한계생산물체감의 법칙은 어느 시점이 지나면 생산요소를 추가로 투입할 때 이로 인해 늘어나는 한계생산량이 줄어드는 것을 의미한다. 이는 고정된 생산요소가 존재하는 단기에 성립하는 것으로, 정부 실패와는 관련이 없다.

4. 정답 ③

| 해설 | 대체재의 공급 증가는 대체재의 가격을 하락시켜 대체재의 수요량이 증가하는 반면, 해당 수요곡선을 좌측으로 이동시킨다.

| 오답피하기 | ①②④⑤ 소비자의 소득 증가, 보완재 생산기술 발전, 미래 가격 상승 예상, 재화에 대한 소비자의 선호도 증가는 모두 수요 증가 요인이므로 수요곡선이 우측으로 이동한다.

관련 개념 짚어보기

수요곡선의 좌측 이동

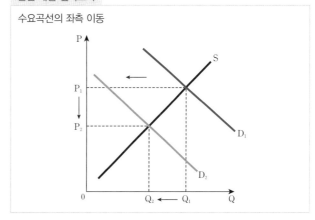

5. 정답 ④

| 해설 | ㉠은 수요견인 인플레이션, ㉡은 비용인상 인플레이션에 해당한다. 비용인상 인플레이션의 원인으로는 국제 원자재 가격 상승과 같은 공급 충격을 들 수 있다.

| 오답피하기 | ① ㉠은 수요견인 인플레이션이다.
② 민간 소비 지출 감소는 총수요의 감소 요인이다.
③ 정부지출 확대는 총수요의 증가 요인이다.
⑤ ㉡은 실질GDP의 감소를 수반한다.

관련 개념 짚어보기

인플레이션의 원인

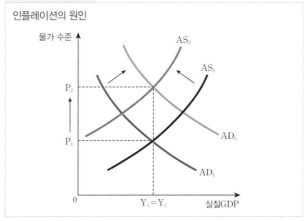

6. 정답 ②

| 해설 | 수요의 가격탄력성이 완전탄력적일 경우 수요곡선이 수평선이기 때문에 공급곡선이 이동하더라도 균형에서의 가격은 변함이 없다.

| 오답피하기 | ① 수요곡선은 수평선의 모양을 가진다.
③ 공급이 감소하면 재화의 거래량은 감소한다.
④ 이 재화의 공급자에게 세금을 부과하면 세금의 전부를 공급자가 부담한다. 세금을 수요자에게 부과하여 가격이 높아지면 수요량이 극단적으로 줄기 때문이다.
⑤ 이 재화의 수요자에게 세금을 부과하면 세금의 전부가 공급자에게 전가된다.

관련 개념 짚어보기

수평의 수요곡선과 우상향하는 공급곡선

7. 정답 ①

| 해설 | 입장료가 아까워서 재미없는 영화를 계속 보는 것은 매몰비용과 관련이 있다. 매몰비용은 한 번 지출되면 되돌려 받는 것이 불가능한 비용으로, 합리적 의사결정 시 고려해서는 안 된다.

8. 정답 ①

| 해설 | 지니계수가 낮을수록 소득분배가 평등하다고 보며 소득분배가 평등할수록 로렌츠곡선은 대각선에 가까워진다.
올해의 지니계수가 작년보다 낮아졌으므로 로렌츠곡선은 45° 대각선에 가까워졌을 것이다.

| 오답피하기 | ② 지니계수가 작년보다 낮아졌으므로 10분위 분배율은 커졌을 것이다.

관련 개념 짚어보기

십분위 분배율

십분위 분배율이란 최하위 40%의 소득점유율을 최상위 20%의 소득점유율로 나눈 값으로, 저소득층과 고소득층 간의 소득분배를 나타내는 지표이다. 소득분배가 완전히 평등하면 2, 소득분배가 완전히 불평등하면 0의 값을 가지며, 값이 클수록 소득분배가 평등함을 나타낸다. 십분위 분배율은 중간계층의 소득을 잘 반영하지 못한다는 단점이 있다.

$$십분위 분배율 = \frac{최하위 \ 40\% \ 소득계층의 \ 소득}{최상위 \ 20\% \ 소득계층의 \ 소득}$$

9. 정답 ③

| 해설 | • 구축효과(Crowd-out Effect): 정부지출 증가 때문에 민간 부문의 투자가 감소하는 현상을 말한다. 정부가 경기부양을 위해 세금을 걷지 않고 지출을 늘리려면 국채를 발행해서 돈을 빌려야 하는데, 이 경우 민간에서 빌릴 수 있는 자금이 줄어들어 이자율이 상승하고 민간 투자가 감소한다. 결국 투자 감소로 인해 민간 부문에서 창출될 생산 증가가 감소해 정부의 재정지출로 인한 생산 증가가 상쇄되는 현상이 나타난다. 경제가 불황일 때에는 민간의 투자수요가 적기 때문에 구축효과가 크지 않을 수 있지만, 경제가 정상이거나 활황일수록 구축효과는 더 뚜렷하게 나타날 수 있다.
• 승수효과: 대표적인 정부개입 옹호론자인 케인스는 정부지출 등 정부정책 변수의 변화율에 비해 이로 인한 국민소득의 변화율이 크게 나타나는 현상을 승수효과라고 말했다. 승수효과는 정부의 개입을 통해 국민소득을 효과적으로 증가시킬 수 있음을 뒷받침하는 이론으로, 재정정책을 중시하는 입장에서는 구축효과보다 승수효과를 더 크게 본다.

| 오답피하기 | ① 금융정책보다 재정정책의 효과가 직접적이다.
② 국채 발행을 통해 정부가 자금을 조달할 경우 시중 이자율은 상승한다.
④ 추가경정예산은 정부의 대표적인 재정정책이다.

10. 정답 ④

| 해설 | 중앙은행이 자연실업률을 실제보다 낮게 평가하면 경기침체라고 판단하여 확장적 통화정책을 실시한다. 이에 따라 인플레이션율은 계속 상승한다.

11. 정답 ②

| 해설 | 가격 하한제(최저가격제)는 균형가격보다 높은 가격에서 설정되어야 효력을 갖는다. 기존의 시장 균형가격보다 낮은 수준에서 가격이 설정되면 가격 하한제의 효과가 나타나지 않는다.

12. 정답 ①

| 해설 | (가)는 공유재, (나)는 사적재, (다)는 클럽재, (라)는 순수 공공재에 해당한다.
공유지의 비극은 경합성은 있으나 배제성이 없는 재화가 과도한 낭비로 인해 고갈되는 현상을 말한다. 이에 해당하는 재화는 공유재이다.

관련 개념 짚어보기

재화의 구분

구분		경합성	
		있음	없음
배제성	있음	• 사적재 • 아이스크림 • 옷	• 클럽재 • 케이블 TV • 유료 고속도로
	없음	• 공유자원 • 환경 • 바닷속의 물고기 • 공유지의 비극	• 공공재 • 국방서비스

13. 정답 ⑤

| 해설 | A는 주식, B는 채권이다.
채권과 주식은 모두 시세 차익을 기대할 수 있다.

| 오답피하기 | ① 이자 수익을 기대할 수 있는 것은 채권(B)이다.
② 기업의 입장에서 자기자본에 해당하는 것은 주식(A)이다. 채권의 경우 만기 시에 기업은 채권자에게 원금을 상환해야 한다.
③ 주식의 소유자는 이사회가 아니라 주주총회에 참석할 수 있는 권리가 주어진다.
④ 주식은 채권과 달리 배당 수익을 기대할 수 있다.

14. 정답 ③

| 해설 | 총수요 변동성의 주요 원인은 투자에 있다.

| 오답피하기 | ① 일반적으로 투자는 이자율의 감소함수이므로 이자율이 상승하면 투자가 감소한다.
② 총수요의 구성요소인 투자, 소비 등은 이자율에 따라 감소하거나 증가한다. 따라서 총수요는 이자율에 영향을 받는다.
④ 화폐의 중립성이 성립한다면 화폐량의 증가는 총수요에 영향을 미치지 않고 물가만 상승시킨다.
⑤ 한 국가에서 생산한 상품의 총수요는 소비, 투자, 정부지출, 순수출(수출 – 수입)의 합이다.

15. 정답 ④

| 해설 | 순수출액(수출액 2,000억 – 수입액 1,500억)에 의해 외환보유고가 500억 달러 증가하였고, 자본·금융계정에 의한 순유출액(외국인의 국내 자산 매입액 500억 – 내국인의 해외 자산 매입액 600억)이 –100억 달러이므로, 한국의 외환보유액은 총 400억 달러 증가하였다.

16. 정답 ④

| 해설 | 제시된 실업은 마찰적 실업(탐색적 실업)이다. 마찰적 실업은 새로운 일자리를 탐색하거나 이직을 하는 과정에서 일시적으로 발생하는 실업을 말한다.
최저임금제, 노동조합의 강화로 인한 실업은 구조적 실업이다.

17. 정답 ③

| 해설 | 코즈의 정리(Coase's Theorem)는 거래비용과 재산권(Property Right)의 개념으로 정부의 개입 없이 외부효과(Externality)를 해결할 수 있음을 밝혀낸 이론이다. Ronald H. Coase는 거래비용이 낮은 상태에서 적절한 재산권만 부여되어 있다면 시장 거래에 의해 외부성의 문제가 해결됨을 주장하였다. 코즈의 정리에 따르면 재산권이 누구에게 있는지에 따라 외부불경제를 감소시키는 정도가 달라지지는 않는다. 하지만 초기 소유권을 어떻게 설정해도 시장이 합리적으로 해결한다는 아이디어는 부정적 외부성의 원인 제공자에게 소유권을 설정해주는 근거가 되어 윤리·도덕적으로 비판을 받기도 한다.

18. 정답 ⑤

| 해설 | 보험시장에서 평균 보험료를 제시할 때 사고를 낼 위험이 높은 사람이 가입하는 것은 역선택의 예이다.

관련 개념 짚어보기

정보 비대칭

정보 비대칭	
역선택	도덕적 해이
• 감추어진 특성 • 레몬시장	• 감추어진 행동 • 주인 – 대리인 문제

19. 정답 ④

| 해설 | 모든 생산요소의 투입을 두 배 늘렸을 때 산출량이 두 배를 초과하여 늘어나는 것은 규모에 대한 수익 체증이다.

| 오답피하기 | ② 모든 생산요소의 투입을 두 배 늘려도 산출량이 변하지 않았으므로 규모에 대한 수익 체감이다.
③⑤ 모든 생산요소의 투입을 두 배 늘렸을 때 산출량이 두 배 늘어야 규모에 대한 수익 체증이다. 고정요소의 투입 증가만으로는 판단할 수 없다.

관련 개념 짚어보기

규모의 경제를 표현하는 방식
• 장기 총평균비용곡선(LRATC)이 우하향한다.
• 초기 고정비용이 높고, 한계비용은 일정하다.
• 노동(L)과 자본(K)이 각각 2배씩 증가할 때 산출량이 2배 이상 증가한다.

20. 정답 ①

| 해설 | (가)는 가계, (나)는 기업이다.
ㄱ. 가계는 소비활동의 주체이고, 기업은 생산활동의 주체이다.
ㄴ. 가계는 효용극대화를 위해, 기업은 이윤극대화를 위해 경제활동을 한다.

| 오답피하기 | ㄷ. ⓐ은 요소소득에 해당한다.
ㄹ. ⓑ은 판매수입에 해당한다.

21. 정답 ②

| 해설 | 절약의 역설은 저축의 증가가 투자의 증가로 바로 이어지지 않는 '단기'에 적합한 이론이다.

관련 개념 짚어보기

저축의 역설(절약의 역설)

'구성의 오류(Fallacy of Composition)' 또는 '합성의 오류'의 대표적 예시이다. 구성의 오류는 부분이 지닌 속성이 전체에는 나타나지 않는 경우를 말한다. 개인에게 절약과 저축은 미덕이지만, 모두가 절약과 저축을 행할 경우 소비가 위축되어 경기가 침체되기 때문이다.

22. 정답 ⑤

| 해설 | '물건의 가치가 같은 화폐 단위로 표시되므로 모든 상품 간의 교환 비율을 알 수 있다.'에서 가치척도의 기능을 유추할 수 있다.

23. 정답 ②

| 해설 | 수입할당제를 시행하면, 공급자가 수입 물량을 통제할 수 있게 되므로 생산자잉여는 증가하고 소비자잉여는 감소한다. 정부가 관세를 걷는 것은 아니므로 정부의 관세수입은 0이고 국내 물가는 상승할 것이다. 즉, 전체적으로 해당 국가의 후생수준은 전반적으로 감소할 것이다.

관련 개념 짚어보기

수입쿼터제(수입할당제)

24. 정답 ①

| 해설 | GDP는 Y(GDP) = C(소비) + I(투자) + G(정부지출) + N[X(수출) − M(수입)]으로 구할 수 있다.
수입이 증가하면 GDP는 감소한다.

| 오답피하기 | ② 가정주부의 가사노동은 GDP에 포함되지 않는다.
③ 기준연도에서는 실질GDP와 명목GDP가 일치한다.
④ GDP는 국내총생산량으로 국내에서 근무하는 외국인 근로자가 생산한 가치도 GDP에 포함된다.
⑤ A년도에 생산한 제품이 다음 연도인 B년도에 판매되더라도 이는 B년도 GDP가 아닌 A년도 GDP에 포함된다.

25. 정답 ③

| 해설 | 무차별곡선은 원점에 대해 볼록한 형태를 띤다.

관련 개념 짚어보기

무차별곡선

점 A, B, C의 총효용 수준은 같은데, 점 B가 더 적은 수의 재화로 구성되어 있다. 이는 무차별곡선의 볼록성이 극단적 상품조합보다 골고루 들어간 상품조합을 더 선호한다는 것을 의미한다.

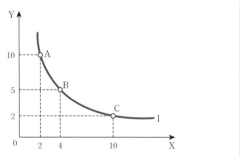

26. 정답 ②

| 해설 | (가)는 완전경쟁시장, (나)는 독점적 경쟁시장, (다)는 독점시장, (라)는 과점시장이다.
ㄱ. 완전경쟁시장에서는 P = MC이므로 자원 배분이 효율적으로 이루어진다.
ㄷ. 독점시장은 생산요소의 독점, 규모의 경제, 특허 및 저작권 등의 이유로 진입장벽이 존재하여 다른 기업의 진입을 막는다.

| 오답피하기 | ㄴ. 기업 간 담합과 리니언시에 관한 논쟁이 나타날 수 있는 시장은 과점시장이다.
ㄹ. 과점시장에서는 상대방의 전략을 고려하여 의사결정을 하므로 기업 간 상호 의존성이 높다.

27. 정답 ⑤

| 해설 | 예상하지 못한 인플레이션이 발생하면 채권자는 불리해지고 채무자가 이득을 보는 부의 재분배가 발생할 수 있다. 예상된 인플레이션이라면 채권자가 인플레이션율에 맞춰 명목이자율 인상을 요구하므로 부의 재분배가 일어난다고 보기 어렵다.

| 오답피하기 | ① 메뉴비용은 인플레이션 발생 시 제품이나 서비스의 가격을 재조정해야 하는 데에서 오는 불필요한 비용을 말한다.

28. 정답 ⑤

| 해설 | 무역 상대국 인플레이션의 높은 변동성은 상대국 화폐 가치의 예측을 방해하므로 국제무역을 감소시키는 요인으로 볼 수 있다.

29. 정답 ③

| 해설 | ㄱ. 국가 대외신인도가 하락하는 부정적 징후로 평가되는 것은 외국환평형기금채권의 가산금리 상승과 신용평가기관의 국가신용등급 하락이다.

| 오답피하기 | ㄴ. 신용부도스와프(CDS) 프리미엄은 높을수록 신용위험이 크다는 것을 의미한다. CDS가 하락하면 국가 대외신인도에 긍정적 징후로 평가될 것이다.

30. 정답 ①

| 해설 | 1급 가격차별은 완전가격차별이라고도 하며, 소비자잉여를 전부 흡수하는 전략이다. 소비자의 선호와 지불능력을 완전히 알고 있을 때에만 가능한 전략으로 완전가격차별이 실시되면 사회의 경제적 후생이 극대화된다. 단, 그 후생은 전부 공급자에게 귀속되어 소비자잉여는 0이 된다.

| 오답피하기 | ②④ 거래는 이루어지지만 발생하는 잉여는 전부 공급자에게 귀속된다.
③⑤ 각 소비자에게 서로 다른 가격을 부과함으로써 거래량이 늘고 생산자잉여가 증가한다. 완전가격차별이 가능하면 시장에서의 거래량은 늘어난다.

시사경제 · 경영

31. 정답 ②

| 해설 | • 유니콘: 스타트업은 많지만 페이스북처럼 성공하는 스타트업은 머리에 뿔이 달린 상상 속의 동물인 유니콘만큼이나 찾아보기 어렵다는 것에서 나온 말이다. 보통 기업 가치가 10억 달러를 넘어가는 스타트업을 유니콘이라고 한다.
• 데카콘: 기업 가치 100억 달러(유니콘의 10배) 이상인 스타트업은 10을 뜻하는 접두사 데카(Deca)를 붙여 데카콘이라고 한다.

32. 정답 ③

| 해설 | 텐 배거(Ten Bagger)는 10루타를 의미하는 용어로, 10배 이상의 수익률을 가져다준 주식 종목을 말한다.

| 오답피하기 | ① 손절매(Loss Cut, 로스컷): 현재 주가가 본인의 매입 단가보다 낮지만, 앞으로의 주가 하락을 예상해 손실을 감수하고 매도하는 행위를 말한다.
② 바이백(Buy-back): 무엇을 팔았다가 다시 사는 행위를 말한다. 주식에 있어서는 기업의 자사주 매입 행위를, 채권에 있어서는 조기상환 행위를 가리킨다.
④ 오버행(Overhang): 주식시장에 있어 오버행이란 미래에 매도 물량으로 쏟아질 수 있는 잠재적 주식을 말한다.

33. 정답 ③

| 해설 | 밀키트(Meal Kit)는 이미 손질된 식재료와 여러 부재료를 하나의 구성품으로 하여 조리만 하면 되는 간편식품을 말한다.

| 오답피하기 | ① PB(Private Brand): 특정 유통업체(주로 백화점, 대형마트)에서 직접 만든 자체 브랜드 상품을 의미한다. 대표적인 예로는 노브랜드가 있다.
② OEM(Original Equipment Manufacturing): 두 회사가 계약을 맺어 한 회사는 제품의 생산을 맡고(위탁생산), 다른 회사는 완성된 상품을 받아 자신의 브랜드로 판매하는 방식을 말한다.

34. 정답 ①

| 해설 | 메기효과는 막강한 경쟁자의 존재가 다른 경쟁자들의 잠재력을 끌어올리는 효과를 말한다. 미꾸라지를 장거리 운송할 때 수조에 메기 한 마리를 넣어두면 미꾸라지들이 메기를 피해 다니느라 생기를 얻어 미꾸라지가 상하지 않는다는 것에서 유래되었다.

| 오답피하기 | ⑤ 네트워크효과: 독립적인 개인의 재화나 서비스에 대한 수요가 그 재화나 서비스를 사용하는 사람의 수에 영향을 받는 것을 말한다. 소비자의 수가 증가할수록 재화나 서비스의 수요가 증가하였다면 양(+)의 네트워크효과가 있다고 말한다. 인터넷이나 스마트폰이 그 예이다.

35. 정답 ④

| 해설 | 소비자 물가지수(CPI)는 가계가 소비하는 상품들의 가격 수준을 측정하는 지표를 말한다.
ㄴ. 엥겔지수: 가계의 총지출액에서 식료품비가 차지하는 비율을 말한다. 가계의 소득과 상관없이 반드시 일정 금액을 식료품비로 지출해야 하므로 저소득 가구일수록 엥겔지수는 상승하는 경향을 보인다. 소비자 물가지수의 상승에서 식료품비가 상승했을 것임을 유추할 수 있으므로 엥겔지수는 상승했을 것이다.
ㄹ. 장바구니 물가: 물건을 직접 구입할 때 느끼는 물가로, 체감 물가라고도 한다. 공식 물가와 달리 소비자가 자신이 구입하는 물품만을 대상으로 매기는 주관적 물가이다.

| 오답피하기 | ㄱ. PMI제조지수: 제조기업 구매관리자를 대상으로 한 설문조사를 바탕으로 미국의 경제활동을 월별로 보여주는 지표로, ISM제조업지수라고도 불린다. 미국 경제상황을 보여주는 핵심 지표로 꼽힌다. 심리지수이기 때문에 물가지수와 양(+)의 상관관계에 있다고 단정할 수 없다.
ㄷ. CSI(Consumer Survey Index, 소비자 심리지수): 소비자들의 경기전망을 살펴볼 수 있는 지표로, 소비자동향조사에서 도출한 지수를 활용하여 계산한다. 100보다 높으면 소비자들은 경기를 긍정적으로 전망하고 있음을 의미한다. PMI지수와 마찬가지로 심리지수이기 때문에 물가지수와의 관계를 특정지을 수 없다.

36. 정답 ③

| 해설 | 블랙아웃은 대규모 정전사태를 말한다. 주로 전력 부족으로 인해 발생하는데, 여름철 냉방으로 인해 전기 사용이 급증할 때 그 위험성이 커진다.

37. 정답 ①

| 해설 | 구축효과(Crowd-out Effect)는 정부지출 증가 때문에 민간 부문의 투자가 감소하는 현상이다. 정부가 경기부양을 위해 세금을 걷지 않고 지출을 늘리려면 국채를 발행해서 돈을 빌려야 하는데, 그럴 경우 민간에서 빌릴 수 있는 자금이 줄어들어 이자율이 상승하고 민간 투자가 감소한다. 결국 투자 감소로 인해 민간 부문에서 창출될 생산 증가가 감소하여 정부의 재정지출로 인한 생산 증가가 상쇄되는 현상이 나타난다. 경제가 불황일 때에는 민간의 투자수요가 적기 때문에 구축효과가 크지 않을 수 있지만, 경제가 정상이거나 활황일수록 구축효과는 더 뚜렷하게 나타날 수 있다.

| 오답피하기 | ② 전시효과: 듀젠베리에 의해 만들어진 용어로, 개인의 소비 패턴이 타인에 의해 변화하는 현상을 말한다. 주위 사람들이 소득 증가로 인해 적극적인 소비를 할 때 본인의 소득 변화에 상관없이 지출을 늘리는 현상이 대표적인 예이다.
③ 분수효과: 낙수효과에 대비되는 개념이다. 중산층 또는 저소득층의 세금을 줄여주거나 복지를 늘려주면 이들의 소비 지출이 늘어나 경제가 활성화되고 궁극적으로는 고소득층의 소득 역시 늘어날 수 있다는 이론이다.
④ 핀볼효과: 제임스 버크의 저서 『핀볼효과(The Pinball Effect)』에서 '우연적 사건의 연쇄가 세상을 움직인다.'라는 뜻으로 처음 등장한 용어이다. 경제성장률, 유동성, 금리, 투자심리 등이 복합적으로 작용하여 자산 가격을 크게 오르도록 만드는 것을 가리킨다.
⑤ 피셔효과: 명목금리가 실질금리와 기대인플레이션율의 합계와 같다는 미국의 경제학자 어빙 피셔가 발표한 이론이다.

38. 정답 ①

| 해설 | 삼성SDI, LG에너지솔루션, SK온 모두 전기차 배터리를 주력 제품으로 생산하는 기업이다. 전기차가 본격적으로 상용화되면서 전기차 배터리 시장 역시 급성장했고, 세 기업 모두 전기차 배터리 관련 기업으로 큰 주목을 받았다.

| 오답피하기 | ④ 메모리 반도체: 반도체의 종류는 크게 메모리 반도체와 시스템 반도체(비메모리 반도체)로 나눌 수 있다. 메모리 반도체는 데이터의 저장, 시스템 반도체는 정보처리를 주요 기능으로 삼는다.

39. 정답 ⑤

| 해설 | 한국의 경우 포이즌 필 도입의 필요성에 관한 논의는 전개되어 왔지만, 제도로 채택되지는 않았다.

| 오답피하기 | ② 공개매수는 적대적 M&A의 전략 중 하나로, 유가증권시장 외에서 불특정 다수로부터 인수대상 기업의 주식을 매수하는 행위를 말한다. 2022년 머스크는 트위터의 공개매수를 선언한 바 있다.

관련 개념 짚어보기

- **백기사**: 적대적 M&A가 진행될 경우 기존 경영진에 대해 우호적인 주주를 말한다. 이러한 주주의 지분을 높임으로써 경영권을 효과적으로 방어할 수 있다.
- **포이즌 필(Poison Pill)**: 적대적 M&A 위기에 놓인 기업이 대규모 유상증자, 임금 인상, 황금낙하산 등을 통해 기업매수자에게 엄청난 비용이 들게끔 하여 인수 포기를 유도하는 적대적 M&A 방어 전략이다. 독약을 삼킨다는 의미에서 포이즌 필이라는 이름이 붙었다. 기업매수자가 일정량 이상의 지분을 확보하면 기존주주에게 할인된 가격으로 대규모 신주를 발행하도록 정관에 정해두어 M&A 기업이 확보한 지분을 희석시키는 방법이 주로 사용되고 있다.
- **황금낙하산**: 적대적 M&A(합병)의 대표적인 방어수단으로, 최고경영자가 사임하게 되면 거액의 퇴직금이나 주식매수권이 부여되게끔 하는 제도이다.

40. 정답 ②

| 해설 | 빅배스(Big Bath)는 목욕을 하며 더러운 것을 씻어낸다는 뜻으로, 새로 부임하는 경영자가 전임자의 재임기간 동안 누적된 손실, 향후 잠재적 부실요소까지 회계장부에 반영하여 책임을 전임자에게 넘기는 행위를 뜻하는 회계용어이다. 이는 내년의 실적을 인위적으로 향상시켜 후임자의 경영성과를 돋보이게 하므로 보통 회사의 CEO 교체기에 빅배스가 이루어진다.

| 오답피하기 | ① 뱅크런(Bank Run): 은행의 대규모 예금인출사태를 가리키는 말이다. 금융시장 상황이 불안하거나 은행의 경영 및 건전성 등에 문제가 발생하면 예금자들은 은행에 맡긴 돈을 보장받을 수 없을 거라는 불안감에 저축한 돈을 인출하고, 은행은 지급 가능한 자금이 부족해 패닉 상태에 빠질 수 있다. 예금보험공사는 뱅크런과 이로 인한 금융 불안정을 방지하기 위해 예금자보호법에 의해 5,000만 원까지의 예금을 보호해준다.
③ 홀딩스: 지주회사를 뜻하는 용어로, 특정 기업 그룹(우리, 하나 등)에 속하는 여러 기업의 지분을 보유한 회사를 말한다. 지주회사를 통해 모든 기업의 지분을 100% 소유하지 않아도 기업을 지배 및 관리할 수 있다.
④ 숏커버링: 공매도(Short)한 주식을 되갚기 위해(Covering) 시장에서 주식을 매입하는 것을 말한다.
⑤ 윈도드레싱: 기관투자자들이 분기별 또는 연말 성과평가를 앞두고 자신의 포트폴리오에 포함된 주식 종목의 주가를 인위적으로 끌어올리는 행위를 말한다.

41. 정답 ④

| 해설 | 경제고통지수는 국민들이 피부로 느끼는 경제적 삶의 어려움을 계량화해 수치로 나타낸 것이다. 물가상승률과 실업률을 합한 다음 소득증가율이나 국내총생산 증가율을 빼서 수치로 나타낸다.

| 오답피하기 | ① 경제자유지수: 미국의 싱크탱크 중 하나인 헤리티지 재단이 월스트리트 저널과 협력해 계산하는 경제적 자유수준의 지표이다.
⑤ 경제신뢰지수: 앞으로의 경제 전망에 대한 국민의 인식을 설문조사 등을 통해 산출하여 보여주는 지수이다. 소비자심리지수가 대표적인 예이다.

42. 정답 ⑤

| 해설 | 망 중립성(Network Neutrality)은 유·무선 통신 사업자가 인터넷 사업자에게 어떤 차별도 하지 않고 모든 콘텐츠를 평등하게 대우해야 한다는 원칙을 말한다. 2022년 한국에서는 넷플릭스, 유튜브와 관련한 망 사용료 부과 이슈가 존재했다.

| 오답피하기 | ① 페그제: 자국 통화의 환율을 다른 나라의 통화에 고정시키는 제도를 말한다.
② 로그롤링(Logrolling): 국회의원들이 자기의 이익이 걸린 법안을 통과시키기 위해 투표를 거래하는 행위를 말한다.
③ 미란다 원칙: 수사기관이 용의자를 체포할 때 체포 이유와 변호인의 조력을 받을 수 있는 권리로, 진술거부권 등이 있음을 미리 고지해야 한다는 원칙이다.
④ 스놉효과: 어떤 제품이 대중화되면 남들과 다르다는 것을 증명하기 위해 해당 제품을 더 이상 구매하지 않는 소비현상을 일컫는 말이다. 잘난 체하는 속물을 의미하는 '스놉(Snob)'이라는 단어에서 유래됐다. 고급 의류나 가구, 희소가치가 있는 미술품 등에서 스놉효과가 빈번하게 나타난다. 까마귀가 몰리면 백로가 까마귀 떼를 멀리하는 것 같다고 해서 '백로효과'라고도 부른다.

43. 정답 ④

| 해설 | 메타(舊 페이스북)는 리브라의 도입을 추진했으나 디엠으로 이름을 바꾸어 프로젝트를 이어나갔다. 하지만 2022년 디엠 관련 사업 역시 철수하며 실패로 막을 내렸다.

| 오답피하기 | ③ NFT(Non-Fungible Token, 대체불가능토큰): 블록체인 기술을 활용하여 고유성을 가지게 된 디지털 자산(토큰)을 말한다. NFT 기술을 통해 실물이 아닌 디지털 자산의 고유성, 저작권, 소유권을 증명하는 일이 용이해졌으며 디지털 예술작품의 거래에 활발히 이용되고 있다.
⑤ 팡(FAANG): 미국의 빅테크 기업인 Facebook(現 META), APPLE, AMAZON, NETFLIX, GOOGLE의 앞글자를 따서 만든 용어이다.

44. 정답 ①

| 해설 | 기업이 영업활동을 중단하고 청산할 경우, 회수 가능한 금액의 화폐적 가치를 청산가치라고 한다. 청산가치는 기업이 파산 등의 이유로 영업활동을 중단해 청산하는 경우를 상정해 매긴 자산가치를 장부가와 대비했을 때, 회수 가능한 금액의 가치를 말한다.

| 오답피하기 | ② 수익가치: 회사의 미래 수익을 현재로 가치화한 금액을 말한다.
③ 존속가치: 청산가치와 반대로 기업이 지속적인 영업을 한다고 가정해 자산을 평가하는 것을 존속가치 또는 계속기업가치라고 한다.
⑤ 부가가치: 재화 또는 서비스가 생산되는 과정에서 부가된 가치를 말한다.

45. 정답 ①

| **해설** | 금전적 이익을 기대할 수 있는 시설의 유치를 위해 노력하는 (주로 이기적인) 행위를 핌피(PIMFY)현상이라고 한다. 이는 'Please In My Frontyard'의 줄임말이다.

| **오답피하기** | ② 넛지효과(Nudge): '팔꿈치로 살짝 찌르다.'라는 뜻으로 어떤 일을 강요하기보다는 스스로 자연스럽게 행동을 변화하도록 하는 유연한 개입을 말한다. 2008년 출간된 리처드 탈러와 캐스 선스타인의 행동경제학 책 『넛지(Nudge)』에서 소개돼 널리 알려진 개념이다.
③ 베이크 아웃(Bake Out): 새로 지어진 집에 입주했을 때 새집증후군을 예방하기 위하여 집 온도를 높인 후 환기하는 행위를 반복하는 것을 말한다.
④ 바나나현상: 님비(NIMBY)현상은 'Not In My Backyard'의 줄임말로 공공의 이익을 위해서는 필수적인 시설이지만 자신의 주거지에는 도움이 되지 않는, 또는 피해를 주는 폐기물처리장과 같은 시설이 자신의 지역에 들어서는 것을 반대하는 행동이다. 바나나현상은 님비현상과 유사하지만 자신의 지역권과 상관없이 시설의 건립 자체를 반대하는 현상이다.
⑤ 지렛대효과: 레버리지효과라고도 하는데, 투자액의 일부를 자기 자본이 아닌 부채로 조달함으로써 자산의 가격변동률보다 훨씬 더 높은 투자수익률을 발생시킨다.

46. 정답 ④

| **해설** | 현행 규제를 적용받지 않으면서 자신의 상품, 서비스, 비즈니스모델을 시험할 수 있는 공간이나 제도를 규제 샌드박스라고 한다. 기존 규제 하에서는 신산업·신기술의 빠른 변화를 신속하게 반영하기 힘들다는 점에서 마련되었다. 아이들이 안전한 환경에서 자유롭게 뛰어놀 수 있게 만든 모래놀이터(Sandbox)에서 유래했다.

| **오답피하기** | ① 규제 기요틴: 기요틴은 과거 프랑스에서 사용되던 처형기구인데, 규제 기요틴은 비효율적 규제를 짧은 시간 동안 대규모로 개혁하는 행위를 말한다.
③ 규제 일몰제: 새로 신설되거나 강화되는 모든 규제는 존속기한을 설정하고, 기한이 끝나면 자동적으로 규제가 폐기되는 제도를 말한다. 규제가 만들어질 당시에는 타당했으나 사회 경제적 상황이 변하여 그 타당성을 잃었음에도 해당 규제가 계속 유지·운영되어 부작용을 양산하는 것을 방지하기 위함이다.
⑤ 규제 총량제: 규제 일몰제와 함께 도입된 제도로 새로운 규제가 만들어질 때 상한선에 맞춰 기존의 규제는 폐지하는 제도를 말한다.

47. 정답 ②

| **해설** | 공직자윤리법에 의해 공직자는 재임 중 이해충돌을 방지하기 위하여 자신의 재산 관리를 제3자에게 맡겨야 하는데, 이를 백지신탁이라고 한다.

| **오답피하기** | ① 공증: 특정한 법률관계를 공식적으로 증명해주는 행정작용을 말한다.
③ 수의계약: 국가 또는 지방자치단체가 맺는 계약은 입찰을 통한 경쟁계약으로 이루어지는 것이 원칙이다. 하지만 때에 따라 계약상대방을 임의로 선택하는 경우가 있는데, 이를 수의계약이라고 한다. 주로 매각이 어려운 압류재산 등이 대상이 된다.
④ 유상증자: 주주로부터 새로운 자금을 납입받아 신주를 발행하는 방식이다. 반면 무상증자는 준비금을 자본금으로 전환하는 방식으로 이루어진다.
⑤ 스톡옵션: 기업이 임직원에게 일정 기간이 지난 후 일정량의 자사주를 미리 정해둔 가격에 매수할 수 있도록 부여한 권리를 말한다. 주로 기업 경영에 기여할 수 있는 구성원에게 부여되며 기업과 스톡옵션을 부여받은 임직원의 이해관계를 일치시킨다(기업이 발전하면 추후에 높은 가격의 자사주를 저렴하게 매입할 수 있다).

48. 정답 ②

| **해설** | 비둘기파는 국공채 매입, 지급준비율 인하 등의 확장적 정책을 통한 경제성장을 중시하는 입장을 보인다. 반면 매파는 재할인율 인상, 기준금리 인상 등의 긴축적 정책을 통한 인플레이션 안정을 중시한다.

> **관련 개념 짚어보기**
>
> **매파 & 비둘기파**
> 통화정책에 있어 매파는 인플레이션율을 높이지 않기 위해 금리 인상을 주장하며, 비둘기파는 실업률 감소와 경제성장률 상승을 위해 금리 인하를 주장한다.

49. 정답 ③

| **해설** | NATO(North Atlantic Treaty Organization, 북대서양 조약 기구)는 세계 주요 국제기구 중 하나로, 북미 및 유럽 지역의 32개 회원국으로 구성되어 있으며, 안보 관련 협력에 중점을 둔다. 과거 소련은 이에 대항해 바르샤바 조약 기구를 결성하기도 하였다.

| **오답피하기** | ① NAFTA(North American Free Trade Agreement, 북미 자유무역협정): 1992년 미국, 캐나다, 멕시코 간에 체결된 자유무역협정으로, 1994년 1월 발효됐다. 협정국 간에 무관세 또는 낮은 관세를 적용함으로써 경제적 협력 관계를 구축한다.
② UNCTAD(United Nations Conference on Trade and Development, 유엔무역개발협의회): 선진국과 후진국 사이의 무역격차를 해소하기 위해 만들어진 유엔 직속 기구이다.
④ WFP(World Food Programme, 유엔세계식량계획): 유엔 산하 기구 중 하나로, 기아 문제 해결을 중점 과제로 삼는다.
⑤ CPTPP(Comprehensive and Progressive Agreement for Trans-Pacific Partnership, 포괄적·점진적 환태평양경제동반자협정): 환태평양 지역에 속한 국가들의 자유무역협정이다.

50. 정답 ①

| **해설** | 국책은행은 정부에 의해 설립된 은행으로, 특정한 목적 달성을 위해 운영된다. 산업은행, 중소기업은행, 수출입은행 등이 이에 속한다.

| **오답피하기** | ② 저축은행(상호저축은행): 상호저축은행법에 근거해 설립된 은행으로, 일반적으로 저축은행이라고 한다. 주 업무는 수신업무, 여신업무, 부대업무로 나뉘며, 일반은행보다 이자율이 높고 대출 금리가 높다.

51. 정답 ⑤

| **해설** | • 더블딥(Double Dip): 경기침체 후 잠시 회복세를 보였으나 다시 불황에 빠지는 현상을 말한다. W자 형태로 나타난다.
• 스태그플레이션(Stagflation): 물가 상승과 경기침체가 동시에 오는 현상이다. 주로 비용인상 인플레이션이 원인이 되어 발생한다.

52. 정답 ④

| **해설** | 2022년 4월, 금융통화위원회는 연 1.25%에서 연 1.5%로 금리를 인상했다. 2024년 5월 기준 한국의 기준금리는 연 3.5%이다.

금융통화위원회

한국은행의 회의 기구로 한국은행 운영에 관한 주요 사항을 심의 및 의결한다. 기준금리 인상 또는 인하 결정 역시 금융통화위원회에서 이루어진다.

53. 정답 ③

| 해설 | 액티브(Active)펀드는 펀드 자금 운용자가 포트폴리오 구성에 대해 적극적으로 운영전략을 펴는 펀드이다. 반면, 패시브(Passive)펀드는 수익률이 시장 지수 수익률을 추종하도록 포트폴리오를 구성한 펀드를 말한다. 인덱스펀드나 ETF는 패시브펀드의 일종이다.

| 오답피하기 | ① 인컴펀드: 채권, 리츠, 배당주 등에 투자하여 안정적이고 꾸준한 수익을 추구하는 펀드이다.
② 매칭펀드: 컨소시엄 형태로 여러 기업이 자금을 공동출자하는 펀드를 말한다.
④ 인덱스펀드: 시장 지수의 구성요소와 일치하도록 또는 시장 지수를 추종하도록 포트폴리오를 구성한 펀드이다. 낮은 수수료와 높은 장기수익률이 장점이다.
⑤ 스포트펀드: 주식시장에서 인기를 끌고 있어 단기적으로 높은 수익률을 안겨줄 수 있는 주식 종목을 묶은 펀드이다.

54. 정답 ②

| 해설 | 블랙먼데이는 1987년 미국 증권 시장에서 일어났던 주가 대폭락 사건을 말한다. 현재는 월요일에 주가가 폭락할 경우 사용되는 용어로 자리 잡았다.

| 오답피하기 | ① 박싱데이: 스포츠에서 사용되는 영어로, 크리스마스 다음 날인 12월 26일을 가리킨다.
④ 프리미엄프라이데이: 달에 한 번씩 금요일에 2시간씩 일찍 퇴근하도록 하는 제도를 말한다.
⑤ 트리플위칭데이: 주가지수선물, 주가지수옵션, 개별주식옵션의 만기가 겹치는 날을 말한다. 파생상품의 만기일이 겹칠 경우 시장의 변동성이 커지고 예측이 어려워지기 때문에 마녀가 날뛰는 것 같다고 하여 만들어진 용어이다. 더블위칭데이는 선물과 옵션의 만기일이 겹치는 경우, 쿼드러플위칭데이는 트리플위칭데이에 개별주식선물 만기까지 겹치는 경우를 말한다.

55. 정답 ⑤

| 해설 | 디폴트는 자금이 없어 돈을 갚지 못하겠다고 선언하는 것으로, 모라토리움과 달리 미래 상환 의사가 존재하지 않는 경우를 말한다.

| 오답피하기 | ② 모멘텀: 추진력의 뜻을 가진 모멘텀은 주식시장에서 주가가 상승하거나 하락할 때 이러한 추세가 얼마나 지속될지 예측할 때 사용되는 지표이다.
③ 밸류에이션(가치평가): 특정 기업 또는 자산의 현재가치를 평가하는 행위를 말한다. 이를 통해 산출한 기업 또는 자산의 적정가치와 현재 시장가치를 비교하여 투자 판단을 내린다.
④ 펀더멘털: '근본적인'을 의미하는 단어로, 경제학에서는 국가의 경제상태를 나타내는 지표들(경제성장률, 물가상승률 등)을 가리키는 용어로 사용된다.

56. 정답 ③

| 해설 | (A) 전환사채(CB): 사채의 형태로 발행되었지만 후에 회사의 주식으로 교환할 수 있는 권리가 부여된 채권이다.
(B) 신주인수권부사채(BW): 사채의 형태로 발행되었지만 후에 미리 정한 가격에 회사의 신주를 매입할 수 있는 권리가 부여된 채권이다.

| 오답피하기 | • ELW(Equity Linked Warrant): 특정 자산을 만기 때 미리 정해둔 가격에 매수 또는 매도할 수 있는 권리를 지닌 증권을 말한다.
• ELS(Equity Linked Securities): 개별 주식 또는 지수에 연동된 유가증권으로, 주로 기초자산이 만기까지 정해진 박스권 내에 머무르면 일정 수익률을 보장하는 상품이다.
• ETF(Exchanged Traded Fund): 코스피200과 같은 특정 지수의 움직임을 추종하도록 만든 인덱스펀드로, 주식시장에서 거래가 가능하다.

57. 정답 ②

| 해설 | (가) 황제주: 보통 1주당 100만 원이 넘는 주식을 말한다.
(나) 우선주: 보통주에 비해 이익의 배당이나 잔여 자산 분배에 우선권이 있는 주식을 말한다. 보통주와 달리 의결권이 없다.

| 오답피하기 | • 황금주: 단 한 주만 가지고 있더라도 주주총회 결의사항에 대해 거부권을 행사할 수 있는 권리가 부여된 특별주식을 말한다. 차등의결권과 함께 대표적인 경영권 방어수단으로 꼽힌다. 1980년대 유럽 국가들이 전략적으로 중요한 공기업을 민영화하면서 외국자본으로부터 경영권을 보호하고 공익성을 유지하고자 도입한 제도이다.
• 테마주: 회사의 영업실적과 무관한 특정 이슈에 의해 가격이 급등하는 주식을 말한다.

58. 정답 ⑤

| 해설 | (A)는 한계기업으로, 기업 자체의 수익성이나 성장 가능성이 떨어져 정부나 금융기관의 도움을 받지 않으면 존속하기 힘든 기업을 말한다. 이자보상배율은 기업이 상환하지 못한 부채에 대해 얼마만큼의 이자를 지급할 수 있는지를 측정하는 데 사용되는 지표로, 3년 연속 1 미만이면 한계기업으로 판정된다. 이자보상배율이 1 미만이면 영업에서 창출한 이익으로 이자비용도 지불할 수 없으므로 잠재적인 부실기업으로 본다.

| 오답피하기 | ② BSI(Business Survey Index, 기업경기실사지수)는 기업가들의 경기전망을 살펴볼 수 있는 척도이다. OECD의 공식 기준으로 부정/보통/긍정의 답변을 조사하고, 이 비중을 바탕으로 지수를 도출한다. BSI가 100보다 높으면 기업가들은 경기를 긍정적으로 전망하고 있음을 의미한다. 한계기업이 증가하면 기업가들의 경기전망은 부정적으로 변할 것이다.

$$\text{이자보상비율(배)} = \frac{\text{영업이익}}{\text{이자비용}}$$

59. 정답 ④

| 해설 | 기준금리 인상은 0.25%포인트로 이루어지는 경우가 일반적인데, 0.5%포인트 금리 인상은 이와 구별하여 빅스텝이라고 한다. 0.75%포인트를 인상하는 경우는 자이언트스텝이라고 한다.

| 오답피하기 | ⑤ 빅브라더: 조지 오웰의 소설 『1984』에서 나오는 존재가 일반화된 용어로, 정보 독점을 바탕으로 사회를 감시하고 통제하는 권력체계를 말한다.

60. 정답 ⑤

| **해설** | 안전자산은 위험이 없거나 적은 자산을 말한다. 금융자산 투자는 채무불이행, 급격한 가격변동 등의 위험을 수반하기 마련인데 이러한 위험이 비교적 적은 금, 은, 달러화 등이 대표적인 안전자산이다.
루블화는 러시아의 통화로, 안전자산으로 보기 어렵다.

| **오답피하기** | ③ 스위스 프랑은 달러화와 더불어 대표적인 통화 안전자산으로 여겨진다.

상황추론 · 판단

61. 정답 ④

| **해설** | ·갑 : 배추 구입비가 지난해와 동일하므로 수요가 가격에 대해 단위탄력적이다. 따라서 수요의 가격탄력성은 1이다.
·을 : 작년과 같은 수량(20포기)을 유지하므로 수요가 가격에 대해 완전비탄력이다. 따라서 수요의 가격탄력성은 0이다.
·병 : 배추 구입비를 줄이므로 수요가 가격에 대해 탄력적이다. 따라서 수요의 가격탄력성은 1보다 크다.
따라서 가격탄력성 절댓값의 크기는 병>갑>을의 순서가 된다.

62. 정답 ⑤

| **해설** | 수요와 공급이 모두 증가하였으므로 균형거래량은 증가하고 균형가격은 불분명하다.

관련 개념 짚어보기

수요와 공급의 증가

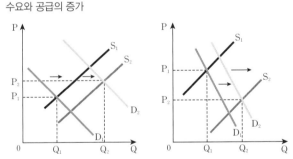

63. 정답 ③

| **해설** | 취업률 급락, 실질금리 상승, 기업 고충 심화 등의 내용을 통해 갑국의 경제상황이 불경기에 해당함을 알 수 있다. 경기침체 시에는 확장적 정책이 필요하다. 총수요를 늘리는 확장적 재정정책에는 SOC예산 투입, 법인세 인하, 해외유턴기업 조세 감면 등이 있다. 확장적 통화정책에는 기준금리 인하, 국공채 매입, 지급준비율 인하, 재할인율 인하 등이 있다.

관련 개념 짚어보기

통화정책의 수단

긴축	확장
기준금리 ↑	기준금리 ↓
지급준비율 ↑	지급준비율 ↓
재할인율 ↑	재할인율 ↓
통화안정 증권 매각	통화안정 증권 매입

64. 정답 ④

| **해설** | 베블런효과는 수요법칙과 달리 오히려 가격이 오를수록 수요가 늘어나는 현상으로, 남들에게 과시하기 위해 이루어지는 명품 소비 등을 예로 들 수 있다.
제시된 신문기사에서는 소비자들이 가격이 높다는 이유로 구글 앱스토어를 이용하는 것은 아니므로 베블런효과에 해당하지 않는다.

65. 정답 ①

| **해설** | ㄱㄴ. 공용 자전거는 배제성이 없으나 경합성이 있는 재화에 해당된다.
ㄷ. 배제성이 없으면 무임승차가 일어나고, 경합성이 있으면 재화가 고갈된다. 이런 상황을 공유자원의 비극이라고 한다.

| **오답피하기** | ㅁ. 왈라스의 법칙: 개별 재화 시장에서는 수요와 공급이 항상 일치한다는 보장이 없지만, 경제 전체에서는 총수요의 가치와 총공급의 가치가 항상 일치한다는 법칙이다.

66. 정답 ②

| **해설** | 초고령사회는 65세 이상 인구 비율이 20%가 넘어야 한다. 2020년에 65세 이상 인구 비율은 16.1%이므로 초고령사회에 진입하지 않았다.

67. 정답 ④

| **해설** | 수입 원재료의 가격 상승과 국제 유가의 상승은 총공급을 감소시키는 공급충격에 해당하므로 총공급곡선이 좌측으로 이동하여 물가가 상승할 것이다.

| **오답피하기** | ① 임금의 상승으로 인해 기업이 부담을 느껴 구조적 실업이 일어날 수 있으므로 실업률은 증가할 수 있다.
② 민간투자가 늘어나면 총수요곡선은 우측으로 이동한다.
③ 수입하는 철강 가격이 올랐으므로 국내총생산이 증가할 것이라고 유추하기는 어렵다.
⑤ 총수요 증가로 인해 나타나는 인플레이션은 수요견인 인플레이션이다. 대화를 통해 추론할 수 있는 것은 비용인상 인플레이션이다.

관련 개념 짚어보기

공급충격

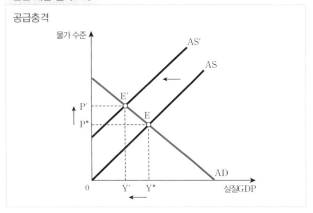

68. 정답 ⑤

| 해설 | 채권 가격과 시중 금리는 역(-)의 관계를 갖는다. 기준금리를 인상하는 긴축적 통화정책의 시행은 시중 금리를 상승시켜 채권 가격의 하락 요인이 된다.

69. 정답 ③

| 해설 | ㄴ. '빅3' 택배사의 국내 택배시장 점유율이 77%에 달하므로 독점규제 및 공정거래에 관한 법률(공정거래법)에 의하여 과점시장에 해당한다.
ㄷ. 리니언시는 자진 신고자 감면제라고도 한다. 담합행위를 한 기업들이 자백을 유도하도록 만든 제도로, 자진 신고 시 과징금을 감면해주는 제도를 말한다.

| 오답피하기 | ㄹ. 가격수용자(Price Taker)는 완전경쟁시장에서 가격에 영향을 줄 수 없고, 시장에서 결정된 가격에 따라서 소비와 생산을 결정하는 개별 경제주체를 말한다.

관련 개념 짚어보기

시장지배적 사업자의 추정(공정거래법 6조)
1. 하나의 사업자의 시장 점유율이 100분의 50 이상
2. 셋 이하의 사업자의 시장 점유율의 합계가 100분의 75 이상. 다만, 이 경우에 시장 점유율이 100분의 10 미만인 사업자를 제외한다.

70. 정답 ③

| 해설 | ㄴ. 소비액을 초과하는 소득액은 저축된 자금이다.
ㄷ. 저축이 소비보다 많으면 저축된 자금을 통해 안정적인 노후생활을 보낼 수 있다.

| 오답피하기 | ㄱ. 소비는 생애주기의 끝에 도달할 때까지 누적되므로 가로축의 끝에서 누적액이 가장 높다. a점은 소득이 소비보다 낮아지기 시작하는 지점으로, a점에서 가장 높은 것은 저축의 누적액이다.
ㄹ. 청년기부터 중장년기의 일정 시점까지는 소득이 증가한다.

71. 정답 ②

| 해설 | '늦게나마 문제를 인식하고, 뒤늦게 대처하는 것' 등의 내용을 통해 '소 잃고 외양간 고친다.'와 관련 있음을 알 수 있다.

| 오답피하기 | ① 도랑 치고 가재 잡는다: 일의 순서가 뒤바뀌어서 애쓴 보람이 나타나지 않음 또는 한 가지 일로 두 가지 이익을 봄을 비유적으로 의미한다.
③ 바늘 가는 데 실 간다: 서로 떨어질 수 없는 아주 가까운 사이를 일컫는 말로, 함께 다녀야 제 역할을 하고 그 가치를 인정받을 수 있다.
④ 흉년의 떡도 많이 나면 싸다: 귀한 물건이라도 많이 나면 천해짐을 의미한다.
⑤ 맛있는 음식도 늘 먹으면 싫다: 아무리 좋은 일이라도 여러 번 되풀이하면 싫어짐을 의미한다.

72. 정답 ①

| 해설 | '맬서스적 개념은 틀린 개념이다.'라는 내용을 통해 맬서스의 주장을 반박하고 있음을 알 수 있다.
'식량은 산술급수적으로 늘지만, 인구는 기하급수적으로 늘어난다.'는 맬서스의 견해이다.

73. 정답 ⑤

| 해설 | 유가가 일정할 때, 엔화 환율이 110엔 → 120엔 →130엔으로 상승할수록 경상수지 적자는 개선되고 있다.

| 오답피하기 | ① 엔화 환율 130엔과 유가 90달러에서 경상수지 적자 수준이 -1.6%로 가장 약하다.
② 엔화 환율이 일정할 때 유가의 상승은 경상수지 적자를 심화시킨다.
③ 엔화 환율이 낮을수록, 유가가 높을수록 경상수지는 악화된다.
④ 엔화 환율의 상승보다 유가의 상승이 경상수지에 미치는 부정적 효과가 크다.

74. 정답 ①

| 해설 | 행동경제학(㉠)은 주류경제학의 합리적 인간이라는 전제를 부정하고, 실제적인 인간 행동과 그 결과를 심리학, 사회학, 생리학적 배경에 따라 연구·규명하는 경제학의 일종이다. 애덤 스미스 이래 합리성의 경제학이 많은 발전을 했지만, 실제 현실과 괴리를 나타낸다는 문제의식에서 시작된 학문이다. 이는 2017년 리차드 탈러가 '승자의 저주'로 노벨 경제학상을 받은 이후 경제학에서 급부상하고 있다.
행동경제학에서 손실 회피성(㉡), 손실혐오란 사람들이 이익보다 손실을 더 강하게 회피하려고 하는 경향을 말한다.
보유효과(㉢)는 어떤 것을 일단 소유하게 되면 그것이 객관적으로 평가받는 가치보다 더 많은 가치를 부여하게 되는 현상을 말한다.

75. 정답 ③

| 해설 | 일반적으로 재정적자는 국가부채를 증가시킨다. 국가부채를 지속 가능한 수준으로 관리하기 위해 정부는 의무지출을 줄여야 한다.

| 오답피하기 | ① 한국의 부가가치세는 간접세에 속하며, 세율은 10%이다.
② 세금의 인상은 국민의 조세부담률을 증가시킨다.
④ 국가채무란 국가가 중앙은행이나 민간으로부터 빌려 쓴 돈을 말하고, 국가부채는 국가채무에 미래에 국가가 지불해야 할 금액까지 더한 것이다. 즉, 국가채무에 미래에 지출하기 위해 현재 충당해야 하는 공무원연금과 군인연금 등의 충당부채를 합한 것이다.
⑤ 세율의 인상이 경기를 침체시킬 경우 전체 조세수입이 감소해 국가부채를 증가시킬 우려가 있다.

76. 정답 ①

| 해설 | 신문칼럼은 규제를 개혁할 때 이를 막는 요인으로 관료제의 저항과 안전에 대한 욕구를 들고 있다.
ㄱ. 철의 삼각: 정책분야별로 특정 이익집단, 관료조직, 의회의 관련 상임위원회가 상호 간의 이해관계를 유지·보전하기 위해 견고한 동맹관계를 형성하는 현상을 말한다.
ㄴ. 붉은 깃발법(적기조례): 영국 빅토리아 여왕 시절인 1865년 증기자동차의 등장으로 피해를 볼 수 있는 마차 사업과 마부들의 일자리 보호를 위해 제정된 세계 최초의 교통법이다. 이 법은 자동차에 붉은 깃발을 든 기수 등 3명이 타도록 하고 자동차 최고 속도를 말보다 느리게 규제했는데, 약 30년간 법이 유지되면서 자동차 구매 욕구를 감소시키는 주원인이 됐다. 산업혁명 발상지였던 영국은 자동차를 가장 먼저 만들고도 산업이 크게 위축돼 주도권을 독일·미국·프랑스에 내주고 말았다. 이는 기존 산업 보호를 위해 새로운 산업 모델을 규제로 억누르면 경제 전체에 역효과가 나타날 수 있다는 교훈을 준다.

| 오답피하기 | ㄷ. 콩도르세의 역설: 투표의 역설이라고도 한다. 개인들의 선호는 모두 이행성을 충족하더라도 사회 전체로는 이행성이 충족되지 않는 다수결 투표의 맹점을 표현한 말이다.
ㄹ. 인클로저 운동: 울타리 치기를 통해 사유지를 명시하는 행위로, 중세 말기부터 19세기까지 영국을 중심으로 유럽에서 일어난 운동이다. 곡물 생산보다 양모 생산의 효율성이 높아지자 농경지를 목축지로 바꾸는 과정에서 일어났고, 소작농의 도시 임금 노동자화를 가속해 산업혁명에 영향을 주었다.

77. 정답 ⑤

| 해설 | 원/달러 환율이 상승하고 있으므로 달러화 대비 원화의 가치는 하락한다. 따라서 미국산 농산물을 우리나라에 수입할 때의 수입 가격은 상승할 것이다.

78. 정답 ④

| 해설 | 신용등급을 안정적에서 낮추었으므로 (가)는 '부정적'이 된다. '막대한 정부의 (나)와 국가부채 급증'이라는 내용에서 (나)는 재정적자임을 유추할 수 있다. 신용등급전망이 하락하였으므로 국채의 이자율은 상승할 것이다. 따라서 (다)의 국채 수익율은 상승한다.

79. 정답 ②

| 해설 | 2019년에서 2020년까지의 이자비용이 53조 3,500억 원에서 53조 300억 원으로 소폭 감소하였으므로 기업의 이자비용이 지속적으로 증가했다고 볼 수 없다.

80. 정답 ②

| 해설 | 프레데릭 바스티아는 프랑스의 경제학자로 자유무역과 시장경제를 강조했다. 제시문에서는 양초제조업자들이 태양광을 규제해달라는 형식의 비현실적인 청원을 통해 규제의 불합리함을 역설적으로 말하며 자유무역을 강조하고 있다. 따라서 보호무역을 주장하는 중상주의의 입장을 옹호하는 것이라 볼 수 없다.

관련 개념 짚어보기

중상주의

15세기부터 18세기 후반 산업혁명에 의해 근대자본주의가 성립하기 전까지 서유럽 국가들에서 채택된 경제정책을 말한다. 정부의 지원으로 국내시장을 보호(수입 억제)하고 국외 시장의 개척을 촉진(수출 장려)하는 보호무역정책이 중상주의 정책의 핵심 내용이다. 중상주의자들은 무역을 통해 한 국가가 부유해지면 상대방 국가는 가난해지므로 무역을 제로섬 게임(Zero-Sum Game)으로 인식했다.

제68회 TESAT 문제지
정답 및 해설

경제이론									
1	④	2	①	3	③	4	④	5	④
6	⑤	7	⑤	8	①	9	③	10	③
11	②	12	②	13	④	14	⑤	15	⑤
16	⑤	17	⑤	18	②	19	④	20	⑤
21	①	22	①	23	③	24	②	25	②
26	①	27	①	28	⑤	29	④	30	②

시사경제 · 경영									
31	③	32	②	33	②	34	⑤	35	③
36	⑤	37	①	38	④	39	⑤	40	②
41	④	42	①	43	④	44	①	45	②
46	④	47	⑤	48	①	49	⑤	50	④
51	③	52	②	53	①	54	③	55	⑤
56	②	57	⑤	58	①	59	③	60	⑤

상황추론 · 판단									
61	②	62	③	63	③	64	②	65	④
66	④	67	③	68	③	69	③	70	④
71	⑤	72	⑤	73	③	74	③	75	②
76	①	77	⑤	78	①	79	②	80	③

경제이론

1. 정답 ④
| 해설 | 시장경제는 효율성을 목표로 하기 때문에 공평한 소득분배를 담보하지 않는다.

2. 정답 ①
| 해설 | ㄱ. 한계소비성향이 커지면 재정승수가 높아져 재정정책의 효과가 커진다.
ㄴ. 이자율 변화가 작으면 구축효과의 우려가 없어지므로 재정정책의 효과가 커진다.

| 오답피하기 | ㄷ. 투자가 이자율에 영향을 많이 받으면 확장적 재정정책의 효과로 이자율이 상승하여 투자가 감소하는 구축효과가 커진다.

3. 정답 ③
| 해설 | 정부가 한국은행에 예치한 예금을 인출하는 경우 통화가 시중에 풀려 본원통화가 증가한다.

| 오답피하기 | ① 정부의 재정정책이므로 본원통화와는 관련이 없다.
② 정부가 정부지출을 증가시킬 경우 중앙은행으로부터 차입하는 때에만 본원통화가 증가할 수 있다.
④ 중앙은행이 외환시장에서 외환을 매입하는 경우 통화가 시중에 풀려 본원통화가 증가한다.
⑤ 중앙은행이 통화안정증권을 매입하는 경우 통화가 시중에 풀려 본원통화가 증가한다.

4. 정답 ④
| 해설 | 불황형 흑자란 경기 불황기에 수출보다 수입이 더 크게 감소하여 무역수지 흑자가 발생하거나 무역수지 흑자 규모가 커지는 현상을 말한다.

5. 정답 ④
| 해설 | 최저가격제는 균형가격보다 높은 가격에서 설정되어야 효력을 갖는다. 갑국이 P_2 수준에서 최저가격제를 실시할 경우, 이는 균형가격보다 낮은 가격이므로 최저가격제의 효력이 발생하지 않는다. 따라서 X재의 시장 거래량은 기존의 균형인 Q_0이다.

| 오답피하기 | ① 최고가격제는 균형가격보다 낮은 가격에서 설정되어야 효력을 갖는다. 갑국이 P_2 수준에서 최고가격제를 실시할 경우, 이는 균형가격보다 높은 가격이므로 최고가격제의 효력이 발생하지 않는다. 따라서 X재의 시장 거래량은 기존의 균형인 Q_0이다.
② 갑국이 P_1 수준에서 최저가격제를 실시하면 X재의 시장 거래량은 Q_2가 된다.
③ 갑국이 P_2 수준에서 최고가격제를 실시하면 X재의 시장 거래량은 Q_2가 된다.
⑤ 갑국이 P_2 수준에서 최저가격제를 실시하더라도 이는 균형가격보다 낮기 때문에 최저가격제의 효력이 발생하지 않는다. 따라서 X재의 시장 가격은 P_0가 된다.

6. 정답 ⑤
| 해설 | GDP갭은 실제GDP에서 잠재GDP를 차감하여 구한다(GDP갭 = 실제GDP – 잠재GDP). GDP갭이 양(+)의 값을 가진다는 것은 실제GDP가 잠재GDP 수준을 초과함을 의미한다. 이는 경기과열 상태를 나타낸다.
실제GDP가 잠재GDP 수준을 초과하므로 경제상태는 생산가능곡선 외부에 위치할 가능성이 높다.

| 오답피하기 | ②④ GDP갭이 양(+)의 값을 가지는 상태는 실업률이 자연실업률보다 낮은 상태이다. 자연실업률은 마찰적 실업과 구조적 실업만 존재할 때의 실업률을 의미하므로 실업률이 자연실업률보다 낮은 상태에서는 구조적 실업자가 고용상태에 있을 가능성이 높다.

7. 정답 ⑤

| 해설 | 기회비용이란 어떤 선택을 함에 따라 포기해야 하는 여러 다른 편익 중 가장 가치가 큰 것을 의미한다.

| 오답피하기 | ④ 기회를 잡기 위해 지출한 돈의 총액은 명시적 비용이다.

8. 정답 ①

| 해설 | 커피산업의 임금과 고용량이 모두 감소하였다는 것은 커피 노동시장에서 수요가 감소하였음을 의미한다.
커피 노동시장의 수요는 커피 시장의 파생수요이므로 커피 가격이 하락하면 커피의 공급량이 줄어들고, 이는 커피 노동시장의 수요를 줄인다.

| 오답피하기 | ③④ 여가의 기회비용의 변화는 노동의 공급곡선에 영향을 준다.

9. 정답 ③

| 해설 | 장기적 경제성장은 수직의 총공급곡선이 오른쪽으로 이동할 때 달성될 수 있다. 즉, 총공급곡선의 구성요소인 토지, 노동, 자본, 기술이 증가해야 한다.
해외 자본의 유입은 국내 자본 증가에 영향을 주어 장기적 경제성장의 원인이 될 수 있다.

관련 개념 짚어보기

장기적 경제성장

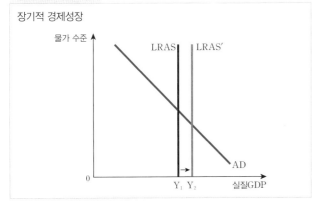

10. 정답 ③

| 해설 | 소비자잉여와 생산자잉여의 합인 사회적잉여를 극대화하는 자원배분을 효율적이라고 한다.

11. 정답 ②

| 해설 | 수요와 공급의 탄력성이 클수록 정부가 기업이 생산한 상품에 대해 조세를 부과할 경우 거래량이 큰 폭으로 감소하므로 후생 손실이 크다.

| 오답피하기 | ①③ 정부가 조세를 부과할 경우 공급곡선은 조세 부과분만큼 위쪽으로 이동하여 판매가격은 높아지고 거래량은 감소한다. 이때 조세 부담의 비율과 후생 손실의 크기는 탄력성에 따라 달라진다.
④⑤ 생산자와 소비자 중 탄력성이 큰 경제주체일수록 조세 부담의 비율이 낮다.

관련 개념 짚어보기

조세 부과의 효과

12. 정답 ②

| 해설 | 중앙은행이 화폐공급을 증가시키면 시중 이자율이 하락하고, 이는 투자의 증가로 연결된다(투자는 이자율의 감소 함수). 투자의 증가는 총수요를 늘리고 국민소득을 증가시킨다.

13. 정답 ④

| 해설 | 제시된 자료를 통해 A국가의 정부재정이 적자인지 흑자인지는 알 수 없다.

| 오답피하기 | ①③ 해외 다국적 기업들로부터의 투자가 급증하였으므로 자본수지는 흑자이다. '순해외 투자는 음(-)의 값을 갖는다.'는 자본수지 흑자와 동일한 의미이다.
② 자본수지가 흑자이므로 경상수지는 적자이다.
⑤ '국내총투자가 국내총저축을 초과한다.'는 자본수지 흑자와 동일한 의미이다.

14. 정답 ⑤

| 해설 | 규모에 대한 수익 불변은 모든 생산요소의 투입을 X배 늘리면 산출량이 X배 늘어나는 것을 의미한다.

| 오답피하기 | ① '규모에 대한 수익 불변'이므로 규모의 경제는 작용할 수 없다.
②③ 모든 생산요소의 투입을 두 배 늘렸을 때 산출량이 두 배 늘어야 규모에 대한 수익 불변이다. 이는 고정요소의 투입 증가만으로 판단할 수 없다.
④ 모든 생산요소의 투입을 두 배 늘렸을 때 산출량이 변하지 않는 것은 규모에 대한 수익 체감이다.

15. 정답 ⑤

| 해설 | GDP는 유량변수이므로 GDP의 구성요소인 C(소비), I(투자), G(정부지출), X(수출), M(수입)은 유량변수에 해당한다. 재정수지는 (G-T)로 표시할 수 있고, 1년 단위로 측정되므로 유량개념의 용어이다. 가계부채는 누적액이므로 저량개념의 용어이다.

| 오답피하기 | ① 국민소득에서 총(Gross)개념과 순(Net)개념의 차이는 재고 증감이 아니라 감가상각에 있다.
② 경제학에서의 완전고용은 마찰적 실업과 구조적 실업만이 있는 상태이다.
③ 인플레이션은 화폐의 가치를 떨어뜨려 금융자산 보유자에게 손해를 끼친다.
④ 우리나라 거시경제정책의 목표는 성장과 안정이다.

16. 정답 ⑤

| 해설 | 기업이 재화 생산에 필요한 모든 시장거래를 기업 내에 내부화하는 것이 반드시 효율적인 것은 아니다. 아웃소싱처럼 내부화하지 않는 것이 경제적인 면에서 효율적인 경우도 있다.

17. 정답 ①

| 해설 | 피셔효과에 따르면 명목이자율 = 인플레이션율 + 실질이자율이다. 실물 투자에 영향을 주는 것은 실질이자율이고, 투자는 이자율의 감소함수이므로 실질이자율이 높을수록 투자에 불리하다.
각 선지의 실질이자율을 계산하면 다음과 같다.

구분	명목이자율	인플레이션율	실질이자율
①	1%	0%	1%
②	0%	3%	-3%
③	2%	4%	-2%
④	3%	5%	-2%
⑤	1%	2%	-1%

실질이자율이 가장 높은 ①이 실물 투자에 가장 좋지 않은 조합이다.

18. 정답 ②

| 해설 | 초과공급이 존재하면 가격이 하락하면서 공급량이 감소하고 수요량이 증가하여 시장은 균형상태로 수렴한다.

19. 정답 ④

| 해설 | 2018년 소비자 물가지수가 2008년 소비자 물가지수의 2배이므로 2018년 물가로 측정한 2008년 A상품의 가치는 56원(= 28원 × 2)이 된다.

관련 개념 짚어보기

소비자 물가지수(CPI, Consumer Price Index)

가구가 소비생활을 유지하기 위하여 구입하는 각종 상품과 서비스의 가격변동을 종합적으로 파악하기 위하여 작성하는 물가지표이다. 통계청에서 기준연도를 100으로 하여 작성한다. 조사대상 상품 및 서비스의 구성과 가중치가 경제상황에 맞게 주기적으로 조정된다. 가계의 총소비지출에서 구입비중이 큰 500여 개의 상품 및 서비스 품목을 대상으로 조사된 소비자 구입가격을 기준으로 지수를 계산한다.

20. 정답 ④

| 해설 | A는 계획경제체제, B는 시장경제체제이다.
시장경제체제는 시장에서의 경제적 유인을 강조한다.

| 오답피하기 | ① 희소성에 의한 경제문제는 경제체제와 관계없이 발생한다.
② 시장경제체제에 대한 설명이다.
③ 계획경제체제에 대한 설명이다.
⑤ 경제문제 해결의 기준으로 효율성보다 형평성을 중시하는 것은 계획경제체제이다.

관련 개념 짚어보기

시장경제	계획경제
개인의 합리성을 전제로 사유재산권을 인정하고 가격기구에 의해 희소한 자원이 분배되는 경제 시스템	정부의 명령과 계획에 의해 희소한 자원이 분배되는 시스템

21. 정답 ①

| 해설 | 시장경제 측면에서 공유지의 비극을 해소하기 위한 적절한 방법은 코즈의 정리에 의한 재산권(소유권)의 부여이다.

관련 개념 짚어보기

코즈의 정리(Coase's Theorem)

코즈의 정리는 거래비용과 재산권(Property Right)의 개념으로 정부의 개입 없이 '외부효과(Externality)'를 해결할 수 있음을 밝혀낸 이론이다. Ronald H. Coase는 거래비용이 낮은 상태에서 적절한 재산권만 부여되면 시장 거래에 의해 외부성의 문제가 해결됨을 주장하였다. 탄소배출권 거래시장은 코즈의 정리가 사용된 예라 할 수 있다.

22. 정답 ①

| 해설 | (가)의 경우 총수요가 총공급보다 많아 나타나는 현상이므로 재고의 감소와 물가 상승이 이에 해당한다.

23. 정답 ③

| 해설 | B점의 경우 공급곡선이 원점을 지나므로 공급의 가격탄력성(E_B)은 1이다. A, C점의 경우 공급곡선의 가격축 절편이 0보다 크므로 공급의 가격탄력성은 1보다 크다. 즉, A점의 공급의 가격탄력성(E_A)은 2, C점의 공급의 가격탄력성(E_C)은 $\frac{4}{3}$ (≒ 1.33)이 된다.

| 오답피하기 | ① E_A는 2이다.
② E_A는 2, E_B는 1이므로 $E_A > E_B$이다.
④ E_B는 1, E_C는 $\frac{4}{3}$이므로 $E_B < E_C$이다.
⑤ E_B는 1이다.

24. 정답 ②

| 해설 | 공개시장조작을 통해 국채를 매각하면 시중의 통화량이 중앙은행으로 흡수되므로 통화량이 감소한다. 시중의 통화량이 감소하여 이자율이 상승하면 투자가 감소한다.

TESAT

25. 정답 ②

| **해설** | ㄱㄷ. 주택 임대료 상승, 맞벌이 부부 자녀의 놀이방 위탁 증가는 서비스의 대가로 국내총생산을 증가시킨다.

| **오답피하기** | ㄴ. 주가 상승은 국내총생산에 포함되지 않는다.
ㄹ. 자동차 재고 감소는 구입자의 소비지출로 연결되지만 재고투자 감소로 상쇄되어 국내총생산에 영향을 미치지 않는다.

26. 정답 ①

| **해설** | A국과 B국의 각 재화 생산의 기회비용을 나타내면 다음과 같다.

구분	직물(m²)	자동차(대)
A국	자동차 2.5대	직물 0.4m²
B국	자동차 0.75대	직물 1.33m²

A국은 B국에 비해 자동차 1대를 추가로 생산할 때 포기해야 하는 직물의 양(자동차 생산의 기회비용)이 적고, B국은 A국에 비해 직물 1m²를 추가로 생산할 때 포기해야 하는 자동차의 양(직물 생산의 기회비용)이 적다. 즉, A국은 자동차 생산에 비교우위가 있고, B국은 직물 생산에 비교우위가 있다.

| **오답피하기** | ② A국은 자동차 생산에 비교우위가 있다.
③⑤ 두 재화 생산 모두에 절대우위가 있을 수는 있지만 두 재화 생산 모두에 비교우위가 있을 수는 없다.
④ B국은 직물 생산에 비교우위가 있다.

27. 정답 ①

| **해설** | 완전경쟁시장의 균형가격에서 수평으로 나타나는 선은 시장 수요곡선이 아니라 개별기업이 직면한 수요곡선이다. 따라서 완전경쟁시장과 독점시장의 시장 수요곡선은 우하향하는 직선으로 동일하다.

〈시장 전체의 수요곡선〉　〈개별기업의 수요곡선〉

28. 정답 ⑤

| **해설** | 2019년에 생산된 100대의 차는 재고로 계상되어 GDP에 포함된다. 한 대당 2,000만 원의 가치가 있으므로 2019년의 GDP는 총 20억 원이 증가한다. 2020년 초에 차가 모두 팔리면 이는 소비로 GDP에 포함되지만, 재고의 감소로도 계상된다. 따라서 2020년에 GDP에 계상되는 실제 금액은 0이므로 2020년 GDP에 아무런 영향을 미치지 않는다.

29. 정답 ④

| **해설** | A는 사유재(사적재), B는 클럽재, C는 공유재, D는 순수 공공재에 해당한다.
배제성이 없는 재화는 무임승차의 문제가 발생할 수 있다.

| **오답피하기** | ① 공공 목초지는 공유재(C)에 해당한다.
② 막히는 무료도로는 공유재(C)의 사례이다. 클럽재(B)의 예로는 유료 고속도로이다.
③ 공유재(C)는 배제성이 없으므로 무임승차가 가능하다.
⑤ 남용에 의해 고갈되기 쉬운 재화는 공유재(C)이다.

30. 정답 ②

| **해설** | 소득세 인상으로 세후 임금이 감소한 이후 노동시간이 증가한 것은 실질소득 감소의 소득효과가 노동시간을 증가시키고 여가시간을 감소시키는 방향으로 작용했음을 의미한다. 소득이 감소한 후 여가가 감소했으므로 여가는 양(+)의 소득탄력성을 가진 정상재 성격으로 볼 수 있다. 열등재의 경우 소득이 증가할수록 수요가 감소하여 수요의 소득탄력성의 값이 0보다 작다.

| **오답피하기** | ① 독립재: 두 재화 사이에 아무 관련이 없어 독자적으로 소비되는 재화이다.
③ 기펜재: 과거 아일랜드에서는 감자의 가격이 상승할수록 오히려 수요가 증가하는 수요의 법칙에 어긋나는 현상이 발생한 적이 있다. 이는 열등재인 감자의 소득효과가 가격효과보다 더 컸기 때문이다. 이와 유사한 재화를 기펜재라고 한다.
④ 사치재: 소득 증가분보다 수요량 증가분이 커 소득탄력성이 1보다 큰 재화를 말한다.
⑤ 소비재: 사람들이 일상생활에서 소비하는 재화이다.

시사경제 · 경영

31. 정답 ③

| **해설** | ESG는 환경(Environment), 사회(Social), 지배구조(Governance)의 앞글자를 딴 단어로, ESG 경영은 지속가능성의 관점에서 친환경, 사회적 책임, 지배구조의 투명성을 추구하는 경영을 말한다.
이익소각을 목적으로 자기주식을 추가로 매입하는 행위는 유통주식수를 줄여 주주의 이익을 제고하는 행위로, ESG와는 관련이 없다.

| **오답피하기** | ① 감사위원회의 회계 · 재무 전문성을 강화함으로써 내부감사의 질을 올리고, 지배구조의 투명성에 기여할 수 있다.
② 에너지 효율 향상을 통해 자원의 낭비를 막고, 친환경 목표를 달성할 수 있다.
④ 기업의 사회적 책임의 주요 요소 중 하나는 노동환경 개선이다. 신입직원에 대한 평생교육 프로그램의 강화는 노동환경 개선에 기여할 수 있다.
⑤ 기업의 사회적 책임의 주요 요소 중 하나는 소비자 보호이다. 고객의 개인정보 보호 절차를 강화함으로써 소비자의 권리를 보호할 수 있다.

32. 정답 ②

| 해설 | LBO(Leveraged Buy Out)는 특정 기업을 인수하기에는 자금이 부족한 기업이 매수대상인 기업의 자산을 담보로 금융기관으로부터 자금을 차입해 기업을 인수하는 M&A 전략을 말한다. 적은 자기자본으로 기업을 인수할 수 있다는 장점이 있지만, 사모펀드 등의 고위험 투기 전략으로 활용될 수 있다.

| 오답피하기 | ① LCC(Low Cost Carrier): 제주항공, 진에어와 같은 저가 항공사를 말한다. 대형 항공사의 경우 저가 항공사를 추가로 인수함으로써 차별화 전략을 시도하기도 한다.
④ MBS(주택저당증권, Mortgage Backed Securities): 금융기관이 주택을 담보로 대출을 제공할 경우 금융기관은 주택에 설정된 저당권을 바탕으로 주택저당채권을 보유하게 된다. 주택저당채권을 중개기관에 양도하면, 중개기관은 주택저당증권을 발행하여 자본시장에 판매한다. 금융기관은 이 대금으로 새로운 주택구입자에게 주택자금을 대출해줄 수 있다.
⑤ REITs(Real Estate Investment Trusts): 다수의 투자자로부터 자금을 모아 부동산 관련 상품에 투자하고 수익을 배분하는 간접투자기구를 말한다.

33. 정답 ②

| 해설 | FOMC(연방공개시장위원회)는 미국의 중앙은행 시스템인 연방준비제도(FED)의 산하 위원회로, 12명의 위원으로 구성된다. 미국 통화정책의 큰 방향성을 결정하고 기준금리 변동 등 주요 내용을 발표한다.

| 오답피하기 | ① CEPA(Comprehensive Economic Partnership Agreement, 포괄적 경제 동반자 협정): FTA와 유사한 협정으로 재화와 서비스의 자유무역을 핵심으로 한다는 점에서는 동일하지만 투자 및 경제협력 등 보다 넓은 범위의 경제적 요소를 포함한다.
④ APEC(Asia-Pacific Economic Cooperation, 아시아태평양경제협력체): 환태평양 지역의 국가들이 모여 1989년 결성된 국제기구로, 자유무역 달성을 목표로 한다.
⑤ NAFTA(North American Free Trade Agreement, 북미자유무역협정): 1992년 미국, 캐나다, 멕시코 간에 체결된 자유무역협정으로 1994년 1월 발효됐다. 협정국 간에 무관세 또는 낮은 관세를 적용함으로써 경제적 협력관계를 구축한다.

34. 정답 ⑤

| 해설 | 님비(NIMBY)는 'Not In My Backyard'의 줄임말로, 공공의 이익을 위해서는 필수적인 시설이지만 자신의 주거지에는 도움이 되지 않거나 피해를 주는 폐기물처리장과 같은 시설이 자신의 지역에 들어서는 것을 반대하는 지역이기주의를 의미한다.

| 오답피하기 | ① 욜로(YOLO): 'You Only Live Once'의 줄임말로, 미래보다는 현재의 행복을 즐기라는 말로 21세기 초 유행한 삶의 방식이다.
② 딩크(DINK): 딩크족은 1980년대 미국에서 첫 등장한 뒤 현재 우리나라에도 확산된 가족형태로, 결혼은 하지만 자녀를 가지지 않는 맞벌이 부부를 말한다.
③ 팡(FAANG): 미국의 빅테크 기업인 Facebook(現 META), Apple, Amazon, Netflix, Google의 앞글자를 따서 만든 용어이다.
④ 빅(BBIG): 2020년부터 주식 투자자의 주목을 받은 증시 테마로 배터리, 바이오, 인터넷, 게임 4가지 업종을 통칭하는 용어이다.

35. 정답 ③

| 해설 | 메타버스는 가상현실 또는 증강현실을 포함하는 상위 개념으로, 현실세계가 아닌 가상공간에서 현실과 같이 사회, 경제활동을 할 수 있는 세계를 말한다.

| 오답피하기 | ⑤ 딥 러닝: 사물이나 데이터의 군집화 또는 분류에 사용하는 기술이다. 사람의 두뇌를 모방한 인공 신경망을 기반으로 한 머신 러닝의 일종으로, 머신 러닝은 수동적으로 데이터의 특징을 제공해줘야 하지만, 딥 러닝은 데이터의 특징을 스스로 학습한다는 차이가 있다.

36. 정답 ⑤

| 해설 | 조회공시는 기업 주가에 영향을 줄 수 있는 사실 또는 확인되지 않는 보도, 풍문에 대해 해당 기업이 직접 답변하도록 하는 제도로, 투자자 보호를 목적으로 한다.

| 오답피하기 | ① 주식감리: 일정한 요건에 해당하여 증권거래소로부터 제재를 받게 된 주식을 주식감리종목이라고 한다. 대부분 주가가 급격히 상승할 때 주식감리종목으로 지정된다.
② 기업공개(IPO): 비상장회사가 상장절차 등을 밟아 주식을 외부 투자자들에게 공매하는 행위를 말한다.
③ 외부감사: 내부자가 아닌 독립적인 외부인, 외부기관으로부터 받는 회계감사를 말한다.
④ 그린메일(Green Mail): 보유한 주식을 시가보다 비싸게 대주주에게 되파는 행위를 말한다. 대주주에게 매수를 요구하는 편지를 보낼 때 초록색인 달러화를 요구하는 데에서 이름이 유래했다.

37. 정답 ①

| 해설 | 테크래시는 코로나19 이후 급격히 영향력이 커진 빅테크 기업들의 시장 독점력이 강화되면서 생긴 반발 현상을 말한다. 미국과 중국을 중심으로 빅테크 기업에 대한 규제가 심화되었다.

| 오답피하기 | ② 자연독점: 재화의 특성상 하나의 기업이 규모의 경제를 달성하여 생산할 때 비용이 최소화되기 때문에 발생하는 독점 형태를 말한다. 전력, 상수도 산업 등이 이에 해당한다.
④ 사이드카: 주가의 등락 폭이 갑자기 커질 경우 시장에 미치는 영향을 완화하기 위해 주식 매매를 일시정지시키는 제도이다. 코스피200 선물 가격이 전일 종가 대비 5%(코스닥 선물의 경우 6%) 이상 상승 또는 하락한 상태가 1분 이상 지속될 때 사이드카가 발동된다. 사이드카가 발동되면 향후 5분간 프로그램 매매 호가의 효력이 정지된다.
⑤ 서킷 브레이커: 주식시장의 급격한 하락을 막기 위한 장치로 종합주가지수가 전일 대비 10% 하락한 상황이 1분 이상 이어지면 발동한다. 발동 시 모든 주식거래가 20분간 중단되고 10분 동안 접수한 호가를 단일가로 처리한 뒤 매매가 재개된다.

38. 정답 ④

| 해설 | 주가지수선물, 주가지수옵션, 개별주식옵션의 만기가 겹치는 날을 '트리플위칭데이'라고 한다. 파생상품의 만기일이 겹칠 경우 시장의 변동성이 커지고 예측이 어려워지는데, 이것이 마치 마녀가 날뛰는 것 같다고 하여 생성된 용어이다.

| **오답피하기** | ① 블랙먼데이: 1987년 미국 증권시장에서 일어났던 주가 대폭락 사건을 말한다. 현재는 월요일에 주가가 폭락할 경우 사용되는 용어로 자리 잡았다.
② 더블위칭데이: 선물과 옵션의 만기일이 겹치는 경우를 말한다. 주가지수선물, 주가지수옵션, 개별주식옵션의 만기가 동시에 겹치는 경우는 '트리플위칭데이'라고 하고, 트리플위칭데이에 개별주식선물 만기까지 겹치는 경우에는 '쿼드러플위칭데이'라고 한다.
③ 레드먼데이: 증시가 개장되는 월요일을 지칭하는 말로 주가를 보여주는 전광판의 빨간 불이 켜지는 모습에서 유래했다.
⑤ 사이버먼데이: 미국의 추수감사절이 지난 후 돌아오는 첫 번째 월요일을 지칭하는 말로, 연휴가 끝난 후 블랙프라이데이 행사의 열풍이 온라인으로 이어지는 데에서 유래했다.

39. 정답 ⑤

| **해설** | 오픈 이노베이션은 기업의 내부 자원을 외부 기관과 공유하고 필요한 기술, 아이디어 등 외부 자원을 획득하는 전략적 협업 행위를 말한다.

| **오답피하기** | ① 밴드왜건: 자신의 주관 없이 대중적인 유행을 따라 이루어지는 소비현상을 말한다.
② 아웃소싱: 기업이 비용 절감 등의 이유로 기업 내부의 시스템 개발 및 운영 등을 외부업체에 맡기는 행위를 말한다.
③ 신지식재산권: 기존 지식재산권으로는 규정할 수 없는 반도체 기술, 바이오 기술 등 새로운 형태의 지적재산권을 말한다.
④ 크라우드소싱: 기업의 활동에 있어 외부 대중을 참여시키는 행위를 말한다.

40. 정답 ②

| **해설** | NFT(Non-Fungible Token, 대체 불가능 토큰)는 블록체인 기술을 활용하여 고유성을 가지게 된 디지털 자산(토큰)을 말한다. NFT 기술을 통해 실물이 아닌 디지털 자산의 고유성, 저작권, 소유권을 증명하는 일이 용이해졌다.

41. 정답 ④

| **해설** | ㄴ. 규제 일몰제는 존속기한을 설정해 일정 기간이 지나면 규제가 자동으로 폐기되는 제도이다. 이를 확대함으로써 기업에 대한 규제를 줄이고 기업 친화적 환경을 조성할 수 있다.
ㄹ. 벤처캐피털(VC)은 성장성을 지닌 벤처기업에 투자한 후 경영을 종합적으로 지원하여 추후 엑시트를 통해 높은 수익률을 추구하는 기업을 의미한다. 벤처캐피털을 활성화함으로써 다양한 기업에 대한 투자를 이끌 수 있다.

| **오답피하기** | ㄱ. 오프쇼어링(Off-shoring)은 리쇼어링(Re-shoring)의 반의어로, 비용의 절감을 위해 국내 기업이 아닌 외국 기업에 외주를 맡기는 현상을 말한다. 오프쇼어링이 확대되면 국내 기업 경쟁력이 약화될 가능성이 높다.
ㄷ. 상계관세는 경쟁력 있는 수출국 재화로부터 국내 재화의 경쟁력을 유지하고자 수출국 재화에 부과하는 관세를 말한다. 이는 국내 기업의 경쟁 유인을 줄일 여지가 있다.

42. 정답 ①

| **해설** | 제시된 신문사설은 정치권의 대형마트 규제가 표면적으로는 '소상공인 보호'라는 선의로 포장되었지만, 실상은 부작용을 고려하지 않은 무분별한 규제라고 비판하고 있다.

43. 정답 ④

| **해설** | 후순위채권은 채권을 발행한 기업이 파산했을 때 변제순위가 다른 채권에 비해 밀리는 채권을 말한다.

| **오답피하기** | ① 신주인수권부사채(BW): 사채의 형태로 발행되었지만, 후에 미리 정한 가격에 회사의 신주를 매입할 수 있는 권리가 부여된 채권이다.
② 디지털채권: 디지털 방식이 0과 1의 이진법으로 이루어지듯이 경기 상황에 따라 두 가지 금리 중 하나를 선택할 수 있는 채권을 말한다.
③ 물가연동채권: 일반 채권의 방식으로 이자를 지급하는 것이 아니라 원금에 물가상승률을 고려하여 이자를 지급하는 채권을 말한다.
⑤ 외국환평형기금채권(외평채): 외국환평형기금의 자금 조달을 위해 정부에서 발행하는 채권이다. 정부는 자국 통화의 안정성을 유지하고 투기를 방지하기 위해 외환시장에 개입함으로써 환율에 영향을 준다. 이때 개입을 위해 마련하는 자금을 외국환평형기금이라고 한다.

44. 정답 ①

| **해설** | 래퍼곡선은 미국의 경제학자 래퍼가 제시한 세율과 조세수입 간의 관계를 나타낸 곡선이다. 세율이 증가할수록 조세수입이 지속적으로 증가하는 것이 아니라 중간에 정점에 도달한 뒤 하락하는 형태를 보인다. 소득세율이 지나치게 높으면 근로의욕을 감소시키고, 법인세율이 지나치게 높으면 기업이윤을 감소시켜 투자활동을 정체시키므로 이때는 세율을 낮춤으로써 오히려 세수를 증가시킬 수 있다는 내용이다.

| **오답피하기** | ② 피셔효과: 명목금리가 실질금리와 기대인플레이션율의 합계와 같다는 미국의 경제학자 어빙 피셔가 발표한 이론이다.
③ 계약곡선: 두 주체 사이에 재화의 교환이 이루어질 때 둘의 만족도를 극대화하는 지점을 이은 곡선이다.
④ 후방굴절: 후방굴절 노동공급곡선은 임금이 특정 수준에 도달할 경우 오히려 임금이 상승할수록 노동자의 노동공급량이 감소하고 여가시간을 늘리는 현상을 보여주는 곡선이다.

45. 정답 ④

| **해설** | 갈라파고스 증후군은 대륙에 동떨어진 갈라파고스 제도처럼 기술적으로 뛰어난 상품이라 하더라도 세계적 흐름에서 벗어나 일부 지역에 특화된 독자적인 표준만을 고집함으로써 경쟁에서 뒤처지고 고립되는 현상을 말한다.

| **오답피하기** | ① 피터팬 증후군: 육체적으로는 이미 성숙해 어른이 되었지만, 계속해서 어린이로 남아 대우받고 보호받기를 바라는 심리이다. 경제학에서는 중소기업이 중견기업으로 성장할 때 중소기업으로서 받았던 정부의 지원이나 혜택을 못 받을 수 있다는 점을 우려하여 중견기업으로 탈바꿈하는 것을 꺼리는 경향을 말한다.
② 스탕달 증후군: 훌륭한 예술작품을 보았을 때 나타나는 정신분열현상을 말한다.
③ 스톡홀름 증후군: 인질이 인질범에게 동화되어 사랑 또는 연민을 느끼게 되는 비이성적 현상을 말한다.
⑤ 아이젠멩거 증후군: 혈관 질환이 발병할 시 나타나는 증후군의 일종이다.

46. 정답 ⑤

| **해설** | '보이지 않는 손'의 창시자인 애덤 스미스(Adam Smith)는 그의 대표 저서인 『국부론』에서 자유로운 경제 체계의 필요성을 주장했다. 제시문의 'the invisible hand'로 (A)에 들어갈 주어가 애덤 스미스임을 유추할 수 있다.

② 밀턴 프리드먼(Milton Friedman): 통화주의자의 대표주자로, 정부의 재정정책을 반대했다는 점에서는 케인스와 대비되지만, 함께 20세기 경제학의 발전을 이끈 인물이다. 정책 당국의 재량적 통화정책을 경계하며 명확한 준칙에 따른 통화정책의 필요성을 강조했다.
③ 데이비드 리카도(David Ricardo): 자유무역론을 창시한 고전학파 학자이다. 재화 생산의 기회비용을 고려한 비교우위 개념을 제시함으로써 자유무역론을 효과적으로 옹호했다.
④ 알프레드 마샬(Alfred Marshall): 신고전학파의 창시자이자 현대 미시경제 이론을 정립한 학자이다.

47. 정답 ②

| **해설** | 분식회계는 회사의 실적을 좋게 보이도록 회사 자산이나 이익을 회계처리 기준에 어긋나는 방법으로 사실과 다른 재무제표를 만드는 것을 의미한다.

| **오답피하기** | ① 결산: 회계에서의 결산이란 한 회계연도 내에 발생한 수입·지출을 정리 및 계산함으로써 손익계산서와 대차대조표상의 수치를 확정하는 작업이다.
③ 무상증자: 자본잉여금을 재원으로 주주에게 대가를 받지 아니하고 신주를 발행하여 교부하는 것을 말한다. 자본잉여금이 자본금으로 바뀌므로 자본금은 증가하지만 자본 총량은 변화하지 않는다.
④ 회계감사: 회계업무와 관련하여 작성된 재무제표 등의 정보가 올바른지 검증하는 작업이다. 내부감사와 외부감사로 구분할 수 있다.
⑤ 발생주의회계: 거래, 사건, 환경이 기업에 미치는 재무적 효과를 현금이 수취되거나 지급되는 기간에 기록하지 않고, 그 거래가 발생한 기간에 기록하는 것을 말한다. 발생주의회계는 현금의 수취나 지급과 분리해 거래 발생시점에서 기록하므로 영업활동과 관련된 기록과 현금의 유출입과는 일반적으로 일치하지 않는다. 수익·비용 원칙에 합리적 대응을 가져와 그 기간의 경영성과를 더 정확히 나타내는 데 목적이 있다.

48. 정답 ①

| **해설** | 적대적 인수합병(M&A)에서는 피인수기업의 지분이 협상을 통해 적정한 가격에 넘어가는 것이 아니라, 높은 가격에 거래될 개연성이 높다. 이 경우 피인수기업의 주주는 지분 가치의 상승을 기대할 수 있다.

| **오답피하기** | ④ 피인수기업에서 경영자가 주주 가치를 제고하지 않고 기업의 저평가를 야기하는 대리인 문제가 발생할 경우, 적대적 인수합병의 위협은 피인수기업의 주주를 대신해 경영자를 감시하는 역할을 수행하기도 한다.
⑤ 적대적 인수합병이 일어나는 경우 인수대상에 놓인 기업의 경영권에 우호적인 주주를 '백기사'라고 한다. 백기사의 지분율을 높이는 것은 대표적인 경영권 방어 전략이다.

49. 정답 ④

| **해설** | 스태그플레이션은 물가 상승과 경기침체가 동시에 오는 현상으로, 주로 비용인상 인플레이션이 원인이 되어 발생한다.

| **오답피하기** | ① 바이플레이션(Biflation): 세계 경제에서 인플레이션과 디플레이션이 동시에 발생하는 현상이다. 2008년 세계 금융 위기 당시 선진국에서는 디플레이션이, 신흥국에서는 인플레이션이 일어나는 바이플레이션이 발생했다.
③ 애그플레이션: 농업(Agriculture)과 물가 상승(Inflation)의 합성어로, 농산물 상품의 가격이 올라 일반 물가도 덩달아 오르는 현상을 말한다.
⑤ 에코플레이션(Ecoflation): 환경·생태(Ecology)와 물가 상승(Inflation)의 합성어로, 기후 변화 등으로 인한 환경규제 강화 또는 자연재해로 인해 발생하는 인플레이션을 말한다.

50. 정답 ④

| **해설** | 스톡옵션으로 발행되는 주식에 우선주만 존재하는 것은 아니다.

관련 개념 짚어보기

스톡옵션

기업이 임직원에게 일정 기간이 지난 후 일정량의 자사주를 미리 정해둔 가격에 매수할 수 있도록 부여한 자사주식매입권을 말한다. 주로 기업 경영에 기여할 수 있는 구성원에게 부여되며, 기업과 스톡옵션을 부여받은 임직원의 이해관계를 일치시킨다(기업이 발전하면 추후에 높은 가격의 자사주를 싸게 매입할 수 있기 때문이다).

51. 정답 ③

| **해설** | 법정최고금리는 2021년에 기존 24%에서 20%로 인하되었다. 따라서 A와 B에 들어갈 숫자의 합은 44(= 24 + 20)이다.

52. 정답 ②

| **해설** | 스타트업은 많지만 페이스북처럼 성공하는 스타트업은 머리에 뿔이 달린 상상 속의 동물인 유니콘만큼이나 찾아보기 어렵다는 의미에서 기업 가치가 10억 달러를 넘어가는 스타트업을 유니콘이라고 한다. 기업 가치가 10억의 10배인 100억 달러 이상인 스타트업은 10을 뜻하는 접두사 데카(Deca)를 붙여 데카콘이라고 한다.

53. 정답 ①

| **해설** | 액면병합은 액면가가 낮은 주식을 합쳐 액면가를 높이는 것을 말하고, 액면분할은 액면가가 높은 주식을 분할해 액면가를 낮추는 것을 말한다. 두 경우 모두 해당 기업의 가치와 자본금에는 변화가 없다는 공통점이 있다. 하지만 액면병합의 경우 액면가가 높아지는 효과가 있고, 액면분할의 경우 유동성 확보 및 신주 발행이 용이해지는 효과가 있다.
주식 액면가를 500원에서 100원으로 쪼개는 액면분할이 이루어지는 경우, 분할비율($\frac{1}{5}$)에 따라 주가는 낮아지고, 주식 수는 그 역수만큼(5배) 증가한다.

| **오답피하기** | ② 주식가격이 액면분할비율에 따라 낮아지면 소액주주들의 접근이 쉬워져 주식 거래량은 증가할 것이다.
③④ 액면분할로 기업 가치와 자본금의 변화는 없다.

54. 정답 ③

| 해설 | ㄴ. 탄소국경세: EU와 미국이 주도하여 추진하고 있는 관세 방안으로, 자국보다 이산화탄소 배출량이 많은 국가로부터 재화를 수입할 경우 해당 재화에 부과하는 세금이다.
ㄷ. 배출권거래제: 교토의정서에 따라 도입된 제도로, 합의에 따라 배정된 온실가스 배출량을 초과한 국가(기업)가 다른 국가(기업)로부터 배출권을 매입해 온실가스 배출량 한도를 맞추는 제도이다.

| 오답피하기 | ㄱ. 규제 샌드박스: 현행 규제를 적용받지 않으면서 자신의 상품, 서비스, 비즈니스모델을 시험할 수 있는 공간이나 제도를 말한다. 기존 규제하에서는 신산업·신기술의 빠른 변화를 신속하게 반영하기 힘들다는 점을 고려해 마련됐다. 아이들이 안전한 환경에서 자유롭게 뛰어놀 수 있게 만든 모래놀이터(Sandbox)에서 유래했다.
ㄹ. 죄악세: 술, 담배, 도박 등 개인의 건강 또는 생활에 악영향을 끼쳐 사회적 효용을 저해하는 재화에 부과되는 세금이다.

55. 정답 ⑤

| 해설 | 시장지배적 사업자를 관리하는 역할을 하는 기관은 공정거래위원회이다. 독점 및 과점으로 인한 경쟁 저해 방지, 불공정거래 규제 등의 활동을 한다.
공정거래법 제6조에 따르면 1개 사업자의 시장 점유율이 50% 이상이거나, 3개 이하 사업자의 시장 점유율 합계가 75% 이상인 경우 시장지배적 사업자로 추정한다.

56. 정답 ②

| 해설 | 아마존효과는 미국의 1등 전자상거래 기업인 아마존의 이름에 빗대어 만들어진 용어로, 전자상거래의 발달이 물가상승률을 낮추는 현상을 말한다.

57. 정답 ⑤

| 해설 | 제시된 내용에서 단행한 베네수엘라의 조치는 '리디노미네이션'이다. 리디노미네이션은 한 나라에서 통용되는 화폐에 대해 실질가치의 변화를 주지 않고 액면가를 동일한 비율로 낮추는 것을 말한다. 경제발전에 따른 물가 상승에 따라 화폐로 표현하는 숫자가 커지면서 생기는 불편함을 해소하기 위한 목적을 갖는다. 리디노미네이션을 시행하면 지하경제 양성화, 자국통화 가치 상승, 내수경기 부양효과를 기대할 수 있지만, 물가가 상승하고 화폐 교환에 따른 간접비용이 증가한다는 단점이 있다.
리디노미네이션 이전 베네수엘라는 하이퍼인플레이션을 경험했기 때문에 소비자 물가지수는 상승세를 보였을 것이다.

> **관련 개념 짚어보기**
>
> **하이퍼인플레이션**
> 단기간에 물가가 엄청나게 급등하는 현상이다. 세계대전 후의 독일, 아프리카 짐바브웨, 최근 베네수엘라 등이 하이퍼인플레이션을 겪었다.

58. 정답 ①

| 해설 | 통계청에 따르면 선행종합지수는 앞으로의 경기 동향을 예측하는 지표로서 구인구직비율, 건설수주액, 재고순환지표 등과 같이 앞으로 일어날 경제현상을 미리 알려주는 9개 지표들의 움직임을 종합하여 작성한다. 기준연도 수치가 100이 되도록 산출하고 있으므로 100보다 높으면 경기 상승을, 낮으면 경기 하락을 예측하는 것으로 해석된다.
제시된 그래프에 표시된 동그라미의 추이는 선행종합지수 100 이상으로 경기 상승을 예측한다. 해당 추이가 이어진다고 가정하면 경기 상승이 지속된다는 의미이다. GDP갭은 실질GDP에서 잠재GDP를 뺀 값으로, GDP갭이 음(−)인 상황에서 경기가 상승된다면, 실질GDP가 상승하여 GDP갭은 0에 가까워질 것이다.

| 오답피하기 | ⑤ 경기가 좋아지면 소비 수요 증가에 따른 재고 감소로, 재고율은 하락할 것이다.

59. 정답 ③

| 해설 | 고용보험제도는 근로자의 일자리 보호를 위한 제도로, 실직자에 대한 생계지원은 물론 재취업을 촉진하고 나아가 실업의 예방 및 고용 안정, 직업 능력개발 등을 포괄한 사회보험제도이다. 사전적이고 적극적인 고용 정책 수단이라는 점에서 단순히 사후적·소극적인 실업보험보다 진보한 개념이다. 특히 산업 구조 조정기나 경기침체 시에 효과적으로 대응할 수 있는 고용 안정 대책으로 평가받는다.

60. 정답 ⑤

| 해설 | 풍선효과는 풍선의 한 부분을 누르면 다른 부분이 부풀어오르는 것처럼 특정 분야에 대한 정책 또는 규제가 다른 분야의 문제를 불러오는 현상을 말한다. 대표적인 예로 특정 지역의 집값을 규제하면 비규제지역의 집에 수요가 몰려 집값이 오르는 현상이 있다.
제시된 신문기사를 보면 대출 규제로 인해 기존 1금융권의 대출 수요자가 2금융권으로 몰리는 풍선효과가 발생했음을 알 수 있다.

| 오답피하기 | ① 뱅크런: 은행의 대규모 예금인출사태를 가리키는 말이다. 금융시장 상황이 불안하거나 은행의 경영 및 건전성 등에 문제가 발생하면 예금자들은 불안감에 저축한 돈을 인출하고 은행은 지급가능한 자금이 부족해지는 패닉 상태에 빠질 수 있다. 예금보험공사는 뱅크런과 이로 인한 금융 불안정을 방지하고자 예금자보호법에 의해 5,000만 원까지의 예금을 보호해준다.
②④ 피구효과: 물가가 하락하면 화폐의 구매력이 증가해 실질부(Real Wealth)가 증가하는 효과를 말한다. 부(Wealth)의 효과, 실질잔고효과라고도 한다.
③ 유동성 함정(Liquidity Trap): 중앙은행이 기준금리를 낮추더라도 소비와 투자를 비롯한 실물경제에 아무런 영향도 미치지 못하는 상황을 말한다. 경제주체들이 경기 활성화를 위한 정책에도 불구하고 미래 경기를 낙관하지 못하고 자금을 시중에 내놓지 않을 때 발생한다.

상황추론 · 판단

61. 정답 ②

| 해설 | 표에 따르면 가상의 암호화폐는 10일 동안 최저 10원에서 최고 1,200원까지의 가격 변화를 겪는다. 이와 같이 가치의 변동이 심하면 교환의 매개 수단으로 받아들여지기가 어렵다.

62. 정답 ③

| 해설 | ㄴ. 생산가능인구는 경제활동인구와 비경제활동인구로 구성된다. 생산가능인구가 변함이 없고, t년과 t + 1년의 경제활동참가율이 같으므로 비경제활동인구는 t년과 t + 1년이 같다.
ㄷ. t + 1년과 t + 2년의 실업률은 같으나, t + 1년 대비 t + 2년의 경제활동참가율이 상승하였다. 경제활동참가율이 늘어났다는 것은 경제활동인구가 늘어났다는 것이고, 실업률이 같으려면 분자인 실업자 수가 늘어나야 한다. 따라서 t + 1년 대비 t + 2년에 실업자 수는 증가하였다.

| 오답피하기 | ㄱ. t년과 t + 1년의 경제활동참가율은 같으나 t년 대비 t + 1년의 실업률은 하락하였다. 따라서 t년 대비 t + 1년에 취업자 수는 증가하였으므로 t년 대비 t + 1년의 고용률은 상승하였다.
ㄹ. t년과 t + 1년의 경제활동참가율이 같고, t년과 t + 1년에 비해 t + 2년에는 경제활동참가율이 상승하였다. 경제활동참가율이 늘어났다는 것은 경제활동인구가 늘어났다는 것이고, 실업률이 같으려면 분자인 실업자 수가 늘어나야 한다. 따라서 경제활동인구는 t + 2년에 가장 많다.

관련 개념 짚어보기

- 실업률(%) = $\frac{실업자 수}{경제활동인구} \times 100$
- 고용률(%) = $\frac{취업자 수}{생산가능인구} \times 100$
- 경제활동참가율(%) = $\frac{경제활동인구}{생산가능인구} \times 100$
  = $\frac{취업자 수 + 실업자 수}{생산가능인구} \times 100$

63. 정답 ③

| 해설 | 상황을 그림으로 나타내면 다음과 같다.

```
    3만 원        7만 원         15만 원
A  ───→  B  ─────────→  C  ───→  최종 소비자
   재료      봉제 인형용 천과 솜      곰 인형
                        *5만 원: 재고
```

C가 창출한 부가가치는 13만 원(= 15만 원 + 5만 원 − 7만 원)이다.

| 오답피하기 | ① GDP는 20만 원(= 15만 원 + 5만 원) 증가했다.
② 천과 솜은 중간재에 해당한다.
⑤ 창출한 부가가치는 A가 3만 원, B가 4만 원(= 7만 원 − 3만 원), C가 13만 원(= 15만 원 + 5만 원 − 7만 원)이므로 부가가치의 합으로 계산한 GDP는 20만 원이다.

64. 정답 ②

| 해설 | ㄱ. 꽃 재배 농가에 보조금이 지급되었으므로 공급량이 많아져 꽃의 공급곡선은 우측으로 이동한다.
ㄷ. B지역이 가격에 대해 수요가 비탄력적이므로 꽃 가격이 더 많이 하락한다.

| 오답피하기 | ㄴ. 꽃 재배 농가에 보조금이 지급될 경우 두 지역 모두 꽃의 거래량이 증가한다.
ㄹ. B지역은 거래량의 증가에 비해 가격의 하락폭이 크므로 매출이 감소한다.

관련 개념 짚어보기

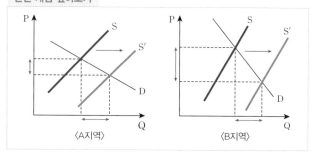

〈A지역〉　〈B지역〉

65. 정답 ④

| 해설 | ㄴㄹ. 구매력 평가설은 양국 통화의 구매력에 의해 환율이 결정된다는 이론으로, 스웨덴의 경제학자인 카셀에 의해 제시되었다. 일물일가의 법칙을 국제시장에 적용한 이론으로 경상수지의 관점에서 균형환율을 설명하기에 국가 간 무역장벽이 없고, 국가 간 상품 운송비용이 없는 것을 가정한다.

| 오답피하기 | ㄱ. 이자율 평가설에 관한 설명이다.

66. 정답 ④

| 해설 | 생애주기가설(Life Cycle Hypothesis)은 현재 소비가 현재 소득뿐만 아니라 평생 소득에 달렸다고 주장하는 가설이다.
나이가 들수록 순저축은 감소하나, 중 · 장년기에는 소득이 소비보다 커 저축 누적액은 계속해서 증가한다. 은퇴 후인 노년기에는 소득이 소비를 넘어서는 마이너스(−) 저축이 발생하여 노년기부터의 저축 누적액이 감소하는 특징이 있다.

67. 정답 ①

| 해설 | '지식의 증가 덕분에 ~ 결국 세월이 갈수록 식량은 점점 싸진다.'라는 내용을 통해 밀 가격이 기술발전에 힘입어 하락했음을 알 수 있다.

68. 정답 ③

| 해설 | 지니계수가 작아질수록 소득불평등도가 개선됨을 의미한다.
B국의 경우 2018년 지니계수는 0.38, 2019년 지니계수는 0.45로, 소득불평등 수준이 악화되었다.

| 오답피하기 | ① 2018년에 A국의 지니계수는 0.48, B국의 지니계수는 0.38로, A국의 지니계수가 더 크다. 즉, A국의 소득불평등 수준이 더 높다.
② 소득분배가 평등할수록 로렌츠곡선은 대각선에 가까워진다. B국의 지니계수가 A국보다 높으므로, 이를 로렌츠곡선으로 표시하면 B국이 A국보다 45° 대각선에서 멀어진 상태이다.

④⑤ A국의 지니계수는 매년 작아지고 있다. 지니계수가 작아지는 것은 소득불평등도가 개선되고 있음을 의미한다. 따라서 A국은 소득분배가 개선되고 있음을 알 수 있다. 즉, 소득불평등을 해소하기 위한 복지정책을 펼쳤을 것으로 유추할 수 있다.

69. 정답 ③

| 해설 | ㄴ. (B)의 인증서는 일종의 특허나 허가로 간주할 수 있으므로 독과점의 사례로 볼 수 있다.
ㄷ. (B)의 인증서가 사라지면 독과점시장이 경쟁시장으로 바뀌므로 공물로 바치는 생산물 거래가격이 낮아질 것이다.

| 오답피하기 | ㄱ. 매년 내야 하는 공물의 양이 정해져 있으므로 공급은 가격에 대해 완전 비탄력적일 것이다.
ㄹ. 인증서는 일종의 특허와 같은 기능을 하므로 (C)는 독과점시장으로 볼 수 있다.

70. 정답 ④

| 해설 | (가)는 공급의 증가 요인, (나)는 공급의 감소 요인, (다)는 수요의 증가 요인, (라)는 수요의 감소 요인이다.
공급의 증가와 수요의 감소가 동시에 발생하면 균형가격은 하락한다.

| 오답피하기 | ① (가)만 발생할 경우 X재의 공급이 증가한다.
② (나)만 발생할 경우 X재의 공급이 감소한다.
③ (다)만 발생할 경우 X재의 판매수입은 증가한다.
⑤ 공급의 감소와 수요의 감소가 동시에 발생할 경우 X재의 균형거래량은 감소한다.

> **관련 개념 짚어보기**
>
> 수요의 감소와 공급의 증가
>
>

71. 정답 ⑤

| 해설 | 신문기사의 내용은 경기침체로 인한 한계기업의 부실이 금융회사로 옮겨 가서 은행의 건전성이 악화될 것을 우려하고 있다.
(A) 한계기업(좀비기업)이란 이자보상비율이 3년 연속 1 미만인 기업을 말한다. 이자보상비율이 1 미만이면 영업에서 창출한 이익으로 이자비용 지불이 불가능하기 때문에 잠재적인 부실기업으로 본다.
(B) 도덕적 해이는 계약 후에 나타나는 현상으로 감추어진 행동이라고도 부른다.

> **관련 개념 짚어보기**
>
> $$이자보상비율(배) = \frac{영업이익}{이자비용}$$

72. 정답 ⑤

| 해설 | 자유시장 경제학은 희소한 자원의 분배를 시장에 맡기고 있다.

73. 정답 ③

| 해설 | 신문사설에서 '무엇보다 한정된 국내 시장보다 세계를 겨냥해 수출주도형 중화학공업 육성 정책을 편 정치적 결단'이라는 내용을 통해 내수 진작을 중심으로 한 경제 모델이 아니라 수출주도형 경제를 지향했음을 알 수 있다.

74. 정답 ③

| 해설 | 프레데릭 바스티아는 프랑스의 경제학자로, 자유무역과 시장경제를 강조했다. 제시문은 양초제조업자들의 태양광을 규제해달라는 형식의 비현실적인 청원을 통해 규제의 불합리함을 역설적으로 말하고 자유무역을 강조하고 있다.

75. 정답 ②

| 해설 | A~E에 들어갈 숫자를 계산하면 다음과 같다.

총생산량	총고정비용	총가변비용	총비용	평균가변비용	평균비용	한계비용
0	400	B(0)	400			
1	A(400)		480			E(60)
2			540	C(70)	D(270)	

- A: 총생산량이 0일 때의 총비용이 400이므로 총고정비용은 400이다.
- B: 총비용은 총고정비용 + 총가변비용이므로 B는 0이다.
- C: 2단위를 만들 때의 총가변비용은 140(= 540 − 400)이므로 평균가변비용은 70이다.
- D: 2단위의 총비용은 540이므로 평균비용은 270이다.
- E: 1단위에서 2단위로 한 단위를 증가시킬 때의 비용은 60이므로 E는 60이다.

76. 정답 ①

| 해설 | ㉠㉡ 안정적인 노후 준비를 위해 월세 등 현금 수입을 선호하는 경향이 나타나면 전세의 공급은 감소할 것이다.
㉢㉣ 임차 가구의 주택구매 기피 현상과 재개발과 재건축 사업의 확대로 인한 이주 수요는 전세의 수요를 증가시킬 것이다.

77. 정답 ⑤

| 해설 | '기업들은 임금 인상 요구와 주당 근무시간을 단축해야 한다는 거센 비판에 직면했다. 이런 정책은 경기회복을 방해했고'라는 내용에서 기업의 임금 인상이 경제 활성화로 이어지지 않았음을 알 수 있다.

78. 정답 ①

| 해설 | ㄱ. (A)와 관련하여 보험에 가입한 사람은 보험을 믿고 덜 조심하게 되는 도덕적 해이 현상을 보일 수 있다.
ㄴ. (B)의 게임은 기대가치가 0이므로 공정한 게임(Fair Game)이다.

| 오답피하기 | ㄷ. 위험이 높은 사람은 스스로 자신의 위험을 알고 있으므로 보험 가입 가능성이 높다. 이를 역선택이라고 한다.

ㄹ. 위험 회피적 성향을 가진 사람은 공정한 게임(Fair Game)에 참여하지 않는다.

79. 정답 ②

| 해설 | ㄱㄷ. OPEC은 중동의 산유국이 주축인 석유수출국 기구를 말한다. 이와 관련 있는 용어는 페트로 달러와 석유파동이다. 페트로 달러란 전 세계의 주요 산유국들이 원유 및 관련 상품을 수출해 벌어들이는 돈으로, 오일달러, 오일머니 등으로도 불린다. 1970년대 초 OPEC의 담합으로 석유파동이 있었으며, 한국은 중동지역 개발에 건설 기술자 등을 보낸 바 있다.

| 오답피하기 | ㄴ. 플라자 합의는 1985년 9월 22일 미국, 영국, 프랑스, 서독, 일본의 5개국 재무장관, 중앙은행총재가 뉴욕 플라자호텔에 모여 미 달러화를 일본 엔화와 독일 마르크화에 대해 절하하기로 한 합의이다.

ㄹ. OPEC은 독점적 경쟁시장이 아니라 일종의 독과점시장이다.

관련 개념 짚어보기

OPEC+

석유수출국기구(OPEC)에 속하지 않았던 러시아를 비롯한 산유국과 기존 OPEC 회원국이 함께 결성한 협의체로, 현재 국제 유가에 큰 영향력을 행사하고 있다.

80. 정답 ③

| 해설 | 식료품 가격이 하락하면 엥겔지수는 하락한다.

엥겔지수란 총가계 지출액 중에서 식료품비가 차지하는 비율이다. 일반적으로 식료품은 소득의 높고 낮음에 관계없이 반드시 얼만큼 소비해야 하며, 또 어느 수준 이상은 소비할 필요가 없는 재화이다. 따라서 저소득 가계라도 반드시 일정 금액의 식료품비 지출은 부담해야 하며, 소득이 증가해도 식료품비는 크게 증가하지 않는다. 이에 식료품비가 가계의 총지출액에서 차지하는 비율은 소득 수준이 높아짐에 따라 감소하는 경향이 있다. 1857년 독일의 통계학자 엥겔(Ernst Engel)이 이런 경향을 확인하였으며, 이에 그의 이름을 따서 '엥겔의 법칙'이라고 부른다. 그리고 식료품비가 가계지출액에서 차지하는 비중을 엥겔지수라고 부른다.

제62회 TESAT 문제지
정답 및 해설

경제이론

1	④	2	③	3	②	4	⑤	5	⑤
6	④	7	①	8	⑤	9	②	10	③
11	②	12	①	13	②	14	③	15	⑤
16	④	17	①	18	④	19	②	20	②
21	②	22	⑤	23	⑤	24	①	25	①
26	②	27	②	28	②	29	⑤	30	②

시사경제 · 경영

31	③	32	①	33	②	34	①	35	④
36	③	37	④	38	①	39	③	40	②
41	①	42	①	43	①	44	③	45	②
46	⑤	47	⑤	48	⑤	49	⑤	50	⑤
51	②	52	④	53	④	54	④	55	⑤
56	⑤	57	⑤	58	⑤	59	③	60	②

상황추론 · 판단

61	④	62	④	63	④	64	④	65	⑤
66	①	67	④	68	③	69	④	70	①
71	②	72	④	73	③	74	③	75	④
76	①	77	①	78	⑤	79	④	80	⑤

경제이론

1. 정답 ④

| 해설 | 장기적 경제성장은 총공급곡선의 구성요소인 토지, 노동, 자본, 기술 등이 증가할 때 나타날 수 있다.
해외 자본의 투자는 국내 자본을 늘릴 수 있으므로 장기적 경제성장의 원인이 될 수 있다.

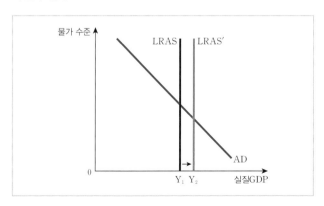

2. 정답 ③

| 해설 | 이윤극대화를 추구하는 경제주체는 기업이다. 따라서 A는 기업, B는 가계, (가) 시장은 생산물시장, (나) 시장은 생산요소시장이다.
생산물시장에서 기업은 공급자이고, 가계는 수요자이다.

| 오답피하기 | ① 무차별곡선은 소비자(가계)인 B와 관련이 있다.
② 가계는 효용극대화를 추구한다.
④ (나) 시장은 생산요소시장이다.
⑤ 대학생이 볼펜을 구입하고 돈을 지불하는 것은 가계가 생산물시장에서 재화를 구입하여 이에 대한 대가를 지불하는 것이다.

3. 정답 ②

| 해설 | 지대추구(Rent-seeking)는 이익집단이 해당 집단 구성원의 경제적 이익을 증대시키기 위해 정부의 개입이나 중재를 얻어 다른 사회 구성원으로부터 부의 이전을 꾀하는 현상을 말한다. 사회 전체적으로는 비생산적이고 낭비적인 활동 또는 자신의 이익을 위해 로비, 약탈, 방어 등 비생산적인 활동에 경쟁적으로 자원을 지나치게 소비하는 현상을 말한다.
지대추구가 정경유착과 결탁할 경우 정부실패의 요인이 될 수 있다.

4. 정답 ⑤

| 해설 | 시장경제는 정부가 세금을 통해 개인의 재산권을 제약할 수 있다고 보지 않는다.

5. 정답 ⑤

| 해설 | 근로자들이 이직하는 과정에서 발생하는 실업은 마찰적 실업이다. 마찰적 실업은 탐색적 실업이라고도 하며, 새로운 일자리를 탐색하거나 이직을 하는 과정에서 일시적으로 발생하는 실업을 의미한다.
산업구조의 개편 등 경제구조의 변화에 의한 실업은 구조적 실업이다.

6. 정답 ④

| 해설 | 미나는 매월 250만 원의 월급을 주는 직장의 입사를 포기하였다. 따라서 미나의 선택에 따른 기회비용은 250만 원이다.

7. 정답 ①

| 해설 | 태양열을 이용한 전력공급이 늘어나면 석탄의 수요는 감소하여 석탄시장의 수요곡선은 왼쪽으로 이동한다. 수요가 감소하면 균형가격은 하락하고, 균형생산량은 감소한다.

수요의 감소

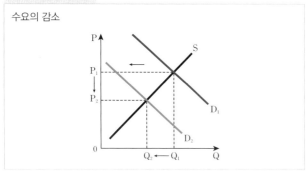

8. 정답 ⑤

| 해설 | 부가가치세는 일반적으로 비례세율이 적용된다. 따라서 A가 세액이라면 부가가치세는 ㉣에 해당한다.

9. 정답 ②

| 해설 | 완전경쟁시장은 경제주체들이 가격 등 시장에 관한 완전한 정보를 보유하고 있으며, 미래에 대한 불확실성이 없는 것으로 가정한다.

| 오답피하기 | ①③ 완전경쟁시장은 시장 내에 다수의 소비자와 생산자가 존재하여 모든 기업이 동질적인 재화를 생산한다고 가정한다.
④ 소비자와 생산자 모두 가격에 영향력을 행사할 수 없는 가격수용자(Price Taker)임을 가정한다.
⑤ 완전경쟁시장 내의 모든 기업은 진입과 퇴출이 자유롭기 때문에 장기에는 '0'의 경제적 이윤만 얻을 수 있다.

10. 정답 ③

| 해설 | 제시된 주장은 케인스학파의 효율성 임금이론과 관련이 있다. 시장균형임금보다 높은 실질임금을 지급하면 우수한 능력을 가진 근로자를 고용할 수 있고 이직률을 낮출 수 있으며, 태업을 방지하고 생산활동에 보다 전념할 수 있게 할 수 있다.
효율성 임금이론은 노동자의 생산성이 높아지는 것을 설명하는 주장으로, 근로자들의 노동시간 증가는 그 근거로 적절하지 않다.

11. 정답 ②

| 해설 | (A) 2급 가격차별은 구매하는 수량에 따라 값을 다르게 매기는 것을 말한다. 일반적으로 대량으로 구매하면 할인해주는 경우를 말한다.
(B) 1급 가격차별은 (C) 완전가격차별이라고도 하며, 기업이 소비자의 잉여를 전부 기업이윤으로 흡수하는 전략이다. 소비자의 선호와 지불능력을 완전히 알고 있을 때에만 가능하다.

12. 정답 ①

| 해설 | 민간의 현금통화비율은 총통화량에서 민간이 보유한 현금이 차지하는 비율을 말한다. 민간이 보유하고 있는 현금비율이 높아질수록 시중 통화량은 감소한다.

| 오답피하기 | ②③④⑤ 모두 통화량을 증가시킨다.

13. 정답 ②

| 해설 | 자연독점은 규모의 경제가 존재할 때 발생한다.

| 오답피하기 | ① 평균비용은 단위당 고정비용이 포함되어 있으므로 한계비용보다 크다.
③ 단위당 생산비는 많이 생산할수록 낮아지므로 한 기업이 생산하는 것이 비용 측면에서 효율적이다.
④ 가격을 한계비용과 같게 설정하면 고정비용을 회수할 수 없게 되므로 기업에는 손실이 발생한다.
⑤ 생산량 증가에 따라 평균비용이 하락하는 것이 규모의 경제이다.

14. 정답 ③

| 해설 | A지역은 가격이 상승함에 따라 총판매수입이 증가하고 있으므로 수요가 가격에 대해 비탄력적이고, B지역은 가격이 상승함에도 총판매수입이 일정하므로 수요가 가격에 대해 단위탄력적이며, C지역은 가격이 상승함에 따라 총판매수입이 감소하고 있으므로 수요가 가격에 대해 탄력적이다.
ㄷ. B지역에서의 X재 수요의 가격탄력성은 가격이 상승함에도 총판매수입이 일정하므로 단위탄력적이다.
ㄹ. X재의 대체재가 가장 많이 존재하는 지역은 수요의 가격탄력성이 가장 큰 C지역일 가능성이 크다.

| 오답피하기 | ㄱ. X재 수요의 가격탄력성은 A지역보다 C지역이 크다.
ㄴ. 수요의 가격탄력성은 C지역 > B지역 > A지역 순이다.

15. 정답 ⑤

| 해설 | 담배 수요의 가격탄력성이 0(완전 비탄력적)이므로 소비세가 부과되면 그 세액 전부는 담배 소비자가 부담하게 된다.

조세의 부과(수요의 가격탄력성 0)

16. 정답 ④

| 해설 | 외국인 주식투자 자금의 국내 유입은 외환의 공급을 증가시켜 환율을 하락(자국통화 가치 상승)시킨다.

17. 정답 ①

| 해설 | 소득세 인상으로 세후 임금이 감소한 이후 노동시간이 증가한 것은 실질소득 감소의 소득효과가 노동시간을 증가시키는 방향으로 작용했고, 노동시간의 증가에 따라 여가시간이 줄었음을 의미한다.
소득이 감소한 후 여가가 감소했으므로 양(+)의 소득탄력성을 가진 정상재이다.

| 오답피하기 | ② 소득탄력성이 1보다 큰 재화를 사치재라고 한다.
④ 일반적으로 기펜재는 수요법칙의 예외인 열등재로서 재화의 가격 변화에 따른 대체효과보다 소득효과가 커 발생한다. 여가가 기펜재라면, 세후 임금 감소의 대체효과는 노동공급을 줄이고, 소득효과 또한 여가의 소비를 늘리므로(노동의 공급을 줄이므로) 전체적으로 노동의 공급은 감소한다.

18. 정답 ④

| 해설 | GDP는 삶의 질이나 만족도를 잘 반영할 수 없다는 한계가 있다.

| 오답피하기 | ① 가사노동의 가치는 GDP에 포함되지 않는다.
② 시장에서 거래되지 않는 공유경제는 GDP에 포함되지 않는다.
③ GDP는 중간 생산물의 가치를 포함하지 않는다.
⑤ 버스, 택시 요금은 GDP에 포함된다.

19. 정답 ②

| 해설 | 재고의 변화는 투자로 간주된다.

20. 정답 ③

| 해설 | 총공급곡선이 왼쪽으로 이동하는 공급충격이 발생하면 물가가 상승하고 실질GDP가 감소하는 스태그플레이션이 발생한다.

관련 개념 짚어보기

공급충격

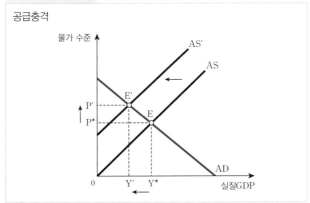

21. 정답 ②

| 해설 | 한계소비성향이 $\frac{1}{3}$ 일 경우 재정승수는 $\frac{3}{2}$ 가 된다. 따라서 총수요는 3,000억 원(= 2,000억 원 × $\frac{3}{2}$) 증가한다.

관련 개념 짚어보기

자주 사용되는 승수표

MPC (한계소비성향)	재정승수 $\left(\dfrac{1}{1-MPC}\right)$	조세승수 $\left(\dfrac{-MPC}{1-MPC}\right)$	균형재정승수
0.9	10	−9	
0.8	5	−4	1
0.75	4	−3	
0.5	2	−1	

22. 정답 ⑤

| 해설 | 항상소득가설(Permanent Income Hypothesis)은 미국 경제학자 밀턴 프리드먼이 주장한 소비함수이론이다. 소득은 정기적이고 확실한 항상소득과 임시적 수입인 변동소득(임시소득)으로 구분된다. 항상소득가설은 항상소득이 클수록 소비성향이 높고, 변동소득이 클수록 저축성향이 높아진다고 분석했다.
직장에서 승진하여 월급이 오른 것은 정기적이고 확실한 항상소득의 증가이므로 소비에 영향을 준다.

| 오답피하기 | ① 로또 당첨금을 받는 것은 임시소득의 증가에 해당한다.
② 미사용 연차휴가 수당의 감소는 임시소득의 감소에 해당한다.
③ 일시적 초과 근무에 의한 초과 수당은 임시소득에 해당한다.
④ 항상소득가설에 의하면 결근으로 인한 급여의 일시적 감소는 소비에 영향을 주지 않는다.

23. 정답 ⑤

| 해설 | 구축효과는 재정지출 증가를 위해 대부자금시장에서 자금을 차입하거나 채권시장에서 국채를 발행할 경우 시중 이자율이 상승하여 투자가 감소하고 원래 의도했던 총수요 증가 효과를 얻을 수 없음을 말한다.

24. 정답 ①

| 해설 | (A)는 경합성과 배제성이 모두 없는 재화이므로 순수 공공재이다.
ㄱㄴ. 공공재는 배제성이 없으므로 무임승차가 가능하며, 주로 정부에 의해 공급된다.

| 오답피하기 | ㄷ. 배제성이 없다고 하였으므로 비용을 지불하지 않는 사람도 소비할 수 있다.
ㄹ. 무임승차의 문제로 인해 시장에 맡겨두면 생산되지 않거나 과소 생산될 가능성이 높다.

25. 정답 ①

| 해설 | 최저임금제 실시 이전 소비자잉여는 A + B + E, 생산자잉여는 C + D + F이다. 최저임금제 실시 이후 소비자잉여는 A, 생산자잉여는 B + C + D가 된다. 따라서 경제적 순손실은 E + F가 된다.

26. 정답 ②

| **해설** | 리카도 대등정리는 정부지출이 고정된 상태에서 조세를 감면하고 국채 발행을 통해 지출 재원을 조달하더라도 경제의 실질변수에는 아무런 영향을 미칠 수 없다는 주장이다.

| **오답피하기** | ① 실업률과 인플레이션율 사이의 관계는 반비례한다.
③ 경제주체가 합리적이며 미래지향적인 합리적 기대를 가정하므로 소비이론 중 절대소득가설보다 항상소득가설이나 생애주기가설에 기초를 두고 있다고 볼 수 있다.
④ 국채 발행이 증가해도 실질변수는 변하지 않으므로 이자율은 변하지 않는다.
⑤ 조세와 국채 발행을 통한 확대재정정책의 효과는 같다.

27. 정답 ②

| **해설** | 유동성 함정(Liquidity Trap)이란 금리 인하를 통한 확장적 통화정책이 소비나 투자 등 실물변수에 영향을 주지 못하는 상태를 말한다. 경기가 침체될 것으로 예상되면 중앙은행은 정책금리를 낮추고 유동성을 공급한다. 그러나 명목이자율을 더 이상 낮출 수 없다면 확장적 통화정책을 통한 경기 진작은 어려워지는데, 이를 유동성 함정에 빠졌다고 표현한다. 이때 경제주체들은 자산을 현금으로 보유하려고 하기 때문에 화폐수요곡선은 수평선 형태를 가진다.
유동성 함정과 물가 상승은 관련이 없다.

관련 개념 짚어보기

유동성 함정

28. 정답 ②

| **해설** | 제시문에 나타난 경제개념은 부정적 외부성이다. 어떤 이의 경제적 행위가 제3자에게 의도하지 않게 손해를 가져다 주는 데도 아무런 대가를 하지 않는 것을 말한다.
ㄱ. ㄷ. 부정적 외부성의 사례이다.

| **오답피하기** | ㄴ. 독감예방주사는 긍정적 외부성의 사례이다.
ㄹ. 상태가 좋지 않은 중고차를 산 것은 정보의 비대칭성으로 인한 역선택의 사례이다.

29. 정답 ⑤

| **해설** | 국제수지표의 작성은 복식부기의 원리를 따르므로 동일한 거래가 장부에 정리될 때 좌측과 우측에 '—'와 '+'의 부호로 동시에 기록된다.

| **오답피하기** | ① 국제수지에는 자본수지가 포함되어 있다.
② 국제수지는 1년의 기간을 가정하므로 유량(Flow)의 개념이다.
③ 거주자와 비거주자는 거주지를 기준으로 구분한다.
④ 대가 없이 주고받는 거래는 이전소득수지에 포함된다.

관련 개념 짚어보기

국제수지표의 구성

경상수지	상품수지
	서비스수지
	본원소득수지
	이전소득수지
자본수지	
금융계정	
오차 및 누락	

30. 정답 ⑤

| **해설** | 비교우위에 따라 무역을 하면 저렴한 가격으로 다양한 상품을 소비할 수 있으므로 국내 소비자잉여가 증가한다.

| **오답피하기** | ㄱ. 비교우위에 따라 무역을 하면 국내 소비자잉여가 증가하므로 외국 상품이 국내 시장을 왜곡한다고 할 수 없다.
ㄴ. 수출하는 국가의 공급자는 고용이 증가할 것이며, 수입하는 국가의 공급자는 실업이 증가할 것이다.

시사경제 · 경영

31. 정답 ③

| **해설** | 네덜란드병은 천연자원의 수출을 통해 급격한 경제성장을 이룬 나라가 다른 산업(제조업)에 대한 투자를 등한시하여 최종적으로 경제침체에 빠지게 되는 현상을 말한다. 유가 상승기에 수출을 통해 경기호황을 누렸던 네덜란드의 사례로부터 파생되었다.

32. 정답 ①

| **해설** | 이지머니는 유럽, 미국 등 선진국들이 금융위기 극복을 위한 확장적 통화정책의 일환으로 막대한 유동성을 공급하면서 조달비용이 낮아진 자금을 말한다.

| **오답피하기** | ② 마진머니: 투자를 위해 자금을 차입했을 때 투자가치와 대출금액의 차이를 말한다.
③ 시드머니: 사업의 초기 단계에 집행되는 투자자금으로, 투자자가 사업의 일부를 소유하는 형태로 진행된다. 대중적으로는 투자를 위한 기초자금의 의미로 사용된다.
④ 하드머니: 미국의 정치 후원금 가운데 개인이 정치인에게 직접 주는 선거 자금이다.
⑤ 블랙머니: 조세 회피의 목적으로 신고하지 않거나 불법적으로 얻은 소득을 말한다.

33. 정답 ②

| 해설 | 주가가 일정한 가격선 사이에서만 오르고 내리기를 반복할 때 이 모습이 마치 주가가 박스(Box) 안에 갇혀 있는 것 같다고 하여 '박스권을 형성한다', '박스권에 갇혀 있다'라는 표현을 사용한다.

| 오답피하기 | ③ 황소장(Bull Market): 주가가 상승하는 강세장을 말하며, 황소가 뿔을 치켜드는 모습에서 유래하였다.
④ 골드크로스: 주가를 예측하는 기술적 분석의 지표 중 하나로, 주가의 단기 이동평균선이 중장기 이동평균선을 아래에서 위로 돌파해 올라가는 상황을 말한다.
⑤ 데드크로스: 주가를 예측하는 기술적 분석의 지표 중 하나로, 주가의 단기 이동평균선이 중장기 이동평균선을 위에서 아래로 뚫고 내려가는 상황을 말한다.

34. 정답 ①

| 해설 | ESG는 환경(Environment), 사회(Social), 지배구조(Governance)의 영문 앞글자에서 따온 말로, 기업의 친환경 경영, 사회적 기여, 투명한 지배구조 등으로 기업성과를 측정하는 지표를 말한다. 재무적으로 드러나지 않는 사회적 활동, 기업의 계속 경영 가능성을 알 수 있기 때문에 이를 기준으로 투자 여부를 결정하는 투자자가 늘어나고 있다.

| 오답피하기 | ③ ESS(Energy Storage System): 에너지저장시스템의 약자로, 남는 전력을 저장해두었다가 부족할 때 쓰거나 필요한 곳에 보내주는 체계이다.
④ ELB(Equity Linked Bond): ELS와 유사하지만 원금 보장형 상품으로 자산의 대부분을 채권에 투자한다.
⑤ ELS(Equity Linked Securities): 개별주식 또는 지수에 연동된 유가증권으로, 주로 기초자산이 만기까지 정해진 박스권 내에 머무르면 일정 수익률을 보장하는 상품이다.

35. 정답 ④

| 해설 | 페어펀드는 위법행위를 한 자에게 부과한 과징금을 활용하여 금융범죄로 피해를 본 이들을 구제하는 목적을 지닌 펀드이다. 이는 소송 등에 소요되는 피해자의 시간과 비용을 줄여주기 위해 도입된 제도이다.

| 오답피하기 | ① 인컴펀드: 채권, 리츠, 배당주 등에 투자하여 안정적이고 꾸준한 수익을 추구하는 펀드이다.
② 그린펀드: 환경과 지속가능성에 초점을 둔 펀드로, ESG투자가 유행하면서 함께 부각되었다.
③ 사모펀드: 비공개적으로 선별된 소수의 투자자로부터 자금을 모집하여 주식, 부동산 등의 자산에 투자하여 운용되는 펀드로, 투자 위험도가 높은 대신 기대수익률이 높다.
⑤ 퀀텀펀드: 헤지펀드 중 하나로, 조지 소로스와 짐 로저스가 공동 설립하였다.

36. 정답 ③

| 해설 | 팹리스(Fabless)는 반도체를 생산하는 공장(Fab) 없이 반도체 설계 및 기술 개발에 초점을 맞춘 회사를 일컫는 용어로, 퀄컴, 브로드컴, 애플 등이 대표적이다.

| 오답피하기 | ① IDM(Integrated Device Manufacturer): 종합 반도체 회사로, 팹리스, 파운드리와 달리 반도체의 설계부터 제조까지 모두 직접 수행하는 회사를 말한다. 삼성전자, SK하이닉스가 대표적이다.
② 파운드리(Foundry): 팹리스 업체의 설계에 따라 반도체 칩을 전문으로 생산하는 회사를 일컫는 용어로, 대만의 TSMC가 대표적이다.
④ 패키징: 반도체 제조 과정에서 여러 개의 반도체를 하나로 묶어 효율을 높이는 작업을 말한다.

37. 정답 ④

| 해설 | 화이트존(입지 규제 최소구역)은 민간자본을 활용하여 주거나 상업, 업무 지구를 조성할 수 있게끔 지정한 지역으로, 쇠퇴한 도심의 공간을 개발하는 목적 등으로 지정된다.

| 오답피하기 | ⑤ 브이노믹스(V-nomics): 코로나19로 인해 등장한 신조어로, 바이러스(Virus)의 V를 따서 만들어졌다.

38. 정답 ①

| 해설 | 메기효과란 막강한 경쟁자의 존재가 다른 경쟁자들의 잠재력을 끌어올리는 효과를 말한다. 미꾸라지를 장거리 운송할 때 수조에 메기를 한 마리 넣으면 미꾸라지들이 메기를 피해 다니느라 활발히 움직여 미꾸라지가 상하지 않는다는 것에서 유래되었다.

39. 정답 ③

| 해설 | 세일 앤드 리스백(Sale & Lease back)은 기업이 사옥을 비롯한 자산을 매각하고 이를 다시 빌려 사용하는 것을 말한다. 이는 단기적인 유동성을 확보하고 재무구조를 개선하기 위해 이루어진다.

| 오답피하기 | ① 그린스펀 풋: 증시가 하락하면 수익을 내는 풋옵션처럼 전 미국 중앙은행 의장인 그린스펀이 과거 증시 침체기에 투자자를 구원할 것이라는 기대가 담긴 용어이다.
② 하우스 푸어(House Poor): 주택을 마련했으나 무리한 대출로 인한 이자 부담과 주택 가격의 하락으로 인해 빈곤하게 사는 이들을 말한다.
④ 세컨더리 보이콧(Secondary Boycott): 1차 제재 대상인 국가 또는 기업과 거래하는 제3자에게 가하는 추가적인 제재를 말한다.
⑤ DCF법(Discounted Cash Flow method): 투자안 또는 회사의 가치를 평가하는 기법 중 하나로, 미래에 예상되는 현금흐름을 현재가치로 할인하여 계산한다.

40. 정답 ②

| 해설 | 회사의 주인은 주주이므로 주주총회에서 경영과 관련된 모든 사안이 결정되어야 하는 것이 원칙이다. 그러나 주주총회에서 모든 사안이 결정되면 회사경영이 비효율적으로 이루어질 수 있으므로 일반적으로 회사들은 효율적인 회사경영을 위해 주주총회에서는 상법 또는 정관에서 주주총회 결의사항이라 규정한 사안들을 결의하고, 일상적인 경영과 관련된 의사결정은 (대표)이사에게 위임한다.

회사 직원들에 대한 인사권은 경영자가 주주로부터 위임받은 권한이다.

| 관련 개념 짚어보기 |

상법상 주주총회 주요 결의사항
- 재무제표 승인
- 이사의 선임, 해임, 보수 결정
- 주식매수 선택권 부여
- 회사의 구조변경(합병, 분할)
- 자본금의 감소(감자)
- 이익 배당
- 정관의 변경

---

41. 정답 ①

| 해설 | 경영전략 프로세스는 '목표 설정 – 환경 분석 – 전략 수립 – 실행 및 평가'로 이루어진다.

기업 전략의 실행은 경영전략을 수립한 후에 이루어지는 활동이다.

| 오답피하기 | ②③④ 환경 분석 과정에서 행해지는 작업이다.
⑤ 목표 설정 과정에서 행하는 작업이다.

---

42. 정답 ①

| 해설 | 통화정책의 측면에서 매파는 인플레이션율을 높이지 않기 위해 금리 인상을 주장하며, 비둘기파는 실업률 감소와 경제성장률 상승을 위해 금리 인하를 주장한다.

| 오답피하기 | ② 왝더독(Wag the Dog): '꼬리가 몸통을 흔든다.'는 뜻으로 주객이 전도되었음을 의미한다. 선물시장(꼬리)이 현물주식시장(몸통)을 뒤흔드는 현상을 말한다.
③ 베어(Bear)마켓: 주가가 하락하는 약세장을 의미한다. 곰이 앞발을 아래로 휘두르며 먹이를 공격하는 모습에서 유래한 말이다.
④ 블랙스완: 발생할 가능성이 거의 없어 무시하고 있던 일이 실제로 생기는 사건을 말한다.
⑤ 하얀 코끼리: 대형 행사 이후 쓸모가 없어져 유지비만 많이 들어가는 애물단지와 같은 시설물을 말한다.

---

43. 정답 ①

| 해설 | 2010년 미국의 주식시장인 나스닥에서 전기차 기업인 테슬라가 적자임에도 불구하고 상장에 성공하였다. 이의 영향을 받아 한국은 2017년 테슬라 요건 상장제도라고도 불리는 이익 미실현기업 상장제도를 도입하여 적자기업이라도 일정 요건을 충족하면 상장이 가능하도록 하였다.

| 오답피하기 | ② 아람코: 사우디아라비아의 국영 석유기업이다.
③ 알파벳: 구글의 모회사이다.
④ 알리바바: 뉴욕 증권거래소에 상장된 중국 최대 규모의 전자상거래 업체이다.

---

44. 정답 ③

| 해설 | 회사의 보통주는 1주당 하나의 의결권을 갖는 것이 일반적이지만, 차등의결권제도는 기업의 정관에 따라 주식마다 의결권을 차등적으로 부여하는 제도를 말한다. 이 경우 특정 주주의 지배권이 과도하게 강화될 수 있어 주주평등의 원칙을 해치므로 우리나라 회사법에서는 인정하고 있지 않다.

| 오답피하기 | ① 의결권 신탁: 주주의 지분을 수탁자에게 일시적으로 양도함으로써 분산된 의결권을 하나로 모으기 위해 사용되는 계약이다.
② 섀도 보팅: 정족수 미달로 인한 주주총회 무산을 방지하기 위해 불참하는 주주들의 의결권을 대리행사할 수 있는 제도를 말한다. 이는 다른 주주들의 찬반 비율을 그대로 따라 투표하는 방식으로 이루어지는데, 본래 취지와 달리 지배주주의 경영권을 강화하는 결과를 낳았다. 이에 우리나라에서는 2017년 12월 31일자로 폐지되었다.
④ 집중투표제: 주주총회에서 이사를 선임할 때 선임하고자 하는 이사의 수만큼의 의결권을 1주식에 부여하는 제도이다. 이를 통해 소수파 주주가 원하는 이사가 선출될 가능성이 높아진다.
⑤ 의결권 승수: 소유권과 의결권의 괴리를 보여주는 지표로, 그룹 총수가 실제 소유하고 있는 지분 대비 계열사에 영향력을 행사할 수 있는 의결권이 얼마인지 계산한 수치이다.

---

45. 정답 ②

| 해설 | 예금, 채권, 주식 중 이자를 기대할 수 있는 금융상품은 예금과 채권이고, 예금자 보호 제도의 적용을 받는 금융상품은 예금이며, 시세 차익을 기대할 수 있는 금융상품은 채권과 주식이고, 배당금을 기대할 수 있는 금융상품은 주식이다. 따라서 A는 예금, B는 채권, C는 주식이다.
ㄱ. A는 예금으로, 정기예금은 A에 해당한다.
ㄷ. 주식은 기업의 자금조달을 목적으로 발행된다.

| 오답피하기 | ㄴ. 예금은 채권과 주식에 비해 안전성이 높다.
ㄹ. A는 예금, B는 채권, C는 주식이다.

---

46. 정답 ③

| 해설 | 풍선효과는 풍선의 한 부분을 누르면 다른 부분이 부풀어 오르는 것처럼 특정 분야에 대한 정책 또는 규제가 다른 분야의 문제를 불러오는 현상을 말한다. 특정 지역의 집값을 규제하면 비규제지역의 집에 수요가 몰려 집값이 오르는 현상이 대표적인 사례이다.

| 오답피하기 | ① 자산효과: 물가가 하락하면 소비자들의 실질적인 자산가치와 구매력이 상승하여 소비지출을 늘리게 되는 현상을 말한다.
② 분수효과: 낙수효과에 대비되는 개념으로, 중산층 또는 저소득층의 세금을 줄여주거나 복지를 늘려주면 이들의 소비지출이 늘어나 경제가 활성화되고 궁극적으로는 고소득층의 소득 역시 늘어날 수 있다는 이론이다.
④ 피구효과: 물가가 하락하면 화폐의 구매력이 증가하여 실질적인 부(Real Wealth)가 증가하는 효과를 말한다.
⑤ 승수효과: 정부지출을 늘릴 경우 그 증가율에 비해 국민소득의 증가율이 더 크게 나타나는 현상을 말한다. 이는 정부의 적극적인 재정정책이 국민소득을 상승시킬 수 있다는 주장의 근거로 활용된다.

47. 정답 ⑤

| 해설 | 로보어드바이저는 사전에 프로그램된 알고리즘을 통해 투자와 매매 및 자산배분 서비스를 제공하는 행위 또는 프로그램을 말한다.

| 오답피하기 | ① 코리보(KORIBOR, Korea Inter-bank Offered Rate): 국내 은행 간 자금을 거래할 때 적용하는 호가금리를 말한다.

② P2P 금융: 은행과 같은 금융 중개기관을 거치지 않고 자금 대출자와 차입자 간에 직접 이루어지는 형태의 금융거래를 말한다.

③ 크라우드 펀딩(Crowd Funding): 인터넷을 통해 많은 사람들로부터 소량의 자금을 모금하여 프로젝트 또는 벤처 자금을 조달하는 행위를 말한다.

④ 프라이빗 뱅킹: 금융기관이 고객을 상대로 예금 관리, 세무·법률 상담, 증권정보 제공, 부동산투자 상담 등 종합적인 재테크를 위해 자산을 특별 관리해주는 서비스를 말한다.

48. 정답 ③

| 해설 | 보복 소비는 질병과 같은 외부 요인으로 인해 억제되었던 소비가 한번에 분출되는 현상을 말한다.

| 오답피하기 | ① 동조 소비: 자신의 판단으로 행하는 소비가 아니라 집단 내부에서 소외되지 않기 위해 남을 따라 이루어지는 소비를 말한다.

④ 핀볼효과: 제임스 버크의 저서 『핀볼효과(The Pinball Effect)』에서 '우연적 사건의 연쇄가 세상을 움직인다.'라는 뜻으로 처음 등장한 용어이다. 경제성장률, 유동성, 금리, 투자심리 등이 복합적으로 작용하여 자산 가격을 크게 오르도록 만드는 것을 가리킨다.

⑤ 베블런효과: 수요법칙과 달리 가격이 오를수록 수요가 늘어나는 현상으로, 남들에게 과시하기 위해 이루어지는 명품 소비 등에서 발생한다.

49. 정답 ⑤

| 해설 | 낸드플래시 메모리는 D램과 함께 대표적인 메모리 반도체를 말한다. D램에 비해 월등한 데이터 저장 능력을 갖고 있지만 데이터의 수용 여부를 결정하는 스위칭 동작은 상대적으로 느리다. 2021년 12월 30일 SK하이닉스는 인텔의 낸드플래시 사업부를 인수하기 위한 1단계 절차를 완료했다고 밝혔다.

| 오답피하기 | ① D램: 메모리 반도체의 일종으로 CPU로부터 받은 데이터를 임시 보관하는 기억장치의 역할을 담당한다.

② 5G: 5세대 이동 통신 기술을 말한다.

③ MICE: Meeting(기업미팅), Incentive travel(포상휴가), Convention(컨벤션), Exhibition(전시)의 약자로, 1990년대 후반 동남아시아 국가들의 경제를 발전시킨 컨벤션 산업으로 최근에는 부가가치가 큰 복합 전시 산업을 의미하는 용어로 쓰인다.

④ 바이오시밀러: 본래의 약과 완벽히 일치하지는 않지만 생물학적으로 거의 유사한 효과를 내는 복제약을 말한다.

50. 정답 ⑤

| 해설 | 구독경제는 일정 기간 동안 구독료를 제공하면 과거 신문이나 잡지 배달처럼 특정한 재화나 용역을 사용할 수 있는 서비스를 말한다. 유튜브와 넷플릭스를 시작으로 현재 다양한 산업에서 구독경제 모델을 채택하고 있다.

| 오답피하기 | ① 이중경제: 경제후진국의 경제 발전 과정에서 보이는 구조적 특징을 말한다. 생산, 기술, 소비에 있어 발전된 형태와 과거의 형태가 공존하는 현상이다.

② 블록경제: FTA, 관세동맹, 공동시장 등의 지역경제통합을 통해 경제블록(Block)을 형성하여 역내무역(회원국 간의 무역)에 대해서는 자유무역을 촉진하고 역외무역에 대해서는 무역장벽을 유지하는 것을 말한다.

③ 지하경제: 정확한 정보를 획득할 수 없어 국민소득에 포함되지 않는 경제적 활동을 말한다.

④ 저압경제: 공급이 수요를 초과하여 국민경제가 낮은 경제성장률, 높은 실업률, 저물가, 경상수지 흑자 상태에 놓이는 것을 말한다.

51. 정답 ②

| 해설 | 카니발리제이션(Cannibalization)은 자사의 기존 제품이 있는 시장에 새로운 제품을 내놓을 경우 새로운 제품이 기존 제품의 시장 점유율을 잠식하는 현상으로, 자기시장잠식이라고도 한다.

| 오답피하기 | ① 서비스사이언스: 서비스 분야의 발전을 위한 과학적 방법론과 기술에 대한 연구가 이루어지는 학문 분야이다.

③ 블루오션: 현재 대중적으로 알려지지 않고 경쟁자가 적어 시장침투 여력이 큰 유망 시장을 말한다.

④ 리스트럭처링(Restructuring, 구조조정): 기업의 효율성을 높이기 위해 기업이 운영 방식, 재무구조, 조직구조, 지배구조 등을 조정하는 행동을 말한다.

⑤ 니치마케팅(Niche Marketing): 니치마켓(Niche Market)은 틈새시장으로 소비자의 기호나 개성에 따라 세분화된 시장을 말한다. 기존의 시장에서 제품의 기능이나 가격 등 충족되지 못한 특정한 욕구를 겨냥하여 시장을 더욱 세분화한 것이다. 니치마켓을 목표시장으로 하는 마케팅 전략을 니치마케팅이라고 한다.

52. 정답 ④

| 해설 | 감가상각비는 일정 기간이 지나 기계 등의 자산의 경제적 가치가 점점 떨어질 때의 가치 감소분을 비용으로 계상한 것을 말한다. 자산의 장부가액 대비 감가상각비의 비율이 감가상각률이다.

| 오답피하기 | ② 부채비율: 기업의 자기자본 대비 부채의 크기를 나타낸 지표이다.

③ 적립금비율: 적립금은 기업의 자본잉여금과 이익잉여금의 합으로 구하는데, 적립금이 자기자본에서 차지하는 비중을 적립금비율이라고 한다.

⑤ 유동성비율: 기업의 단기적인 현금화 능력을 파악하기 위한 지표로, 유동자산을 유동부채로 나누어 구한다.

53. 정답 ④

| 해설 | • 네트워크효과: 독립적인 개인의 재화나 서비스에 대한 수요가 그 재화나 서비스를 사용하는 사람의 수에 영향을 받는 것을 말한다. 소비자의 수가 증가할수록 재화나 서비스의 수요가 증가하였다면 양(+)의 네트워크효과가 있다고 말한다. 인터넷이나 스마트폰이 그 예이다.
• 자물쇠효과(Lock-in Effect): 한 번 재화나 서비스를 사용한 고객이 전환비용으로 인해 이를 지속해서 사용하게 되는 현상이다. 가입한 은행을 쉽게 바꾸지 않는 현상이 대표적인 예이다.

| 오답피하기 | • 앵커링(Anchoring)효과: 배가 닻(Anchor)을 내리면 닻과 배를 연결한 밧줄의 범위 내에서만 움직이는 것처럼 사람들도 머릿속에 특정 기준이 세워지면 판단의 범위가 제한되는 효과를 말한다. 정박효과. 닻내림효과라고도 한다. 앵커링효과에 따르면 가격 협상에서는 먼저 가격 제시를 하는 사람에게 유리한 방향으로 조율될 가능성이 높다.
• 톱니효과: 소득이 증가할 때에는 소비가 늘지만 소득이 감소할 때에는 비가역성으로 인해 소비가 별로 줄지 않는데, 이를 그래프로 나타내면 톱니 모양과 같다고 해서 붙여진 이름이다.

54. 정답 ④

| 해설 | • 국가채무비율: 국내총생산 대비 국가채무의 비율을 말한다.
• 통합재정수지: 국가의 전체 재정에서 수입과 지출의 차이를 말하는데, 이를 바탕으로 정부 재정활동의 건전성과 효과 등을 판단한다.

| 오답피하기 | • 조세부담률: 국내총생산 대비 조세수입의 비율을 말한다.
• 관리재정수지: 정부의 통합재정수지에서 사회보장성기금을 제외한 수지로 정부의 재정 건전성을 판단하기 위한 지표이다.

55. 정답 ②

| 해설 | ㄱ, ㄷ. 예금보호공사는 예금자보호법상 농업협동조합 및 수산업협동조합의 지역조합. 우체국, 새마을금고. 신용협동조합에서 취급하는 상품 등을 제외한 예금과 보험에 대하여 원리금 5,000만 원까지 보호한다.

| 오답피하기 | ㄹ. 주택청약저축은 국민주택기금이 보증한다.
ㅁ. 펀드는 예금자보호법의 대상이 아니다.

56. 정답 ⑤

| 해설 | 디커플링은 국가 간 경기나 주가가 상관관계를 가진 움직임에서 벗어나는 현상을 말한다.

| 오답피하기 | ① 모멘텀: 주식시장에서 주가가 상승하거나 하락할 때 이러한 추세가 어떤 강도로 지속될지를 예측할 때 사용되는 지표이다.
② 로그롤링: 국회의원들이 자기의 이익이 걸린 법안을 통과시키기 위해 투표를 거래하는 행위를 말한다.
③ 레버리지: 투자액의 일부를 자기자본이 아닌 부채로 조달함으로써 자산의 가격변동률보다 훨씬 더 높은 투자수익률을 발생시키는 전략으로, 지렛대효과라고도 한다.
④ 퀀텀점프: 물리학에서는 양자의 도약 현상을 말하는 용어이지만, 경제학에서는 혁신을 통한 국가나 기업의 급속한 발전을 말한다.

57. 정답 ①

| 해설 | 공시제도는 증권시장 내의 정보 비대칭 현상을 해결하기 위한 제도로, 기업의 주가에 큰 영향을 줄 만한 정보를 신속하고 정확하게 모든 투자자에게 공개하도록 한 제도이다.

| 오답피하기 | ② 공모: 기업이 새롭게 발행한 주식을 인수할 투자자를 공개적으로 모집하는 제도를 말한다.
③ 증자: 주식회사에서 자본을 늘리는 행위로, 크게 유상증자와 무상증자로 나뉜다. 유상증자는 주주로부터 새로운 자금을 납입받아 신주를 발행하는 방식으로 이루어지고, 무상증자는 준비금을 자본으로 전환하는 방식으로 이루어진다.
⑤ 외부감사: 내부자가 아닌 독립적인 외부인. 외부기관으로부터 받는 회계감사로. 감사 주체는 감사 결과에 따라 적정. 부적정. 한정. 의견거절 등의 결과를 제공한다.

58. 정답 ⑤

| 해설 | 라이브 커머스(Live Commerce)는 라이브 스트리밍과 커머스의 합성어로, 생방송을 통해 소비자와 실시간으로 소통하며 제품을 홍보하는 마케팅 방식을 말한다.

| 오답피하기 | ① V-커머스(Video-commerce): 동영상을 이용해 재화나 서비스의 판매를 유도하거나 재화나 서비스를 판매하는 방법을 말한다. 짧은 시간 내에 제품과 제품의 장점을 효과적으로 전달할 수 있는 장점이 있다.
④ 바이럴 마케팅(Viral Marketing): 소비자가 자발적으로 이메일, 블로그, SNS 등 전파 가능한 매체를 통해 기업이나 제품 소식을 널리 퍼트리도록 하는 마케팅 기법을 말한다. 컴퓨터 바이러스처럼 확산속도가 빠르다고 하여 붙여진 이름이다.

59. 정답 ③

| 해설 | 현대 화폐이론(Modern Monetary Theory)은 비주류에 속하는 거시경제이론으로. 정부의 재정지출에는 제약이 존재하지 않기 때문에 균형예산이 아닌 완전고용을 1순위 목표로 삼을 것을 주장한다.

| 오답피하기 | ① 화폐수량설(Quantity Theory of Money): 화폐수량설에 따르면 '통화량 증가율 + 통화유통속도 증가율 = 물가상승률 + 경제성장률'이 성립한다. 통화유통속도는 일정하다고 가정하고 경제성장률을 결정하는 국내총생산은 다른 변수에 의해 정해지므로, 결국 통화량이 증가한 만큼 인플레이션이 발생한다고 주장한다.
② 세이의 법칙(Say's Law): '공급은 스스로 수요를 창출한다(Supply creates its own demand).'는 법칙이다. 공급이 이루어지면 이에 대응해 수요가 생겨나므로 경제 전체를 놓고 볼 때 수요 부족에 따른 초과공급은 발생하지 않음을 의미한다.
④ 테일러 준칙(Taylor's Rule): 중앙은행이 금리를 결정할 때 경제성장률과 물가상승률에 맞춰 조정하는 것을 말한다. 이에 따라 중앙은행은 실제 경제성장률과 잠재 경제성장률의 차이인 GDP갭과 실제 물가상승률과 목표 물가상승률과의 차이인 인플레이션갭에 가중치를 부여해 금리를 조정한다.
⑤ 유동성 선호설(Liquidity Preference Theory): 화폐공급량과 사람들이 일정한 유동성을 확보하기 위해 재산을 화폐의 형태로 보유하려는 욕구의 관계에서 이자율이 결정된다는 이론으로, 케인스가 수상하였다. 이에 따르면 화폐수요는 이자율과 반비례한다.

60. 정답 ②

| 해설 | 제시된 기사는 2020년 구글의 인앱결제 의무화 논란과 관련이 있다. '플레이스토어'를 이용하는 콘텐츠 사업자들이 인앱결제 수수료를 강제로 부담하게 되면서 화두에 올랐다. 정부는 2021년 8월 '인앱결제 강제 방지법'을 제정하여 9월부터 인앱결제 의무화를 국내에서 금지하였다.

상황추론 · 판단

61. 정답 ④

| 해설 | 전철이 개통되자 버스의 손님이 줄어들었으므로 버스와 전철의 관계는 대체재이다.
빵과 버터는 보완재 관계이다.

62. 정답 ④

| 해설 | ㄴ. 10월 이후 기준금리가 인상되면 시중 이자율이 상승하고 변동금리 대출자의 이자 상환 부담이 증가할 것이다.
ㄹ. 가계대출 연체율이 상승하고 있으므로 가계에 대출을 해준 금융회사는 원금과 이자를 상환받지 못해 건전성이 악화될 수 있다.

| 오답피하기 | ㄱ. '가처분소득 대비 개인부채 비율 190%로 육박'을 통해 가처분소득 전부를 빚 갚는 데 써도 부채를 모두 갚을 수 없음을 알 수 있다.
ㄷ. 신용카드나 할부 판매 이용액은 가계부채에 포함된다.

63. 정답 ③

| 해설 | 노령인구가 기술적으로 숙련되어 있을지라도 육체적 노동력은 감소하기 때문에 노동력의 확보에 문제가 생겨 경제에 부담이 될 것이다.

64. 정답 ④

| 해설 | 제시문은 정보 비대칭 상황에서 근로자 알콩이의 도덕적 해이를 방지하기 위해 인센티브와 규제를 절충한 '연상기업 혁신안'을 도입하려는 내용이다.
도덕적 해이는 사후적 행동을 알 수 없으므로 감추어진 행동. 역선택은 사전적 특성을 알 수 없기 때문에 감추어진 특성이라고도 한다.

관련 개념 짚어보기

정보 비대칭 현상

역선택	도덕적 해이
• 감추어진 특성	• 감추어진 행동
• 레몬시장(빛 좋은 개살구)	• 주인 – 대리인 문제

65. 정답 ⑤

| 해설 | 제시문은 과거에 소득 하위 20%에 속했던 사람들의 87%가 상위 그룹으로 이동한 것에 관한 내용이다. 이는 캐나다에서 가난한 사람도 부자가 될 수 있다는 것을 입증하는 통계로 볼 수 있다.

66. 정답 ①

| 해설 | 제시된 신문기사는 국내 유료방송 시장에서 기업 인수 합병을 통해 과점체제가 구축된다는 내용이다.
ㄱ. 과점기업들은 카르텔을 맺어 가격을 담합하려는 유인을 가진다.
ㄴ. 과점기업들은 상대방의 전략을 고려하여 전략을 선택해야 하므로 상호 의존적인 경향을 보인다. 이는 게임이론의 내쉬균형과 관련이 있다.

67. 정답 ④

| 해설 | 한국과 미국의 기준금리 역전 현상이 일어나면 캐리 트레이드 청산이 일어나 한국에서 달러화가 유출되고 원/달러 환율은 상승하므로 기업의 달러화 표시 채무부담은 증가할 것이다.

관련 개념 짚어보기

캐리 트레이드(Carry Trade)

저금리로 자금을 조달해 금리와 수익률이 높은 다른 국가에 투자하는 방식을 말한다. 달러 캐리 트레이드. 엔 캐리 트레이드, 유로 캐리 트레이드 등이 있다.

68. 정답 ③

| 해설 | 기업이 손실을 보지 않으려면 최소 총수입과 총비용이 같아 이윤이 0이 되는 손익분기점에 도달해야 한다.
총판매수입 = 총생산비용
가격(x) × 200개 = 300만 원(재료비) + 500만 원(인건비)
∴ x = 4만 원

69. 정답 ③

| 해설 | 달러 인덱스의 하락은 달러화 가치의 하락을 의미한다. 따라서 미국 소재지의 수출기업들의 가격경쟁력은 강화될 가능성이 크다.

관련 개념 짚어보기

달러 인덱스(U.S. Dollar Index)

유로(유럽). 엔(일본). 파운드(영국). 캐나다 달러. 스웨덴 크로나. 스위스 프랑 등 경제 규모가 크고 통화 가치가 안정적인 6개국 통화에 대한 미국 달러화의 평균적인 가치를 보여주는 지표이다. 지수 산출을 위한 6개국 통화의 비중은 경제 규모에 따라 결정된다. 1973년 3월을 기준점인 100으로 하여 미 연방준비제도 이사회(FRB)가 작성·발표한다. 달러 인덱스가 상승하면 미 달러화 가치가 오른다는 의미이다. 특정 시점의 달러 인덱스가 80이라면 주요국 통화 대비 미 달러화 가치가 1973년 3월 대비 20%가량 떨어졌음을 의미한다.

70. 정답 ①

| 해설 | 학위 없이 지원하는 근로자에게는 2,000만 원을 지급하고 학위가 있는 지원자에게는 7,000만 원을 지급하고 있으므로 학위로 인한 한계수입은 5,000만 원이다. 생산성이 높은 H는 학위 취득 시 1,000만 원의 순수입이 기대되어 학위를 취득할 유인이 있다. 하지만 생산성이 낮은 L의 경우 1,000만 원 손해이기 때문에 학위를 취득하지 않을 것이다.

정부가 보조금을 지급하여 학위를 취득하는 데 드는 비용을 5,200만 원으로 낮춘다 해도 학위 취득의 순편익이 -200만 원(= 5,000만 원 - 5,200만 원)이므로 L은 학위를 취득하지 않을 것이다. 따라서 학위를 가지고 생산성의 신호를 삼으려는 기업의 의도는 여전히 작동할 것이다.

71. 정답 ②

| 해설 | 한계수입(MR)은 기업이 한 개의 상품을 더 팔 때 얻는 추가 수입을 말한다. 선풍기 3대를 판매하였을 경우 판매수입은 51,000원(= 17,000원 × 3개), 4대를 판매하였을 경우의 판매수입은 64,000원(= 16,000원 × 4개)이다. 따라서 한계수입은 13,000원(= 64,000원 - 51,000원)이다. 모든 기업의 이윤극대화 조건은 MR = MC이므로 독점기업의 한계비용(MC)도 13,000원이다.

72. 정답 ④

| 해설 | 한계기업이란 이자보상배율이 3년 연속 1 미만인 기업을 말한다. 이자보상배율은 영업이익에 이자비용을 나눈 값으로, 1 미만이면 영업에서 창출한 이익으로 이자비용도 지불할 수 없으므로 잠재적인 부실기업으로 본다.

신문기사의 내용은 경기침체로 인한 한계기업의 부실이 금융회사로 옮겨져 은행의 건전성이 악화될 것을 우려하고 있다. 은행의 건전성이 악화될 경우 BIS 자기자본비율은 하락한다.

관련 개념 짚어보기

BIS 자기자본비율

- 1988년 6월 바젤은행감독위원회(BCBS)가 발표한 바젤자기자본협약에 따른 자본규제(바젤I)비율을 의미한다. 권고사항이지만 많은 국가들이 은행의 재무 건전성 확보를 위해 널리 채택하고 있다. 여러 차례 금융위기를 겪으며 발견된 문제점을 보완한 바젤Ⅲ가 2017년 12월 발표되어 현재 사용되고 있다.
- BIS 자기자본비율은 위험가중자산 대비 자기자본비율로 산출하며, 은행이 유지해야 할 최저 수준은 8%이다. 위험가중자산은 투자대상 자산의 신용 위험에 따라 부여된 위험 가중치를 곱한 자산의 합계액이다.

$$\text{BIS 자기자본비율(\%)} = \frac{\text{자기자본}}{\text{위험가중자산}} \times 100 \geq 8(\%)$$

73. 정답 ③

| 해설 | ㄴ, ㄷ. 생산가능인구와 비경제활동인구는 변함이 없는 상황에서 취업자의 수는 감소하고 있다. 이는 실업자 수가 증가하고 있음을 나타내므로 취업률은 감소하고 실업률은 증가한다.

| 오답피하기 | ㄱ. 취업자 수가 감소하고 있으므로 고용률은 감소한다.
ㄹ. 생산가능인구와 비경제활동인구가 일정하므로 경제활동인구는 변함이 없다.

74. 정답 ③

| 해설 | A국의 지니계수는 0, B국의 지니계수는 1/20이므로 B국의 지니계수가 A국의 지니계수보다 크다.

| 오답피하기 | ① A국의 로렌츠곡선은 완전평등한 자원의 분배를 보여주고 있다.
② B국의 경우 인구누적비율 50%까지 누적소득비율이 0%이므로 소득이 하나도 없다.
④ 로렌츠곡선으로 노동소득분배율을 파악할 수 없다.
⑤ 지니계수는 0~1 사이의 값을 가지고 있다.

관련 개념 짚어보기

- **로렌츠곡선:** 모집단 내 소득 또는 부의 분포를 그래프로 나타낸 것으로, 45° 대각선에서 멀어질수록 불평등함을 의미한다.
- **지니계수:** 사회의 소득불평등 정도를 나타내주는 지표로, 로렌츠곡선에서 45° 대각선 아래의 삼각형 대비 대각선과 로렌츠곡선 사이의 면적이 차지하는 비율을 나타낸다. 지니계수는 0에서 1 사이의 값을 지닌다.

75. 정답 ④

| 해설 | 채권의 금리는 위험도에 따라 정해지므로 일반적으로 회사채는 국채에 비해 금리가 높다. 국채의 채무불이행위험(Risk)이 회사채의 채무불이행위험보다 낮기 때문이다.

76. 정답 ①

| 해설 | 2018년까지 물가가 상승하였고, 2018년의 물가와 2019년의 물가가 같다. 따라서 물가지수가 가장 높은 시기는 2018년과 2019년이다.

| 오답피하기 | ② 예금자에게 가장 유리한 시기는 명목금리와 물가상승률의 차이가 가장 큰 2016년이다.
③ 2019년의 물가상승률이 0%이므로 2018년과 2019년의 물가지수는 같다.
④ 임금생활자에게 가장 유리한 시기는 명목임금상승률과 물가상승률의 차이가 가장 큰 2019년이다.
⑤ 물가가 계속 상승하였으므로 2016년의 화폐 구매력이 가장 크다.

77. 정답 ①

| **해설** | 원당의 원료인 사탕수수와 사탕무의 생산량이 감소하였으므로 원당의 공급곡선은 왼쪽으로 이동한다. 따라서 원당의 가격은 상승하고 거래량은 하락한다.

관련 개념 짚어보기

공급의 감소

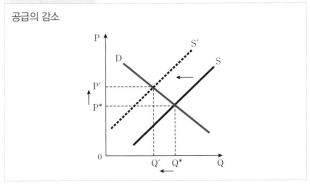

X재 1단위 생산의 기회비용은 A국이 B국보다 작고, Y재 1단위 생산의 기회비용은 B국이 A국보다 작다. 따라서 A국은 X재 생산에 비교우위가 있고, B국은 Y재 생산에 비교우위가 있다.
A국과 B국은 각각 비교우위에 있는 재화에 완전특화하여 생산을 하고 무역을 개시하면 서로에게 이득이 된다.

78. 정답 ⑤

| **해설** | A국과 B국의 각 재화 1단위 생산에 따른 기회비용을 나타내면 다음과 같다.

구분	X재 1단위 생산의 기회비용	Y재 1단위 생산의 기회비용
A국	Y재 $\frac{1}{2}$ 단위	X재 2단위
B국	Y재 $\frac{5}{7}$ 단위	Y재 $\frac{7}{5}$ 단위

79. 정답 ④

| **해설** | 달러화 대비 엔화 가치가 하락하였으므로 일본으로부터 원자재를 수입하는 미국 기업의 부담은 감소할 것이다.

| **오답피하기** | ① 달러화 대비 엔화 가치가 하락하였으므로 일본인의 미국 여행 경비 부담은 증가할 것이다.
② 달러화 대비 위안화 가치가 상승하였으므로 중국 기업의 달러화 표시 외채 상환 부담은 감소할 것이다.
③ 달러화 대비 위안화 가치가 상승하였으므로 미국으로 수출하는 중국 제품의 달러화 표시 가격은 상승할 것이다.
⑤ 달러화 대비 위안화 가치가 상승하였으므로 중국으로 자녀를 유학 보낸 미국 학부모의 학비 부담은 증가할 것이다.

80. 정답 ⑤

| **해설** | 제시문은 새로운 기술의 발전이 새로운 시장과 부를 창출한다는 내용이다.
러다이트 운동은 새로운 기술에 반대하는 운동이므로 저자의 주장과 다르다.

관련 개념 짚어보기

러다이트 운동

19세기 영국에서 산업혁명에 반대하여 일어난 기계파괴운동으로 기계가 노동자의 일자리를 빼앗는다고 생각하여 새로운 기계를 반대한 운동이다. 최근에는 네오 러다이트라는 용어가 등장했는데, 새것을 뜻하는 Neo와 Luddite를 합성한 용어로, 첨단기술의 수용을 거부하는 현상을 의미한다. 산업혁명으로 인해 기계에게 일자리를 빼앗긴 것처럼 IT나 통신 분야에서의 신기술 발전으로 일자리 감소를 우려해 신기술의 도입에 반대하는 것을 말한다.

경제이론

1	③	2	④	3	④	4	③	5	③
6	①	7	①	8	②	9	④	10	②
11	④	12	②	13	④	14	④	15	⑤
16	③	17	⑤	18	②	19	③	20	①
21	①	22	③	23	①	24	⑤	25	①
26	④	27	④	28	②	29	③	30	③

시사경제 · 경영

31	④	32	③	33	①	34	④	35	②
36	⑤	37	②	38	①	39	①	40	②
41	②	42	⑤	43	②	44	①	45	①
46	②	47	⑤	48	③	49	①	50	⑤
51	④	52	①	53	①	54	③	55	①
56	⑤	57	⑤	58	⑤	59	④	60	③

상황추론 · 판단

61	③	62	②	63	②	64	②	65	③
66	③	67	⑤	68	③	69	④	70	④
71	④	72	③	73	④	74	⑤	75	⑤
76	⑤	77	①	78	⑤	79	②	80	④

경제이론

1. 정답 ③

| 해설 | '공짜 점심은 없다.'는 모든 선택에는 대가가 따른다는 기회비용을 나타낸 말이다.
경기를 살리기 위한 확장적 통화정책은 물가를 상승시키는 대가를 감수해야 한다.

2. 정답 ④

| 해설 | (가)는 분배국민소득, (나)는 투자, (라)는 이윤이다.
(다)의 국내총생산은 최종 생산물 가치의 합이므로 중간재는 포함되지 않는다.

3. 정답 ④

| 해설 | 재할인율 인하는 통화승수를 늘리는 확장적 통화정책이다.

| 오답피하기 | ① M1은 대표적인 통화량 지표이다.
② 중앙은행의 기준금리 인상은 긴축적 통화정책으로 시중 이자율을 올리고 통화량을 감소시킨다.
③ 공개시장 운영을 통해 한국은행이 정부채권을 민간에 매도하면 통화량이 감소한다.
⑤ 지급준비율이 인상되면 통화승수가 감소하여 통화량이 감소한다.

4. 정답 ③

| 해설 | 수요의 가격탄력성 = 수요량 변화율 ÷ 가격 변화율이다.
수요의 가격탄력성이 탄력적이면, 가격이 상승할 때 그 재화의 수요량이 크게 감소하므로 재화에 대한 지출액은 감소한다.

관련 개념 짚어보기

수요의 가격탄력성

5. 정답 ③

| 해설 | 외환시장의 균형점을 a에서 b로 이동시키는 요인은 공급의 증가이다.
해외 기업들의 국내 투자 증가는 달러화의 공급 증가 요인이다.

| 오답피하기 | ① 해외 차관 상환은 달러화의 수요 증가 요인이다.
② 해외 자동차의 수입 증가는 달러화의 수요 증가 요인이다.
④ 국내 자동차의 해외 수출 감소는 달러화의 공급 감소 요인이다.
⑤ 국내 학생들의 해외 유학 증가는 달러화의 수요 증가 요인이다.

6. 정답 ①

| 해설 | 토머스 맬서스는 기술의 진보를 통한 생산성의 향상이 인구 증가로 인한 총체적 빈곤 상태를 극복할 것을 간과했다.

7. 정답 ①

| 해설 | 쌀을 과다 생산하더라도 정부가 매입해주기 때문에 품종 고급화에 적극 나설 유인이 없게 된다.

8. 정답 ②

| 해설 | 가격차별의 본질은 동일한 재화에 다른 가격을 매기는 것이다. 기업 A와 기업 C는 갑돌이와 을동이에게 각각 다른 가격을 받고 있다. 그러나 기업 A의 경우 한계비용이 달라 다른 가격을 받고 있으므로 가격차별이라고 보기 어렵다. 기업 C의 경우만 가격차별에 해당한다.

9. 정답 ④

| 해설 | 토빈의 q는 기업의 시장가치(시가총액)를 기업 실물자본의 대체비용(순자산가치)으로 나눈 값이다.
q가 1보다 작으면 자산을 효율적으로 운용하지 못한 것이 되므로(주식가치는 저평가) 더 이상 설비투자를 늘릴 필요가 없다.

| 오답피하기 | ② 법인세 인하는 기업의 잉여금을 증가시켜 투자를 촉진하는 효과가 있다.

관련 개념 짚어보기

토빈의 q

$$q \fallingdotseq \frac{\text{기업의 시장가치(시가총액)}}{\text{기업 실물자본의 대체비용(순자산가치)}}$$

q가 1보다 작으면 자산을 효율적으로 운용하지 못한 것이 되고(주식 가치는 저평가), q가 1보다 크면 자산을 효율적으로 운용한 것으로 (설비)투자 매력이 생긴다고 본다.

10. 정답 ②

| 해설 | ㄱ. 화폐의 출현은 상품화폐를 통한 거래에 비해 거래절차를 간소화시킨다.
ㄷ. 화폐의 출현은 교환을 통해 다른 상품을 얻거나 부를 축적할 수 있게 되므로 분업을 촉진시킨다.

| 오답피하기 | ㄴ. 화폐의 출현은 교역을 증가시킨다.
ㄹ. 화폐의 출현은 거래비용을 감소시키고 분업을 통한 생산성의 향상을 가져온다.

11. 정답 ④

| 해설 | X재 시장에서는 수요와 공급이 모두 증가하였다.
X재 가격 상승 예상은 수요의 증가 요인이고, X재 생산비 하락은 공급의 증가 요인이다.

12. 정답 ②

| 해설 | 애덤 스미스는 『국부론』에서 '보이지 않는 손'의 예를 들어 시장의 자생적 질서와 수요·공급에 의한 가격기구의 장점을 설명하였다.
'보이지 않는 손'이 잘 작동하는 시장은 무수히 많은 수요자와 공급자가 존재하는 완전경쟁시장이라고 할 수 있다.

13. 정답 ④

| 해설 | 유동성 함정은 금리 인하를 통한 확장적 통화정책이 소비나 투자 등 실물변수에 영향을 주지 못하는 상태를 말한다. 경기가 침체될 것으로 예상되면 중앙은행은 정책금리를 낮추고 유동성을 공급한다. 그러나 명목이자율을 더 이상 낮출 수 없다면 더 이상 확장적 통화정책을 통한 경기진작은 어려워지는데, 이를 유동성 함정에 빠졌다고 표현한다. 이 구간에서는 통화량을 늘려도 통화수요 증가로 흡수되어 통화정책의 효과가 사라지는 상황이 나타난다.

관련 개념 짚어보기

유동성 함정(Liquidity Trap)

14. 정답 ④

| 해설 | 이윤극대화를 추구하는 경제주체는 기업이다. 따라서 A는 기업, B는 가계이고, (가) 시장은 생산물시장, (나) 시장은 생산요소시장이다.
생산요소시장에서는 노동, 토지, 자본 등의 생산요소가 거래된다.

| 오답피하기 | ① A(기업)는 생산의 주체이고, B(가계)는 소비의 주체이다.
② B(가계)는 효용극대화를 추구한다.
③ 생산물시장에서 B(가계)는 수요자, A(기업)는 공급자 역할을 한다.
⑤ 학생이 학용품을 구입하고 돈을 지불하는 것은 B(가계)가 생산물시장에 재화 구입에 따른 대가를 지불하는 화폐의 흐름으로 나타난다.

15. 정답 ⑤

| 해설 | A재와 B재는 교차탄력성이 0보다 크므로 서로 대체재이고, A재와 C재는 교차탄력성이 0보다 작으므로 서로 보완재이다.
ㄷ. B재 공급이 감소하면 B재 가격이 상승하므로 대체재인 A재의 수요가 증가하고, A재의 수요가 증가하면 A재의 보완재인 C재의 수요는 증가한다.
ㄹ. C재 공급이 감소하면 C재의 가격이 상승하고, 보완재인 A재의 수요가 감소하므로 A재의 가격은 하락한다.

| 오답피하기 | ㄱ. A재 공급이 증가하면 A재 가격이 하락하므로 A재의 대체재인 B재의 수요는 감소한다.
ㄴ. B재의 공급이 증가하면 B재의 가격이 하락하여 대체재인 A재의 수요가 감소하므로 A재의 가격은 하락한다.

16. 정답 ③

| 해설 | (가)는 최고가격제, (나)는 최저가격제이다.
준호. 최고가격제를 시행하면 초과수요가 발생해 암시장이 형성될 수 있다.
혜원. 주택임대료 규제는 임대료를 시장의 균형가격보다 낮게 통제하는 제도이므로 대표적인 최고가격제의 예이다. 최저임금제는 현재의 시장임금보다 높은 수준에서 최저임금을 정하므로 대표적인 최저가격제의 예이다.

| 오답피하기 | 성준. 최고가격제를 실시하면 공급량이 줄어들게 된다.
미연. 최저가격제를 시행하면 초과공급이 발생한다.

17. 정답 ⑤

| 해설 | 해외 자본의 투자는 국내 자본을 늘릴 수 있으므로 장기적 경제성장의 원인이 될 수 있다.

| 오답피하기 | ① 연구개발활동의 장려는 기술을 발전시켜 경제성장을 이룰 수 있다.
② 재산권에 대한 위협요소를 낮추면 안정적인 경제활동이 따른다.
③ 교육은 인적자본을 늘리는 데 도움이 된다.
④ 국민건강 증진은 노동의 질을 향상시켜 인적자본을 늘린다.

18. 정답 ②

| 해설 | 마찰적 실업은 직업을 바꾸거나 이직을 하는 과정에서 발생하는 일시적인 실업으로, 오랜 기간 지속되는 실업을 설명하기에는 적절하지 않다. 경제 내에 오랜 기간 지속되는 실업을 설명할 수 있는 것은 구조적 실업이다.

19. 정답 ⑤

| 해설 | A에서 B로의 균형점 이동은 수요곡선이 우측으로 이동해야 가능하다. X재와 보완관계에 있는 재화의 가격 하락은 X재의 수요 증가 요인이다.

20. 정답 ①

| 해설 | 노동수요는 노동의 산출물에 대한 파생수요이며, 이는 한계생산물가치(Marginal Revenue Product)로 구성된다. 총노동수요는 수요자들의 수요곡선의 총합이다.
ㄱ. 1인당 자본량이 증가할 시 노동자의 한계노동생산성이 증가하여 총노동수요가 증가한다.
ㄷ. 새로 창업한 기업의 노동수요가 증가하므로 총노동수요가 증가한다.

| 오답피하기 | ㄴ. 가계의 선호도 변화는 노동과 여가 중 무엇을 선택하는지에 대한 변화로, 이는 노동의 공급과 관련이 있다.
ㄹ. 한계노동생산성이 하락할 시 노동 투입의 한계산출물이 하락하므로 총노동수요는 감소한다.

21. 정답 ①

| 해설 | 경제성장률은 전년 대비 실질 GDP가 얼마나 증감하였는지를 나타내는 비율이다.
2018년의 실질GDP는 200억 달러, 2019년의 실질GDP도 200억 달러이므로 2019년의 경제성장률은 0%이다.

관련 개념 짚어보기

- GDP디플레이터 $= \dfrac{\text{명목GDP}}{\text{실질GDP}} \times 100$

- 경제성장률 $= \dfrac{\text{올해 실질GDP} - \text{작년 실질GDP}}{\text{작년 실질GDP}} \times 100$

22. 정답 ③

| 해설 | 경기침체의 우려가 있을 때 실행해야 할 경제 안정화 정책은 총수요를 늘릴 수 있는 확장적 통화정책과 재정정책이다.
ㄴ. 추가경정예산 편성과 같은 정부 재정지출 확대는 확장적 재정정책이다.
ㄷ. 중앙은행의 국공채 매입은 시중의 통화량을 증가시키는 확장적 통화정책이다.

| 오답피하기 | ㄱ. 법인세 최고세율의 인상은 기업의 이윤을 감소시켜 투자를 줄일 수 있다.
ㄹ. 소득공제 범위 축소는 가계의 가처분소득을 감소시켜 소비를 줄일 수 있다.

23. 정답 ①

| 해설 | (가)는 공유자원, (나)는 사적재, (다)는 클럽재, (라)는 순수 공공재에 해당한다.
'공유지의 비극'은 경합성은 있으나 배제성이 없는 재화가 과도한 낭비로 인해 고갈되는 현상을 말한다. 이에 해당하는 재화는 (가) 공유자원이다.

관련 개념 짚어보기

재화의 구분

구분		경합성	
		있음	없음
배제성	있음	• 사적재 • 아이스크림 • 옷	• 클럽재 • 케이블 TV • 유료 고속도로
	없음	• 공유자원 • 환경 • 바닷속 물고기 • 공유지의 비극	• 공공재 • 국방서비스

24. 정답 ⑤

| 해설 | 소득효과가 대체효과보다 클 때 노동공급곡선은 후방굴절한다. 소득효과란 임금 상승으로 노동을 적게 해도 이전과 동일한 소득을 얻으므로 노동공급을 줄이고 여가를 늘리는 것을 말하고, 대체효과란 임금이 상승하면 여가에 대한 기회비용이 커지므로 여가를 줄이고 노동공급을 늘리는 것을 말한다.

노동공급곡선의 후방굴절

25. 정답 ①

| **해설** | 데이비드 리카도는 자유무역을 옹호하는 근거로 '한 나라가 두 재화 생산에 모두 절대우위 혹은 절대열위에 있더라도 각국이 기회비용이 낮은 재화 생산에 특화하여 교환하면 두 나라가 모두 이익을 얻을 수 있다.'는 비교우위론을 주장하였다.
국가 간 무역이 생산요소의 상대 가격이 완전히 동일할 때까지 계속 이루어진다는 주장은 헥셔 – 올린 정리의 내용이다.

헥셔 – 올린 정리

리카도의 비교우위론에 생산요소 변수를 추가한 이론이다. 헥셔 – 올린 모형에 의하면 자본이 풍부한 나라는 자본집약적 재화를, 노동이 풍부한 나라는 노동집약적 재화를 수출한다. 이러한 국가 간의 무역은 생산요소의 상대 가격이 동일해질 때까지 이루어진다.

26. 정답 ④

| **해설** | X재 시장에서는 사적 비용보다 사회적 비용이 감소하므로 생산 측면의 긍정적 외부성이 발생했음을 알 수 있다.
ㄴ. 시장 거래량은 Q_0이고, 사회적 최적거래량은 Q_1이다.
ㄹ. X재의 생산자에게 보조금을 주면 사회적 최적거래량 수준에 도달할 수 있고 사회적 후생손실을 줄일 수 있다.

| **오답피하기** | ㄱ. 긍정적인 외부효과가 발생하고 있다.
ㄷ. 독감예방접종에 따른 독감발병률 감소는 소비 측면의 긍정적 외부성 사례에 해당한다.

27. 정답 ④

| **해설** | (가)는 완전경쟁시장, (나)는 독점적 경쟁시장, (다)는 독점시장, (라)는 과점시장이다.
ㄱ. 완전경쟁시장에서는 $P = MC$이므로 자원 배분이 효율적으로 이루어진다.
ㄴ. 독점적 경쟁시장은 다수의 기업들이 비슷하지만 질적으로 차별화된 상품을 생산하며, 시장 진입과 퇴출이 자유롭다. 사례로는 미용실, 음식점 등을 들 수 있다.
ㄷ. 독점시장은 특정 상품의 공급이 한 기업에서만 이루어져 다른 기업의 진입이 불가능하다.

| **오답피하기** | ㄹ. 과점시장에서는 상대방의 전략을 고려하여 의사결정을 하므로 상호 의존성이 높다.

28. 정답 ②

| **해설** | A사는 독점시장 체제가 깨져 과점시장으로 변화하는 과정에 처해 있다.
마스크를 독점 공급하다가 경쟁 관계에 있는 회사들의 참여로, 대체재가 생기는 상황이므로 A사 마스크의 수요 가격탄력성은 증가한다.

| **오답피하기** | ① A사의 이익은 감소할 것이다.
③ 대체재가 생겨나므로 A사 마스크의 교차 가격탄력성은 증가할 것이다.
④ A사 마스크의 수요 가격탄력성은 증가한다.
⑤ A사 마스크의 소득탄력성은 판단할 수 없다.

29. 정답 ③

| **해설** | 소규모 완전개방경제인 국가에서 신용카드와 같은 대체결제수단의 급격한 발전으로 화폐에 대한 수요가 감소하면, 이자율이 하락한다.
변동환율제도에서는 이자율 하락이 환율 상승으로 이어져 수출이 증가하므로 GDP가 증가한다. 그러나 고정환율제도에서는 중앙은행이 환율 상승을 상쇄하기 위해 외환을 매각하므로 국내 통화 공급이 감소한다. 따라서 환율 변동은 없고 GDP도 변하지 않는다.

30. 정답 ③

| **해설** | 상품수지 = 상품 수출 총액 – 상품 수입 총액이므로 상품수지는 20억 달러 흑자(= 70억 달러 – 50억 달러)이다. 따라서 ㉠은 흑자, ㉡은 20이다. 경상수지는 상품수지와 서비스수지의 합인데, 경상수지 적자 규모가 60억 달러이므로 서비스수지는 80억 달러 적자여야 한다. 따라서 ㉢은 적자, ㉣은 80이다.
㉣이 80억 달러 적자가 되기 위해서는 ㉤이 130이어야 한다. 따라서 A는 흑자, B는 적자, C는 230억 달러(= 20억 달러 + 80억 달러 + 130억 달러)이다.

국제수지표의 구성

	상품수지
경상수지	서비스수지
	본원소득수지
	이전소득수지
자본수지	
금융계정	
오차 및 누락	

시사경제 · 경영

31. 정답 ④

| 해설 | 테마주는 회사의 영업실적과 무관하게 특정 이슈나 루머에 의해 사회적 관심이 집중될 때 가격이 급등하는 주식을 말한다.

| 오답피하기 | ① 우량주: 다른 주식에 비해 기업의 수익성, 재무건전성 등이 훌륭하여 안정적인 수익률을 기대할 수 있는 주식을 말한다. 이러한 주식을 블루칩이라고도 한다.
② 배당주: 배당을 주는 주식을 말한다.
③ 황제주: 보통 1주당 100만 원이 넘는 주식을 말한다.
⑤ 우리사주: 특정 계약 등을 통해 회사의 근로자가 취득한 자기 회사의 주식을 말한다.

32. 정답 ③

| 해설 | 주식시장에서 개인적으로 투자하는 개인투자자를 개미라고 부른다. 문제에서 언급된 신조어는 동학개미운동이다.

33. 정답 ①

| 해설 | 주식회사 등의 외부감사에 관한 법률 제6조 제1항에서는 '회사의 대표이사와 회계담당 임원(회계담당 임원이 없는 경우에는 회계업무를 집행하는 직원)은 해당 회사의 재무제표를 작성할 책임이 있다.'고 규정하고 있다.

34. 정답 ④

| 해설 | CDS(Credit Default Swap, 신용부도스와프 또는 신용파산스와프)는 채무불이행에 대한 보험 역할을 하는 파생상품이다. 채무자로부터 채권을 구입한 채권자는 채무자의 채무불이행이라는 위험을 부담한다. 채권자는 이 위험을 회피하기 위해 CDS 판매자(주로 대형 금융기관)로부터 CDS 프리미엄을 주고 CDS를 구매한다. 채무자가 채무불이행을 하는 경우 CDS 구매자(=채권자)는 CDS 판매자로부터 원금을 보장받을 수 있고, 채무가 잘 이행되는 경우에는 CDS 판매자가 CDS 프리미엄만큼의 이익을 얻는 구조이다. 채무자의 채무불이행 확률이 높을수록 CDS 프리미엄은 상승한다.

| 오답피하기 | ① 전환사채(CB): 사채의 형태로 발행되었지만 후에 회사의 주식으로 교환할 수 있는 권리가 부여된 채권이다.
② 자산유동화증권(ABS): 부동산, 매출채권, 유가증권, 주택저당채권 및 기타 재산권 등과 같은 기업이나 은행이 보유한 유·무형의 유동화자산(Underlying Asset)을 기초로 하여 발행된 증권을 말한다.
③ 신주인수권부사채(BW): 사채의 형태로 발행되었지만 후에 미리 정한 가격에 회사의 신주를 매입할 수 있는 권리가 부여된 채권이다.
⑤ 파생결합펀드(DLF): DLS(Derivative Linked Securities)는 기초자산을 이자율, 환율, 실물자산 등으로 하여 특정 조건을 만족하면 일정한 수익률을 보장하는 상품으로, 이를 모아놓은 펀드를 파생결합펀드(DLF)라고 한다.

35. 정답 ②

| 해설 | 애플의 주가는 2020년 8월 중 뉴욕증시에서 467.77달러를 넘어서며 미국의 상장 기업 최초로 시가총액 2조 달러를 달성했다.

36. 정답 ⑤

| 해설 | 기간산업은 한 나라의 경제를 지탱하는 핵심산업을 말한다. 우리나라의 자동차, 반도체, 조선산업이 이에 해당한다.

| 오답피하기 | ① 사양산업: 경제와 기술의 발전으로 인해 자연스럽게 쇠퇴해가는 산업을 말한다. 우리나라의 경우 섬유산업을 예시로 들 수 있다.
② 리스산업: 자동차와 같은 물건을 대여하고 일정 기간 동안 그 대가를 분할하여 지급받는 형태의 산업을 말한다.
③ 뿌리산업: 주조, 금형, 용접 등 제조업의 근간이 되는 산업을 말한다.
④ 전방산업: 특정 회사를 기준으로 원재료 공급보다 최종 소비자에 가까운 산업을 말한다.

37. 정답 ②

| 해설 | 엔젤투자는 아이디어와 기술력은 있으나 자금이 부족한 예비 창업자, 창업 초기 단계(Early Stage)의 기업에 투자 및 경영 자문을 진행하여 성장시킨 후 투자 이익을 회수하는 투자 형태를 지칭한다.

| 오답피하기 | ① 집합투자: 다수의 투자자에게 자금을 모아 펀드를 설정하고 이 자금을 운용하여 수익을 나눠 갖는 형태이다.
③ 알파투자: 인덱스 펀드보다 더 높은 시장수익률을 추구하는 투자 방법이다.
④ 대체투자(Alternative Investment): 종래의 주식, 채권, 현금의 범주 중 하나에 속하지 않는 금융자산에 투자하는 행위이다. 사모펀드나 벤처캐피털, 헤지펀드, 부동산 등은 모두 대체투자의 예이다.
⑤ ESG투자: ESG는 환경(Environment), 사회(Social), 지배구조(Governance)의 영문 앞글자에서 따온 말로, 기업의 친환경 경영, 사회적 기여, 투명한 지배구조 등의 분야에서의 기업성과를 측정하는 지표를 말한다. 이 지표의 가치가 높은 기업에 투자하는 것을 ESG투자라고 한다.

38. 정답 ①

| 해설 | 직무발명보상금의 비과세 한도가 증가하면 실수령액이 커지므로 종업원은 기업의 혁신에 기여할 수 있는 특허 등을 개발할 의욕이 상승할 것이다.

39. 정답 ①

| 해설 | 톱니바퀴효과란 소득이 증가할 때에는 소비가 늘지만 소득이 감소할 때에는 비가역성으로 인해 소비가 별로 줄지 않는데, 이를 그래프로 도시하면 톱니 모양과 같다고 하여 붙여진 이름이다.

| 오답피하기 | ② 쿠퍼효과: 경기부양 정책의 효과는 점진적으로 나타나지만, 긴축정책으로 인한 경기하락은 급격하게 일어나는 비대칭적 현상을 말한다.
③ 밴드왜건효과: 자신의 주관 없이 대중적인 유행을 따라 이루어지는 소비현상을 말한다.
④ 기펜효과: 과거 아일랜드에서는 감자의 가격이 상승할수록 오히려 수요가 증가하는 수요법칙에 어긋나는 현상이 발생했다. 이는 열등재인 감자에 있어 소득효과가 대체효과보다 컸기 때문이다. 이와 유사한 현상이 나타나는 재화를 기펜재라고 부른다.
⑤ 나비효과: 하나의 작은 사건이 연쇄적으로 영향을 미쳐 나중에 예상하지 못한 엄청난 결과를 일으킬 수 있다는 의미이다. '브라질 나비의 작은 날갯짓이 텍사스의 태풍을 몰고 올 수 있다.'는 말로 표현된다.

40. 정답 ②

| **해설** | 엑시트는 주로 기관투자자나 창업자가 일정 기간이 지난 후 투자 자금을 회수하기 위하여 행하는 상장 후 매도 등의 출구전략을 말한다.

| **오답피하기** | ① 리볼빙: 카드사의 고객이 일정 기간 동안 사용한 대금 중 일부를 결제하면 나머지는 대출로 전환되어 다음 결제 대상으로 자동 이월되는 신용카드 결제 방식을 의미한다.
③ 데스 밸리: 벤처기업이 창업 후 초기 단계에서 어려움을 겪는 기간을 표현한 용어이다. 창업 후 새로운 제품이나 서비스가 수익을 창출하기까지의 사업화 과정에서, 수익은 없는데 많은 비용을 지출해야 한다. 결국 비용 지출은 초기 투자금에 의존할 수밖에 없는데, 많은 벤처 기업들이 이 기간을 넘기지 못하고 자금이 마른다. 과거 미국의 골드러시 당시 금광을 찾던 사람들이 데스 밸리의 높은 기온으로 인해 그곳을 넘지 못하고 죽어나간 것에서 유래한 용어이다.
④ 리니언시(Leniency): 관용, 관대, 자비를 의미하고, 자진 신고자 감면제라고도 한다. 담합행위를 한 기업들이 자백을 유도하도록 만든 제도로 자진 신고 시 과징금을 감면해주는 제도를 말한다. 경제학적으로 리니언시는 과점기업들의 카르텔(담합)을 죄수의 딜레마 상황으로 몰고 가 서로를 배신하게 만드는 의미가 있다.
⑤ 벤처캐피털: 성장성을 지닌 벤처기업에 투자한 후 경영을 종합적으로 지원하여 추후 엑시트를 통해 높은 수익률을 추구하는 기업을 의미한다.

41. 정답 ②

| **해설** | 채권자는 채무자가 채무를 상환하지 않을 경우에 대비하여 담보를 설정하는데, 이는 채무자가 의무를 성실하게 이행하지 못하면 경매절차와 같은 법적 효능을 발휘한다.

42. 정답 ⑤

| **해설** | 레버리지효과는 지렛대효과라고도 하는데, 투자액의 일부를 자기자본이 아닌 부채로 조달함으로써 자산의 가격변동률보다 훨씬 더 높은 투자수익률을 발생시킨다.

| **오답피하기** | ① 메기효과: 막강한 경쟁자의 존재가 다른 경쟁자들의 잠재력을 끌어올리는 효과를 말한다. 미꾸라지를 장거리 운송할 때 수조에 메기를 한 마리 넣으면 미꾸라지들이 메기를 피해 다니느라 활발히 움직여 미꾸라지가 상하지 않는다는 것에서 유래되었다.
② 캐시카우: BCG 매트릭스에서 사용되는 용어로, 안정적인 현금흐름을 창출해내는 사업부문을 말한다.
③ 엥겔 법칙: 소득이 증가함에 따라 가계의 총지출에서 음식비의 비중이 줄어드는 현상을 말한다.
④ 핀볼효과: 제임스 버크의 저서 『핀볼효과(The Pinball Effect)』에서 '우연적 사건의 연쇄가 세상을 움직인다.'라는 뜻으로 처음 등장한 용어이다. 경제성장률, 유동성, 금리, 투자심리 등이 복합적으로 작용하여 자산 가격을 크게 오르도록 만드는 것을 가리킨다.

43. 정답 ②

| **해설** | 기준금리는 한국은행의 최고 결정기구인 금융통화위원회에서 결정하는 정책금리로, 시중의 다양한 금리에 큰 영향을 미친다. 기준금리를 큰 폭으로 인하하는 행위를 '빅컷'이라고 한다.

| **오답피하기** | ① 콜금리: 금융기관 간 영업활동 과정에서 남거나 부족한 자금을 30일 이내의 초단기로 빌려주고 받는 것을 '콜'이라고 부르며, 이때 은행·보험·증권업자 간에 이루어지는 초단기 대차(貸借)에 적용되는 금리를 일컫는다.
③ 연방기금금리: 미국에서 은행 사이의 자금 거래에 있어 한국의 콜금리와 비슷한 역할을 하는 단기금리이다.
④ COFIX 금리: 은행연합회가 국내 8개 은행(농협, 신한, 우리, SC제일, 하나, 기업, 국민, 한국씨티)으로부터 자금 조달에 관한 정보를 제공받아 산출하는 자금조달비용지수이다. 콜금리를 대체하여 2010년 2월에 도입된 새로운 대출 기준금리이다.
⑤ KORIBOR 금리(Korea Inter-bank Offered Rate): 국내 은행 간 자금을 거래할 때 적용하는 호가금리를 말한다.

44. 정답 ①

| **해설** | 수직계열화는 대기업이 원재료 조달, 제조, 유통, 판매에 관련된 기업들을 계열사화하여 공급 사슬을 통제하에 두는 것을 말한다. 비용을 절감하고 효율성을 높일 수 있는 장점이 있지만, 통합에 큰 자본 투자가 필요하고 제품이 경쟁력을 잃거나 불황에 빠질 경우 계열사 전체가 연쇄적으로 위기에 빠질 수 있다는 단점이 있다.

| **오답피하기** | ② 수평계열화: 수직계열화와 달리 자사와 관계가 없는 기업들을 계열사화하는 것으로, 위험을 분산할 수 있다는 장점이 있다.

45. 정답 ①

| **해설** | 시뇨리지는 화폐 발행 권한을 갖고 있는 중앙은행 또는 국가가 화폐를 발행함으로써 얻게 되는 주조차익을 의미한다.

| **오답피하기** | ④ 케인스의 유효수요: 재화·용역에 대한 소비·투자로 구성되는 유효수요의 크기에 따라 사회의 경제 수준이 결정된다고 보는 케인스학파의 기초 이론이다.

46. 정답 ②

| **해설** | 사모펀드는 비공개적으로 선별된 소수의 투자자로부터 자금을 모집하여 주식, 부동산 등의 자산에 투자하여 운용되는 펀드이다. 대부분 투자 위험도가 높은 대신 기대수익률이 높다.

| **오답피하기** | ① 국부펀드: 주로 투자수익을 목적으로 다양한 종류의 국내외 자산에 투자·운용하는 국가 보유 투자기금을 말한다.
③ 공모펀드: 사업 확장 혹은 투자 확대를 위해 공공 시장에서 판매되는 회사의 증권이나 여타 금융상품을 말한다.
④ 매칭펀드: 일반적으로 사적 투자자가 특정 벤처·중소기업에 투자할 경우 정부와 같은 공공성 목적을 가진 기관에서 소정의 심사를 거쳐 그 투자와 동일한 조건으로 공동투자를 하는 펀드이다. 매칭펀드는 투자자의 위험을 감소시킴과 동시에 자금공급을 통하여 기업의 생존율을 제고하는 역할을 하며, 벤처기업에 대한 투자를 장려하기 위한 목적이 강하다.
⑤ 벤처펀드: 여러 투자자로부터 자금을 모아 벤처기업에 투자하는 펀드를 말한다.

47. 정답 ⑤

| 해설 | ㄷ. 소비액을 초과하는 소득액은 저축으로 이어진다.
ㄹ. 저축이 소비보다 많으면 저축된 자금을 통해 안정적인 노후생활을 보낼 수 있다.

| 오답피하기 | ㄱ. a점에서 저축 누적액이 가장 많다.
ㄴ. 청년기부터 중·장년기의 일정 시점까지는 소득이 증가한다.

48. 정답 ③

| 해설 | 그림자금융이란 글로벌 금융시스템 전반에 걸쳐 신용 창출을 촉진하지만 규제감독의 대상이 아닌 비은행 금융기관의 활동을 말한다. 규제 대상이 아닌 금융의 예로는 헤지펀드, 비상장파생상품, 기타 비상장상품 등이 있다.

| 오답피하기 | ① 브리지론(Bridge Loan): 주로 부동산 시장에서의 단기 대출을 의미하는데, 초기의 낮은 신용도로 인해 제1금융권으로부터 자금을 차입할 수 없는 시행사가 제2금융권으로부터 차입한 부채를 말한다.
② 리파이낸싱(Refinancing): 이미 보유한 부채를 상환하기 위해 다른 자금을 조달하는 행위를 말한다.
④ 메자닌금융: 메자닌은 건물의 층과 층 사이의 중간층 공간을 뜻하는 건축 용어이지만, 금융에서는 안전 자산과 위험 자산의 중간 위험에 속하는 자산에 투자하는 특성을 나타내는 용어로 쓰인다. 메자닌펀드는 채권(국채)보다 위험과 수익률이 높고, 주식(보통주)보다 위험과 수익률이 낮은 전환사채(CB), 신주인수권부사채(BW), 교환사채, 상환우선주식 등 주식 관련 채권에 주로 투자하는 펀드이다.
⑤ 구조화금융: 이미 시장에 존재하는 금융상품들로는 원하는 투자를 집행할 수 없을 때 주식 등의 기초자산에 옵션과 같은 파생상품 등을 결합하여 투자를 구조화하는 금융공학적 기법을 말한다.

49. 정답 ①

| 해설 | 반대매매는 주식, 선물과 같은 상품을 신용거래를 통해 매수한 후, 상품이 일정한 가치 이하로 하락하면 매수자의 의사와 상관없이 상품을 강제로 청산하는 것을 말한다.

| 오답피하기 | ② 재정거래: 차익거래(Arbitrage)의 다른 표현으로, 동일한 상품이 두 개의 시장에서 상이한 가격으로 거래되고 있을 때 저렴한 시장에서 상품을 구매하여 다른 시장에서 상대적으로 높은 가격에 판매함으로써 차익을 거두는 거래를 의미한다.
③ 정리매매: 상장폐지가 결정된 주식에 마지막으로 매도할 수 있는 기간을 부여하는 제도이다. 일반적으로 5~15일간 단일가 매매로 이루어진다.
④ 선물계약: 특정 상품을 특정한 미래 시점(만기)에 특정 가격(선물가격)에 거래하기로 현재 시점에 맺은 계약을 말한다. 미래의 위험을 헤지하거나 변동성을 추측하기 위해 사용된다.
⑤ 미수거래: 일종의 신용거래로, 증거금을 설정하고 증권사로부터 자금을 빌려 주식을 매수하는 행위를 말한다.

50. 정답 ⑤

| 해설 | 마이데이터는 2020년 8월부터 시행된 데이터 3법을 통해 도입된 제도이다. 단순히 개인에게 데이터의 관리 권한을 부여하는 것이 아니라 이를 적극적으로 활용하게끔 하는 기술을 의미한다.

| 오답피하기 | ① 챗봇: 음성 명령이나 문자 채팅을 통해 사람의 대화를 구현하는 컴퓨터 응용 프로그램으로, 대화 애플리케이션을 탑재한 인공지능 기술의 발달로 핀테크 부문에서 활용되고 있다.
② 오픈API: 소프트웨어 개발자들이 공개적으로 사용할 수 있는 앱 프로그래밍 인터페이스를 의미한다.
③ 블록체인: 비트코인이나 다른 암호화폐로부터 발생한 거래 기록이 P2P 네트워크에 연결된 여러 컴퓨터에 분산되어 저장, 유지되는 시스템이다.

51. 정답 ④

| 해설 | 칸티용효과는 양적완화 정책이 이루어져도 인플레이션은 점진적으로 발생하기 때문에 물가가 상승한 뒤에 유동성을 획득한 이의 상대적인 경제적 부담이 가중된다는 이론이다.

| 오답피하기 | ② 피셔효과: 명목금리가 실질금리와 기대인플레이션율의 합계와 같다는 미국의 경제학자 어빙 피셔가 발표한 이론이다.

52. 정답 ①

| 해설 | 파이어(FIRE)란 재무적으로 독립해 일찍 은퇴한다는 'Financial Independence, Retire Early'의 첫 글자를 따 만들어진 용어이다. 파이어족은 적극적인 자산 증식 또는 절약 및 저축을 통해 늦어도 40대에 은퇴하는 것을 꿈꾸는 이들을 말한다.

| 오답피하기 | ② 딩크족: 1980년대 미국에서 첫 등장한 뒤 현재는 우리나라에도 확산된 가족형태이다. 결혼은 하지만 자녀를 가지지 않는 맞벌이 부부를 말한다.
③ 프리터족: 일본에서 생겨난 신조어로 정규직이 아닌 아르바이트 등의 활동으로 생계를 유지하는 이들을 말한다.
④ 오렌지족: 1970~1980년대에 태어나 부유한 부모 밑에서 풍요로운 삶을 즐긴 강남의 20대 청년들을 말한다.
⑤ 니트족: 직업이 없는 청년 중 일할 의지조차 없는 이들을 말한다.

53. 정답 ①

| 해설 | 디플레이션이 발생하면 중앙은행은 확장적 통화정책을 통해 경기를 부양해야 한다.

| 오답피하기 | ② 디플레이션이 발생하면 물가 하락으로 실질금리가 상승하여 채무 상환 부담이 증가한다.
③ 디플레이션이 예상되면 가계와 기업은 경기침체를 대비하여 소비와 생산을 줄이게 된다.
④ 피셔효과에 의하면 '실질이자율 = 명목이자율 – 인플레이션율'이므로 디플레이션(– 인플레이션)이 발생하면 실질이자율은 증가한다.
⑤ 디플레이션은 특정 품목의 가격이 아니라 전반적인 물가 수준이 하락하는 현상을 말한다.

54. 정답 ③

| 해설 | 슈퍼세이버는 코로나19의 영향으로 소비와 투자보다 저축을 택한 기업 또는 가계를 의미한다. 슈퍼세이버의 확산은 장기 침체를 불러올 수 있다.

| 오답피하기 | ① 긴축발작(Taper Tantrum): 주로 미국의 양적완화 종료로 인한 기준금리 인상을 우려한 투자자들이 자금을 회수함으로써 신흥국들의 통화 가치, 증시 등이 급락하는 사태를 말한다. 발작 혹은 짜증을 뜻하는 의학 용어인 '탠트럼(Tantrum)'에 빗대어 생긴 신조어로, 긴축경련이라고도 한다.
② 신 파일러(Thin Filer): 카드 사용 내역과 같은 금융거래 정보가 적은 이들을 말한다.
④ 트리플 약세: 주가, 원화 가치, 채권가격의 하락을 의미한다. 주로 외국인의 국내 시장 자금이 해외로 유출되면서 일어난다.
⑤ 오퍼레이션 트위스트: 장기 금리의 하락을 유도하는 중앙은행의 공개시장조작 정책을 말한다. 장기 국채를 매수하고 단기 국채를 파는 방식으로 이루어진다.

55. 정답 ①

| 해설 | 워렌 버핏은 가치투자의 대표주자로 투자회사인 버크셔 해서웨이의 CEO이다.

| 오답피하기 | ⑤ 마크 저커버그는 메타(舊 페이스북)의 CEO이다.

56. 정답 ⑤

| 해설 | 밑줄 친 제도는 예금자보호법으로, 예금보험공사는 금융 불안정을 방지하기 위해 예금자보호법상 예금보호의 적용을 받는 금융회사의 금융상품에 대해 원리금을 5,000만 원까지 보호해주고 있다.

57. 정답 ⑤

| 해설 | 코넥스(KONEX, Korea New Exchange): 자본시장을 통한 초기 중소기업 지원의 강화를 위해, 은행대출 등 중소기업 자금 조달 창구 편중 현상, 중소기업 지원을 위한 코스닥시장 및 프리보드 기능 미흡 등을 해소하기 위해 개설된 중소기업 전용 주식시장을 말한다. 코스닥 전 단계의 주식시장이라 할 수 있다.

| 오답피하기 | ① 코스피: 우리나라 증권시장의 대표 종합주가지수로, 증권거래소에 상장된 기업들의 기준 시점 대비 비교 시점의 시가총액합 변동을 보여주는 지표이다.

58. 정답 ⑤

| 해설 | (가)에서는 서버의 과부화로 인한 암호화폐의 거래지연 문제, (나)에서는 암호화폐 시스템에 화폐 가치를 유지하기 위한 장치가 존재하지 않는다는 문제에 대한 비판을 제기하고 있다. 즉, (가)와 (나)에서는 공통적으로 암호화폐가 중앙은행의 기능 중 하나인 '통화 가치의 안정'을 수행할 수 없다는 점을 강조하고 있다.

59. 정답 ④

| 해설 | 제시문에서는 소득세 최고 세율을 높이는 행위가 오히려 세수를 감소시키고 경제 전체에 악영향을 끼친다는 주장을 하고 있다. 이에 적절한 사자성어는 지나치면 오히려 미치지 못한 것과 같다는 뜻을 가진 과유불급이다. 래퍼곡선은 이러한 주장을 뒷받침하는 근거이다.

| 오답피하기 | ② 유비무환: 미리 대비하면 근심이 없다는 뜻을 가진 사자성어이다.
③ 과공비례: 과도한 공손은 오히려 예의가 아니라는 뜻의 사자성어이다.
⑤ 고진감래: 쓴 것 뒤에는 단 것이 온다. 즉, 고생 끝에는 행복이 온다는 뜻을 가진 사자성어이다.

관련 개념 짚어보기

래퍼곡선

60. 정답 ③

| 해설 | A는 주식, B는 채권이다.
채권은 기업이 자금을 빌리고 발행한 차용증서로, 회사의 소유권 일부를 투자자에게 부여한 증서가 아니다. 일반적으로 기업은 채권자에게 정해진 이자율에 따라 이자를 주기적으로 지급해야 한다.

| 오답피하기 | ① 주식은 기업의 입장에서 자본에 해당한다.
② 채권은 주식과 달리 만기가 정해져 있다. 만기에 기업은 채권자에게 원금을 상환해주어야 한다.
④ 주식과 채권은 모두 시세 차익을 기대할 수 있다.
⑤ 채권은 주식과 달리 배당 수익을 기대할 수 없다.

상황추론 · 판단

61. 정답 ③

| 해설 | 경기과열에 대비하기 위한 경기 안정화 정책은 통화량을 줄이는 긴축적 통화정책이다. 통화량을 줄이기 위해서는 국공채 매각, 기준금리 인상, 재할인율 인상 등의 통화정책이 적절하다.

| 오답피하기 | ① 경기과열 상황에서는 물가상승률이 높다.
② 경기과열에 대응하는 정부의 정책은 정부지출을 줄이는 긴축적 재정정책이다.
④ 기준금리 인하는 통화량을 늘리는 확장적 통화정책이다.
⑤ 통화량을 줄이는 긴축적 통화정책에 성공하면 물가는 낮아지고, 실업은 증가할 것이다.

62. 정답 ②

| 해설 | 대체재인 Y재의 가격이 큰 폭으로 상승한다면 X재의 수요곡선은 우측으로 이동할 것이다. 새로운 생산기술의 적용으로 X재의 생산비용이 낮아진다면 X재의 공급곡선은 우측으로 이동할 것이다. 따라서 X재의 균형거래량은 증가하고, 균형가격은 불분명하다.

관련 개념 짚어보기

수요와 공급의 증가

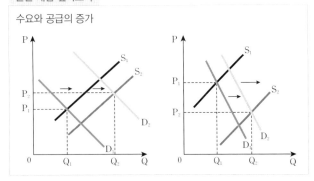

63. 정답 ②

| 해설 | ㄱ. 기준금리 인하로 시중 이자율이 낮게 유지될 것이므로 가계의 저축은 감소할 것이다.
ㄴ. 시중 이자율이 낮으므로 기업의 투자는 증가할 것이다.

| 오답피하기 | ㄷ. 국내 이자율이 낮으므로 이자 차익을 위해 국내 자금이 해외로 유출될 것이다.

64. 정답 ②

| 해설 | 제시문에서는 국제 유가 하락으로 인해 국내 유가가 하락하는 현상을 보여주고 있다.
유가가 하락하면 총공급곡선이 오른쪽으로 이동하고, 생산비용 감소로 기업의 경영은 개선될 것이다.

관련 개념 짚어보기

총공급의 증가

| 오답피하기 | ① 스태그플레이션은 유가 상승으로 총공급곡선이 왼쪽으로 이동할 때 발생한다.
③ 유가가 하락하면 제품 생산비용 하락으로 인해 공급곡선의 좌측으로 이동하므로, 제품 가격 인하로 국내 물가는 하락한다.
④ 기업의 상품 판매는 증가하고, 기업의 경영은 개선될 것이다.
⑤ 기업의 공급은 증가하고, 실질 국민소득은 증가할 것이다.

65. 정답 ③

| 해설 | 담배 소비를 줄이기 위해서는 담배의 가격을 인상시킴으로써 사람들의 수요를 줄여야 한다. 담배에 대한 세금을 인상하여 담배 가격이 상승하면 담배 소비가 감소할 것이다.

66. 정답 ③

| 해설 | 관세가 부과되면 정부의 관세수입은 ⓔ만큼 증가하고 생산자잉여 증가분은 ㉠이 된다. 감소된 잉여의 합인 ㉡ + ㉢이 자중손실이 된다.

관련 개념 짚어보기

관세의 효과

- 소비자잉여 감소분: a + b + c + d
- 생산자잉여 증가분: a
- 정부 재정 수입분: c
- 자중손실: b + d

67. 정답 ⑤

| 해설 | ㄷㄹ. A국 정부는 '빚 탕감' 정책을 민간 금융 회사로까지 확대하여 시행하고자 한다. 이 경우 채무자가 빚을 갚지 않으려는 도덕적 해이가 발생할 수 있고, 채권자와 금융기관 입장에서는 대부를 꺼려 신용시장이 위축될 수 있다.

| 오답피하기 | ㄱ. 공유지의 비극은 경합성은 있으나 배제성이 없는 재화와 관련이 있다.
ㄴ. 레몬시장은 정보 비대칭으로 인해 역선택이 발생하는 시장을 말한다.

68. 정답 ③

| 해설 | ㄴㄷ. A프로젝트를 선택할 때 얻을 수 있는 금액은 A프로젝트 순편익 15억 원(25억 원 – 10억 원)과 B프로젝트에서 회수한 10억 원을 더한 25억 원이다. B프로젝트를 선택할 때 얻을 수 있는 금액은 20억 원(30억 원 – 10억 원)이다. 따라서 10억 원을 A가 아니라 B에 투자한다면 10억 원을 A에 투자했을 때 얻을 수 있는 총 금액인 25억 원을 포기하는 셈이 된다.

| 오답피하기 | ㄱ. 10억 원을 A프로젝트에 투자할 때의 기회비용은 B프로젝트를 선택하지 않아서 생기는 총 금액이므로 20억 원이다.
ㄹ. 정부부처의 합리적 선택은 A프로젝트에 예산 10억 원을 투자하는 것이다.

69. 정답 ②

| **해설** | 지니계수가 커지는 것은 소득불평등도가 늘어나고 있음을 의미한다.
갑국의 지니계수는 커지고 있으므로 소득불평등도가 늘어나고 있고, 을국은 줄어들고 있다.

관련 개념 짚어보기

지니계수

사회의 소득불평등 정도를 나타내주는 지표로, 로렌츠곡선에서 45° 대각선 아래의 삼각형 대비 대각선과 로렌츠곡선 사이의 면적이 차지하는 비율을 나타낸다. 따라서 지니계수는 0에서 1 사이의 값을 지닌다.

70. 정답 ④

| **해설** | ㉠ 수출시장에서 경쟁 관계에 있는 을국이 자국 화폐의 평가절하를 단행하였으므로 갑국의 수출은 어려움을 겪을 것이다.
㉡ 불안정한 갑국의 정치 상황으로 외국인 관광객과 유학생의 수가 크게 줄면 외환의 공급이 줄고 환율은 상승할 것이다.
㉢ 안정적인 에너지 공급을 위해 병국 회사에 대규모의 해외 투자를 하기로 결정하면 외환의 수요가 증가할 것이다.
제시된 상황은 외화의 공급을 줄이고 외화의 수요를 늘려 환율을 인상시키고 있다. 환율이 인상되면 외채 상환 부담과 해외여행을 하려는 사람들의 경제적 부담 모두 늘어날 것이다.

71. 정답 ④

| **해설** | 수익성이 같다면 위험이 낮은 금융상품을 선택해야 한다. 이는 지배원리와 관련이 있다.

| **오답피하기** | ① 같은 일직선 위에 있는 상품이라면 위험에 상응하는 수익의 정도가 비례하므로 우열을 가릴 수 없다.
② 투자위험이 클수록 기대수익이 많으므로 High Risk, High Return이다.
③ 파생상품이나 주식형펀드는 High Risk, High Return에 해당하므로 E상품에 속할 것이다.
⑤ 기대수익을 올리려면 위험을 감수해야 하므로 위험과 수익을 동시에 충족할 수 없다.

72. 정답 ③

| **해설** | 미연: ㉠과 ㉡ 사이에 명목임금증가율이 실질임금증가율보다 높으므로 ㉡ 시점의 물가지수는 100보다 클 것이다.
상훈: ㉡과 ㉢ 사이에 실질임금증가율이 명목임금증가율보다 높으므로 ㉢ 시점의 물가지수는 100보다 작을 것이다.
성숙: ㉣과 ㉤ 사이에 명목임금증가율이 실질임금증가율보다 높으므로 ㉣~㉤ 중 물가지수가 가장 작았던 해는 ㉣이다.

| **오답피하기** | 호영: ㉡과 ㉣ 사이에 실질임금증가율이 명목임금증가율보다 높으므로 ㉡~㉣ 중 물가지수가 가장 작았던 해는 ㉣이다.

73. 정답 ④

| **해설** | 고용률(%) $= \dfrac{\text{취업자 수}}{\text{생산가능인구}} \times 100$이다. 생산가능인구와 고용률에 변화가 없다는 것은 취업자 수가 변하지 않았다는 것을 의미한다.

취업률(%) $= \dfrac{\text{취업자 수}}{\text{경제활동인구}(= \text{취업자 수} + \text{실업자 수})} \times 100$인데, 취업자 수가 변하지 않은 상황에서 취업률이 큰 폭으로 상승한 이유는 실업자가 크게 감소하였기 때문이다.

74. 정답 ⑤

| **해설** | BSI(Business Survey Index, 기업경기실사지수)는 국내외 경기 동향에 대한 사업가들의 판단, 예측 등의 변화 추이를 관찰하여 지수화한 지표이다.

관련 개념 짚어보기

BSI(Business Survey Index, 기업경기실사지수)

기업가들의 경기 전망을 살펴볼 수 있는 척도이다. OECD의 공식 기준을 바탕으로 부정/보통/긍정의 답변을 조사하고, 이의 비중을 바탕으로 지수를 도출한다. 100보다 높으면 기업가들은 경기를 긍정적으로 전망하고 있음을 의미한다.

$$BSI = \dfrac{\text{긍정적 응답업체 수} - \text{부정적 응답업체 수}}{\text{전체 응답업체 수}} \times 100 + 100$$

75. 정답 ⑤

| **해설** | 2008~2009년 원/달러 환율의 상승은 미국 서브프라임 모기지 사태로 인한 달러화의 수요 증가와 공급 감소의 영향을 받았다.

| **오답피하기** | ① 외환위기 직전의 우리나라 환율제도는 관리변동환율제로서 환율의 변동이 가능했다.
② 자유변동환율제도 시행 이후 원/달러 환율의 변동성은 극심하였다.
③ 외환위기가 발생하여 원/달러 환율이 상승하면 미국을 여행하기 위해 환전하는 사람들은 더 많은 원화를 소비해야 하므로 손해를 보았다.
④ 낮은 환율은 수입에 유리하므로 수입 물가는 낮아진다.

76. 정답 ⑤

| **해설** | ㄴ, ㅁ. 프랑스 파리의 자랑이었던 공용 전기차와 공용 자전거는 배제성은 없으나 경합성이 있는 재화이다.
ㄹ. 배제성이 없으면 무임승차가 일어나고, 경합성이 있으면 재화가 고갈되게 된다. 이를 공유지(공유자원)의 비극이라고 한다.

77. 정답 ①

| **해설** | 소비자잉여란 지불할 용의가 있는 최대 금액과 실제 지불한 금액의 차이를 말한다. 제시된 사람의 햄버거에 대한 지불용의와 소비자잉여를 나타내면 다음과 같다.

햄버거	1개	2개	3개	4개
지불용의	10,000원	7,000원	4,000원	2,000원
햄버거 가격	3,000원	3,000원	3,000원	3,000원
소비자잉여	7,000원	4,000원	1,000원	소비하지 않음

따라서 총소비자잉여는 12,000원(= 7,000원 + 4,000원 + 1,000원)이다.

78. 정답 ⑤

| **해설** | 제시된 필자의 주장은 독점적 위치를 차지하기 위해 정부의 규제를 이용하는 것은 경제에 해를 끼칠 수 있다는 것이다.

79. 정답 ②

| **해설** | 노령인구가 기술적으로 숙련되어 있을지라도 육체적 노동력은 감소하기 때문에 노동력 확보에 문제가 생겨 경제에 부담이 될 것이다.

80. 정답 ④

| **해설** | 제시문은 자산 축적이 노동 생산력을 증가시키므로 저축을 장려하고 있다.

eduwill

eduwill

eduwill

eduwill

2024 에듀윌 TESAT 8회분 기출문제집

발 행 일	2024년 5월 20일 초판
편 저 자	조시현, 고병규
펴 낸 이	양형남
개 발	정상욱, 조희진
펴 낸 곳	(주)에듀윌
등록번호	제25100-2002-000052호
주 소	08378 서울특별시 구로구 디지털로34길 55
	코오롱싸이언스밸리 2차 3층

www.eduwill.net

대표전화 1600-6700

여러분의 작은 소리
에듀윌은 크게 듣겠습니다.

본 교재에 대한 여러분의 목소리를 들려주세요.
공부하시면서 어려웠던 점, 궁금한 점,
칭찬하고 싶은 점, 개선할 점, 어떤 것이라도 좋습니다.

에듀윌은 여러분께서 나누어 주신 의견을
통해 끊임없이 발전하고 있습니다.

에듀윌 도서몰 book.eduwill.net
• 부가학습자료 및 정오표: 에듀윌 도서몰 → 도서자료실
• 교재 문의: 에듀윌 도서몰 → 문의하기 → 교재(내용, 출간) / 주문 및 배송

정답 및 해설

2024 최신판

에듀윌 TESAT
8회분 기출문제집
+해설특강

고객의 꿈, 직원의 꿈, 지역사회의 꿈을 실현한다

펴낸곳 (주)에듀윌　　**펴낸이** 양형남　　**출판총괄** 오용철　　**에듀윌 대표번호** 1600-6700

주소 서울시 구로구 디지털로 34길 55 코오롱싸이언스밸리 2차 3층　　**등록번호** 제25100-2002-000052호

협의 없는 무단 복제는 법으로 금지되어 있습니다.

에듀윌 도서몰
book.eduwill.net

・부가학습자료 및 정오표: 에듀윌 도서몰 > 도서자료실
・교재 문의: 에듀윌 도서몰 > 문의하기 > 교재(내용, 출간) / 주문 및 배송

에듀윌에서만 누릴 수 있는 역대급 기출 수록량!

에듀윌이 업계 최고의 한경TESAT
기출 서비스를 제공합니다

한권끝장
160문제

영역별 600제
208문제

역대급 총
1,008
문제 수록!

8회분
기출문제집
640문제

※ 상기 문항 수는 기출변형을 제외한 실제 기출문제 수를 의미하며, 향후 교재 개정 상황에 따라 변동될 수 있음

꿈을 현실로 만드는
에듀윌

DREAM

공무원 교육
- 선호도 1위, 신뢰도 1위! 브랜드만족도 1위!
- 합격자 수 2,100% 폭등시킨 독한 커리큘럼

자격증 교육
- 8년간 아무도 깨지 못한 기록 합격자 수 1위
- 가장 많은 합격자를 배출한 최고의 합격 시스템

직영학원
- 직영학원 수 1위
- 표준화된 커리큘럼과 호텔급 시설 자랑하는 전국 21개 학원

종합출판
- 온라인서점 베스트셀러 1위!
- 출제위원급 전문 교수진이 직접 집필한 합격 교재

어학 교육
- 토익 베스트셀러 1위
- 토익 동영상 강의 무료 제공
- 업계 최초 '토익 공식' 추천 AI 앱 서비스

콘텐츠 제휴 · B2B 교육
- 고객 맞춤형 위탁 교육 서비스 제공
- 기업, 기관, 대학 등 각 단체에 최적화된 고객 맞춤형 교육 및 제휴 서비스

부동산 아카데미
- 부동산 실무 교육 1위!
- 상위 1% 고소득 창업/취업 비법
- 부동산 실전 재테크 성공 비법

학점은행제
- 99%의 과목이수율
- 16년 연속 교육부 평가 인정 기관 선정

대학 편입
- 편입 교육 1위!
- 업계 유일 500% 환급 상품 서비스

국비무료 교육
- '5년우수훈련기관' 선정
- K-디지털, 산대특 등 특화 훈련과정
- 원격국비교육원 오픈

에듀윌 교육서비스 **공무원 교육** 9급공무원/7급공무원/경찰공무원/소방공무원/계리직공무원/기술직공무원/군무원 **자격증 교육** 공인중개사/주택관리사/감정평가사/노무사/전기기사/경비지도사/검정고시/소방설비기사/소방시설관리사/사회복지사1급/건축기사/토목기사/직업상담사/전기기능사/산업안전기사/위험물산업기사/위험물기능사/유통관리사/물류관리사/행정사/한국사능력검정/한경TESAT/매경TEST/KBS한국어능력시험·실용글쓰기/ITA자격증/국제무역사/무역영어 **어학 교육** 토익 교재/토익 동영상 강의/인공지능 토익 앱 **세무/회계** 회계사/세무사/전산세무회계/ERP정보관리사/재경관리사 **대학 편입** 편입 교재/편입 영어·수학/경찰대/의치대/편입 컨설팅·면접 **직영학원** 공무원학원/소방학원/공인중개사 학원/주택관리사 학원/전기기사학원/세무사·회계사 학원/편입학원 **종합출판** 공무원·자격증 수험교재 및 단행본 **학점은행제** 교육부 평가인정기관 원격평생교육원(사회복지사2급/경영학/CPA)/교육부 평가인정기관 원격 사회교육원(사회복지사2급/심리학) **콘텐츠 제휴·B2B 교육** 교육 콘텐츠 제휴/기업 맞춤 자격증 교육/대학 취업역량 강화 **부동산 아카데미** 부동산 창업CEO/부동산 경매 마스터/부동산 컨설팅 **국비무료 교육 (국비교육원)** 전기기능사/전기(산업)기사/소방설비(산업)기사/IT(빅데이터/자바프로그램/파이썬)/게임그래픽/3D프린터/실내건축디자인/웹퍼블리셔/그래픽디자인/영상편집(유튜브)디자인/온라인 쇼핑몰광고 및 제작(쿠팡, 스마트스토어)/전산세무회계/컴퓨터활용능력/ITQ/GTQ/직업상담사

교육 문의 **1600-6700** www.eduwill.net